JOSÉ DE LA RIVA-AGÜERO

PAISAJES PERUANOS

Estudio, edición y notas de Jorge Wiesse Rebagliati

Iberoamericana - Vervuert

2022

Este libro se publica gracias al generoso apoyo de la Universidad del Pacífico (Lima) y de la Pontificia Universidad Católica del Perú.

Pedro M. Benvenutto Murrieta
José A. de la Puente Candamo
Armando Nieto Vélez, S. J.

IN MEMORIAM

ÍNDICE

Con alguna hipérbole (muy poca, en realidad), podría afirmarse que este estudio empezó a escribirse en febrero de 1971, cuando crucé por primera vez el umbral de la casa Riva-Agüero, en la calle Lártiga, actual jirón Camaná, en el centro histórico de Lima. Me acompañaba mi amigo —mi hermano— Alejandro Ferreyros Küppers y buscábamos a Carlos Gatti para pedirle un consejo sobre un trámite que debíamos cumplir en la Pontificia Universidad Católica del Perú, a la que acabábamos de ingresar. Carlos era en esa época el secretario del Instituto Riva-Agüero y trabajaba por las tardes. Como nosotros fuimos por la mañana, no lo encontramos. Nos había facilitado su nombre un amigo común: José María Navarro Pascual, compañero de estudios de Carlos Gatti en la Facultad de Letras y Ciencias Humanas de la Universidad Católica.

Regresé a la casona cuando se iniciaron las clases, en abril de 1971, pues allá se realizaban las prácticas del curso de Lengua I que dictaba Luis Jaime Cisneros en el local de la universidad en la plaza Francia, que cierra por el sur el jirón Camaná. La ruta entre esa plaza y la casa Riva-Agüero era un intenso bullir de alumnos de la Católica. Sin embargo, no fue sino en 1972, cuando Carlos Gatti nos convocó, a varios compañeros y compañeras de promoción y a mí, para formarnos en las labores del Seminario de Lengua y Literatura del Instituto Riva-Agüero, heredero del antiguo Seminario de Filología, cuando empecé a ir regularmente a la casa de Lártiga. Alonso Cueto Caballero, María Gracia Martínez Pizarro, Rosa Samamé Figuerola y varios otros alumnos de nuestro año integraban el grupo.

La labor docente y tutorial de Carlos Gatti fue clave para nuestra formación, que se complementó —y cuánto— con los intercambios directos que se suscitaban en los patios (sobre todo el segundo), en la sala de seminarios o en la Sala España de la casa entre profesores de labor intelectual ya asentada, jóvenes investigadores que se iniciaban en la docencia y nosotros, que veníamos con nuestras lecturas desordenadas y muchas ganas de aprender. En retrospectiva, considero que conversar con José Agustín de la Puente Candamo, Armando Nieto Vélez, Margarita Guerra Martinière, César Gutiérrez Muñoz, Ricardo González Vigil y otros profesores fue un raro privilegio que me abrió a la vida académica tanto o más que las clases. Poder seguir libremente, sin ninguna obligación previa ni ningún reconocimiento posterior, un seminario sobre san Ireneo de Lyon con un especialista en Patrística como Mons. Óscar Alzamora Revoredo o asistir a una conferencia de Julián Marías o de Jorge Basadre o sencillamente recorrer con la vista los lomos de los libros magníficamente encuadernados de la biblioteca de don José de la Riva-Agüero que se guardaban en la antigua Dirección fueron experiencias que marcaron mi juventud y decidieron mi vocación.

Cuando el Dr. de la Puente y Carlos Gatti me llamaron en 1974 para trabajar con ellos en la Secretaría del Instituto, primero como subsecretario y luego como secretario adjunto, mis vínculos con la casa se estrecharon mucho más, y se prolongaron (siguen todavía) aun después de que dejé de trabajar en ella, en el otoño austral de 1987.

No puedo encontrar mejor lugar ni mejor momento para recordar en la figura de Luis Repetto Málaga, quien falleció recientemente a causa de la peste, a todos los amigos y amigas a los que la casa acogió y quienes, a su vez, se prolongaron vitalmente en ella: José Antonio Rodríguez Garrido, Pedro Guibovich Pérez, Armando Guevara Gil, Hugo Pereyra Plasencia, Luis Bacigalupo Cavero-Egúsquiza, Carlos Castillo Sánchez, Milena Cáceres Valderrama, Gilda Cogorno, Ángela Portocarrero Barandiarán, Inés del Águila Ríos, José Chichizola Debernardi, José Ugarte Pierrend, Luis Eduardo Wuffarden Revilla y un largo etcétera.

Aunque no vinculado con la casa de Lártiga, sino con otra casa de Riva-Agüero, la de la calle Lima del balneario de Chorrillos (donde se compiló y corrigió el manuscrito de 1931 que es la base de nuestra edición), quiero recordar también aquí al R.P. Ricardo Wiesse Thorndike, limeño cabal, quien se habría sentido feliz con este trabajo. Basado en un testimonio oral suyo, me lo imagino niño y adolescente en los veranos de la década de 1930 paseando con sus hermanos en Chorrillos, quizás en la misma calle Lima, donde estaba la casa de sus abuelos maternos, e intercambiando saludos y algunas palabras con don José de la Riva-Agüero, exalumno de su abuelo Carlos Wiesse Portocarrero en la Universidad de San Marcos, colaborador como su padre Carlos A. Wiesse Romero en *Mercurio Peruano* —la revista dirigida por su padrino Víctor Andrés Belaunde—, y amigo cercano de su tío político Emilio Ortiz de Zevallos Vidaurre.

Empecé a estudiar *Paisajes peruanos* en 1998: mi participación en el coloquio *Centenario de la generación del 98. España y América*, organizado por el Departamento de Humanidades de la Pontificia Universidad Católica del Perú, la Embajada de España en el Perú y el Centro Cultural de España de Lima, en setiembre y octubre de 1998, juntó tres intereses: la prosa rítmica, el libro de Riva-Agüero y los escritores de la generación del 98 —Azorín, Machado, Unamuno—, autores cuyas obras leía y analizaba con mis alumnos de la asignatura de Literatura Contemporánea Española que dictaba entonces y que dicté hasta hace pocos años en la Facultad de Letras y Ciencias Humanas de la Universidad Católica.

Luego de más de una década, en octubre de 2010, los estudiantes de Historia de la citada Facultad me invitaron a clausurar el XX Coloquio de Estudiantes de Historia. Cumplí con ellos con una conferencia —que luego se transformó en artículo— sobre el género de *Paisajes peruanos*. A partir de ese momento, nuevas oportunidades se sucedieron para seguir reflexionando sobre el libro de Riva-Agüero. En 2012, año del centenario del viaje del historiador limeño por la Sierra peruana, José de la Puente Brunke, que en esa época era director del Instituto Riva-Agüero, me pidió que organizara un congreso para conmemorar el acontecimiento. El congreso se realizó en la casa de Lártiga en noviembre de ese año. Un libro, *«Paisajes peruanos». José de la Riva-Agüero, la ruta y el texto*, que apareció en 2013, recogió diecisiete de las ponencias presentadas. En noviembre del mismo año, invitado por la Universidad de Friburgo (Suiza), participé con una comunicación sobre *Paisajes peruanos* en el coloquio *La imagen del otro en el escritor hispánico del siglo XX*. Pude exponer mis ideas sobre el libro de viajes peruano ante un selecto grupo de teóricos y de creadores de relatos de viajes como Alfonso Armada, Ana María Briongos, Geneviève Champeau y Julio Peñate Rivero. Un año después, en noviembre de 2014, invitado por Javier Zamora Bonilla, entonces director del Instituto de Estudios Orteguianos de la Fundación Ortega-Marañón de Madrid, en las jornadas internacionales *La generación de 1914. Su circunstancia europea y transatlántica,* presenté una ponencia sobre las relaciones entre José de la Riva-Agüero y José Ortega y Gasset que incluía referencias a *Paisajes peruanos.* El trato frecuente con Margarida Amoedo y con Jaime de Salas en esas jornadas me permitió afinar mis conocimientos sobre la circunstancia orteguiana y su relación con el paisaje. Una rara oportunidad de intercambio de ideas con colegas italianos se presentó en octubre de 2015, en la Accademia Petrarca de Arezzo, gracias la invitación de su presidente, el Prof. Giulio Firpo. En junio de 2016 pude trabajar nuevamente el texto de *Paisajes:* ofrecí una contribución en el conversatorio *Ciudades inteligentes y relatos de viajes,* organizado por la Facultad de Ingeniería de la Universidad del Pacífico. Intercambiar ideas con Luis Alonso, del Media Lab del Massachusetts Institute of Technology (MIT), y con otros especialistas fue una experiencia enriquecedora. Luego, en febrero de 2018, dicté la conferencia «La nación detrás del paisaje. El Perú: distancia y epifanía» en la Universidad de Brown. Agradezco a Julio Ortega y a los colegas del departamento de Estudios Hispánicos por las atinadas observaciones que me hicieron a propósito de *Paisajes peruanos.*

He aprendido mucho sobre relatos de viaje conversando con y oyendo a Luis Alburquerque García, mi codirector de tesis, en Lima, en Friburgo y en Madrid. El aporte de sus ideas a la armazón teórica de esta tesis ha sido fundamental. La estancia que realicé en el Consejo Superior de Investigaciones Científicas (CSIC) de Madrid en enero y febrero de 2019 me permitió beneficiarme diariamente de su consejo y de su orientación. Las animadas conversaciones con José Luis García Barrientos, Ángel Pérez Martínez —cuyos conocimientos de literatura viática y humanidades digitales le permiten una flexibilidad intelectual fuera de lo común— y Mariano Quirós García en las oficinas, los pasillos, las salas de reuniones y la cafetería del edificio de la calle Albasanz contribuyeron, a la vez, a abrirme perspectivas y a focalizar mi trabajo. La atención constante de Enrique Palma Bellido, secretario del Instituto de Lengua, Literatura y Antropología del CSIC, me facilitó el día a día de esa estancia y pude aprovecharla intensamente, como si hubiera sido uno más de los investigadores del Consejo.

La discusión de mis ideas en el contexto de las actividades del grupo Littera de la Universidad Nacional de Educación a Distancia de Madrid en febrero de 2019 permitió que me beneficiara de los comentarios de mis colegas y amigos Rosa María Aradra Sánchez y José Ramón Carriazo Ruiz. A partir de las que expuse en mayo de ese año en el marco de los Seminarios Áureos del Grupo de Investigación Siglo de Oro (GRISO) en la Universidad de Navarra y gracias a las opiniones de los profesores y estudiantes graduados que participaron en el seminario, pude precisar las aún vagas reflexiones que entonces daban vueltas en mi conciencia sobre la transformación de las crónicas de Indias en evocación histórica que Riva-Agüero ejecuta en el capítulo IX de *Paisajes*. Ignacio Arellano, Carlos Mata Induráin, Jesús Dorado Blanco, J. Enrique Duarte, Blanca Oteiza, Sara Santa Aguilar y Miren Usunáriz fueron interlocutores atentos y perspicaces. Han aportado también a esta investigación las opiniones de Antonio Sánchez Jiménez, de la Universidad de Neuchâtel, donde expuse en mayo de 2019 algunos de los temas que se han desarrollado en ella. Uno, muy puntual, fue presentado en la Universidad de Cádiz, en el marco del VII Congreso Internacional de Lingüística Coseriana, en enero de 2020. Mis colegas, y especialmente José María García Martín y Ana María Agud, me ilustraron con sus comentarios y sugerencias.

Agradezco el acogimiento de los *colleges* Emmanuel y Fitzwilliam y del Centre for Latin American Studies de la Universidad de Cambridge. El intercambio de opiniones que se generó luego de la comunicación sobre la épica en *Paisajes peruanos* que presenté en el Centre en enero de 2020 me obligó a repensar algunas ideas y a reafirmarme en otras. Quedo reconocido por ello a parte de los asistentes: David Brading, Celia Wu Brading, Consuelo Sáizar, Joanna Page y Caroline Egan. Con las doctoras Egan y Wu mantengo deudas de gratitud que difícilmente podré saldar. Las conversaciones que surgieron después de mi presentación en el Centre of Latin American Studies de la Universidad de Oxford, adonde pude viajar gracias a la ayuda del Fondo Rosemary Thorp, también en enero de 2020, me ayudaron a comprender mejor el contexto de *Paisajes peruanos*. Agradezco vivamente a todos los que participaron en ellas y, de manera particular, a Eduardo Posada Carbó y a Carlos Pérez Ricart.

El apoyo de la Universidad del Pacífico a la realización de este texto ha sido esencial. Sin el año sabático que me concedió, no habría tenido ni la tranquilidad ni los medios para acometer una investigación de esta envergadura. En retribución, creo que puedo entregarle un trabajo que no desmerece el realizado por mis predecesores. Pedro M. Benvenutto Murrieta, César Pacheco Vélez y Percy Cayo Córdova, profesores del Departamento Académico de Humanidades, fueron conocedores solventes y seguros de la obra de José de la Riva-Agüero.

En esta línea, agradezco a Martín Monsalve Zanatti, actual jefe del Departamento, por haberme orientado (no solo bibliográficamente) en la parte histórica del estudio preliminar, y por su respaldo incondicional.

El entusiasmo y el compromiso efectivo de las autoridades máximas y de las directoras de los fondos editoriales de la Pontificia Universidad Católica del Perú y de la Universidad del Pacífico de Lima fueron clave para la edición de este libro. Lo fueron también los del equipo editorial de la Biblioteca Indiana dirigida por el GRISO de la Universidad de Navarra y el Proyecto Estudios Indianos de la Universidad del Pacífico. A todos, vaya mi gratitud emocionada.

Sin la colaboración y el consejo de José Antonio Salas García no habría podido lidiar con las referencias a los idiomas prehispánicos, y en especial a la fonética quechua y a su representación ortográfica, que aparecen en varias partes del texto. Deseo manifestarle aquí mi gratitud en los términos más amplios posibles. Jaime Quispe Cansino me aclaró un aspecto puntual del folklore andino. Le quedo muy agradecido por ello.

Esta edición ha demandado un trabajo intenso en el Archivo Histórico Riva-Agüero. Agradezco a su directora, Ada Arrieta Álvarez, por la permanente solicitud con la que apoyó nuestras indagaciones. Agradezco también a las autoridades y a los bibliotecarios de la Biblioteca Tomás Navarro Tomás del CSIC de Madrid, de la Biblioteca de la Residencia de Estudiantes de Madrid, de la Biblioteca Central y de la Biblioteca del Instituto Riva-Agüero de la Pontificia Universidad Católica del Perú, de la Biblioteca de la Universidad del Pacífico y de la Biblioteca Benvenutto de la citada institución, y de la Biblioteca del Club Nacional de Lima. Raúl Flores, de la Biblioteca del Instituto Riva-Agüero; Milagros Peralta, de la Biblioteca de la Universidad del Pacífico; Milagros Ríos Pereyra, de la Biblioteca Benvenutto; y Alfredo Mena y su equipo, de la del Club Nacional, soportaron pacientemente mis pedidos insistentes y abundantes. Les agradezco reiteradamente por ello.

Vayan mi más vivo reconocimiento y mi gratitud más sincera a Mariela Insúa Cereceda, del GRISO de la Universidad de Navarra, y a Miren Usunáriz Iribertegui, compañera de estudios en el doctorado de Artes y Humanidades y también miembro del GRISO, por su cooperación permanente y por su amistad. Agradezco de corazón a mis colaboradores inmediatos, quienes me han ayudado a sortear problemas técnicos, fundamentalmente de presentación del material textual, que mi poca pericia habría convertido en perdurables: Jorge Bambarén Espinosa, Daphne Cornejo Retamozo, Jean Christian Egoávil Ríos, Ivonne Macazana Galdos y Enrique Urteaga Araujo.

Finalmente, quiero dar las gracias más expresivas a Ignacio Arellano Ayuso, que dirigió mi tesis doctoral en Artes y Humanidades en la Universidad de Navarra, pues su atención cuidadosa, rápida y esmerada, y su confianza en que este proyecto editorial podía llevarse a cabo fueron tónicos eficaces para mi voluntad, decaída a veces, sobre todo en los últimos tiempos. Y a Martina Vinatea Recoba y Carlos Gatti Murriel, cuyo entusiasmo por lo que hago excede frecuentemente la medida de lo que les entrego.

Lima, febrero de 2021

J.W.R.

ESTUDIO INTRODUCTORIO

I. José de la Riva-Agüero. El hombre y la obra

1.1. Biografía intelectual

José Carlos de la Riva-Agüero y Osma nació en Lima el 26 de febrero de 1885, en la casa solariega de los Ramírez de Arellano, mansión que acoge desde 1947 al Instituto Riva-Agüero de la Pontificia Universidad Católica del Perú. La casona ocupa uno de los terrenos de la original Lima cuadrada de Pizarro —cuadrada por el diseño en escaques—, en la calle Lártiga (actualmente, parte del jirón Camaná) 459. José fue hijo único del matrimonio de José Carlos de la Riva-Agüero y Riglos y de María de los Dolores Carmen de Osma y Sancho Dávila. Por ambas ramas —sobre todo por la materna, entroncada con los primeros conquistadores y fundadores de Lima—, don José descendió de familias de la nobleza virreinal[1], que le legaron títulos y cuantioso patrimonio. Su bisabuelo, el gran mariscal José de la Riva-Agüero y Sánchez Boquete, desempeñó un prominente papel político en los últimos años del Virreinato y los primeros de la República: ejerció algunos meses la presidencia de la recién nacida república (1823) y entre 1838 y 1839, en los años de la Confederación Perú Boliviana, la del Estado Nor Peruano. Sus tíos habían sido ministros de Estado[2].

Hijo de un matrimonio al parecer poco avenido, pasa una infancia triste, como las de sus compañeros de generación, si se consideran los testimonios de José Gálvez, Luis Fernán Cisneros, Víctor Andrés

---

[1] Jiménez Borja, 1962, p. 3; Varillas Montenegro, 2008, p. xv.
[2] Varillas Montenegro, 2008, p. xv.

Belaunde, Ventura García Calderón y las del propio Riva-Agüero. Fue la época de los años inmediatamente posteriores a la guerra con Chile (1879-1884), en la que predominaba la pobreza, el abatimiento, el pesimismo[3]. El niño Riva-Agüero se encierra a leer en la biblioteca de la casa familiar. Más tarde, ingresa al Colegio de los Sagrados Corazones o de la Recoleta, donde destaca por su viva inteligencia y prodigiosa memoria[4]. A los ocho años, cuando entró al colegio, ya había leído libros de Historia, como los de Mendiburu y Prescott, y de Literatura, como las *Tradiciones peruanas* de Ricardo Palma y pasajes de la *Antología griega*[5], entre otros. Castelar, Cantú, De Maistre, Donoso Cortés y Taine eran autores de los que conversaba, ya adolescente, con Francisco García Calderón[6]. Poco más tarde, hacia 1900, confiesa interés por Guizot, Menéndez Pelayo y, quizás para sorpresa de algunos, por el Nietzsche del *Origen de la tragedia*, *Así habló Zaratustra* y el *Crepúsculo de los ídolos*[7]. Como lo señala Jiménez Borja, en José de la Riva-Agüero influye más la «educación espontánea» que la escolar. La primera llega a «invadir» la segunda cuando la madre contrata a un profesor de latín para que el joven José complete este aspecto de su formación. Según Jiménez, Riva-Agüero era excelente latinista, citaba a Virgilio y a Lucrecio cuando la ocasión era propicia y rezaba con los salmos de la Vulgata[8].

Egresó del colegio en 1901, después de pronunciar el discurso de despedida a nombre de su promoción. Ingresó a la Facultad de Letras de la Universidad Nacional Mayor de San Marcos de Lima al comenzar el año lectivo de 1902. La etapa universitaria de Riva-Agüero fue brillante, concitó «admiraciones y consagraciones» quizás también —además de por su excelencia en cuestiones académicas— porque sus posiciones, como afirma Jiménez Borja, coincidieron con el liberalismo y también con el positivismo imperantes en el claustro[9]. En 1905 se graduó de bachiller en Letras con la tesis *Carácter de la literatura del Perú independiente*, con la que, según Alberto Varillas,

[3] Pacheco Vélez, 1993d, p. 225.
[4] Jiménez Borja, 1962, p. 15.
[5] Loayza, 2010c, p. 240.
[6] Loayza, 2010c, pp. 239-240.
[7] Loayza, 2010c, pp. 240-241.
[8] Jiménez Borja, 1962, p. 17.
[9] Jiménez Borja, 1962, p. 19.

«se inauguran los estudios sobre la literatura del Perú republicano»[10]. Además del entusiasmo local, la tesis fue conocida y elogiada por Miguel de Unamuno[11], quien le dedicó una larga reseña publicada en los números 69 y 70 de la revista madrileña *La Lectura,* de septiembre y octubre de 1906[12]. Y también por Marcelino Menéndez Pelayo. En carta al sabio santanderino, Riva-Agüero reconoce que la *Introducción* del tomo tercero de su *Antología de poetas hispano-americanos* inspiró su *Carácter...*[13]. Tardíamente, en 1911, Menéndez Pelayo reconoce el valor de ese ensayo, pero juzga superior la siguiente tesis de Riva-Agüero, *La Historia en el Perú*[14], con la que se había graduado de doctor en Letras en 1910. Jorge Basadre destaca la dimensión internacional del estudio de Riva-Agüero, pues «todavía no se había publicado una obra valiosa sobre historia de la historiografía»[15]. Sin embargo, ni en cuestiones como las relativas a la historia andina ni en relación a sus opiniones sobre la Colonia, estos dos libros iniciales pueden juzgarse que reflejan todo o por lo menos el pensamiento final de Riva-Agüero sobre esos temas. Raúl Porras observa que Riva-Agüero, tanto en *Carácter de la literatura del Perú independiente* como en *La Historia en el Perú,* al denostar la época virreinal, siguió la moda crítica posterior a la Independencia agudizada por el conflicto hispano-peruano de 1864 y por la propaganda anticatólica de Manuel González Prada: «era la posición favorita de sociólogos recientes, como [Carlos] Lissón y [Javier] Prado»[16].

En 1911 se graduó de bachiller en Jurisprudencia con la tesis *Fundamento de los interdictos posesorios*[17]; en 1913 obtuvo el título de abogado y se graduó de doctor en Jurisprudencia con la tesis *Concepto del*

[10] Varillas Montenegro, 2008, p. xli.

[11] Riva-Agüero le escribió a Unamuno sobre su tesis: «Dos autores peninsulares han sido los que han inspirado las páginas que usted va a leer: Menéndez Pelayo la parte propiamente histórica, y usted el primer capítulo y todas las conclusiones» (Riva-Agüero a Unamuno, carta del 25 de septiembre de 1905, Pacheco Vélez, 1993c, p. 187).

[12] Unamuno, 1962 [1905], pp. 343-384.

[13] Riva-Agüero a Menéndez Pelayo, Lima, 24 de septiembre de 1905, en Pacheco Vélez, 1956-1957, p. 57.

[14] Menéndez Pelayo a Riva-Agüero, Santander, 20 de septiembre de 1911, en Pacheco Vélez, 1956-1957, pp. 58-59.

[15] Basadre, 1965, p. XI.

[16] Porras Barrenechea, 1955, CXXXVI. Ver también Prado, 1941 [1894].

[17] Jiménez Borja, 1962, p. 28.

Derecho[18]. Recientemente, Víctor Samuel Rivera ha llamado la atención sobre el vínculo entre *Concepto del Derecho* y las ideas de Joseph de Maistre y Juan Donoso Cortés. Y también entre estas y el artículo[19], que propugnaba la legitimidad del acto de fuerza[20], con el que Riva-Agüero abogó por los revolucionarios pierolistas en 1911 y que le acarreó tanto un día de cárcel como el unánime apoyo estudiantil que provocó su excarcelación.

En lugar de aprovechar la oportunidad política y de convertirse en un caudillo, urgido por varios partidarios suyos a apoyar la candidatura populista de Guillermo Billinghurst promovida, en parte, por sus familiares civilistas Enrique Barreda y Osma y Enrique de la Riva-Agüero, con la que la joven figura política no quería comprometerse[21], don José decide acometer en 1912 el peregrinaje histórico peruanista que se refleja en *Paisajes peruanos*.

Luego, según César Pacheco, por razones fundamentalmente sentimentales —la renuncia al «romance juvenil» con la señorita María Emilia Heudebert[22]— viajó en 1913 a Europa por Nueva York. Visitó Francia, Bélgica, Italia y España. En esa oportunidad representó al Perú en el Congreso Histórico de Sevilla[23].

Al regresar al Perú, encontró un medio político inquieto, lleno de expectativas, sobre todo juveniles. Riva-Agüero se vinculó con la juventud. Tuvo «selectos secretarios», como dice Jiménez Borja, entre ellos Abraham Valdelomar y Manuel Beltroy[24]. A principios de 1915 fundó el Partido Nacional Democrático. Lo acompañaron en la fundación de este varios compañeros de generación, amigos suyos: José María de la Jara, José Gálvez, Óscar Miró Quesada, Carlos Alayza. Los hermanos García Calderón vivían en París. Víctor Andrés Belaunde no estuvo presente en la creación, pero se unió después al partido[25]. Luis Loayza incide en lo que pudo ser el fracaso del grupo político, aparte de la enemistad tanto de Manuel González Prada como del presidente José Pardo: la ausencia en su ideario programático

---

[18] Jiménez Borja, 1962, p. 29.
[19] Riva-Agüero, «La amnistía y el gobierno», 1911.
[20] Rivera, 2017, p. 233.
[21] López Martínez, 2013, p. 31.
[22] Pacheco Vélez, 1993d, p. 228.
[23] Jiménez Borja, 1962, p. 30.
[24] Jiménez Borja, 1962, p. 30.
[25] Loayza, 2010d, p. 284.

de lo social y lo económico y el énfasis en lo jurídico[26]. Luis Fernán Cisneros, burlonamente, le colgó el remoquete de «futurista»; «resultó un vaticinio necrológico», en palabras de César Pacheco[27].

Alternó la actividad política con la académica: en 1916 pronunció su célebre *Elogio del Inca Garcilaso;* y en 1918, invitado por Carlos Wiesse Portocarrero, titular de Historia Crítica del Perú, dictó en la Universidad de San Marcos unas lecciones sobre las antiguas culturas prehispánicas que luego, en 1937, después de revisiones para un nuevo curso que dictó en la Universidad Católica, se publicaron con el título de *Civilización tradicional peruana. Época prehispánica*[28].

El 4 de julio de 1919, con un golpe de mano, Augusto B. Leguía volvió al gobierno convertido en presidente provisional de la República. Luego de una declaración del Partido Nacional Democrático que no alcanza mayor eco, y sabiendo que Leguía ejercería el poder todo el tiempo que pudiera, Riva-Agüero decidió autoexiliarse[29].

Don José permaneció en Europa los once años que duró la dictadura de Leguía. Continuó en el viejo mundo su actividad intelectual: en 1919, escribió un ensayo sobre Ricardo Palma; en 1921, en Santander, un «acendrado e intenso libro», según Jiménez Borja, *El Perú histórico y artístico. Influencia y descendencia de los montañeses en él*[30]. Investigó en el archivo de la Biblioteca Vaticana, en el de la Propaganda Fide y en repositorios de Viena, París, Madrid y Sevilla. Participó en el Congreso Histórico de Barcelona de 1929[31]. Por herencia de su madre y de su tía, fue beneficiario de los títulos de marqués de Casa-Dávila y señor de Valero, y marqués de Montealegre de Aulestia, que Riva-Agüero revalidó en España. Muertas su madre y su tía, decidió regresar al Perú en 1930. Coincidentemente, llegó al Callao el día en que era depuesto el presidente Leguía[32].

Ejerció diversos cargos públicos: fue alcalde de Lima en 1931 y 1932, presidió el gabinete en el gobierno del general Óscar R. Benavides en 1933-1934 como ministro de Instrucción, Justicia, Culto y Beneficencia. Renunció por negarse a firmar la promulgación de la ley

---

[26] Loayza, 2010d, p. 285.
[27] Pacheco Vélez, 1993d, p. 228.
[28] Jiménez Borja, 1962, p. 30.
[29] Sánchez, 1985, pp. 43-44, p. 49.
[30] Jiménez Borja, 1962, p. 31.
[31] Jiménez Borja, 1962, pp. 31-32.
[32] Jiménez Borja, 1962, p. 32.

del divorcio[33]. Luego de la retractación pública en la que desconoció cualquier opinión suya contraria a la ortodoxia católica, en un famoso discurso pronunciado el 24 de setiembre de 1932 en el Colegio de la Recoleta, y considerada «su unidad de vida maciza, firme, siempre muy clara» con la que lo define José Agustín de la Puente Candamo[34], resultaba incoherente no tomar otro curso de acción.

No ocultaba sus simpatías por la Italia de Mussolini, en la que vivió tanto tiempo, ni por la España de Franco (se entrevistó con él en diciembre de 1939[35]). Había apoyado, en 1936, al partido nacionalista de derechas *Acción Patriótica*[36], de corta duración[37]. Se opuso al comunismo y al nazismo[38].

Presidió la Academia Peruana de la Lengua —cuyas sesiones y conferencias se realizaron varias veces en la casa de Lártiga—, la Sociedad Amigos de Palma y la Sociedad Filarmónica de Lima. Fue miembro de número del Instituto Histórico del Perú. Pertenecía a la Real Academia de la Historia de Madrid, a la Sociedad de Americanistas de París y a la Hispanic Society de Nueva York[39].

En 1935 publicó sus *Discursos académicos*; en 1937 y 1938, sucesivamente, los dos tomos de su obra *Por la verdad, la tradición y la patria (Opúsculos)*. Luego, *Estudios de literatura francesa*, un libro sobre Goethe y otro sobre Lope de Vega dan cuenta de la amplitud de sus intereses.

En 1938, 1939 y 1940, viajó por San Francisco al Japón, Manchuria y China. Sin considerar sus aspectos negativos, valoró en el estado

[33] Jiménez Borja, 1962, p. 33.

[34] Puente Candamo, 2004, p. 10.

[35] Riva-Agüero, 2018, p. 465.

[36] Tanto la obra de Riva-Agüero como la de José Santos Chocano se han resentido de las opciones políticas de sus autores en la opinión de Ricardo González Vigil: «Como en el caso contemporáneo de José Santos Chocano, su evolución ideológica hasta abrazar un fascismo condenable —con una infeliz participación en la vida política peruana— ha sido la causa principal de las opiniones adversas a Riva-Agüero. Chocano, el poeta de mayor renombre en las dos primeras décadas del siglo XX, y Riva-Agüero, el intelectual de mayor fama durante dicho período, han sufrido de modo patente la injerencia de factores políticos y extraliterarios en la valoración de su obra, padeciendo condenas y vituperios excesivos» (González Vigil, 1990, p. 233).

[37] Jiménez Borja, 1962, p. 34.

[38] Riva-Agüero, 2018, pp. 171-172.

[39] Jiménez Borja, 1962, p. 35.

nipón su vocación nacionalista e imperial[40], al punto de compararlo, por su disciplina y su austeridad, con Esparta. Viajó también por Egipto, Tierra Santa, diversas ciudades europeas, el norte de África y parte de su costa occidental, el Brasil y la Argentina[41].

De regreso a Lima, vivió en el Hotel Bolívar, pues el sismo de 1940 había dañado sus dos casas, la de la calle Lártiga, en el centro histórico limeño, y la de la calle Lima, en el balneario de Chorrillos, y las restauraciones eran lentas. Murió súbitamente el 25 de octubre de 1944[42].

En la nota necrológica que le dedicó en 1944 Jorge Basadre[43] en la revista *Historia*, el historiador tacneño avanzó la hipótesis interpretativa de los dos Riva-Agüero[44]: el joven Riva-Agüero y el Riva-Agüero maduro (caricaturescamente, el ardiente liberal y el oscuro reaccionario). El primero es «el brillante continuador de González Prada: un nuevo González Prada dotado de más amplia cultura y de estilo aún más lapidario»[45]. Es el líder de un movimiento regeneracionista:

> Los jóvenes de entonces necesitaban, como diría Ramón y Cajal, *tónicos de la voluntad* o, como todos ellos reclamaban, *maestros de energía u optimismo*. González Prada, Catón de la república peruana, se presentaba más como un tremendo síndico de quiebras que como el gran conductor de la catarsis: los latigazos implacables no conformaban un programa de reconstrucción nacional[46].

En efecto, el paralelismo entre la guerra con Chile para el Perú y la guerra Hispano-americana de 1898 para España se aplica a Riva-Agüero y a su generación:

> Los hombres de la generación de Riva-Agüero, con él a la cabeza, como lo señalan con noble generosidad García Calderón y Belaunde, buscaron sus maestros de evocación histórica y literaria en [Ricardo] Palma; y de reforma política, en [Nicolás de] Piérola. Anhelaban nuevas

[40] Guerra Martinière, 2018, p. XIII.
[41] Jiménez Borja, 1962, p. 35.
[42] Jiménez Borja, 1962, p. 36.
[43] Basadre, 1944, pp. 449-455
[44] Víctor Samuel Rivera postula la unidad absoluta del pensamiento de Riva-Agüero. Descarta, por lo tanto, la hipótesis de los dos Riva-Agüero.
[45] Pacheco Vélez, 1993d, p. 225.
[46] Pacheco Vélez, 1993d, p. 225.

ideas que agitaran el marasmo de la conciencia peruana en los grandes maestros del nacionalismo francés y del español que reaccionan con ímpetu después de los desastres de Sedán en la guerra Franco-prusiana y de Cavite luego de que Estados Unidos se apodera de los últimos restos del imperio español en Cuba, Puerto Rico y Filipinas[47].

Es decir, los maestros son los franceses Taine, Renan y Michelet, y los españoles Ganivet, Joaquín Costa y Unamuno. También el uruguayo José Enrique Rodó (a la generación de Riva-Agüero se le denomina también *arielista*[48]), aunque Riva-Agüero no acepte el modelo educativo del uruguayo, tal como lo sostiene en *Carácter de la literatura del Perú independiente*[49]. Este es el Riva-Agüero que en su reseña a *Exóticas*, de González Prada, anima al tribuno del pueblo a dejar la sensualidad, extravío pasajero, y a persistir en un ideal de acción positiva:

> [...] pagano de más alta prosapia que Aristipo y los vulgares vividores, antepone hoy como siempre a la muelle danza y la regalada música de las horas voluptuosas, el redoblar de *esos tambores lejanos que llaman desde las cumbres para los arduos deberes, las gloriosas lides y las nobles empresas* [cursivas del autor][50].

El otro, el Riva-Agüero maduro, fue caracterizado por Luis Loayza así:

> Riva-Agüero, pasada la juventud, rechazó la duda y procuró la solidez y la inmovilidad del dogma; esto se siente no solo en su actividad y en sus ideas sino en el tono cada vez más agresivo —sus ataques parecen las salidas de un ejército asediado— y en la prosa cada vez menos flexible[51].

Una síntesis de todo lo expuesto anteriormente puede apreciarse de modo muy claro en el ejercicio de interpretación vital intentado por César Pacheco Vélez a partir del método generacional de Ortega:

[47] Pacheco Vélez, 1993d, p. 225.
[48] Pacheco Vélez, 1993d, p. 226.
[49] Riva-Agüero, 1962c, pp. 297-298.
[50] Riva-Agüero, 1962b, pp. 492-493.
[51] Loayza, 2010b, p. 235.

Si nos atenemos al esquema orteguiano de las edades como ciclos formales de tres lustros, la vida de Riva-Agüero ofrece hitos muy claros y precisos. Absorbe en su infancia y adolescencia apacibles, de 1885 a 1900, entre su casa natal de Lártiga y el Colegio de la Recoleta, valores y experiencias que gravitan decisivamente en la formación de su personalidad: amor por la tradición, sentido familiar, contracción al estudio. La juventud, en cambio, de 1900 a 1915, en los claustros de San Marcos, es una negación radical de mucho de lo anteriormente acendrado. La plenitud de la vida, de los treinta a los cuarentaicinco años, cuando debía esperar la culminación y el triunfo, sufre el dramático hiato que significa el autoexilio y el alejamiento de la patria por un largo decenio, que cambió radicalmente el rumbo de su vida. La primera madurez, de los cuarentaicinco a los cincuenta años [*sic*], entre 1930 y el 1945, se interrumpe por la muerte prematura del año anterior. No gozó de la serenidad reflexiva y depuradora de la senectud[52].

Pacheco se pregunta por el punto apical de la vida de Riva-Agüero:

¿Cuál fue, entonces, su gran momento? Creo que hay que ubicarlo entre 1906 y 1918. Entre esos años escribe lo mejor de su obra, es el jefe indiscutido de su generación, gana en sus campañas periodísticas, en breve prisión política y en las calles un caudillaje que lo convierte en posible sucesor de Piérola; hace un viaje a la Sierra, que es el baño de «paisaje y paisanaje» que postula su maestro Unamuno; tiene el fugaz y frustrado idilio con María Emilia Heudebert; hace su primer viaje a Europa y a su retorno funda el Partido Nacional Democrático: dentro del demoliberalismo inesperado imparte la mejor posibilidad de reestructurar y modernizar el sistema de la república aristocrática[53].

Y, habría que agregar a la fulgurante lista de Pacheco: escribe, entre 1916 y 1917, la primera redacción de *Paisajes peruanos*.

Finalmente, el Riva-Agüero que regresa no es el mismo que el que se fue:

Entre 1930 y 1944 vivirá el drama del retorno en un país que ya no lo reconoce y que lo desperdicia; su íntima congoja —seguramente atemperada por la fe religiosa que ha recuperado en lento proceso— al comprobar el contraste entre su visión señorial del Perú y el predominio de las corrientes democráticas que fueron su ilusión juvenil y ahora son su

---

[52] Pacheco Vélez, 1993d, p. 231.
[53] Pacheco Vélez, 1993d, p. 231.

desengaño. Por un designio de insólito coraje se convierte en un combatiente sin entorno, obstinado, inflexible, deliberada y orgullosamente reaccionario, que vive y muere en su ley porque ha trasmutado sinceramente el dogmático agnosticismo de su juventud, su librepensamiento radical en el dogmático integrismo de sus años finales[54].

Desperdigado su valioso tiempo en responsabilidades menores, tampoco continuó en su edad madura la serie de sus tres grandes libros de juventud (*Carácter de la literatura del Perú independiente*, *La Historia en el Perú* y *Paisajes peruanos*). Así, al evaluar la producción histórica de la generación del Novecientos, que es la de don José, César Pacheco Vélez observa lo siguiente:

> Riva-Agüero escribió más de lo que generalmente se cree: sus *Obras completas* acaso sobrepasen los veinte volúmenes [en 2018 se publicó el XXVII]. Significó él solo lo que toda una escuela histórica o un equipo de investigadores puede haber significado en otras partes. Se dispersó por los requerimientos sociales y por una honesta y robusta vocación política y un austero sentido de responsabilidad frente al país. No pudo escribir la *Historia general del Perú*, para la que estaba especialmente dotado[55].

1.2. «Paisajes peruanos» en la obra de Riva-Agüero

El manuscrito de 1931, que ha servido como testimonio principal para nuestra edición, se abre con las siguientes palabras de una *Advertencia preliminar*:

> Principio esta colección de mis varios escritos con las notas de viaje *Por la Sierra*, que no han sido hasta ahora publicadas en su integridad, sino por fragmentos o capítulos aislados, en diversos periódicos y revistas, especialmente en el *Mercurio Peruano*.
>
> Mi gusto literario actual halla algunos de estos paisajes en exceso estrepitosos y declamatorios, pero fueron impresiones directas y sinceras, y sirven cuando menos para probar que mi generación no ignoró, y antes bien sintió y apreció con bastante justedad, la antítesis física y psíquica de las regiones serrana y costeña, tan explotada y exagerada por los escritores de hoy.

[54] Pacheco Vélez, 1993d, p. 232.
[55] Pacheco Vélez, 1993b, p. 94.

La fecha, apenas un año luego de su regreso del autoexilio europeo, coincide con la época en que Riva-Agüero asume el cargo de alcalde de Lima; la *Advertencia* muestra claramente la voluntad de recopilar su obra y editarla. El proyecto no cristalizó, como se sabe. Puede ser interesante derivar de esta cita algunas consideraciones:

1. Riva-Agüero intenta iniciar la colección con *Por la Sierra* (uno de los prototítulos de *Paisajes peruanos*) o porque de sus tres grandes libros juveniles (los otros son *Carácter de la literatura del Perú independiente* y *La Historia en el Perú*[56]) es el único que no apareció en un volumen único, o porque le concede alguna importancia.

2. *Por la Sierra* aparece clasificado por Riva-Agüero como «notas de viaje». Se trata de una reticencia, de un palmario *understatement:* aun en su estado fragmentario se trata ya de un libro orgánico al cual falta solamente la continuidad material. Buena parte, además, ya se había publicado en *Mercurio Peruano,* y en esta misma *Advertencia preliminar*, Riva-Agüero habla de «capítulos». Alusiones al «libro inédito» se mencionaron desde 1916.

3. Riva-Agüero no se reconoce estilísticamente en algunos de los «paisajes», a los que encuentra «en exceso estrepitosos y declamatorios». Si se refiere a los que exhiben su prosa más dramática o cuidada, como la descripción del paso del río Apurímac, por ejemplo, resulta evidente que su gusto —quizás se trate ya del «Riva-Agüero maduro»— no coincide con el de la mayoría de sus comentaristas posteriores.

4. Riva-Agüero reivindica para su generación el haber sentido y apreciado «con bastante justedad» la antítesis entre la Sierra y la Costa, que hacia 1931 ya había sido «explotada y exagerada por algunos». Esos «algunos» son los indigenistas. Aunque Riva-Agüero se refiera a su generación, en realidad él inició la reflexión sobre la antítesis física y psíquica de esas dos regiones naturales (aunque los cronistas ya se habían referido a ella). El texto con que se inauguró la revista *Mercurio Peruano*, dirigida por Víctor Andrés Belaunde, amigo y compañero de generación, en julio de 1918 —«*Paisajes peruanos* (Fragmentos de un libro inédito)»— corresponde al capítulo XVII del definitivo *Paisajes peruanos*. Se trata del capítulo donde Riva-Agüero, precisamente, ya fuera del relato del itinerario, se explaya idealmente sobre esta antítesis.

---

[56] Ambos libros fueron anotados por Riva-Agüero en sus ejemplares originales. Así, luego de una anotación manuscrita en el ejemplar rivagüerino de *La Historia en el Perú* se lee, al pie: «París, 1930», tachado y con un añadido: «Lima, 1931» (Pacheco Vélez, 1965, p. XLVII).

El hecho de que Riva-Agüero no haya seguido con su proyecto podría generar algunas dudas acerca del valor que le otorgaba al texto, pero lo cierto es que tampoco siguió con el proyecto de reeditar ni *Carácter de la literatura del Perú independiente* ni *La Historia en el Perú*, o si siguió no pudo llevarlo a cabo. Lo que queda declarado es que quiso iniciar el conjunto de su obra con *Paisajes peruanos* y que en la consideración de la mayoría de los estudiosos que se han ocupado de la obra de Riva-Agüero este es el texto que más se aprecia de él. El libro de Riva-Agüero es un texto orgánico: además de ser un cabal relato de viajes, propone una visión del Perú. Exhibe, también, una de las prosas más refinadas de su generación y aun de la literatura peruana. Y desvela, en el ánimo regeneracionista de los Novecentistas, una Sierra pauperizada y a la vez magnífica, acicate para la contemplación y la acción.

Raúl Porras Barrenechea, en el extenso estudio preliminar a la edición príncps, apreció estas cualidades. En el siguiente fragmento, además, vincula *Paisajes peruanos* con los otros dos grandes libros juveniles de Riva-Agüero:

> El tema central del libro de Riva-Agüero —el paisaje— podría parecer frívolo y superficial, de puro goce estético y desviado de la tarea histórica magisterial. Pero Riva-Agüero fue siempre hombre de gran ser, de instintiva mentalidad rectora, prendado de lo trascendente. En los *Paisajes peruanos* Riva-Agüero continúa su meditación cardinal iniciada en *Carácter* y en *La Historia en el Perú*, pero ahora, con más brío y solvencia, aprendidos en la realidad, con vistas a un Perú integral[57].

Y destaca la singularidad tanto del viaje como la del intelectual limeño que lo emprendió, a la vez que calibra las repercusiones del texto que escribió en pensadores indigenistas, como Luis E. Valcárcel, anfitrión de Riva-Agüero en el Cuzco, en 1912:

> Para la mayoría de los peruanos, que hacían desde mediados del siglo xix el viaje a Chile o a París —Niños Goyitos [por el mimado burguesito descrito por Felipe Pardo] innumerables—, el Cuzco, Ayacucho, Abancay eran inaccesibles. El propio energeta de *Páginas libres* [Manuel González Prada], que fue de los predicadores teóricos de la trascendencia

---

[57] Porras Barrenechea, 1955, p. XIV.

de la Sierra en la vida peruana, no la pisó jamás, aquejado de inercia y comodidad burguesas. El viaje de Riva-Agüero afirmando las tesis fundamentales que ha recogido, a veces con cansancio de tópico, el andinismo moderno de los libros de Luis E. Valcárcel o Uriel García, por citar solo a los mejores. «La Sierra» —dijo entonces Riva-Agüero, con profundo sentido nacional— «es la cuna de la nacionalidad, *columna vertebral* [cursivas del autor] de su vida, región principal del Perú». «Detrás de Lima y de la Costa, región de la siesta, de los esclavos negros y de la vida fácil» —dice aún, con acento gonzalespradesco, unilateral y hosco— «se alza la Sierra inmensa y aún indivisa, *el verdadero Perú*»[58].

A su vez, César Pacheco coincide y resume:

En 1912, producto de sus impresiones del viaje a lomo de mula por la Sierra, de Cuzco a Lima, Riva-Agüero escribe el libro de su más raigal peruanismo, una de las más altas expresiones de nuestra literatura, los *Paisajes peruanos*, mezcla prodigiosa de historia y naturaleza, literatura y sociología. Marca la plenitud de su talento literario y contiene las más vibrantes meditaciones sobre el destino histórico del Perú: la Sierra redescubierta por él ante la mirada cosmopolita y europeísta de la élite costeña; el indio, sin cuya salvación, dice, el Perú se hunde; el Cuzco como expresión sincrética de nuestro ser nacional; las circunstancias funestas que determinan nuestra disgregación territorial en la gesta emancipadora; el pretorianismo republicano, la crisis de la clase dirigente, la necesidad imperiosa de conciliar en la conciencia de los peruanos las dos grandes herencias culturales que han forjado al país[59].

No comulga con estas valoraciones Luis Alberto Sánchez, quien ofrece la imagen de un Riva-Agüero insensible a la postración indígena de su presente y que va buscando en la ruta andina solo evocaciones fantásticas del pasado (Víctor Vich revive estas opiniones en un artículo que comentaremos con más detalle[60]):

---

[58] Porras Barrenechea, 1955, p. XIV.

[59] Pacheco Vélez, 1993b, pp. 93-94. Más recientemente, Luis Gómez Acuña —aunque se refiere a *Paisajes* como «inacabada obra»— coincide: «*Paisajes peruanos* es el punto final de una breve hoja de ruta intelectual. Es, en realidad, el punto culminante de un prometedor y amplio itinerario juvenil» (Gómez Acuña, 2013, p. 49).

[60] Vich, 2002.

Riva-Agüero recorre el Perú sin compartir la protesta del indio y el peón oprimidos, ni la perplejidad del hombre andino ante la civilización ajena, sin ninguna relación con él. Por eso, Riva-Agüero pasa por los *Paisajes peruanos* en pos de fantasmas históricos y encarnizándose en los aspectos externos de la naturaleza y de los pobladores[61].

Víctor Samuel Rivera es aún más radical, en tanto toma *ad litteram* la adscripción genérica de «notas de viaje» para *Paisajes peruanos* que Riva-Agüero incluye en su *Advertencia preliminar* y acusa a Porras, el primer editor, de fabricar una superchería literaria a partir de su prólogo monumental:

[...] se trataba de una tarea colosal de despistaje social, para extraviar antes que orientar, al lector, trabajo de zapa que le tomó a Raúl Porras Barrenechea la imaginación de 161 páginas, nada menos; 161 para las modestas notas de José, que apenas superan las 180 y que, al considerarlas imperfectas y juveniles, su autor nunca logró publicar en libro[62].

Gracias al acto de birlibirloque de Raúl Porras, en la opinión de Rivera, Riva-Agüero se transforma de pensador social en literato menor:

[...] por obra y gracia de la enjundia de Porras, de su auténtica avalancha de observaciones fuera del tema, por un bulto verbal que hacía de *Paisajes peruanos* más una obra de Porras que de José, a quien va dedicada la masa, así, de pronto, sin avisar, el escritor de Lártiga se travistió de pensador social en un literato, en un romántico escritor de notas de viaje. No José Santos Chocano, no José María Eguren, no Ventura García Calderón: un escritor más o menos chiquito[63].

En la trama íntima de la opinión de Rivera, late la crítica a las tendencias interpretativas tanto «liberales» (Basadre, Porras Barrenechea)

---

[61] Sánchez, 1985, p. 87.

[62] Rivera, 2018, p. 20. Debe precisarse que el estudio preliminar de Porras se titula «El paisaje peruano. De Garcilaso a Riva-Agüero»; de las 161 páginas a las que se refiere Rivera —162, en realidad—, 62 se dedican exclusivamente a *Paisajes peruanos*. Un prólogo que sea la tercera parte del volumen puede ser un poco exagerado, pero no tanto como casi la mitad.

[63] Rivera, 2018, p. 21.

como «católicas» (de la Puente Candamo, Pacheco Vélez) de la historia intelectual de Riva-Agüero: Rivera no acepta la idea de «los dos Riva-Agüero» y juzga a don José un criptomonárquico seguidor de Maistre, Donoso Cortés y Maurrás que nunca fue un liberal verdadero[64]. Curiosamente, sus observaciones coinciden con alguna de las de Porras y con todas las de Sánchez en un punto: la valoración negativa o no entusiasta del componente estético de *Paisajes peruanos*. Como si este fuera accesorio o secundario y distrajera de lo fundamental o lo ocultara, llámese el pensamiento social de Riva-Agüero o su doctrina de la peruanidad integral. Pensamos, al contrario, que *Paisajes peruanos* es el ápice de la reflexión de Riva-Agüero sobre el Perú que se inició en *Carácter de la literatura del Perú independiente* y que continuó en *La Historia en el Perú*, y que Riva-Agüero escogió deliberadamente un género como el relato de viajes —factual, pero que permite elaboraciones imaginativas y fantásticas— para expresarla[65]. Y logró uno de los relatos de viajes no solo más cabales, sino más textualmente refinados y complejos de que tengamos noticia[66].

2. «PAISAJES PERUANOS»: UN RELATO DE VIAJES POLIFÓNICO

Intentaremos probar que *Paisajes peruanos* es un relato de viajes polifónico, en primer lugar porque a pesar de que el viajero/autor/narrador es siempre el mismo, no siempre asume los mismos roles narrativos; porque con estos se dirige a distintas audiencias, a diversos

---

[64] Por lo menos en su reflexión sobre la Independencia del Perú, en el capítulo XI de *Paisajes peruanos*, si bien Riva-Agüero echa de menos la constitución de una clase directiva, no hay ningún indicio de que esta deba basarse en la nobleza ni en la monarquía. Se refiere claramente a una «república democrática».

[65] Pedro Benvenutto, que conocía ampliamente la obra completa del historiador y con mucha profundidad su armazón ideológica, destaca en su semblanza de Riva-Agüero este aspecto: «en ninguno de los géneros que cultivó Riva-Agüero lucieron mejor sus prendas literarias como en la descripción de paisajes» (Benvenutto Murrieta, 1954, p. 896). Benvenutto no veía oposición entre el pensamiento de Riva-Agüero y su «magnífica sensibilidad de poeta».

[66] Pacheco Vélez, 1969, pp. CLXXXII ss., ofrece una lista amplia, pero parcial y ya añeja de autores que se refirieron a *Paisajes peruanos*. La Sociedad Peruana de Historia incluyó una extensa bibliografía sobre Riva-Agüero en su revista *Documenta*, pero se trata también de una publicación que exige ser puesta al día (Benvenutto Murrieta, Dunbar Temple y Radicati di Primeglio, 1951-1955).

públicos, aunque uno de ellos, el peruano, goza de privilegio particular. Y porque los variados géneros descriptivos, narrativos y ensayísticos imbricados en el relato fundamental juegan entre sí —en los mejores momentos del texto— como si diseñaran la partitura de una polifonía musical.

Hemos organizado, variándolo para adecuarlo a la especificidad del libro de Riva-Agüero, el modelo de análisis que Julio Peñate Rivero propone para el análisis del relato de viaje hispánico del siglo xx (Peñate Rivero, 2012, pp. 22-23).

2.1. *Plano de la diégesis: el viaje*

El 8 de abril de 1912, desde su casa de Chorrillos, José de la Riva-Agüero le escribe a José Gabriel Cosio, uno de sus amigos cuzqueños, una carta en la que le comunica su viaje inminente:

> Hace mucho tiempo que no nos escribimos, por culpa mía, que he estado bastante atareado con un folleto de derecho filosófico, que estoy componiendo para mi último grado. Para descansar de este folleto, que me aburre y está bastante avanzado, y antes de los esfuerzos de los exámenes de abogado, que me obligarán a repasar todos los olvidados y fastidiosísimos códigos, voy a emprender una gira, de paseo y reposo, por La Paz, el Cuzco y Ayacucho, regresando por Huancayo. Aprovecho la circunstancia de que varios amigos míos van al sur, y me acompaño con ellos gran parte del viaje. Salgo del Callao el lunes entrante, que es 15; y espero estar en el Cuzco a fines de mes, por seis o siete días a lo más. Primero iré a Arequipa, Puno y La Paz. Me prometo visitar Yucay, Ollantaytambo y Pacaritambo; y salir luego por la vía de Andahuaylas. Me halaga mucho la idea de conversar y pasear con usted, su hermano Félix y todos mis amigos y conocidos del Cuzco. Probablemente me acompañarán Juan Lavalle y Pedro Irigoyen[67].

El itinerario del viaje de 1912 ya está diseñado en sus líneas generales en la carta a Cosio. Riva-Agüero expresa su motivación: quiere descansar luego del esfuerzo demandado por su tesis de doctor en Derecho (*Concepto del Derecho*), grado que alcanza solo al año siguiente, en 1913. Líneas más abajo, Riva-Agüero insiste: «Como le digo a usted,

---

[67] Riva Agüero a Cosio, 8 de abril de 1912 (1997, p. 158).

quiero hacer un viaje de completo descanso, y evitaré todo discurso, y todavía más conferencias y actuaciones públicas»[68]. Comparado con el viaje efectivamente realizado, no parece que estos propósitos —si no fueron meras declaraciones retóricas— se hayan cumplido.

Héctor López Martínez especula acerca de los motivos iniciales:

> Para entender mejor su decisión, conviene recordar que en ese momento José de la Riva-Agüero, que aún no llegaba a los 30 años de edad, ya era una figura política de gran importancia, con arraigo entre la juventud a raíz de la gallarda carta [«La amnistía y el gobierno»[69]] que publicó en *El Comercio* pidiendo la libertad de los condenados por la revolución del 29 de mayo de 1909, cuando los demócratas buscaron por la fuerza la renuncia de Leguía [presidente de la República entonces]. El 13 de setiembre de 1911 se ordenó la prisión del joven catedrático sanmarquino Riva-Agüero y las calles limeñas se poblaron no solo de jóvenes, sino también de personas de todas las clases sociales que pedían su libertad, que el gobierno se vio obligado a conceder[70].

Esta prominencia política del joven limeño y el que su pariente Enrique de la Riva-Agüero, destacado líder civilista, apoyara la candidatura presidencial de Guillermo Billinghurst, con la que don José no comulgaba, podía también haberlo animado a viajar. Sigue Héctor López:

> Tengo la impresión de que la impronta populista de la candidatura de Billinghurst, el protagonismo de los comités obreros y la violencia de las masas desagradaron a José de la Riva-Agüero, a quien muchos pedían que tomara partido junto a Billinghurst. Tal vez, y esta es solo una suposición, esta confusa circunstancia lo decidió a emprender no un viaje improvisado, sino una suerte de peregrinaje histórico peruanista cuyos frutos perduran en las páginas de *Paisajes peruanos*[71].

Margarita Guerra sostiene, contrariamente a lo que el mismo Riva-Agüero declaró a Cosio, pero basada en la propia declaración de don José de que releyó en el Cuzco algunas crónicas y los estudios de Luis Carranza, que el viaje tuvo un claro propósito intelectual:

---

[68] Riva-Agüero a Cosio, 8 de abril de 1912 (1997, p. 158).
[69] Riva-Agüero, 1911.
[70] López Martínez, 2013, pp. 30-31.
[71] López Martínez, 2013, p. 31.

[…] el viaje fue producto de un largo proceso de investigación y selección de lugares que llenasen ciertos requisitos, como tener un especial significado histórico, cuya verificación fue uno de sus principales objetivos[72].

Finalmente, Alfredo Barnechea, aun admitiendo la hipótesis de Margarita Guerra, cree que el viaje de Riva-Agüero es el viaje de un político:

> Por supuesto que este [el confirmar con las ruinas físicas sus lecturas históricas] tiene que haber sido uno de los motivos. Pero me gustaría dar otra razón, casi nunca citada. Este fue el viaje de un político. Alguien que quería, por un lado, conocer de primera mano cómo vivía el otro peruano, en un momento en que el Perú profundo seguía en los Andes, pero también, por otro, un hombre que buscaba crear redes para su futuro político. Porque José de la Riva-Agüero estaba destinado a ser presidente del Perú[73].

Algo de estas afirmaciones parece confirmarse en las distinciones oficiales con las que se le agasajó en Bolivia y en el cálido recibimiento de los universitarios cuzqueños —liderados, entre otros, por Luis E. Valcárcel— y de los partidarios de Samanez Ocampo.

Héctor López Martínez brinda detalles del viaje en barco y luego en ferrocarril al sur del Perú. Riva-Agüero y un grupo pequeño de amigos (Manuel G. Montero y Tirado —el único que lo acompañó desde el Cuzco hasta Huancayo y luego a Lima—, Julio Carrillo de Albornoz y Mansueto Canaval Bolívar[74]). Partieron del Callao en el vapor-correo *Orita*, de la Pacific Steam Navigation Company, el 15 de abril de 1912, como recuerda Héctor López, el día en que se produjo la tragedia del *Titanic*[75]. Sigue López Martínez:

---

[72] Guerra Martinière, 2013, p. 72.

[73] Barnechea, 2013, p. 158. Víctor Samuel Rivera ofrece razones más domésticas para el viaje: «Anecdóticamente, sin embargo, hay que sospechar que este [viaje] se produjo por la imposibilidad material de visitar Europa, viaje que el personaje tenía pensado para ese año y que hubo de aplazarse para el año siguiente, dada la salud de su madre» (Rivera, 2018, p. 26).

[74] López Martínez, 2013, pp. 31-32.

[75] López Martínez, 2013, p. 30.

El *Orita* hizo el viaje del Callao a Mollendo [Arequipa] en tres días. Inmediatamente después del desembarco, tomaron el ferrocarril con rumbo a Arequipa, que los dejó en la ciudad blanca en seis horas [el grupo se quedó algunos días en Arequipa]. También en ferrocarril, los amigos viajaron durante la noche entre Arequipa y Juliaca. De Juliaca a Puno el viaje demoró tres horas. En Puno se embarcaron para Huaqui [Bolivia] en un pequeño barco cuya travesía duró una noche[76].

El 1 de mayo Riva-Agüero ya estaba en La Paz. Es recibido por el presidente boliviano Eleodoro Villanzón, y fue atendido espléndidamente. Visitó las ruinas de Tiahuanaco y trató, entre otras personalidades, a Franz Tamayo. El 13 de mayo, Riva-Agüero y sus acompañantes dejan La Paz. Regresan al Perú por el puerto lacustre de Huaqui, en el Titicaca. El 15 de mayo recorre Sicuani, ya en el departamento del Cuzco[77]. Podría haber llegado al Cuzco el 16 de mayo. Recorre el Cuzco y sus alrededores hasta el 31. El 1 de junio sale de la capital incaica. Esa salida marca el inicio del viaje reseñado en *Paisajes peruanos*. Cien leguas separan a los viajeros de Huancayo[78]. Como recuerda Porras, el itinerario escogido sigue el antiguo camino de los incas, el *Qhápac Ñan*, con las modificaciones establecidas por los españoles, en la ruta de Buenos Aires a Lima[79] (probablemente la misma ruta de Concolorcorvo, el autor del *Lazarillo de ciegos caminantes*). Algunos hitos: Anta, Zurite, Apurímac, Vincos, Chupas, Ayacucho, Huancayo. Porras asigna la condición de epílogo a Ocopa. Pensamos, más bien, por razones que se explicarán luego, que Ocopa, el final del viaje, es una coda a Huancayo y la apertura andina a la Selva o Montaña.

Con perspectiva más bien reductora, Luis Alberto Sánchez dice que *Paisajes peruanos* es la aplicación del tiempo de los conquistadores al espacio peruano[80]. Podría haber dicho que también es la aplicación

---

[76] López Martínez, 2013, p. 33.

[77] Riva-Agüero, 2018, pp. 3-22.

[78] Porras ofrece una descripción detallada de la ruta (Porras Barrenechea, 1955, pp. CVIII-CXVII). Las cien leguas (480 km) a las que se refiere Porras deben contarse en línea recta (aunque aun así se exceda por 100 km, pues en línea recta son 386, 03 km según *es.distance.to*). Los kilómetros recorridos por Riva-Agüero a lomo de mula por caminos de herradura suman 995, según *La ruta Riva-Agüero*, 2014.

[79] Porras Barrenechea, 1955, p. CVIII.

[80] Sánchez, 1985, p. 25.

del tiempo de los incas, porque Riva-Agüero, además de seguir el camino del Incario y del Virreinato, se adecua a sus tiempos al viajar en mula, que va al mismo paso que la llama, con los ritmos tradicionales[81], acompañado por un grupo pequeño:

> Del Cuzco hacia Huancayo parte únicamente con don Manuel Montero y Tirado, prominente caballero limeño, gerente de la Salitrera, quien soporta al lado suyo todas las fatigas y privaciones del viaje. Cosio cuenta que Riva-Agüero llevaba también un mozo de espuelas o mulero, como se decía antes, llamado Santos, quien hacía las veces de palafrenero o camarero del magnate limeño [...][82].

Conviene destacar el hecho de que *Paisajes peruanos* y el viaje de Riva-Agüero no coinciden. *Paisajes* empieza con la salida del Cuzco del grupo expedicionario, con lo cual quedan fuera Bolivia, Puno y el Cuzco previo a la salida. Casi podría decirse también que el regreso a Lima —apenas un párrafo— es poco relevante, hasta insignificante. El capítulo XVII es una reflexión sobre la geografía de la Costa y de la Sierra y, correspondientemente, sobre la psicología social de sus moradores:

> En Huancayo termina el periplo ecuestre de Riva-Agüero, quien regala sus bellas y airosas mulas a los frailes de Ocopa y regresa por el tren a Lima. El libro no termina, sin embargo, como en cualquier trance turístico, con la última estación del itinerario, sino que más bien comienza, cuando se acaba, el itinerario más arriesgado de un viaje por las moradas interiores de la contemplación y el estudio[83].

¿Cuáles pueden haber sido las razones de Riva-Agüero para excluir del relato de viaje algunos itinerarios efectivamente recorridos? ¿Por

---

[81] Uno de los criterios de análisis del relato de viajes propuestos por Julio Peñate es el de los medios de desplazamiento y su implicancia (Peñate Rivero, 2012, p. 22). El medio de desplazamiento otorga ritmo al viaje. Recuérdense las observaciones de Bécquer (o de Azorín) sobre la experiencia del viaje en ferrocarril o las de Proust sobre viajar en automóvil.

[82] Porras Barrenechea, 1955, p. CV.

[83] Porras Barrenechea, 1955, p. CXVII. Peñate incluye al viaje con o sin fin explícito como uno de los criterios de su propuesta analítica: «Tematización explícita o sugerida del regreso o de su ausencia» (Peñate Rivero, 2012, p. 22).

qué deja de mencionar su paso por Bolivia y por Puno? ¿Por qué omite el periplo cuzqueño previo a la salida de la capital imperial?

En relación al primer punto, los testimonios de las libretas de Riva-Agüero recogidos en su libro *Viajes* refieren una estancia boliviana con muchos acontecimientos sociales y pocas descripciones. Hasta cierto punto, la descripción de un monumento tan emblemático como la portada de Tiahuanaco decepciona:

> Veo la portada monolítica de Viracocha, la avenida central de columnas, el pórtico o escalinata del frente, una piedra enorme que parece reducción o plano de todo el edificio, muchas cabezas monolíticas, y los asientos llamados el Tribunal del Inca.
>
> Las ruinas están muy menoscabadas, por los destrozos y los robos. No se ha hecho más trabajo de vulgarización que los débiles de Ballivián y Posnarsky, que dejan bastante que desear[84].

Al respecto, pueden resultar pertinentes las reflexiones de Gabriel Ramón. En su artículo «Riva-Agüero, Tiahuanaco y las raíces de la nación», Ramón llama la atención acerca del aparentemente inexplicable «silencio de Tiahuanaco» en *Paisajes peruanos*. Si Tiahuanaco era un sitio arqueológico reconocido como el centro de una civilización que precedía a la de los incas y el origen de la cultura matriz de los Andes, ¿cómo no incluirlo en el libro? Ramón cree que no está precisamente porque el sitio arqueológico se encontraba en el centro de una polémica entre quechuistas y aimaristas en la cual Riva-Agüero participaba como conspicuo adalid del bando quechuista[85]. En esta línea, Rodolfo Cerrón Palomino[86] refiere que Riva-Agüero postulaba la hipótesis del quechuismo preincaico, de un protoquechua hablado en la región de Tiahuanaco, hipótesis que la moderna lingüística andina ha descartado. «Tal vez por su excesiva actualidad y por las dificultades interpretativas de la evidencia arqueológica para alguien riguroso como Riva-Agüero, Tiahuanaco fue temporalmente soslayado»[87], opina Ramón.

[84] Riva-Agüero, 2018, p. 7.
[85] Ramón, 2013, pp. 121-124.
[86] Cerrón Palomino, 2013, p. 219.
[87] Ramón, 2013, p. 121.

En relación al segundo punto, Porras llama la atención sobre los recorridos de Riva-Agüero a la ciudad del Cuzco y sus alredededores que el historiador omite o cita retrospectivamente en *Paisajes peruanos*. Como ya lo hemos consignado, Riva-Agüero pasa poco menos de quince días en esas localidades:

> No solo el Cuzco palaciego y religioso fue objeto de su peregrinación sino que, venciendo las penosas dificultades de entonces, fue a visitar Sacsayhuamán, excursión en la que sufrió un accidente circulatorio, alcanzó a ver Tambo Machay y fue a Písac, dando un gran rodeo por Chicopampa. En Písac se alojó en casa del indio García Chongo. Visitó también el valle del Vilcanota, conociendo Yucay, Urubamba, Calca, Maras, Ollantaytambo y Oropesa[88].

Creemos que las dos omisiones se relacionan entre sí: el relato del viaje no es la mera consignación de un itinerario, sino también una «exploración diacrónica profunda», en palabras de Ramón[89]. Si el Cuzco «es el corazón y el símbolo del Perú», como se dice en el primer capítulo de *Paisajes peruanos*, el relato debe empezar con esta ciudad y, como veremos, la descripción de toda la coreografía aneja a la salida, de mañana, de la capital imperial es significativa en una manera en que no podía serlo la sola reflexión patriótica de *La Historia en el Perú* o de *Carácter de la literatura del Perú independiente*.

2.2. Plano de la estructura

2.2.1. Los binomios del género «relato de viajes»[90]

En relación a la historia contada, Luis Alburquerque distingue entre «relatos de viajes» (factuales) y «novelas de viajes» (ficcionales)[91]. Según él, los «relatos de viajes» pueden caracterizarse de la siguiente manera:

---

[88] Porras Barrenechea, 1955, p. CIII.

[89] Ramón, 2013, p. 120.

[90] Cfr. para esta sección nuestro trabajo «¿Es *Paisajes peruanos* un libro de viajes?» (2011), especialmente las páginas 52-55 y 58-61.

[91] Alburquerque, 2011, p. 21.

(1) Son relatos factuales, en los que (2) la modalidad descriptiva se impone a la narración y (3) en cuyo balance entre lo objetivo y lo subjetivo tienden a decantarse del lado del primero, más en consonancia, en principio, con su carácter testimonial[92].

Como lo afirma Miguel Ángel Pérez Priego[93], el relato de viajes se articula sobre el trazado y el recorrido de un itinerario que constituye la armazón básica de este; existe un manifiesto orden cronológico y es el orden espacial, no el tiempo, el que crea el verdadero orden narrativo[94]. El viaje es un viaje efectivamente realizado, por lo tanto, factual. Alburquerque llama la atención acerca del particular relieve adquirido por la descripción en este género de relatos:

En definitiva, las representaciones de objetos y personajes, que constituyen el núcleo de la descripción, asumen el protagonismo del relato, desplazando por consiguiente a la narración de su secular lugar de privilegio[95].

En otro lugar, redondea la idea:

Estamos frente a unos textos con un «relato narrativo-descriptivo» en el que el segundo elemento —el descriptivo— actúa como configurador especial del discurso[96].

Más aún:

El «relato de viajes» se nos muestra como caso paradigmático en el que lo descriptivo adquiere un subrayado especial y en el que las situaciones de tensión dramática típicas de la novela no encuentran su desenlace o su explicación al final del discurso [...] las posibles tensiones narrativas, al estar subordinadas a la descripción —de lugares, personas o situaciones—, se deshacen durante el propio desarrollo del relato. En definitiva, su naturaleza específica radica en la belleza de sus descripciones

[92] Alburquerque, 2011, p. 16.
[93] Pérez Priego, 2006, p. 75.
[94] Pérez Priego, 2006, p. 75.
[95] Alburquerque, 2011a, p. 17.
[96] Alburquerque, 2006, p. 77.

y, esporádicamente, en la tensión narrativa de episodios aislados, cuyo clímax y anticlímax se resuelve puntualmente y no en el nivel del discurso[97].

Como afirma Sofía Carrizo, quien en esto sigue a Dorra[98], lo típico de la narración es el «riesgo». En el discurso claramente descriptivo del relato de viajes, este se atenúa o se subsume en cada lienzo descriptivo:

> Para Dorra —y comparto plenamente su postura— lo que caracteriza a lo específicamente narrativo es el factor «riesgo». Considera que la narración no implica solo un desarrollo sino que, sobre todo, tal desarrollo evoca constantemente el avance hacia un desenlace. Y cada punto de este avance engendra el suspenso y aun la zozobra por los múltiples desenlaces posibles. El receptor fascinado por estas «situaciones de riesgo», se ve llevado de una en otra hacia un final que justifica el recorrido entero. Pero en otros casos, señala el crítico, ese recorrido y ese desenlace pueden ser menos importantes que el mundo que les sirve de escenario[99].

Si ocurre esto último, el relato se orienta claramente hacia la descripción, pues su fin último es «construir una *imagen* que pueda ser objeto de observación»[100].

Finalmente, se aspira a la objetividad mediante la identidad entre narrador, autor y viajero, identidad que le confiere al texto valor testimonial. Como sostiene Jorge Dubatti:

> Si sabemos que la voz de cualquier narrador goza de por sí de un estatuto ontológico, mediante el que convierte todas sus afirmaciones sobre la realidad singular y concreta que describe en el relato en motivo de credibilidad absoluta, en el caso del «relato de viajes», en el que se da identidad plena al narrador/autor, esa credibilidad se ve reforzada al estar subordinado el hablante ficticio al autor real. Es decir, el autor/viajero está comprometido con el narrador[101].

---

[97] Alburquerque, 2006, p. 79 y también Alburquerque, 2013, p. 202.
[98] Dorra, 1985-1986.
[99] Carrizo Rueda, 1997, p. 11.
[100] Dorra, 1985-1986, p. 513.
[101] Dubatti, 1998, p. 83.

Inevitablemente, como lo observa Alburquerque en relación a *Paisajes peruanos*, el carácter testimonial, a la vez que subraya «la objetividad de lo que se ha vivido (y recorrido)» y «la cercanía y el compromiso con lo que se narra», tiende, por el «carácter en cierto modo parcial de lo relatado», a apartarse de la buscada objetividad[102]. El hecho de que viaje y relato sean sucesivos, no simultáneos y a veces —como en el caso de *Paisajes*— ni siquiera inmediatamente sucesivos, obliga a un pacto implícito entre narrador y lector:

> El «relato de viajes», recordamos, contiene un sujeto de doble experiencia: el viaje y la escritura. Es un sujeto de doble instancia: sujeto viajero, individual e irremplazable que, además, escribe esta experiencia. Su estatuto ficcional es ciertamente peculiar. Se trata del hombre de carne y hueso, sin mediación de ningún otro tipo de voz imaginaria. El lector suspende su capacidad de incredulidad y acepta como no ficcional lo que el sujeto relata (sin menoscabo de la credibilidad), pero siempre con el fin de garantizar la verosimilitud. La identidad plena narrador/autor se proyecta en el lector en forma de un compromiso similar al que se le exige mediante el «pacto autobiográfico»[103].

En otras palabras, si aplicamos el tradicional esquema de Bühler[104], el relato cumple función representativa o informativa, al consignar el narrador/viajero «lo que ve». Sin embargo, también puede notarse que cumple función expresiva, pues «lo que se ve» es expresión, manifestación de un hablante y ese hablante proyecta deseos, impresiones, programas, ideologías. Finalmente, el hablante se dirige a un lector, a un destinatario ideal, y trata de influir en él, convencerlo, impresionarlo. O sea, el texto cumple también función apelativa.

Luis Alburquerque sintetiza lo anterior en tres binomios (de carácter pragmático, narratológico o formal, y temático o testimonial, respectivamente) y precisa con ello los límites del género:

> [...] los tres binomios a los que me he referido en trabajos anteriores [son los que siguen]: factual/ficcional, descriptivo/narrativo y objetivo/ subjetivo. Según lo dicho, y con respecto al primer binomio, si la balanza textual se inclina por el lado de lo ficcional (dependiendo del grado en

[102] Alburquerque, 2013, p. 204.
[103] Alburquerque, 2011a, p. 29.
[104] Charaudeau y Maainguenau, 2005, p. 280.

que lo haga), nos alejamos del género propiamente dicho (es el caso de las novelas de viajes en forma de aventuras, de ciencia ficción, utopías, etc.). Si en la pareja descriptivo/narrativo el segundo término del par domina sobre el primero también nos distanciamos de lo descriptivo, uno de los puntales de estos relatos. Por el contrario, si lo descriptivo invade completamente la escena, nos encontramos con los casos […] en que por exceso de lo descriptivo nos apartamos del esquema genérico (las guías de viaje ejemplificarían este caso extremo). En cuanto al tercer binomio, objetivo/subjetivo (vinculado muchas veces a una determinada carga ideológica) sucede algo parecido: si se potencia lo subjetivo por encima de lo objetivo nos alejamos paulatinamente del modelo. En la medida en que el relato se convierte en pura subjetividad, se sale del marco genérico. Otra cosa distinta es que lo subjetivo prevalezca sin merma de los elementos testimoniales (como sucede, por ejemplo, con los relatos de viajes ensayísticos de los escritores del 98)[105].

Y como ocurre —podríamos agregar nosotros— con determinados pasajes de *Paisajes peruanos*. Además de lo anterior, Alburquerque destaca el uso de determinadas figuras literarias (la metáfora, la evidencia, la comparación) que, aun no siendo exclusivas de él, determinan al género. También se refiere al recurso de marcas de paratextualidad e intertextualidad[106].

A continuación, intentaré determinar los rasgos genéricos de *Paisajes peruanos* a partir del examen de los binomios propuestos por Luis Alburquerque-García.

Factual/ficcional

Paisajes peruanos es un texto factual con marcas de itinerario, cronología y lugares:

Después de Concepción, la frondosidad va disminuyendo hasta Jauja[107]. (XVII)

Partí del Cuzco el sábado 1° de junio de 1912. (I)

---

[105] Alburquerque, 2011a, p. 32.

[106] Alburquerque, 2011a, p. 32.

[107] Para facilitar las referencias, consignaremos con números romanos a partir de este punto los capítulos de *Paisajes peruanos*.

Como es típico en estos relatos, la narración está determinada por el itinerario. Los títulos de los capítulos, elementos paratextuales, refrendan claramente esta perspectiva textual:

I   Salida del Cuzco
II   La llanura de Anta
III   Paso del río Apurímac
VIII   Pomacocha — La puna de Tocto — Bajada a Antuhuana

En ella se mezclan lugares y marcas de itinerario («Salida», «Paso», «Bajada»). Un conjunto especialmente interesante es el de indicaciones viáticas que incluyen deícticos:

Esta margen izquierda, aunque asperísima, lo es algo menos que la de *enfrente*. (III)

[…] que contrastan con el ganado raquítico que he visto hasta *aquí* […] (IV)

[…] pernoctamos en Julcamarca, que por *este lado* es el primer pueblo de la provincia de Angaraes. (XII)

A la *otra* mano y al *frente* […] (XIV)

Con seguridad, el procedimiento posee la clara función retórica de refrendar la condición de testimonio directo del texto, al «poner ante los ojos» del lector las orientaciones del itinerario mientras este va ocurriendo.

Otros títulos de capítulos de *Paisajes peruanos* incluyen referencias a narraciones o descripciones de carácter etnográfico (como la fiesta de san Juan en Anta, capítulo XII) y hasta a una tradición indígena (en la estela de las tradiciones de Ricardo Palma), la de la Palla Huarcuna (capítulo XV), pero no son denominaciones mayoritarias. Resulta claro que en *Paisajes peruanos* el relato es el de un viaje efectivamente realizado, por lo tanto factual, que el itinerario constituye su armazón básica y que es el orden espacial —el viaje de Riva-Agüero del Cuzco al valle del Mantaro— el que crea el verdadero orden narrativo. Como se trata más de un «libro» o «relato de viaje» que un «diario de viaje», por ejemplo, las referencias cronológicas, aun señaladas, resultan menos abundantes.

Descriptivo/narrativo

Si bien es posible identificar en el texto de *Paisajes peruanos* muchas narraciones, y hasta ocurre —se trata, en efecto, de un *relato* de viajes— que el elemento articulador del texto sea la narración, la narración propiamente del viaje, el carácter descriptivo prevalece sobre el narrativo y es el primero el que le otorga carácter definitorio al conjunto. Puede observarse —por la perfección y el refinamiento de las descripciones— que en varios casos estas se constituyen en textos casi autónomos. En algún sentido lo son, puesto que ellas no se vinculan causalmente con otros textos, anteriores o posteriores, como manda la lógica de la narración. No lo son si se leen fuera del esquema retórico geográfico-histórico que se precisará más adelante. Si existe tensión dentro de ellas, lo que no existe es «riesgo», como lo dirían Dorra y Carrizo. La tensión se resuelve internamente y hasta puede constituirse en un elemento más de la configuración de una imagen que pueda ser objeto de contemplación y a partir de ella, aun de interpretación.

Con el riesgo de adelantarnos a aspectos de la descripción que desarrollaremos cuando tratemos de la prosa y de la descripción, presentamos a continuación un fragmento de la descripción del río Apurímac (capítulo III), con indicación de tonos. Desde el punto de vista del ritmo de la prosa, los grupos melódicos se organizan en una serie de longitud progresiva (las sucesivas oraciones son cada una más larga que la anterior):

De curso arrebatadísimo↓, como todavía próximo a las cascadas de sus nacientes ↑, el Apurímac es en este sitio impropio para la navegación ↓. Sin campos en sus orillas↓, sumido en honda concavidad ↓, entre formidables acantilados de piedra ↑, es igualmente inútil para el riego ↓. Ajeno a todo menester prosaico ↑, tiene aquí sólo el desinteresado valor de un espectáculo↓, la esterilidad fecunda de los seres más nobles↓: incomparable excitante para la imaginación↓, aliento para el alma↓, exhortación de sublime vehemencia↓, visión significativa y magnífica ↓, heroico entre sus almenas de rocas ↓, destrozador de las moles ingentes↓, vencedor de las más duras breñas↓. Cantado por los poetas↓, cruzado por incas y libertadores↓, testigo de las guerras y disensiones de la Conquista↓, eje de toda nuestra historia ↓, inviolado por la invasión chilena ↑, es la gigante voz de la patria ↓, el sacro río de los vaticinios↓, que naciendo entre riscos saturados de leyendas y recuerdos↑, corre impaciente a dilatarse en llanuras amazónicas ↓, entre las selvas vírgenes↓, que duermen pletóricas de futuras riquezas ↓.

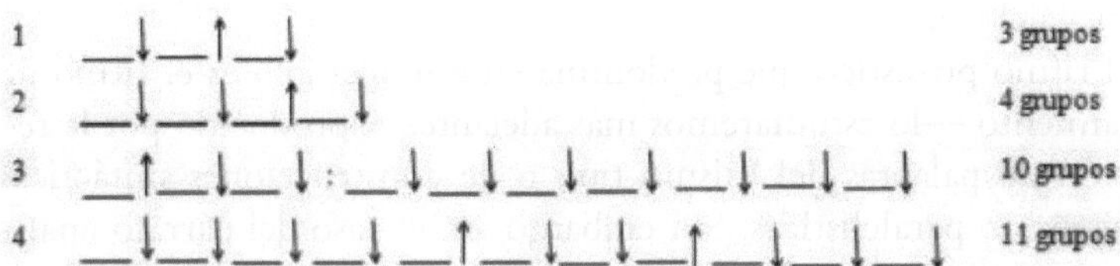

Como ocurre en otras descripciones, el párrafo se inicia con una referencia factual, en este caso de carácter geográfico o geológico. Ya los grupos melódicos que terminan en ascenso tonal en las oraciones primera y segunda («como todavía próximo a las cascadas de sus nacientes» y «entre formidables acantilados de piedras», respectivamente), aun denotando elementos cerradamente naturales, pueden sugerir 'origen' y 'grandeza' y así dar pie al movimiento imaginativo. Los grupos melódicos finales de estas dos oraciones reiteran una misma idea, lo improductivo de este pasaje del río Apurímac: «impropio para la navegación» (primera oración), «es igualmente impropio para el riego» (segunda oración). Esta idea mueve a la visión (expresada —detalle interesante— con tono ascendente) del río como noble enseña, como objeto inútil para el mundo práctico, pero invalorable para el simbólico:

la bagatela, el bibelot (aquí no pequeño) finisecular[108] y también —ya se verá más adelante— el severo y seco paisaje castellano admirado por Beruete, Giner de los Ríos, los noventayochistas y Ortega: «Ajeno a todo menester prosaico». Y a partir de este momento, empieza una enumeración (cuyos grupos melódicos terminan casi todos en tonemas descendentes) de carácter fuertemente retórico, plástico, de evocación histórica, que abarca el resto de las dos oraciones. El Apurímac resulta ser el eje de la geografía andina y también el oráculo que guarda el pasado y anuncia el porvenir. No deja de ser interesante notar los efectos que sugieren los dos únicos grupos que terminan en un ascenso tonal: «inviolado por la invasión chilena» y «que naciendo en riscos saturados de leyendas y recuerdos». El primero evoca la pureza de un espacio intacto y permanentemente peruano, que llega hasta la historia reciente en la experiencia de Riva-Agüero (la guerra con Chile); el segundo le otorga a ese espacio carácter legendario e histórico, o sea mítico. El final del párrafo anuncia la utilidad del aparentemente inútil Apurímac en tanto puede servir, por acción humana, para generar «futuras riquezas» si es que el peruano despierta a las llanuras amazónicas a las que riega el río.

El ritmo prosístico que predomina en este ejemplo es el ritmo de pensamiento —lo estudiaremos más adelante—, producido por la repetición de palabras del mismo tipo o de construcciones sintácticas semejantes o paralelísticas. Sin embargo, en el caso del párrafo analizado, se matiza o se evita la general monotonía (aunque no el efecto retórico) que produce frecuentemente este tipo de ritmo: aquí se trata de un ritmo que, por haberse constituido gradualmente, evoca la figura de un crescendo, lo que se condice perfectamente con el contenido exaltado y a la vez exhortativo del pasaje. Como puede comprobarse aquí, la tensión se verifica en la descripción, pero esa se resuelve dentro de ella misma.

Objetivo/subjetivo

La identidad viajero/autor/narrador es la que otorga carácter testimonial al texto. No parece haber dudas en la identidad de este personaje: sabemos que es Riva-Agüero. Pueden presentarse fracturas en

---

[108] Mainer, 1980, p. 45.

esta equivalencia, sin embargo, sobre todo cuando el viaje efectivamente realizado se distancia tanto del texto final. *Paisajes peruanos* es el relato de un viaje realizado en 1912, cuya redacción principal se produjo entre 1916 y 1917, fue revisado por el autor por lo menos en 1931 y se publicó póstumamente en 1955.

Hasta cierto punto, como lo hace notar Alburquerque, el relato de viajes se acerca al género autobiográfico:

> La identidad entre las instancias autor, narrador y personaje surge como otro de los pilares de estos «relatos de viajes». En este punto podría entrar en competencia con el género de la autobiografía. Basta con recordar que en la autobiografía prevalecen la vida y la evolución del protagonista, en tanto que en el relato de viajes estos aspectos, que sí importan, están subordinados a la información, las noticias y el propio trayecto, objetivo último al que queda supeditado todo lo demás. Si acaso, el narrador/autor del relato de viaje no narra sino un simple «pedazo de su vida» (*tranche de vie*)[109].

El extremo objetivo del binomio se relativiza, también, con el paso del testimonio a la opinión, o cuando el testimonio es la opinión, como en la apertura de las meditaciones —un ensayo, una pieza oratoria— sobre la batalla de Ayacucho: «El relato de mi peregrinación sería ineficaz e inútil si no fuera sincero, y debo a mis lectores y a mí mismo la confesión de mis impresiones exactas», dice Riva-Agüero en el capítulo XI. Es lo que Alburquerque comprueba en determinados relatos de viajes de escritores de las generaciones españolas del 98 o del 14:

> Hay relatos que viaje que priman excesivamente el segundo elemento del par [lo subjetivo] lo que permite, en ocasiones, que un relato de viajes pueda de nuevo asumir la naturaleza, por ejemplo, del ensayo, como los de Unamuno o de Ortega, por evocar casos conocidos no exentos de contenido ideológico[110].

En otro orden de cosas, estilísticamente, podría inferirse una mayor proximidad a lo subjetivo si se usa la primera persona del singular.

---

[109] Alburquerque, 2011b, p. 32.
[110] Alburquerque, 2009, p. 33.

Obsérvese el inicio de la obra (capítulo I):

> Partí del Cuzco el 1° de junio de 1912. La mañana era alegre y radiante, de aporcelanada limpidez. En el vecino convento de Santa Teresa celebraban con repiques y cohetes una profesión de monja. Como era la estación seca, el claro invierno serrano, la luz brillaba en la cal de las paredes, chispeaba en los guijarros del piso y en el cauce seco del Huatanay, y cubría con toques dorados la terrosa miseria de los escombros y basurales que ocupan el derruido solar del viejo obispo […] Las mulas, junto a la puerta, se impacientaban con la espera. Al fin, concluidos los preparativos, nuestra cabalgata se puso en marcha […] torcimos a la izquierda […].

Podría pensarse que a mayor proximidad de la primera persona del singular, mayor presencia de la subjetividad. No es así necesariamente. En el fragmento anterior, por ejemplo, la primera persona (tanto del singular como del plural) está más asociada al relato puntual y exacto del suceso («Partí», «torcimos»), quizás también por estar en pretérito indefinido, que es el típico tiempo del relato. El elemento subjetivo se presenta, más bien, asociado a la tercera persona, y en la descripción, no en la narración (por ejemplo, «brillaba» es término factual y casi neutro; no así «chispeaba», que otorga carácter dinámico y metafórico al contacto de la luz y el piso o suelo, y que identifica en un solo conjunto piso y lecho de río).

Finalmente, habrá oportunidad de comentar algunos fenómenos intertextuales más adelante. Son muy conspicuos los modelos textuales de la evocación histórica de la batalla de Chupas (capítulo IX), el ensayo-meditación a partir de la contemplación del campo de batalla de Ayacucho (capítulo XI) y la tradición indígena *Palla Huarcuna* (capítulo XV). El mismo diseño del relato del viaje de Riva-Agüero guarda relación con el de las crónicas de Indias (aunque la diferencia aquí es la de un viaje de «redescubrimiento» frente a los viajes de descubrimiento, un viaje de «comunión» más que de «iniciación»): identidad de instancias autor, narrador y personaje (viajero), marcas paratextuales, testimonialidad, énfasis en lo descriptivo[111].

---

[111] Alburquerque, 2011a.

2.2.2. El cronotopo

A propósito de un estudio de dos relatos de viajes contemporáneos
—*El río del olvido*, de Julio Llamazares (1990) y *Los caminos del Esla*
(1995), de Juan Pedro Aparicio y José María Merino—, Geneviève
Champeau discute la idea, que hemos expuesto en una sección anterior de esta investigación, de que es el orden espacial y no el orden
temporal el que crea el verdadero orden narrativo en los relatos de
viajes. Según Champeau, los relatos de viajes de Llamazares, Aparicio
y Merino la llevan a relativizar esta afirmación[112]. La estudiosa acude
al concepto de cronotopo, caracterizado por su creador Mijail Bajtin
como «la fusión de indicios espaciales y temporales en una totalidad
inteligible y concreta»[113].

No es tan relevante —cree Champeau— en determinados relatos
de viajes la distinción que propone Le Huenen para separar novela de
relato de viaje, es decir, el que los acontecimientos se sucedan en ella
según un principio de causalidad y necesidad, mientras que este carece
de protocolo fundado en esos principios lógicos[114]. «Intentaré demos-
trar que, se respete o no la cronología del viaje, el orden del texto es
semánticamente motivado por principios distintos de la pura sucesión
de las etapas de un itinerario», sostiene Champeau[115]. Los cronotopos o
«motivos espacio-temporales tematizados», según Mitterand[116], afirma
la profesora francesa, «pueden tener una presencia textual local o más
constante» y «manifiestan de modo sensible, en una imagen, las claves
semánticas y los principios organizativos de cada relato»[117].

En el caso de los dos libros que ella estudia en su trabajo «Tiempo y
organización del relato en algunos relatos de viajes contemporáneos»,
El río del olvido, de Julio Llamazares (1990) y *Los caminos del Esla*, de

---

[112] Champeau, 2004, p. 90.

[113] Champeau, 2004, p. 89. La formulación exacta de Bajtin es la siguiente:
«En el cronotopo artístico literario tiene lugar la unión de los elementos espaciales y temporales en un todo inteligible y concreto. El tiempo se condensa aquí,
se convierte en visible desde el punto de vista artístico y el espacio, a su vez, se
intensifica, penetra en el movimiento del tiempo, del argumento y de la historia»
(Bajtin, 1989, pp. 237-238).

[114] Le Huenen, 1990, pp. 22-25.

[115] Champeau, 2004, p. 90.

[116] Mitterand, 1990, p. 190.

[117] Champeau, 2004, p. 90.

Juan Pedro Aparicio y José María Merino (1995), Geneviève Champeau encuentra que ambos se organizan a partir del cronotopo del río, que estructura el relato y que desempeña función narrativa[118]. El tratamiento que los autores le otorgan a este difiere:

> Divergen los dos libros en el tratamiento diferenciado del cronotopo del río que determina perspectivas ideológicas y rasgos poéticos distintos. Los viajeros narradores de *Los caminos del Esla* recorren el río en el sentido de la corriente, mientras que Julio Llamazares viaja a contracorriente. Esta inversión manifiesta dos posturas ante el presente y el futuro radicalmente distintas. *Lo significativo no es tanto la sucesión de las etapas del recorrido como su orientación y las consiguientes incidencias simbólicas* [cursivas del autor][119].

Continúa Champeau: «La función narrativa del cronotopo aparece también en el hecho de que permite *una dramatización del periplo* [cursivas del autor]»[120]. Finalmente:

> [...] en *El río del olvido* se superpone a la mera sucesión de las etapas la dramatización de un viaje interior que introduce una lógica narrativa motivada, cercana a la que podríamos encontrar en una novela. Progresa el relato según *las etapas no sustituibles* [cursivas del autor] de una tentativa de regeneración del viajero[121].

Considerando el razonamiento de Champeau y las categorías que propone, ¿sería posible reconocer un cronotopo en *Paisajes peruanos*, que suponga un sentido más en la orientación que en la sucesión del recorrido, que dramatice el periplo y que se articule en etapas no sustituibles, en una lógica narrativa motivada parecida a la de la novela? Creemos que, salvo el último, todos los ítems anteriores se verifican en *Paisajes peruanos*: el cronotopo es el del camino, la orientación va de la ciudad más emblemática de la Sierra peruana, síntesis grandiosa de lo inca y de lo español, hasta la ciudad donde se reunió el congreso que dio la Constitución de 1839, con la que se terminó de sepultar la ilusión del gran Perú que supuso la Confederación Perú-Boliviana, en

---

[118] Champeau, 2004, p. 90.
[119] Champeau, 2004, p. 91.
[120] Champeau, 2004, p. 92.
[121] Champeau, 2004, p. 92.

el juicio de Riva-Agüero. El dramatismo incorpora la idea trágica[122] a todo el periplo, pero también a los contrastes que se presentan en él. Que las etapas o los sucesos no ocurran como en una novela, sino como en un relato de viajes más tradicional, se explica porque el narrador de *Paisajes peruanos* no emprende un viaje de iniciación o de revelación, sino un viaje de comunión, como bien distingue José-Carlos Mainer al referirse a los viajes castellanos de Benito Pérez Galdós[123]. Las etapas, dentro de la orientación general, que es la significativa, no se articulan causalmente y no son sustituibles, no por respeto a la lógica narrativa, sino por fidelidad a la ruta, al camino. En síntesis, además de dar cuenta de su recorrido por la Sierra peruana, Riva-Agüero propone una interpretación trágica —tensa, dramática— de la historia del Perú.

El camino no es otro que el *Qhapac Ñan*[124] (el gran camino inca), que la administración española aprovechó para el boyante comercio virreinal:

> El viajero y su séquito parten del Cuzco el 1 de junio de 1912 para recorrer las 100 leguas que les separan de Huancayo. El itinerario escogido sigue el antiguo camino de los incas, con las modificaciones establecidas por los españoles en la ruta de Buenos Aires a Lima[125].

Riva-Agüero es perfectamente consciente de su importancia; así lo escribe en el capítulo II:

> El camino real que principio es muy aceptable hasta el extremo de la pampa de Anta. Constituye la primera sección del itinerario o carrera entre el Cuzco y Lima, arteria principal del tráfico peruano antes de la Independencia, y es en mucha parte la misma vía septentrional de la Sierra o calzada de Chinchaysuyu, construida por los incas y que terminaba en Quito.

[122] Loayza observa la importancia que pudo tener la obra de Nietzsche para Riva-Agüero: «[…] en el blando y pacato ambiente limeño de comienzos de siglo (con la notable excepción de Manuel González Prada) […] el pensamiento carecía de toda dimensión trágica» (Loayza, 2010b, p. 242). Pensamos que, influido por Nietzsche Riva-Agüero, el cronotopo de *Paisajes peruanos* le otorga dimensión trágica a la historia del Perú.

[123] Mainer, 2004, p. 186.

[124] Guijarro y Gargate, 2014.

[125] Porras Barrenechea, 1955, p. CVIII.

Como observa Champeau, la orientación del cronotopo es significativa. En *Paisajes peruanos* va del Cuzco, en un tiempo la plenitud del poder imperial —inca y español— a Huancayo, lugar de la claudicación republicana. Margarita Guerra[126] afirma que Riva-Agüero escoge su itinerario con sentido histórico y Gabriel Ramón habla de una «exploración diacrónica profunda»[127]. La evidencia de ambas observaciones es indudable. Riva-Agüero no se arroja a la ventura, pero también es cierto que en los hitos de su ruta no se verifica la coherencia causal de un discurso novelado o «anovelado», que Champeau encuentra en viajeros contemporáneos. El camino propone una indagación sobre el Perú, ciertamente. Esta, como la alternancia de zonas abruptas y amenas de la geografía andina, impone contrastes dramáticos puntuales dentro de la condición trágica general de haber sido un gran Perú para quedar reducido a ser un país «postrado y lacio», como lo señala en el capítulo XI.

Raúl Porras intuye la existencia del cronotopo cuando escribe en el *Estudio preliminar* de su edición:

En cada paisaje humanizado y vitalizado por la historia, el viajero recuerda una hora o un momento que marcó el azar del Perú. Ante ellos se detiene Riva-Agüero, como los indios antiguos ante una apacheta sagrada, para renovar el tema trascendente de todos sus libros: la meditación del Perú. Estas apachetas de su peregrinaje histórico son, sucesivamente, el Cuzco y Vilcas para el avatar incaico, Huamanga para la nostalgia colonial y el campo de la Quinua para la meditación sustancial del destino del Perú independiente[128].

Más adelante, repite y agrega otros hitos emblemáticos:

Al descriptor sutilísimo de colores y de formas de paisajes se une el magnífico narrador en páginas de antología como las dedicadas a la visión del inca en Vilcas, la descripción de la batalla de Chupas, la del matrimonio de Gamarra y la Mariscala en Zurite y el relato enjoyado de la leyenda de Palla Huarcuna en Pucara[129].

---

[126] Guerra Martinière, 2013, pp. 72-73.
[127] Ramón, 2013, p. 113.
[128] Porras Barrenechea, 1955, p. CXXXIV.
[129] Porras Barrenechea, 1955, p. CLVII.

Pueden incorporarse algunos otros e intentar desvelar su urdimbre secreta. Sin voluntad de exhaustividad, ofrezco a continuación un mapa del cronotopo de *Paisajes peruanos* en el que se señalan las «apachetas» (montículos de piedra que los pobladores andinos colocan en lugares sacros que presiden espacios geográficos importantes) que a nuestro juicio resultan más señaladas. Preside este la transformación del gran Perú (+) en el Perú menguado (-) Utilizo recursos tipográficos para señalar relaciones entre las «apachetas».

Cronotopo = *Qhapaq Ñan*, camino real incaico, eje del comercio virreinal
Cuzco (+)   Huancayo (-)
Capital inca, gran ciudad española   Congreso Constituyente 1839

«Apachetas»
Cuzco (+) - <u>Zurite</u> (-) - **río Apurímac** (+) - **Vilcas** (+) - *Chupas* (+) — A y a c u c h o (+) - *Quinua* (+-) -**Palla Huarcuna** (+) — <u>Huancayo</u> (-) — (O c o p a, +)

Consideremos algunas relaciones. Luego de la exaltada visión final del Cuzco, que ya tendremos oportunidad de comentar con detalle, «exordio magistral», en palabras de Porras[130], el inicio de la República está marcado por Zurite, en el capítulo II, escenario de la embriaguez del poder pretoriano de Agustín Gamarra, que acababa de vencer en Ayacucho y, prefecto del Cuzco, ambicionaba las dignidades más altas con el empuje ladymacbethiano que le daba su esposa, Francisca Zubiaga, apodada la Mariscala:

En ella [en la iglesia de Zurite] el año de 1825 se vieron y velaron, con gran pompa y regocijos públicos, el general D. Agustín Gamarra y Dª. Francisca Zubiaga, desposados por poder unos meses antes. Cuando los futuros amos del Perú formalizaron aquí su matrimonio, él era el triunfante jefe de Estado Mayor de la batalla de Ayacucho, elogiado por Sucre, favorito de Bolívar, que de la decisiva campaña emancipadora regresaba a mandar casi como un virrey su nativa comarca, en fundada espera de los destinos más altos; y ella, la esbelta hermosura de ojos magníficos, insondables de ambición y neurosis, la inquietante amazona, experta en los ejercicios varoniles, la que en su orgullo declaraba que no se casaría sino con el hombre que hubiera de presidir el país.

[130] Porras Barrenechea, 1955, p. CVII.

El tema presentado de manera tan animosa en Zurite termina con la derrota de la Confederación Perú-Boliviana, en la que tan triste papel le cupo a Gamarra según Riva-Agüero[131]. La promulgación de la Constitución de 1839 debatida y firmada en Huancayo es el acto de defunción del Perú grande:

> Estaba destruida la Confederación. Por la intervención chilena y la vergonzosa discordia de nuestros políticos criollos, se había frustrado el único propósito de veras grande que ha animado la vida nacional después de la Emancipación americana. (Capítulo XV)

Luego del Cuzco, el retrato del río Apurímac, Vilcas y Palla Huarcuna pueden considerarse los puntos más altos de la representación del poder incaico. En Vilcas, capítulo VII, el inca preside una ceremonia descrita magnífica y minuciosamente. La tradición *Palla Huarcuna*, capítulo XV, es, aparentemente, un divertimento legendario. Cumple otras funciones. Como en otros puntos del relato, aquí propone una fantasía panperuanista, de exaltación del gran Perú, al enumerar las naciones —prácticamente todo el Ande— sometidas al inca:

> Venían después, por su orden, los canchis, ceñidas las frentes con listas rojas y negras; los canas y collas, con monteras de lona; los cuntis, chancas, charcas, tucmas y chilis, todos con gorros distintos, largas picas, banderas, paveses inmensos, y libreas de colores a modo de escaques; los huancas, con barboquejos y los cabellos trenzados; los antis y chunchos, con flechas emponzoñadas y los rostros pintados; y los chinchas y yungas, con hondas (*huaracas*), jubones y rodelas de algodón, mantas como rebozos y extravagantes máscaras

Tanto Chupas como la batalla de Ayacucho en la pampa de la Quinua, en el capítulo XI, refuerzan la importancia del Perú como escenario en el que participaron combatientes de todo el continente. La batalla de Chupas se evoca detalladamente y es una pieza épica trabajada con primor. En cambio, la batalla de Ayacucho le merece apenas el siguiente párrafo:

[131] Capítulo II. Porras observa: «Dos veces surge la figura de Gamarra en los *Paisajes*, en Zurite y Huancayo, en su momento augural y en la del turbio apogeo político» (Porras Barrenechea, 1955, p. CXLV).

Recogimos en el campo algunas balas, de las muchas que allí quedan. Los pobladores de Quinua las venden a los viajeros. Me detuve en las lomadas de la izquierda, desde las cuales la división peruana de La Mar rechazó los ataques del realista Valdés. Hacia el centro y la derecha de la línea, se ven los emplazamientos de las tropas colombianas.

Lo que sigue es un ensayo que parte de una interpretación de la Independencia para convertirse en un descarnado juicio contra la República naciente y sus clases dirigentes.

Ayacucho representa el fin del mundo virreinal, la pervivencia de un criollismo serrano que sobrevivió a la batalla de Ayacucho y que pudo ser apreciado por Riva-Agüero. En el capítulo X, un Riva-Agüero *flâneur* se deleita caminando por la vieja ciudad:

Como no estaba instalada todavía la luz eléctrica, era un placer artístico vagar de noche por las calles casi apagadas, sorprendiendo los contrastes de las tinieblas y los lienzos de los muros bañados por la luna, y las rendijas de las grandes casas lóbregas, de los tenduchos y de los tambos, por donde se filtraba el rojizo y mortecino fulgor de un quinqué.

En esa atmósfera o una parecida, le sorprende encontrar una genuina reunión musical criolla, una jarana:

En una casa de ese jirón, dos cuadras más adelante, oí toque de cajón y rasguear de guitarras; y fue grande mi asombro cuando me certifiqué de que tan genuinos ecos de jarana salían de una capillita u oratorio situado en el zaguán de un vasto solar. Ante una imagen de la Virgen de Chiquinquirá, antigua advocación popular procedente de la Nueva Granada, colgaban cadenetas de papel de varios colores, fanales, farolillos y adornos de cristal.

El capítulo X termina con la narración —escena costumbrista— del paso del viático en el crepúsculo ayacuchano, en un texto digno de la *España negra* (1899) de Darío de Regoyos y Émile Verhaeren o de *Bruges-La-Morte* (1892) de Georges Rodenbach, quizás el paradigma de la novela simbolista y decadentista. No está lejos de esta figuración tampoco la idea unamuniana de intrahistoria. Merece citarse todo el párrafo:

Pero mi más viva sensación de Ayacucho fue el paso del viático una tarde en la plaza principal. Moría de fiebres una niña conocida; y buena porción de las mujeres de la sociedad ayacuchana acompañaban la salida del Santísimo. Anochecía cuando las vi regresar. Se extinguían las brasas del crepúsculo; y los cerros sumergían sus crestas de ópalo en una menguante marea de metal en fusión. Entre el tañido de la campanilla y el resplandor de numerosos cirios, la procesión desfiló, rezando en alta voz, con rumor ferviente, las preces de bien morir. Pocas entre las devotas llevaban mantilla; las más se rebujaban con mantas y pañolones. Iba muy crecida la cantidad de hombres, con la cabeza descubierta. Muchos se arrodillaban al pasar *Nuestro Amo*. El acompañamiento cruzó la plaza inmensa, en hileras centelleantes y temblorosas bajo la penumbra del ocaso y penetró en la iglesia de San Agustín. Su tránsito dejaba en la vetusta ciudad una estela de religiosidad ardorosa y tétrica, de catolicismo español y medioeval. En la negrura de los portales, principiaban a titilar humildes los reverberos de las tiendas y caminaban unos pocos paseantes embozados en capas. Sobre las torres de la catedral y del cabildo, nacía la luna, abultada y amarilla, semejante a una esfera de oro. Subió lentamente en la diafanidad del cielo, adelgazándose y palideciendo, entre cortas nubes de nácar; y flotó leve, como una flor cerúlea.

El tema colonial sigue en la coda —no creemos que sea el «epílogo» como lo llama Porras[132]— que es la visita al convento de Ocopa, en el mismo valle, el del Mantaro, donde está Huancayo. Ocopa es un reconocimiento —en la opinión de Riva-Agüero— de «lo que tuvo de mejor la Colonia»: «el afán catequista y civilizador, el celo apostólico que animó a sus religiosos y que sucedió a los empeños bélicos cuando se desvanecieron los espejismos del Paititi y del Dorado» (capítulo XVI). Ocopa es la apertura serrana a la Selva o la Montaña. Con las consideraciones sobre el capítulo XVII sobre la Costa, puede comprenderse la pertinencia del título *Paisajes peruanos* para referirse al conjunto del texto, que abarca, verdaderamente, las tres regiones naturales en que los geógrafos dividen al Perú.

El verdadero epílogo, que está fuera del cronotopo pero cuya sección serrana lo resume idealmente, es el capítulo XVII, «Impresiones finales», donde Riva-Agüero, luego de haber peregrinado «por las provincias verdaderamente características de nuestra Sierra» —y aquí «características» debe entenderse como un adjetivo que remite

---

[132] Porras Barrenechea, 1955, p. CXVI.

inmediatamente a «carácter»[133]— intenta un contraste de paisaje y de psicología colectiva entre la Costa y la Sierra peruanas[134]. El inicio del viaje y del texto es el Cuzco, origen y prólogo. En cambio, el final del viaje es Ocopa; y el epílogo del texto es el capítulo XVII.

Luego del viaje «horizontal» por el camino inca que es también el lomo de la cordillera de los Andes, Riva-Agüero reconoce la riqueza «vertical» de las capas ecológicas andinas[135]. Después, a la manera de Azorín en «Una ciudad castellana»[136], el polígrafo peruano imagina una ciudad ideal serrana que contrasta con otra ideal costeña e intenta

[133] Edward W. Said observa a propósito del término *carácter*: «[…] si se examinan las obras de Kant, Diderot o Johnson, hay en todas ellas una inclinación similar a resaltar características generales y a reducir un gran número de objetos a una cantidad menor de tipos, los cuales se pueden ordenar y describir. Según la historia natural, la antropología y la generalización cultural, un tipo tenía un *carácter* particular que proporcionaba al observador una designación y, como dice Foucault, "una derivación controlada" […] En los escritos de filósofos, historiadores, enciclopedistas y ensayistas, encontramos el "carácter por designación" presentándose como clasificación fisiológico-moral […]» (Said, 2018, pp. 168-169). Es el mismo término que utiliza Riva-Agüero en su primer libro: *Carácter de la literatura del Perú independiente* (1905).

[134] Se trata de una oposición que, al presentarla Riva-Agüero idealmente, ha calado tanto, que parecería ser absolutamente natural. A pesar de su increíble rendimiento, Riva-Agüero no recibe ningún crédito, bueno o malo, por su creación. Sostiene Luis Gómez: «Hay que decir que el conocido escritor José Carlos Mariátegui repensaría esta misma dicotomía geocultural años después en su ya clásica obra *7 ensayos de interpretación de la realidad peruana* (1928). Esta conocida clave interpretativa de la realidad social peruana también sería recreada por los científicos sociales peruanos luego de la década de 1960, contraponiendo así lo que, culturalmente hablando, ya se daba en llamar una costa hispanizante —"criolla"— frente a la existencia de un subordinado y explotado mundo "andino". En realidad, un buen número de tales científicos sociales habían tomado prestada tal clave interpretativa de la aludida obra de Mariátegui, quien para aquel entonces (1928) ya se había proclamado como socialista. Lo que no suele decirse es que mucho antes de Mariátegui, el joven Riva-Agüero había usado una clave similar —igual de rígida— en sus escritos juveniles, si bien también aseveró —y lo haría con más fuerza en el futuro— que existía un Perú mestizo» (Gómez Acuña, 2013, p. 53).

[135] Fernando Roca reconoce la modernidad de la aproximación de Riva-Agüero: «Aquí hace referencia a lo que hoy llamamos la gradiente altitudinal de los Andes, mostrando los diferentes pisos ecológicos formados por la diferencia de las alturas» (Roca Alcázar, 2013, p. 298).

[136] Azorín, 2010.

descubrir a partir de ellas un carácter y encontrar cuál de estas zonas geográficas resulta más propia para ser la base de la nación.

De la Costa, afirma:

Por tales condiciones físicas, que obligan a la discontinuidad de cultivos y población, la zona de la Costa ha de reputarse como un verdadero archipiélago en el territorio peruano; y sus civilizaciones, desde los tiempos aborígenes, han tenido constantemente carácter *insular* por su delicadeza y la tenuidad y ámbito estrecho de sus influencias naturales.

De la Sierra, en cambio, sentencia: «Pero detrás de Lima y de la Costa, región de la siesta, de los esclavos negros y de la vida fácil, se alzaba la Sierra inmensa y aún indivisa, el verdadero Perú».

Es clara la preferencia de Riva-Agüero por la Sierra como eje y base de la nacionalidad. No dejan de sorprender las razones del limeño: la Costa es insular; la Sierra, indivisa; sorprenden sobre todo cuando el relato del viaje esforzadamente soportado por él prueba que la Sierra, al alternar gigantescos paisajes abruptos y reducidos e idílicos paisajes amenos, podría ser tan insular como la Costa, por lo menos «horizontalmente», si no «verticalmente». En el ejemplo que sigue, Riva-Agüero incluso se permite identificarlas en este aspecto: «Parece una costa de florida quietud, tras el piélago convulso de precipicios y montañas que acabamos de atravesar» (Capítulo III, al llegar a Curahuasi luego de soportar un camino asperísimo).

Pensamos que, para poder justificar esta elección, quizás Riva-Agüero haya subsumido la imagen del cronotopo del camino en otra que la supera: la de la cordillera de los Andes imaginada como espina dorsal, como columna vertebral. Curiosamente, es la misma imagen que Giner de los Ríos aplicaba a la sierra de Guadarrama, acicate de muchas de las reflexiones sobre Castilla de los pensadores españoles del 98 y del 14.

2.2.3. La narración y sus formas

Como ya se ha expuesto, el relato de viajes se construye a partir de una «superestructura»: la narración «de marco». Otras narraciones pueden imbricarse en ella, como lo hacen también descripciones y ensayos argumentativo-expositivos, normalmente a partir de un topónimo. Puede ser interesante notar que Riva-Agüero previó, no sabemos cuán conscientemente, este abanico genérico (salvo los ensayos) cuando se refirió, en 1905, a los distintos tipos de americanismo en *Carácter de la literatura del Perú independiente*:

> Hay un *americanismo histórico* que acude a buscar originalidad en los recuerdos de las sociedades indígenas o precolombinas, o en las expediciones y conquistas de los españoles, o en los sucesos de la Colonia [las evocaciones históricas incaicas o de las guerras civiles de los conquistadores, la tradición]. Hay otro americanismo que llamaremos *regional* y que aspira a retratar no lo pasado, sino lo presente, las actuales costumbres populares de los criollos y de los indios [los relatos etnográficos de fiestas indígenas o de jaranas criollas]. Hay, finalmente, un americanismo *descriptivo*, que atiende al aspecto de la naturaleza americana, de la vegetación y los paisajes[137].

Presentaremos a continuación algunos aspectos de la narración «de marco», a partir de las reflexiones Luis Alburquerque y luego intentaremos aproximarnos a dos tipos de narración que se imbrican en la citada narración de marco: la evocación histórica y la tradición.

La narración «de marco»[138]

Alburquerque señala que el tiempo del relato de *Paisajes peruanos* coincide exactamente con el tiempo de la historia contada. El viajero/autor/narrador da noticia de lo que sucede en su recorrido, y lo hace siguiendo un orden cronológico. Apenas se perciben alteraciones en la sucesión de los acontecimientos (no son significativas ni las prospecciones ni las retrospecciones): se empieza por el comienzo, se continúa por el medio y se concluye con el final. El orden cronológico permanece inalterado, pues la sucesión cronológica lineal (el tiempo de la historia) y su despliegue en el relato (tiempo del relato) se disponen siempre en perfecta sincronía. Ello supone una especie de grado cero o perfecta coincidencia entre el orden de la historia y el del relato.

---

[137] Riva-Agüero, 1962c, p. 267.

[138] Cfr., a partir de este punto, el estudio «Los *Paisajes peruanos* de Riva-Agüero como caso emblemático del género "relato de viajes"» de Luis Alburquerque (Alburquerque, 2013), específicamente de las páginas 214-216, del cual ofreceremos una paráfrasis en la que incluiremos observaciones nuestras..

Si se considera el fenómeno de la duración —Alburquerque habla de «ritmo»— del relato y sus movimientos narrativos (elipsis, sumario, escena, pausa, digresión reflexiva), es decir, la relación que Genette postula entre la duración de la historia (lo que se nos cuenta) y su correspondencia con una determinada extensión en el discurso narrativo (el espacio que el autor le dedica), pueden distinguirse varias categorías: la elipsis (velocidad máxima, ya que el tiempo del relato es mínimo respecto del de la historia que se narra); sumario (velocidad rápida, aunque variable, ya que el tiempo del relato es menor respecto del de la historia que se narra); escena (velocidad equilibrada, pues se verifica un paralelismo entre los tiempos de la historia y del relato que tienden a la simultaneidad); y pausa (velocidad lenta, pues el tiempo del relato se demora con respecto al de la historia, con el que no se corresponde).

Luis Alburquerque sostiene que los relatos de viajes y, concretamente este específico, *Paisajes peruanos*, son absolutamente ajenos a la elipsis y al sumario (no se intenta escamotear nada de la historia) y se compadecen más bien con el ritmo narrativo de la escena y también de la pausa, ámbito en los que se produce su desarrollo como género. Conviene precisar que el profesor Alburquerque se refiere al relato «de marco». Las narraciones imbricadas en él y aun otros textos como los ensayos expositivo-argumentativos podrían admitir otros tratamientos. Una elipsis importante, por ejemplo es la de la narración de la batalla de Ayacucho, en el capítulo XI, reducida a un párrafo donde se señalan escuetamente los emplazamientos de la división peruana de La Mar y los de las tropas colombianas.

La escena, según lo dicho, se presenta como movimiento narrativo predominante. La equivalencia entre la duración de la historia y la del relato se hace patente mediante el recurso constante a las descripciones (podría decirse, en este caso, que la narración se «descriptiviza») que normalmente no se despegan del hilo de la acción principal, aunque quizás lo más justo sería decir que esta es sumamente escueta y desemboca frecuentemente, a partir de un topónimo, en una descripción, otra narración o un ensayo. El marcado carácter ensayístico de *Paisajes peruanos* aleja del relato el recurso a los diálogos.

Ahora bien, si la escena es el movimiento narrativo predominante de este género, ello no obsta para que en ocasiones (y no son pocas) nos encontremos con las pausas. Las descripciones de las pausas suponen un «parón» en el relato, al decir de Alburquerque. No están integradas en el hilo narrativo que, en este caso, va trenzando Riva-Agüero en su travesía. Sentencia el investigador madrileño: estas descripciones están desconectadas de la percepción del protagonista, se hacen al margen de su presencia. Aquí solo hay espacio, el tiempo desaparece momentáneamente hasta que vuelve a recuperarse con la presencia del protagonista que nos incorpora de nuevo al tiempo de la historia. Es el caso abundante en el libro —sostiene Alburquerque— de las explicaciones de la historia y del léxico con motivo del lugar visitado. Se suceden normalmente al principio de cada capítulo y contextualizan el lugar desde un punto de vista normalmente histórico con referencias lingüísticas.

Un ejemplo de evocación histórica: la batalla de Chupas

En el párrafo inicial del capítulo IX de *Paisajes peruanos* («El llano de Chupas. Entrada en Ayacucho»), Riva-Agüero relata rápidamente su recorrido de Antuhuana al «campo histórico de Chupas». La narración de la batalla que enfrentó a los almagristas de Diego de Almagro el Mozo y los realistas del presidente Cristóbal Vaca de Castro en 1542 abarca casi todo el capítulo. Solo los tres párrafos finales relatan el ingreso de los viajeros a la ciudad de Ayacucho.

La batalla de Chupas se narra como una escena; aunque puedan presentarse, cuestiones de orden como las retrospecciones y las prospecciones no son especialmente significativas. Puede reconocerse, sí, alguna digresión reflexiva. La escena, como recuerda Garrido Domínguez, tiende a la isocronía, a la perfecta correspondencia entre la duración de la historia y la de la trama o relato, aunque esa correspondencia sea elusiva o imposible (Garrido Domínguez, 2009, p. 717). La escena encuentra en el diálogo su manifestación discursiva más frecuente (Garrido Domínguez, 2009, p. 719). También es posible considerar escena no solo el diálogo sino cualquier narración detallada de un acontecimiento (Garrido Domínguez, 2009, p. 721). Se llegan a encontrar algunos diálogos o en todo caso imprecaciones o alocuciones en esta evocación histórica, pero la escena se reconoce más como una narración detallada que como otra cosa.

Narra la batalla de Chupas un narrador omnisciente. Por lo tanto, siguiendo a Genette, se trata de un relato no focalizado, desprovisto de un punto de mira que restrinja la ilimitada visión del narrador (Garrido Domínguez, 2009, p. 687), aunque pueden identificarse fenómenos de focalización variable, juegos en que se combinan diferentes perspectivas o focalizaciones que revelan la presencia muy activa de un narrador que, en cada caso concreto, se somete a la restricción propia de cada focalización; pero la posibilidad de pasar de una a otra y sobre todo la consideración conjunta de todas ellas produce inevitablemente el efecto de un relato no focalizado (Garrido Domínguez, 2009, p. 688).

El narrador es un narrador omnisciente, ya lo apuntamos, identificado con el autor y el viajero. Sabemos que quien narra es José de la Riva-Agüero y Osma, y que narra con la autoridad que le otorgan sus conocimientos y sus títulos probados de historiador (particularmente, el haber escrito anteriormente, en 1910, *La Historia en el Perú*, un tratado de historiografía). No es un transcriptor o editor de crónicas previas, aunque se base en ellas y aun las coteje explícitamente. Sin embargo, matiza su condición de historiador positivo al incorporar a su narración rasgos de la épica o de la novela de caballerías[139].

En efecto, sin crear una ficción fantástica y más bien respetando los testimonios que le ofrecen sus fuentes cronísticas e históricas[140], Riva-Agüero teje, en su relato de la batalla de Chupas, un rico lienzo épico, más cercano a la epopeya o a la novela de caballerías que al discurso histórico objetivo o positivo. Para no afectar prolijidad, pues toda la evocación histórica posee el mismo carácter, y a la vez probar nuestro punto, bastará referirnos a un rasgo épico del discurso narrativo de Riva-Agüero en este pasaje, uno que se refiere a la disposición de la materia: el «catálogo de los caballeros»[141]. Antes, nos referiremos

---

[139] Cfr. nuestro trabajo «Retórica de los testimonios: crónicas de Indias, textos históricos y épica heroica en *Paisajes peruanos* (1955) de José de la Riva-Agüero» (Wiesse Rebagliati, 2019b), que aprovechamos en parte en esta sección.

[140] Elaborando a partir de las categorías aristotélicas que maneja Susana Reisz, Riva-Agüero ofrece un discurso fáctico tratado como verosímil, si bien en el grado más bajo de verosimilitud, que es el que está representado por «lo que ocurre solo de modo excepcional» (Reisz de Rivarola, 1986, p. 158). Como cuando se dice en lenguaje ordinario de algo efectivamente acaecido «Parece mentira», «una experiencia kafkiana» o «de película». Se trata de un hecho histórico exaltado a modelo épico (que sigue al ideal caballeresco) mediante recursos literarios. No se trata, de ninguna manera, de un discurso «fantástico-hiperbólico como se observa p. ej. en el *Amadís de Gaula*» (Spang, 1996, p. 124), aunque pueda tomar rasgos de este.

[141] Usa el término Francisco Rico para referirse a la lista de los caballeros que don Quijote imagina en el capítulo XVIII de la primera parte de la novela cervantina (Cervantes, *Don Quijote de La Mancha*, pp. 190-193).

a otros elementos de la disposición del relato. Finalmente, estudiaremos brevemente a dos personajes: a Diego de Almagro el Mozo y a Francisco de Carbajal. Compararemos el texto de Riva-Agüero con algunas crónicas y con la *History of the Conquest of Peru*, del historiador estadounidense William Prescott, uno de los textos históricos clásicos del siglo XIX.

Riva-Agüero pondera la importancia de la gesta que evocará citando referencias de la época que la comparan con las guerras italianas de principios del siglo XVI:

> Por eso, los coetáneos[142] compararon en ferocidad esta batalla con la célebre de Rávena, dada en Italia treinta años antes, y en la que habían intervenido por raro caso los verdaderos directores de la de Chupas, que fueron, por los pizarristas, Francisco de Carbajal, antiguo paje del cardenal Bernardino de Santa Cruz y alférez de Gonzalo de Córdoba, de Pedro Navarro y de Próspero Colonna; y por los almagristas, Pedro Suárez, soldado veterano de Cardona y de Antonio de Leiva.

Dada la función de relación factual de la crónica, los cronistas no ofrecen mayores detalles sobre el encuentro visual con que se confrontan al principio los ejércitos. Apenas consignan que ocurrió de tarde, cuando quedaba poca luz de día. Así ocurre en las crónicas de Zárate, Pedro Pizarro, Gómara y el Inca Garcilaso:

> Después que Vaca de Castro vido toda su gente en lo alto del recuesto y que no había más que una pequeña loma, mandó al sargento mayor que ordenase los escuadrones, y él lo hizo [...] y viendo que no había sino hora y media hasta la noche [...][143].
>
> Pues entendido Vaca de Castro su intinción, marchó con todo el campo sobre ellos subiendo las lomas, y una hora antes que el sol se pusiese se trabó la batalla y duró hasta ya de noche obscuro [...][144].

---

[142] Riva-Agüero alude, seguramente, a la carta que el cabildo de Arequipa envió desde San Juan de la Frontera (el Ayacucho actual) al emperador Carlos V: «[...] fue tan reñida y porfiada que después de la de Rebena [Ravena] no se ha visto entre tan poca gente tan cruel batalla, donde hermanos a hermanos, ni deudos a deudos, ni amigos a amigos no se daban vida uno a otro» (Prescott, 1903, p. 439).

[143] Zárate, *Historia del descubrimiento y conquista del Perú*, p. 172.

[144] Pizarro, *Relación del descubrimiento y conquista de los reinos del Perú*, p. 216.

> Era ya muy tarde cuando esto pasaba [...][145].
>
> Cuando don Diego llegó a formar su escuadrón, era ya tarde, que no había dos horas de sol[146].

Cieza de León consigna el hecho casi al final de su narración. Da la impresión de que el cronista estampara una certificación notarial al cabo de un documento:

> Diose esta batalla sábado, ya tarde a diez y seis días del mes de setiembre año de nuestra reparación de mil e quinientos e cuarenta e dos años [...][147].

En cambio, tanto Prescott como Riva-Agüero presentan este encuentro dramática y coloridamente. La descripción inicial de Prescott no parece muy distinta de la de los cronistas citados:

> On reaching the eminence, news was brought that the enemy had come to a halt and established himself in a strong position at less than a league's distance. It was late in the afternoon and the sun was not more than two hours above the horizon[148].

Sin embargo, luego de dilatarse en consideraciones sobre las fuerzas de Vaca de Castro y de parafrasear el discurso del licenciado a sus tropas, el historiador norteamericano pinta un cuadro de fuertes tintes románticos:

> As the forces turned a spur of the hills which had hitherto screened them from their enemies, they came in sight of the latter, formed along the crest of a gentle eminence, with the snow white banners, the distinguishing colour of the Almagrians, floating above their heads, and their bright arms flinging back the broad rays of the evening sun[149].

---

[145] López de Gómara, *Historia general de las Indias y Vida de Hernán Cortés*, p. 215.

[146] Garcilaso, *Historia general del Perú (Segunda parte de los Comentarios reales de los incas)*, p. 291.

[147] Cieza, *Crónica del Perú. Cuarta parte. Vol. II, Guerra de Chupas*, p. 292.

[148] Prescott, 1903, p. 313.

[149] Prescott, 1903, p. 314.

En efecto, luego de rodear las laderas de las colinas que le habían velado la vista de la tropa enemiga, el ejército real aprecia —y ese choque visual luego de la marcha crea el drama— el despliegue del contingente almagrista alineado sobre la eminencia de los cerros que están frente a ellos. Prescott no regatea imaginación cuando señala que las banderas blancas —el color distintivo de los de don Diego— aparecían flotando sobre las cabezas de los soldados y que el brillo de las armas devolvía el del intenso sol crepuscular.

Riva-Agüero valora la pintura dramática de Prescott, pero deja a la imaginación del lector la visión de la luz de la tarde del estadounidense, y más bien elabora y amplía, mediante la enumeración, la escueta referencia al ejército alineado:

> Iba el día muy caído y no quedaban sino dos horas de luz, cuando los de la hueste real, desfilando a la izquierda de la ciénaga, hicieron alto en las pampas de Chupas, y vieron en las lomas del frente las lanzas, los pendones, coseletes de plata y divisas blancas de los almagristas, que habían bajado por el camino de Vilcas.

Así, «the forces» se especifican en «las lanzas, los pendones, coseletes de plata y divisas blancas de los almagristas», en una especie de enumeración de valor sinecdóquico que le otorga mayor presencia y plasticidad a lo que Prescott ya había coloreado de la opaca prosa de los cronistas.

Completa la visión «desde la hueste real» —y esta perspectiva podría entenderse como un ejemplo de focalización variable (el narrador omnisciente se somete a la focalización parcial que podrían poseer los soldados del ejército real)—, la presencia de los indios de Paullu, que Prescott y Riva-Agüero tratan con imágenes semejantes, aunque en diferentes lugares del relato. Prescott se refiere a los auxiliares indígenas de Diego de Almagro el Mozo, al mando de su aliado Paullu, hermano de Manco inca, al final de la batalla, cuando todo estaba perdido para los almagristas:

> The natives, who had hung, during the fight, *like a dark cloud* round the skirts of the mountains, contemplating with gloomy satisfaction the destruction of their enemies, now availed themselves of the obscurity to

descend, *like a pack of famished wolves,* upon the plains [...][150] [Cursivas del autor].

Riva-Agüero cambia la ubicación de esta referencia y la coloca al principio del encuentro bélico:

> A su derecha, *como una sombra moviente,* se extendía por los cerros de Lambrashuayco *el enjambre* de indios auxiliares del inca Paullu, fiel a la memoria de su difunto amigo el adelantado [cursivas del autor].

Con ello, el escritor peruano mejora en dramatismo y plasticidad la narración de Prescott: visto «desde la hueste real» —un rasgo de focalización variable—, luego del esfuerzo de la marcha y haciendo un alto de manera que se produzca el contacto visual, el ejército almagrista es una línea de vivos colores y de brillos acompañada por una sombra, combinación que con seguridad impresiona al lector tanto como pudo haber impactado a un soldado del ejército real. Con este golpe de efecto que completa el párrafo, Riva-Agüero ofrece, en este, el equivalente de un exordio, por lo menos estilísticamente, en tanto dramatismo y plasticidad se reiterarán a lo largo de toda la narración de la batalla de Chupas. Nótese también cómo Riva-Agüero consigue crear sentido a partir de la variación del orden de la materia, lo que acaba de apreciarse. El procedimiento se vuelve más evidente si se comparan las crónicas (y no solo la *History* de Prescott) con el texto de *Paisajes peruanos.*

Debe observarse, en primer lugar, que los distintos textos (los de los cronistas, el de Prescott y el de Riva-Agüero) no dividen la secuencia narrativa de la acción de Chupas de la misma manera: Pedro Pizarro y Prescott le conceden parte de un capítulo; Gómara, Cieza de León y Riva-Agüero, un capítulo; Garcilaso Inca, tres capítulos, y Zárate, cuatro. Esta división podría aumentar o disminuir el dramatismo del relato, sobre todo si se considera asociada a la lista de los combatientes. El que este catálogo exista y se presente al final o al principio del relato podría evocar —como ya lo hemos apuntado— rasgos genéricos pertinentes. Por ejemplo, tal lista está ausente en la *History* de Prescott y en la crónica de Gómara, donde las menciones a los personajes son absolutamente funcionales y aparecen en relación a

---

[150] Prescott, 1903, p. 317.

la disposición del combate o a las acciones de los combatientes. Tampoco existe en la crónica de Pedro Pizarro, que brinda una relación muy escueta de la batalla. Tanto Zárate como Garcilaso ofrecen una narración amplia donde se menciona a los personajes principales. Ambos y Cieza de León listan a los guerreros en un capítulo final. Solo Riva-Agüero ofrece el catálogo de los caballeros principales al inicio del relato de la batalla.

Para apreciar la singularidad del fragmento de Riva-Agüero, compararemos su texto con el del cronista Agustín de Zárate, que puede representar al conjunto de cronistas que narran los sucesos de Chupas. Zárate enumera los caballeros del ejército real. Señalamos con cursivas los adjetivos calificativos, las menciones o alusiones al color y las determinaciones genealógicas, de dignidades o de gestas guerreras:

Y los escuadrones bajaron ordenados de esta manera, que la parte derecha llevaba [1] Alonso de Alvarado, que con su compañía guardaba *el estandarte real,* de que era *alférez* Cristóbal de Barrientos, *natural de Ciudad Rodrigo y vecino de la ciudad de Trujillo*; y en la parte izquierda iban los cuatro *capitanes* [2] Pedro Álvarez Holguín y [3] Gómez de Alvarado y [4] Garcilaso de la Vega y [5] Pedro Ansúrez, llevando cada uno muy en orden sus *estandartes* y compañías, yendo ellos en la primera hilera; y en medio de ambos escuadrones de caballo iban los *capitanes* [6] Pedro de Vergara y [7] Juan Vélez de Guevara con la infantería, y [8] Nuño de Castro con sus arcabuceros salió adelante por sobresaliente para trabar la escaramuza y recogerse en su tiempo al escuadrón. [9] Vaca de Castro quedó en la retaguardia con sus treinta de a caballo algo desviado de la gente, de manera que podía ver dónde había más necesidad en la batalla para socorrer, como lo hizo[151].

Contrástese el texto anterior con el de Riva-Agüero:

Olvidada, en efecto, la *pacífica* toga de oidor, [1] D. Cristóbal Vaca de Castro montaba *un bridón morcillo rabicano, y sobre la cota de malla lucía una galana ropa de brocado con la cruz de Santiago al pecho* [...] No fue el gobernador el único letrado que hizo armas aquel día, porque [2] *el licenciado* Benito Suárez de Carbajal, *hermano del factor Illén, y primo del obispo de Lugo,* dio muestras de su *habitual* denuedo; y [3] el *bachiller* Juan Vélez de Guevara, *muy bizarramente vestido y compuesto, según su costumbre, con calzas*

---

[151] Zárate, *Historia del descubrimiento y conquista del Perú,* p. 173.

y jubón de varios colores, recamado de oro y con muchas plumas en el sombrero, marchaba, a las órdenes de [4] Francisco de Carbajal, como uno de los dos *capitanes* de la nueva arma de arcabuces.

Formaban el centro las compañías de arcabuceros y piqueros; y los flancos, los pequeños escuadrones de jinetes y hombres de armas en caballos *reciamente caparazonados*, divididos así en dos *mangas* [en cursivas en el original] o trozos. Gobernaba el de la derecha [5] D. Alonso de Alvarado, *el conquistador de los grandes bosques de Chachapoyas*, y guardaba el *estandarte real*, cuyo *alférez* era el *hidalgo leonés* [6] Cristóbal de Barrientos, *encomendero en la Nueva Trujillo*. En las primeras filas de la izquierda, *ondeaban los cuatro guiones* correspondientes a [7] Gómez de Alvarado, *el fundador de Huánuco, hermano del compañero de Cortés y conquistador de Guatemala*; a [8] Garcilaso de la Vega, *padre del historiador, deudo del inmortal poeta homónimo y de las casas de Infantado y de Feria*; al *sagaz y sutil* [9] Per Ansúrez del Campo Redondo, *descubridor de las selvas de Carabaya y el Beni, y fundador de la ciudad de Chuquisaca*; y al *inquieto* [10] Per Álvarez Holguín, que mandaba toda esa ala, *y de quien decían que en Méjico prendió al emperador Guatimocín en la laguna*. Hacía de *maestre de campo otro camarada de Cortés y de Pedro de Alvarado*, [11] D. Gómez Tordoya de Vargas, *que fue el mejor amigo de D. Francisco Pizarro*. Tanto Gómez de Tordoya como Per Álvarez Holguín *se habían ataviado como para un torneo, con chaperías de oro sobre las armaduras y encima ropillas acuchilladas de damasco blanco*, lo cual fue causa de la muerte de ambos, pues quedaron *muy señalados* a los tiros del enemigo. Entre *los caballeros leales de mayor calidad* estaban [12] Pedro de Quiñones, *también antiguo soldado de Italia*, y *sus primos* [13] Antonio y [14] Suero de Quiñones, *todos tres parientes próximos del gobernador Vaca de Castro; los hermanos cordobeses* [15]Pedro y [16] Diego de los Ríos; [17] Juan de Salas, *hermano del inquisidor general y arzobispo de Sevilla Valdés de Salas*; y [18] Alonso de Loaysa, *hermano del de Lima, de «Loaysa arzobispo que fue de los Reyes»* como dicen las añejas coplas mencionadas.

El contraste entre los textos de las crónicas y el de *Paisajes peruanos* no puede ser más elocuente. Las crónicas presentan una nomenclatura, a lo más una enumeración que intenta representar la disposición de las fuerzas. En cambio, Riva-Agüero teje un lienzo pleno de color y de nobleza, que busca individualizar a los combatientes —y aun a sus extensiones: ropas, caballos, armas— por medio de adjetivos calificativos, atributos, aposiciones y oraciones subordinadas de relativo, y así resaltar su unicidad.

Considérese, por ejemplo, la descripción del jefe del ejército real, el licenciado Vaca de Castro:

Olvidada en efecto la pacífica toga de oidor, D. Cristóbal Vaca de Castro montaba un bridón morcillo rabicano, y sobre la cota de malla lucía una galana ropa de brocado con la cruz de Santiago al pecho.

Riva-Agüero no inventa: aprovecha testimonios contemporáneos a los sucesos que Prescott recoge en su *History* como anejos o en nota. Uno es el *Dicho del capitán Francisco de Carvajal sobre la información hecha en el Cuzco en 1543 en favor de Vaca de Castro*:

> […] y él se entró en su tienda a se armar, y dende a poco salió de ella encima de un caballo morcillo rabicano, armado en blanco […]

> […] y con una ropa de brocado encima de las armas, con el hábito de Santiago en los pechos […][152]

Otra de sus fuentes es la *Carta del cabildo de Arequipa al emperador, desde San Juan de la Frontera, a 24 de septiembre de 1542*:

> […] el gobernador Vaca de Castro […] armado en blanco con una ropilla de brocado sobre las armas con su encomienda descubierta en los pechos […][153]

No deja tampoco de echar mano del colorido retrato ofrecido por Prescott:

> The governor himself rode a *coal-black* charger, and wore *a rich surcoat of brocade* over his mail, through which *the habit and emblems of the knightly order of St. James*, conferred on him just before his departure from Castile, were conspicuous[154].

En un ejercicio de síntesis, Riva-Agüero capta lo esencial de la figura: la oposición entre la «pacífica toga del oidor» y la «galana ropa de brocado» que luce sobre la cota de malla, o sea, hace notar el cambio de funcionario civil a líder guerrero. No necesita insistir en el blanco que registran ambos documentos (omitido también por el retrato de Prescott): basta el contraste entre el cuerpo del caballo morcillo (según

---

[152] Prescott, 1903, p. 314.
[153] Prescott, 1903, p. 439.
[154] Prescott, 1903, p. 314. Cursivas del autor.

el *DRAE*, 'dicho de un caballo o una yegua: de color negro con viso rojizo') y la cola blanca, rabicana (Prescott omite este detalle, en nuestra opinión fundamental, pues crea un poderoso contraste cromático). El nombre técnico del caballo —«bridón» (también, según el *DRAE*. 'caballo brioso y arrogante')— con el que Riva-Agüero sustituye el neutro «caballo» de la carta de Carbajal, es un acierto de precisión designativa. «La cruz de Santiago al pecho» señala la dignidad real del funcionario. A pesar de que Riva-Agüero es puntillosamente exacto en la elección de los términos con los que se refiere a la realidad (ya se ha visto con la selección de «bridón»), «hábito» por 'insignia con que se distinguen las órdenes militares' (*DRAE*), el término escogido por Carbajal en su carta, podría llevar a confusión con la acepción más frecuente que registra el *DRAE*: 'vestido o traje que cada persona usa según su estado, ministerio o nación, y especialmente el que usan los religiosos y religiosas'[155]. Lo mismo puede decirse del término «encomienda», usado por los redactores de la carta del cabildo de Arequipa, que significa 'cruz bordada o sobrepuesta que llevan los caballeros de las órdenes militares en la capa o vestido' (*DRAE*) y que, igualmente, puede llevar a confusión con la institución por la que se asignaban indios como fuerza de trabajo a un encomendero. No es necesario ni señalar el color: el lector debe figurarse a un Vaca de Castro magnífico con su ropa de brocado sobre la cual resaltaba la roja cruz de Santiago —el color forma parte de lo consabido— sobre un caballo negro con brillos rojos que movía brioso su cola blanca.

Además de connotar nobleza y dignidad, el traje colorido era signo de valentía e indiferencia ante la muerte, pues como dice Riva-Agüero de Gómez de Tordoya y de Per Álvarez Holguín, los caballeros quedaban «muy señalados a los tiros del enemigo». Prescott es de la misma opinión:

It was a point of honour with the chivalry of the period to court danger by displaying their rank in the splendour of their military attire and the

---

[155] En el *Dicho* de Carbajal, «hábito» significa claramente 'insignia' y no 'vestido'. Prescott podría haberse confundido al traducir este término (a menos que haya usado una fuente no citada). Que el «hábito» estaba «en los pechos» sugiere que la cruz de Santiago estaba cosida a la ropa de brocado, no que el licenciado estuviera vistiendo los hábitos de la orden. Prescott no comprende que «hábito» significa en este caso 'cruz de Santiago', por eso distingue «habit» de «emblems».

caparisons [de aquí podría venir el «caparazonados» de Riva-Agüero] of their horses[156].

Aparte de la ya mencionada de otorgar colorido, dramatismo, nobleza e indiferencia ante la muerte —características de determinados personajes—, puede señalarse otra función a esta lista: como el famoso «catálogo de las naves» de la *Ilíada*, II, 484-760, al decir de G.S. Kirk[157], resulta ser una importante introducción al marchar —o en este caso, al luchar— de las tropas. El «catálogo de los caballeros» podría constituir un connotador de género, un rasgo tópico de la épica, tal como se aprecia en la revista del ejército sarraceno del canto XIV del *Orlando furioso* o, en clave cómica, en el catálogo de los caballeros que se imagina don Quijote ante la polvareda causada por manadas de ovejas y carneros (I, XVIII):

> Aquel caballero que ves ahí con las armas jaldes, que trae en el escudo un león coronado, rendido a los pies de una doncella, es el valeroso Laurcalco, señor de la Puente de Plata; el otro de las armas de flores de oro, que trae en el escudo tres coronas de plata en campo azul, es el temido Micocolembo, gran duque de Quirocia; el otro de los miembros giganteos, que está a su derecha mano, es el nunca medroso Brandabarbarán de Boliche, señor de las tres Arabias, que viene armado de aquel cuero de serpiente, y tiene por escudo una puerta, que según es fama es una de las del templo que derribó Sansón cuando con su muerte se vengó de sus enemigos[158].

El catálogo sigue en términos semejantes al pasaje citado. Como se aprecia, los nombres de los miembros de la enumeración van determinados por adjetivos calificativos («valeroso», «nunca medroso») aposiciones, aquí con carácter de dignidad nobiliaria («señor de la Puente de Plata», «gran duque de Quirocia», «señor de las tres Arabias») y oraciones de relativo («que viene armado de aquel cuero de serpiente»), todos rasgos que pueden analogarse —hasta por el colorido— con el catálogo de los caballeros de la batalla de Chupas que ofrece José de la Riva-Agüero en *Paisajes peruanos*. Miguel de Cervantes describe puntualmente el procedimiento:

---

[156] Prescott, 1903, p. 314.
[157] Kirk, 2001, p. 169.
[158] Cervantes, *Don Quijote de La Mancha*, p. 190.

Y de esta manera fue nombrando muchos caballeros del uno y del otro escuadrón que él se imaginaba, y a todos les dio sus armas, colores, empresas y motes de improviso, llevado de la imaginación de su nunca vista locura[159].

En fin, que el catálogo de los caballeros se presenta en las obras épicas (epopeyas o novelas) en una posición específica: antes de la narración de la batalla; que no es una nomenclatura ni una mera enumeración onomástica (aunque en otros pasajes de dichas obras puedan presentarse nomenclaturas o enumeraciones); que ostenta una larga tradición en la epopeya y que, en consecuencia, puede actuar como elemento connotador de adscripción genérica: el catálogo de los caballeros que preside la narración de Riva-Agüero de la batalla de Chupas convierte a esta narración en un texto más cercano a la épica heroica o a la novela de caballerías que a la crónica o al discurso histórico, aunque nunca los niegue totalmente.

Las acciones se desarrollan con el dinamismo propio de las escenas. Además de procedimientos típicamente descriptivos, como acaba de apreciarse al describir el «catálogo de los caballeros», resulta interesante notar que diálogos o exhortaciones —bastante raros en la prosa de *Paisajes peruanos* como lo ha notado Luis Alburquerque— aparecen en la escena de esta evocación histórica para caracterizar a los personajes. Estos, aristotélicamente, se definen en la acción, en la mímesis que imita acciones (Garrido Domínguez, 2009, p. 640).

Bastará centrarse en dos personajes para reconocer los procedimientos que usa Riva-Agüero para representarlos: el jefe rebelde Diego de Almagro el Mozo y Francisco de Carbajal, uno de los capitanes del ejército realista comandado por el licenciado Vaca de Castro. Ambos pueden considerarse personajes referenciales según la clasificación de Hamon (Garrido Domínguez, 2009, p. 663), pues remiten a una realidad extratextual, como es lo propio de los personajes históricos (Adriano, Belisario o Napoleón). Ambos, también, pueden incluirse dentro de lo mimético elevado, en la clasificación de Nothrop Frye (Garrido Domínguez, 2009, p. 664), lo propio de las composiciones que relatan una caída, como la epopeya y la tragedia.

Aun ocupándose de la batalla de Chupas en su crónica, Pedro Pizarro no incluye en ella la escena en la que Diego de Almagro el Mozo

---

[159] Cervantes, *Don Quijote de La Mancha*, p. 191.

da muerte a Pedro de Candia, su artillero jefe, por considerarlo un traidor al no haber apuntado correctamente sus baterías en dirección al enemigo. Ni Agustín de Zárate ni Francisco López de Gómara se detienen en muchos detalles al tratarla, tanto que el Inca Garcilaso se siente en la obligación de hacer notar lo que esos cronistas no dicen[160]. Compárense los textos de Cieza de León, Garcilaso y Riva-Agüero. Cieza incluye en la escena la vivacidad del diálogo:

> Y el estruendo que todos tenían era grande e andando peleando el mozo don Diego, fue avisado que había habido traición en los tiros e dicen que fue a Pedro de Candia e dicen que le dijo: «¡Traidor! ¿Por qué me has vendido?» e que dándole de lanzadas le mató; otros quieren decir que, cierto, Candia usó de cautela con don Diego, e no se hobo con lealtad en lo tocante al artillería y que, arremetiendo hacia donde él estaba, ciertos soldados de Vaca de Castro le mataron[161].

Sin embargo, el prurito testimonial de Cieza juega contra la tensión dramática al relativizar la fuerza referencial de la acción con la repetición de verbos que la diluyen en testimonios externos («e dicen…e dicen… otros quieren decir») y con la duda acerca del fin de Candia.

El Inca Garcilaso no incluye en la escena discurso directo, pero su relato es mucho más vivaz y narrativamente efectivo:

> Pasado de la loma, salió a campo raso, donde iban en manifiesto peligro de la artillería, mas Pedro de Candia, que era capitán de ella, tiraba por alto, de manera que ningún daño les hacía. Lo cual visto por don Diego, arremetió con él y a lanzadas lo mató sobre la misma artillería. Y saltando del caballo abaxo, con el enojo y rabia que su capitán le hacía, subió de pies sobre una de las piezas sobre la boca del cañón, y con el peso del cuerpo la bajó de punto y mandó pegarle fuego, estando él encima, y metió la pelota y lo abrió desde la vanguardia hasta la retaguardia […][162].

No existen dudas acerca del personaje y sus acciones: don Diego ve la acción de Candia, corre a él, lo mata a lanzadas, se monta sobre el

---

[160] Garcilaso, *Historia general del Perú (Segunda parte de los Comentarios reales de los incas)*, p. 291.

[161] Cieza, *Crónica del Perú. Cuarta parte. Vol. II. Guerra de Chupas*, p. 290.

[162] Garcilaso, *Historia general del Perú (Segunda parte de los Comentarios reales de los incas)*, p. 291.

cañón, rectifica el punto, ordena disparar y la bala que sale de esa arma mata o deja lisiados a soldados enemigos desde la vanguardia hasta la retaguardia. Apenas una brevísima digresión reflexiva informa del enojo y la rabia que le producía la traición de Candia y cómo estas pasiones inflamaban sus acciones. Es pura acción, y acción efectiva, aristotélica, que lo define como personaje de gran ánimo, ejemplo también de mímesis elevada, un airado Aquiles en las alturas andinas.

Riva-Agüero, en un ejercicio de síntesis, combina el discurso directo de Cieza con la dinámica narración del Inca Garcilaso:

> […] rompió sus fuegos la artillería de Candia; mas, por impericia o traición, los tiros no daban en el blanco, yendo muy por arriba, mientras los arcabuceros de Francisco de Carbajal, traspuestas las lomas, avanzaban por terreno raso. Indignado el joven Almagro y convencido de la felonía de Candia, corrió hacia él gritándole: «¡Traidor!, ¿por qué me has vendido?», y lo cosió a lanzadas, dejándolo expirante sobre sus mismas piezas. Subiose luego de pies en una culebrina, e inclinándola con el peso del cuerpo, rectificó el punto. Salió el tiro y rompió los escuadrones de infantería de Vaca, destroncando cabezas y brazos, y matando diecisiete hombres.

Nuestra impresión es que en el texto de Riva-Agüero la causalidad narrativa está más clara y a la vez no decae el dinamismo. La secuencia del asesinato de Candia es notable: Almagro corre y mientras corre (de ahí la efectividad del gerundio), le grita (Cieza escribe, modestamente, «dijo»; Garcilaso omite la verbalidad, tanto del *verbum dicendi* como del discurso directo) «y lo cosió a lanzadas» («dándole de lanzadas» dice Cieza; «a lanzadas lo mató», dice el Inca). Candia que expira (el participio de presente «expirante» resulta preciso: no ha muerto, está agonizando) sobre los cañones es también un detalle logrado de violencia realista como el «coser a lanzadas». Lo siguiente es tan activo y dinámico como en Garcilaso. La alacridad y efectividad de esa acción se reflejan en un dato que parecería ajeno a ella: «Salió el tiro». El personaje ha actuado efectivamente sobre la realidad, puede dejar de ser sujeto y trasladar la condición activa a un objeto, el cañón. Riva-Agüero carga las tintas, ajusta la causalidad, matiza las acciones y logra una escena efectiva y memorable.

La siguiente escena que comentaremos puede decirse que «pinta de cuerpo entero» al personaje de Francisco de Carbajal, tanto en su corporeidad excesiva que recuerda a Falstaff como en su indiferencia ante el peligro y la muerte. La escena no la trae el cronista Francisco López de Gómara. Sí lo hacen Agustín de Zárate, Pedro Cieza de León y el Inca Garcilaso de la Vega. Consideremos sus textos. Luego los compararemos con el de Riva-Agüero.

Empecemos con el de Zárate:

> Los capitanes de infantería de Vaca de Castro arremetieron con los de don Diego, metiéndose por la artillería, yendo delante animándolos el capitán Carbajal y diciéndoles que no hubiesen miedo al artillería, pues no le daba a él siendo tan gordo como dos de ellos, y porque no pensasen que lo facía en confianza de las armas, se quitó de presto una cota de malla y una celada que llevaba y la arrojó en el campo, y quedando en un jubón de lienzo, arremetió delante contra el artillería, y todos le siguieron [...][163].

Sigamos con el de Cieza:

> En esto ya los unos y los otros disparaban los arcabuces y Francisco de Carbajal decía: «Buenos caballeros, adelante, adelante, andad sin pavor e no tengáis en nada los arcabuces e miradme a mí cuán grueso soy e voy delante sin tenerles ningún miedo»[164].

El Inca Garcilaso de la Vega describe así la escena:

> [...] Francisco de Carbajal se dio por vencedor con la relación de Pedro Suárez. Y como triunfando de la inorancia de los enemigos, se quitó una cota de malla y una celada que llevaba, y la arrojó en el suelo, diciendo a los suyos que no hubiesen miedo a la artillería, pues no le daba a él, siendo tan gordo como dos de ellos[165].

La figuración de la escena resulta más efectiva en Zárate y en Garcilaso, a pesar de que ninguno de ellos incluye el discurso directo de Cieza. Y, para abundar más en precisión mimética, el gesto de desprenderse de los arreos protectores —que ambos registran, y Cieza no— vuelve

---

[163] Zárate, *Historia del descubrimiento y conquista del Perú*, p. 175.
[164] Cieza, *Crónica del Perú. Cuarta parte. Vol. II Guerra de Chupas*, p. 288.
[165] Garcilaso, *Historia general del Perú (Segunda parte de los Comentarios reales de los incas)*, pp. 292-293.

kinésico lo que podría ser una mera anécdota verbal. Resulta aún más efectivo Garcilaso, pues la acción de quitarse la cota y la celada coincide con la exhortación y el donaire de la autoburla (de ahí el gerundio «diciendo»). Al contrario, en Zárate Carbajal primero lanza la cota y la celada y luego exhorta.

Riva-Agüero combina el discurso directo de Cieza y el orden del relato de Zárate:

> El obeso Francisco de Carbajal, para animar a su gente, arrojó la cota de malla y la celada, y quedándose en cuerpo, vestido con un jubón de lienzo y con una partesana en la mano, se puso a la cabeza de la columna, gritando: «Adelante, caballeros. Miradme cuán grueso soy, y voy sin tenerles miedo».

El quedarse con el jubón de lienzo (detalle de Zárate que no incluyen ni Cieza ni Garcilaso), o sea, con casi nada que oponga la vasta corporeidad de Carbajal a los tiros del enemigo, es un acierto, pues refuerza la acción anterior (el arrojar la malla y la celada). A ello Riva-Agüero agrega un objeto ausente en sus fuentes, por lo menos en estas: la partesana, una lanza que termina en una gran cuchilla afilada por ambos lados. Carbajal no solo se expone al fuego enemigo y a la inclemencia del tiempo —muchos heridos murieron de frío luego de la batalla—, sino que muestra en su gesto de líder voluntad ofensiva. Es más verosímil que sus subordinados lo sigan si blande un arma tan conspicua como esa delante de ellos que si solo se expone al fuego enemigo.

Como puede haberse apreciado, Riva-Agüero se mide exitosamente con sus fuentes y crea una narración histórica vivaz y dinámica, con recursos que elevan la materia y la vinculan con géneros ficcionales, como la epopeya y la novela.

¿Una tradición indígena?:«Palla Huarcuna»

No es usual que José de la Riva-Agüero identifique genéricamente a los textos de *Paisajes peruanos*. Cuando el relato del viaje se aleja de lo inmediatamente factual, como acabamos de apreciar con la evocación histórica, el relato de la batalla de Chupas, o con el ensayo, como lo haremos más adelante con la meditación sobre la batalla de Ayacucho, la imbricación es continua y absolutamente natural y —es lo frecuente— va asociada a un topónimo o a un antropónimo. El autor no se siente en la necesidad de consignar paratextualmente el género del texto en el que desembocará la narración de marco.

No ocurre lo anterior con el texto de *Palla Huarcuna*, al que Riva-Agüero clasifica como «tradición indígena» en el título e identifica su fuente —la tradición de Ricardo Palma— al interior del capítulo, el capítulo XIV. Como es lo regular en *Paisajes peruanos*, el elemento catalizador de la descripción, de la narración o del ensayo imbricados en la narración de marco es un lugar geográfico denominado por un topónimo que es el que se explica o desarrolla:

> Pero aun cerca de esta serena hermosura del paisaje, el alma india ha localizado una de sus inspiraciones más poéticamente lúgubres. Cuatro leguas antes de Huancayo, entre Marcavalle y Pucara, y los arroyos de Upia Huanca y Jatumpuquio, hay un paraje denominado Palla Huarcuna (la *palla ahorcada* o *la horca de la princesa*). En él, una peña ofrece vagas semejanzas con el perfil de una mujer adornada con collar y diadema de plumas. Los naturales referían a ella cierta tradición que don Ricardo Palma recogió en 1860 y consignó en el primer libro de las suyas. Siguiendo las huellas del maestro, vamos aquí a reproducirla y ampliarla.

Para comprender mejor la especificidad del relato de Riva-Agüero conviene reproducir la tradición de Ricardo Palma:

PALLA-HUARCUNA

¿A dónde marcha el hijo del Sol con tan numeroso séquito? Túpac-Yupanqui, *el rico en todas las virtudes,* como lo llaman los *haravicus* del Cuzco, va recorriendo en paseo triunfal su vasto imperio, y por dondequiera que pasa se elevan unánimes gritos de bendición. El pueblo aplaude a su soberano, porque él le da prosperidad y dicha.

La victoria ha acompañado a su valiente ejército, y la indómita tribu de los *pachis* se encuentra sometida.

¡Guerrero del *llautu* rojo! Tu cuerpo se ha bañado en la sangre de los enemigos, y las gentes salen a tu paso para admirar tu bizarría.

¡Mujer! Abandona la rueca y conduce de tu mano a tus pequeñuelos para que aprendan, en los soldados del inca, a combatir por la patria.

El cóndor de alas gigantescas, herido traidoramente y sin fuerzas ya para cruzar el azul del cielo, ha caído sobre el pico más alto de los Andes, tiñendo la nieve con su sangre. El gran sacerdote, al verlo moribundo, ha dicho que se acerca la ruina del imperio de Manco y que otras gentes vendrán, en piraguas de alto bordo, a imponerle su religión y sus leyes.

En vano alzáis vuestras plegarias y ofrecéis sacrificios, ¡oh hijas del Sol!, porque el augurio se cumplirá.

¡Feliz tú, anciano, porque solo el polvo de tus huesos será pisoteado por el extranjero, y no verán tus ojos el día de la humillación para los tuyos! Pero entre tanto, ¡oh hija de Mama-Ocllo!, trae a tus hijos para que no olviden el arrojo de sus padres, cuando en la vida de la patria suene la hora de la conquista.

Bellos son tus himnos, niña de los labios de rosa; pero en tu acento hay la amargura de la cautiva.

Acaso en tus valles nativos dejaste el ídolo de tu corazón; y hoy, al preceder, cantando con tus hermanas, las andas de oro que llevan sobre sus hombros los nobles *curacas*, tienes que ahogar las lágrimas y entonar alabanzas al conquistador. ¡No, tortolilla de los bosques!... El amado de tu alma está cerca de ti, y es también uno de los prisioneros del inca.

La noche empieza a caer sobre los montes, y la comitiva real se detiene en Izcuchaca. De repente la alarma cunde en el campamento.

La hermosa cautiva, la joven del collar de *guairuros*, la destinada para el serrallo del monarca, ha sido sorprendida huyendo con su amado, quien muere defendiéndola.

Túpac-Yupanqui ordena la muerte para la esclava infiel.

Y ella escucha alegre la sentencia, porque anhela reunirse con el dueño de su espíritu, y porque sabe que no es la tierra la patria del amor eterno.

Y desde entonces, ¡oh viajero!, si quieres conocer el sitio donde fue inmolada la cautiva, sitio al que los habitantes de Huancayo dan el nombre de *Palla-huarcuna*, fíjate en la cadena de cerros, y entre Izcuchaca y Huaynanpuquio verás una roca que tiene las formas de una india con un collar en el cuello y el turbante de plumas sobre la cabeza. La roca parece artísticamente cincelada, y los naturales del país, en su sencilla superstición, la juzgan el genio maléfico de su comarca, creyendo que nadie puede atreverse a pasar de noche por *Palla-huarcuna* sin ser devorado por el fantasma de piedra[166].

De las tradiciones de tema incaico de Ricardo Palma, Riva-Agüero opina lo que sigue en *Carácter de la literatura del Perú independiente*:

Palma parece sentirla poco [a la poesía que surge de los relatos de Garcilaso y Prescott sobre el Tahuantinsuyo]. Le ha dedicado escasas *tradiciones*,

---

[166] Palma, 2008, pp. 67-70.

por lo general muy inferiores a las demás en colorido y gracia, escritas cuando aún profesaba el Romanticismo y no había encontrado su manera personal (*La gruta de las maravillas, El hermano de Atahualpa, La achirana del inca, Pallahuarcuna*). Decididamente no tiene amor por la historia incaica. Y no le falta razón, porque no era la más adecuada para suministrar asuntos al género que inventó[167].

Riva-Agüero no duda en calificarla, como otras de las primeras tradiciones, de «leyenda romántica», a la manera de las creaciones del duque de Rivas y de José Zorrilla[168]. Como lo señala Alejandra Torres, en toda típica tradición de Palma se desarrolla un relato principal mientras se teje un relato secundario a cargo de un discurso dominado por el narrador, que despliega ironía y humor, y cierta intención docente y moralista (Torres, 1997, p. 23 y p. 24). Este discurso, que tiende a identificarse con Palma mismo, en tanto «hijo del pueblo» y narrador oral, puede llegar incluso a desplazar a la historia principal.

Resulta interesante observar que en esta «leyenda romántica» de tema incaico, la historia de la palla huarcuna es mínima; pues abarca apenas seis minipárrafos y su trama no puede ser más escueta: una cautiva destinada al inca escapa con su amante, quien muere defendiéndola. El inca ordena su muerte y ella muere feliz porque quiere reunirse en el otro mundo con su amado. Dentro de la tradición o la leyenda de Palma hay varios puntos de fuga: un narrador no identificado exhorta a los distintos miembros de la comitiva del inca y a los asistentes a la magnífica procesión real. Un presagio nefasto (un cóndor herido ha caído sobre los picos de los Andes) hace profetizar al gran sacerdote la ruina del imperio. Serán inútiles las plegarias de las hijas del Sol. Sigue la historia de la palla y termina con su asociación al fenómeno orográfico. La historia de la palla huarcuna es solo una de las varias historias que el narrador esboza brevemente luego de apelar a sus interlocutores mediante vocativos. A pesar de este refinamiento centrado en el narrador, no se reconoce en el discurso de este el juego verbal irónico y refinado típico de las mejores tradiciones de Palma ni la burla y la gracia del contador de historias popular y oral. Reconocemos la oralidad, pero esta es demasiado solemne, casi oratoria, y hasta trágica en partes (contraria al aproblematismo de las

---

[167] Riva-Agüero, 1962c, pp. 188-189.
[168] Riva-Agüero, 1962c, p. 183.

tradiciones centradas en el Virreinato), por la caída del imperio y el castigo de la palla.

Seguramente Riva-Agüero quiso mostrar la filiación de su relato con las *Tradiciones peruanas* de Ricardo Palma, como que *Palla Huarcuna*, publicada por primera vez en 1860, es la primera de la primera serie de estas, de 1872. Como don José mismo dijo en *Carácter de la literatura del Perú independiente*, estas primeras tradiciones se acercan más a la leyenda zorrillesca que al modelo más cabal de la tradición, que Palma perfeccionó poco más tarde. Lo sorprendente es que con este material, Riva-Agüero —que no admira a Rubén Darío, como lo observa Luis Loayza[169]— crea un cuento modernista cabal y de calidad superior al texto de Palma que le sirve de insumo.

La historia incaica, que Riva-Agüero juzga en *Carácter de la literatura del Perú independiente* como «que tiene mucho de exótica y de extraña para nosotros» (Riva-Agüero, 1962c, p. 189), le sirve, luego de la introducción —un punto de partida histórico exacto y mínimo— para crear una atmósfera de raro refinamiento al describir los sorprendentes objetos que decoraban los aposentos del inca:

> Decoraban el interior tapetes mullidos, hechos de alas de murciélago; mantas polícromas, de telas de vicuñas con dibujos de grecas, rollos y aspas, y en cuyas cenefas aparecían pintados grupos de caciques y combatientes; braseros de oro, en que ardían hierbas olorosas, gomas y resinas de las selvas vírgenes y sahumerio de pájaros pulverizados; petacas tejidas de gruesas raíces de la Montaña; pequeños espejos mujeriles, de bruñida plata; tinajas refulgentes con esmaltes y calados; vasos de intrincada ornamentación, copones y vajilla toda de metales preciosos y formas desmesuradas y fantásticas, algunas de las cuales remedaban en bulto niños, llamas y cóndores; resplandecientes escabeles, y bancos bajos con espaldares cóncavos, repujados a imitación de colas de aves y de monstruos marinos.

Se trata, como puede apreciarse, de un gusto estético que —como el de Roderick Usher, de *La caída de la casa de Usher* de Edgar Allan Poe o el de Des Esseintes de *À rebours* de Huysmans o el del mismo Baudelaire del soneto de las *Correspondences*— privilegia la sobresaturación sensorial y la sustitución de lo bello por lo corrupto o por lo extravagante, o lo mezcla indistintamente. Mario Praz calificó esta preferencia

---

[169] Loayza, 2010c, pp. 244-245.

estética como «belleza medusea», por la fascinación que un cuadro de la Medusa de la galería de los Uffizi en Florencia, originalmente atribuido a Leonardo, causó en Shelley a principios del siglo XIX[170]. La descripción sigue con la figuración de los dignatarios que pululaban en los pasillos y de los reales de las tropas, «que en la estrechura sinuosa del valle tomaban dos leguas de largo». Y se prolonga con la serena y silenciosa experiencia del campamento en reposo: «El aire agitaba los toldos y las flámulas del campamento. Algunas fogatas hacían relucir las lanzas de *champi*, fijas en las puertas de las tiendas, y apenas turbaba el silencio el eco gemidor de una quena o de una antara». Súbitamente, un sonido de alarma rompe la pacífica tranquilidad y la narración se anima, primero con una dinámica de verbos que representan sonidos y luego con una secuencia casi paroxística de verbos de movimiento:

> Cuando de pronto, inexplicablemente en esta calma profunda y en esta provincia tan pacificada y central, resonó extrañamente la gran trompeta de alarma, el *churu* de retorcido caracol. A la señal respondieron con estruendo los cuernos y los tambores. En el tumulto, las voces de los jefes despertaron y alinearon a sus hombres sobresaltados. Aquietada un tanto la confusión imprevista, se vino a averiguar la causa: la mamacona de servicio había advertido en el serrallo del inca la ausencia de la concubina favorita. En vano registraron todos los compartimentos y dependencias del palacio y los depósitos; y se escudriñaron los cuarteles del real y los sitios inmediatos. Entonces, a más de medianoche, encendieron hogueras de aviso en las cumbres; despacharon exploradores en diversas direcciones; y enviaron chasquis que a toda prisa comunicaran a las regiones vecinas el inaudito sacrilegio y la orden de buscar y detener a la fugitiva.

Una explicación retrospectiva termina en la descripción minuciosa de la palla fugitiva, en realidad, una especie de prosopografía a través de la descripción del vestido, pues la voluptuosidad y la sensualidad del personaje se vuelven evidentes en ella:

[170] Compárese la enumeración del texto anterior con estas observaciones de Praz: «Entusiasmo por las flores monstruosas y las plantas tropicales, por las formas convulsas, en resumen, por la belleza medusea en sus expresiones más paradójicas; todo esto lo expresa Huysmans [el autor de *À rebours*] con la minucia de un pintor holandés de naturalezas muertas, pero no lo descubre: el mérito del descubrimiento —si mérito quiere llamarse— corresponde a Baudelaire y a Flaubert» (Praz, 1969, pp. 324-325).

Ceñida y fajada la saya sedosa; las ropas, de preciado *ancallu* y de entretejida plumería tornasol, recamadas con las cuentas y brocados de chaquira de oro y plata; abultados los brazos y piernas por braceletes caprichosos y apretados, numerosísimas ajorcas y sartas de cascabeles, según los extraños cánones de la estética femenil aborigen; arreboladas las mejillas con el *llimpi*; cubierta de infinitas joyas y coronada de turquesas y esmeraldas; suntuosa y relumbrante como un ídolo, macerada en perfumes, flexible como un junco; libre, viva y desenvuelta, como que era hija de los cálidos bosques, su hermosura eclipsó la de las otras mujeres, y sedujo los sentidos y el corazón de Túpac Yupanqui.

Obsérvese cuán lejos está la descripción de Riva-Agüero de la de Palma, para quien la única gala de la palla era «un collar de guairuros». Riva-Agüero crea un personaje que es un objeto precioso, exótico, de una sensualidad rica que sugiere la voluntad caprichosa y a la vez inflexible de una *belle dame sans merci*, capaz de envolver al cacique coterráneo en sus movimientos de ánimo y manipularlo con promesas de amor y con chantajes: «Comunicó el designio [de fugarse del serrallo imperial] al intrépido cacique de Moyobamba y le arrancó su aceptación, deslumbrándolo y fascinándolo con protestas amorosas, y amenazándolo con delatarlo y perderlo si se negaba».

La persecución y la captura de los amantes por los soldados del inca otorgan a la escena gran dinamismo narrativo. La muerte del cacique es dramática. Los detalles sangrientos o truculentos que aparecen a partir de este punto se condicen con las fantasías sádicas y truculentas de los relatos románticos o crepusculares como los de los *Cuentos crueles* de Villiers de l'Îsle Adam o la *Sonata de otoño* —recuérdese el traslado del cuerpo muerto de Concha por las salas del solar gallego hacia el fin del relato— de Ramón del Valle-Inclán:

Pretendieron al principio coger vivos a los culpables; pero al verse repelidos con tanto encarnizamiento, despidieron una lluvia de piedras y flechas. El bravo indio les hacía rostro y combatía con el coraje de la desesperación. Tapó con su cuerpo el de su amada; y al cabo se desplomó bajo la nube de proyectiles. Ya de cerca lo lacearon con un *ayllu*, cuerda que remata en dos pesas redondas. Cuando lo asieron, espiraba. Tenía clavado en la garganta un dardo; otro, en el pecho, se balanceaba aún por la violencia con que fue arrojado, y la sangre empapaba sus vestidos. Debajo, acurrucada, herida levemente, deshecho el tocado y descompuestas las galas, gemía la concubina del Cápac inca. Con femenil flaqueza, imploraba ahora piedad.

El castigo sigue la línea de la crueldad y el sadismo: la palla será liada viva al cadáver de su amante y ahorcada sobre el cuerpo de este. Al ver aproximarse al inca al lugar donde la habían capturado, la palla mira al inca e intenta suplicar y clamar, pero «la inaccesible expresión del monarca la hizo enmudecer». Al tomar conciencia absoluta de su destino, cierra los ojos. Riva-Agüero vuelve interioridad de conciencia —la de la palla— el paso inflexible del ejército: «Desfilaba el ejército, apretado, lento y sordo; y los pasos de aquella muchedumbre parecían una fúnebre crepitación». El horror de la pena mezcla ese par tan iterado de la literatura decadentista, la belleza y la muerte, aquí ya con las señas de la descomposición: «Por fin ataron a la princesa junto con el hinchado cadáver del curaca, en el que se ennegrecían los cuajarones de sangre».

Salvo por el juego de ojos (abrir-cerrar-abrir los ojos), podría afirmarse que el relato permanece a cargo de un narrador omnisciente y es, por ello, un relato no focalizado. El recurso a la alternancia de cerrar y abrir los ojos de la protagonista lo vuelve un relato con focalización variable, pues el narrador restringe el foco para hacerlo coincidir con la experiencia de uno de los personajes. En este sentido, el abrir final de los ojos de la palla resulta un gran golpe de efecto, pues en el último momento de su vida, inmediatamente antes de que se ejecute la pena, y en medio de un crepúsculo lujoso que proyecta cósmicamente el poder que el hijo del Sol ejerce en la tierra, la palla contempla al inca en todo su esplendor, inútilmente consciente de la futilidad de su traición:

> Antes de que le anudaran el lazo fatal, la concubina abrió los párpados, para despedirse de la vida en una última mirada. Sobre la abigarrada mancha de las tropas, ornadas de armaduras y plumajes, la refulgente litera del inca se erguía como una balsa de oro sobre un mar de luces. La enigmática insignia del Súntur Páucar se recortaba en el cielo verdoso y violeta; y el sol, como aplacado por el holocausto, descendía tranquilo en la majestad de su púrpura divina.

De este texto, Raúl Porras afirma que Riva-Agüero enjoya [a la modesta tradición o leyenda de Ricardo Palma] con toda la suntuosidad de la pompa incaica (Porras Barrenechea, 1955, p. CXXXV). Probablemente Porras quiera destacar con esta observación la cerrada correspondencia entre el relato de Riva-Agüero y el magnífico mundo material incaico. Uno de los grandes méritos de este texto es precisamente esta precisión referencial. Pacheco Vélez le reconoce, además, otras calidades: dice que en ella derrocha «la mejor prosa modernista» —entiéndase, de la literatura peruana— «junto a la de Ventura García Calderón» (Pacheco Vélez, 1993d, p. 236). Quizás esta excelencia fuera uno de los motivos por los cuales Riva-Agüero no hubiera publicado en vida *Paisajes peruanos*: al hallar este u otros pasajes «en exceso estrepitosos y declamatorios», como escribe en la *Advertencia preliminar* del manuscrito de 1931, regresa a su ánimo el clasicista que no acepta al Simbolismo francés ni a Rubén Darío y sus epígonos.

2.2.4. La descripción y sus formas[171]

Ya se ha visto que la descripción se constituye en género predominante en *Paisajes peruanos*. ¿Qué es una descripción? Según lo expuesto por Antonio Garrido Domínguez, la descripción, «o más acertadamente la topografía, es la denominación tradicional del discurso sobre el espacio»[172]. Además de marcas características (tiempos verbales, nombres, procedimientos retóricos) se fundamenta en un juego de equivalencias jerarquizadas entre una *denominación* y una *expansión*. Según Philippe Hamon[173], en efecto, el sistema descriptivo consta de una *denominación* —el elemento descrito o pantónimo, el cual no siempre aparece formulado explícitamente— y una expansión. La expansión suele estar formada por una lista (una nomenclatura) y un grupo de predicados, como puede apreciarse en el esquema que propone Hamon del sistema descriptivo (SD):

---

[171] Considérese, en esta sección, materiales de mi trabajo «Viñetas, estampas, retablos. Estructura y función de la descripción en *Paisajes peruanos*», sobre todo las páginas 182 ss.

[172] Garrido Domínguez, 2009, p. 745.

[173] Hamon, 1981, pp. 140 ss.

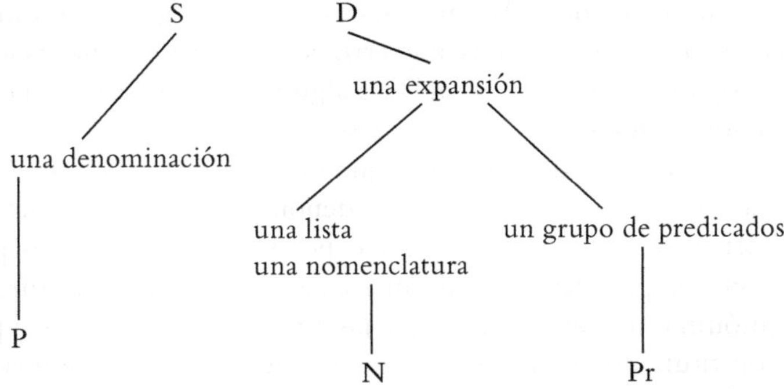

La descripción puede componerse exclusivamente por elementos de una lista (de una nomenclatura), de la suma de cualidades —los predicados—, o de la nomenclatura y los predicados a la vez.

Considérese la siguiente —muy breve— descripción (capítulo XII):

En la planicie superior hay un caserío, Choclococha, con iglesia y media docena de techos de paja.

El texto anterior se compone de un pantónimo («Choclococha»), dos elementos de una nomenclatura («iglesia» y «techos») y un predicado («de paja»). La descripción anterior podría esquematizarse de la siguiente manera:

Esquema núm. 1: Ejemplo de sistema descriptivo

P	N	Pr
caserío de Choclococha	iglesia	ϕ
	techos	de paja

Las formas de la descripción en «Paisajes peruanos»

Para Bourneuf y Ouellet, la descripción, en una novela, por ejemplo —pero no solo en una novela, también en un relato de viajes, podríamos agregar—, supone la interrupción de la narración: «La narración se inmoviliza, pues, durante algún tiempo en un "marco" y luego sigue su curso»[174]. Aunque esta capacidad de generar un marco parecería constituir un rasgo caracterizador de todas las descripciones, nuestra opinión es que solo se aplica a algunas; otras se perciben como fragmentos incluidos en un marco descriptivo mayor[175].

Es el caso de las descripciones que podrían denominarse *viñetas*. Estas, a diferencia de las que hemos denominado *estampas* y *retablos*, no configuran un marco descriptivo por sí mismas, en otras palabras, son siempre elementos de una lista, de una nomenclatura, de un pantónimo (tema), mientras que las estampas y los retablos sí pueden constituir por sí mismas un texto que se refiere totalmente a un pantónimo o que puede identificarse con una macroproposición equivalente al pantónimo como ocurre con el descubrimiento del río Apurímac (en el capítulo III) o la bajada a la llanura de Abancay (en el capítulo IV).

Deben distinguirse ahora estampas y retablos. Una estampa es una expansión imaginativa mediana o amplia en la que los elementos de la nomenclatura se ordenan en función de un observador que se ubica en un punto de vista fijo. En cambio, un retablo es una expansión imaginativa mediana o amplia en la que los elementos, independientemente de su disposición, se activan de tal manera, que se acercan al dinamismo de la narración[176].

A continuación, se presentan y se comentan ejemplos de cada uno de estos tipos descriptivos (o topográficos). En donde resulte pertinente, se hará referencia a otros textos no descriptivos y a sus vínculos con estas descripciones (mediante lo que Philippe Hamon llama *signos demarcativos*, las marcas que indican inicio o fin de la descripción[177], y

---

[174] Bourneuf y Ouellet, 1975, p. 116.

[175] Lo que no impide que posean señales autorreferenciales que son, según Hamon, las marcas distintivas de lo descriptivo (Hamon, 1981, p. 130). En el caso del ejemplo de la *viñeta* que se analiza en el texto, la autorreferencialidad está asegurada por su dependencia del pantónimo (relación todo-parte respecto del sustantivo identificado con el topónimo) y por referencias espaciales: «Encima», «junto a», «sobre el fondo».

[176] Los significados de los términos coinciden con los significados que se manejan en las artes plásticas. Una *estampa* es la reproducción de un dibujo, pintura, fotografía etc. trasladada al papel o a otra materia (*DRAE*, s.v.). La estampa sugiere una disposición estática. El retablo, en cambio, no. Un retablo es un conjunto de figuras pintadas o de talla que representan en serie una historia o suceso (*Diccionario Enciclopédico Espasa*, s.v.).

[177] Bourneuf y Ouellet, 1975, p. 136.

también mediante los signos *autorreferenciales*, las marcas distintivas de lo descriptivo).

La viñeta

> (1) Luego, torciendo siempre a la izquierda, desembocamos en la gran pampa de Anta, cuya primera aldea de este lado es Puquiura. (2) La iglesia parroquial de Puquiura tiene una gran torre cuadrada y unas arquerías bajas de aspecto curioso. (3) Encima del arco pegado al campanario, las hierbas ondulan al viento, junto a las tejas encarnadas y sobre el fondo sombrío de las sierras. (4) Fronterizo se encuentra el cerro antiguamente conocido por *Collana Sayhua* […]. (Capítulo II)

La primera oración (1) es claramente narrativa: el verbo en pretérito perfecto simple (indefinido), la marca de temporalidad (el adverbio «Luego»), las señales de dirección (el gerundio «torciendo siempre»; el complemento de lugar «a la izquierda», el demostrativo «de este lado»). Todo indica que se trata de una narración de itinerario típica del género relato de viajes. Lo que sigue, la segunda oración (2), es una oración descriptiva, una oración que inicia una descripción. Probablemente el signo demarcativo más relevante, el que señala el paso de una narración a una descripción sea el paso del tiempo verbal: de pretérito perfecto simple a presente («es», «tiene»). Debe apreciarse la continuidad entre los dos tipos textuales, que se produce por la identidad del topónimo: «aldea de Puquiura» e «iglesia parroquial de Puquiura». El movimiento va de lo general a lo particular, y actúa como si el segundo elemento fuera el hipónimo del primero o el primero el hiperónimo del segundo. La segunda oración (2) introduce la denominación (el tema o pantónimo): «la iglesia parroquial de Puquiura». Tanto la pobreza léxica del verbo *tener* como las sobrias indicaciones de los predicados de los elementos («una *gran* torre *cuadrada*», «unas *arquerías bajas de aspecto curioso*» otorgan a este fragmento un claro carácter de inventario. El inventario se transforma en viñeta —es nuestra opinión— en la tercera oración (3): se introducen otros elementos al inventario inicial («arco», «sierras») que aunque no constituyen propiamente parte de este, sobre todo el último, se asocian a él por contigüidad. La breve expansión imaginativa, a la que hemos nombrado *viñeta*, ocurre aquí, fundamentalmente, por la selección de un preciso verbo de movimiento («ondulan») y el colorismo de los predicados («tejas *encarnadas*», «fondo *sombrío*»). Conviene notar que hasta un adjetivo tan general y poco expresivo como «sombrío» adquiere relieve en este contexto, pues se aprecia contra el rojo de las tejas (cuyo detalle, además, —casi una miniatura— contrasta con la monumentalidad de las sierras, que son el fondo de este primer plano). No existe propiamente un signo demarcativo de cierre. La indicación de un nuevo objeto, el paso a un nuevo tema («el cerro antiguamente conocido como *Collana Sayhua*») señala que la descripción anterior (la de Puquiura) ha terminado y que empieza un nuevo texto. El siguiente cuadro sintetiza lo anterior:

Esquema núm. 2: Viñeta

P	N	Pr
La iglesia parroquial de Puquiura	torre arquerías campanario	gran, cuadrada bajas, de aspecto curioso
	arco hierbas tejas sierras	ondulantes encarnadas sombrías

El esquema núm. 2 permite apreciar la singularidad de la viñeta y su imbricación con la descripción que le sirve de marco y a la que dinamiza imaginativamente. Como ocurre con las iluminaciones en la tradición manuscrita o gráfica, la viñeta puede situarse al inicio o al final de la descripción de marco (en el presente texto, está al final), o hasta «en los contornos»[178], aunque no hemos encontrado ejemplos de este último caso.

---

[178] La definición de *viñeta* (tercera acepción) del *DRAE* es la siguiente: «Dibujo o estampa que se pone para adorno en el principio o al fin de los libros o capítulos, y algunas veces en los contornos de las planas».

La estampa

Al lado de la parda y purpúrea catedral, distinguí la fachada floridísima de la Compañía y la portada de la universidad, en que el barroquismo nos dejó sus más finos encajes de piedra. A la izquierda, las casas se agolpan y trepan hacia el verde cerro de Sajsayhuaman como un rebaño de alpacas blancas. Junto a los árboles del jardín de Lomellini y las ruinas del palacio de Manco Cjápaj brillaba la capilla de San Cristóbal, que cobijó en el siglo XVI la sumisión del príncipe Paullu y los últimos días angustiosos de Almagro y Túpaj Amaru, y en el XVII las estudiosas vigilias del literato indio Espinosa Medrano. De aquel propio cerro, en que se asienta la formidable ciudadela consagrada por el heroísmo de Cahuide, el bosquecillo de eucaliptos de los padres salesianos desciende tremulante. A nuestra derecha y al frente, los montes se redondean y describen la curva regular y simétrica de un anfiteatro. Ceñidos los últimos de nubes, parecen una ronda de guerreros incas, coronados de diademas de plumas (*pillcocaras*) e inmovilizados en las actitudes de una danza ritual. Hacia el sur se destacan, insignes entre todos por los mitos patrios, el Anahuarqui y el Huanacauri, en que se hundió la áurea barra de Manco. Tras la Alameda, el templo de Santo Domingo (antiguo *Coricancha*) y el convento de la Recoleta, se tiende en el valle el suntuoso tapiz de los cultivos. Arriba el Padre Sol, el Inti benéfico, faz y escudo de oro, triunfa en la pura bóveda azulada; y al oriente, el Ausangate, bajo la rutilación del aire, alza su cima de nieves como un palio de gloria. Así se me apareció la capital incaica en breve visión deslumbrante, por postrera vez, a modo de feliz presagio que surgiera del más hondo pasado, mientras las campanas de Santa Teresa seguían repicando incansables.

Al empezar este párrafo descriptivo, que corresponde al epílogo del capítulo I, con un verbo en pretérito perfecto simple («distinguí»), aparentemente no existe un signo demarcativo de inicio. Sin embargo, el párrafo anterior había terminado con la indicación del lugar específico desde donde el narrador se proponía contemplar el panorama de la ciudad, lo que tiene, evidentemente, un claro carácter demarcativo: «Del descanso de Urcoscallan la admiré [a la "noble mendiga" que es el Cuzco], rejuvenecida y serena, en la claridad de sus arquerías y sus extensas plazas».

El pretérito perfecto simple se explica por el valor testimonial (concurre con él el estar en primera persona) que Riva-Agüero quiere otorgarle a su contemplación: «admiré», «distinguí». Luego, la descripción se expresa en presentes: «agolpan», «trepan», «se asienta», «descienden» etc., lo que confirma la impresión de que se trata de una descripción en regla. La denominación (el pantónimo) es, sin duda, el panorama del Cuzco; y los elementos (la lista, la nomenclatura), los edificios y los componentes geográficos, orográficos y aun meteorológicos del paisaje. El punto de vista es explícito (ya se ha hecho notar) y define una especie de eje deíctico[179] a partir del cual se distribuyen los elementos, que se ordenan mediante indicaciones topográficas expresadas por construcciones adverbiales y por preposiciones (las *listas cardinales* de Hamon[180]): «A la izquierda», «A nuestra derecha y al frente», «Tras», «Arriba», «y al oriente»). Conviene individuar cada una de estas indicaciones (cuyo conjunto forma una *reja* o un *enrejado-grille* en la terminología de Hamon). Obsérvese que la mayoría introduce la oración. Al constituirse en complementos circunstanciales, *enmarcan* el resto de los elementos oracionales.

Esquema núm. 3: «Rejilla», «parrilla» topográfica

Al lado de

    A la izquierda

        Junto a

      De aquel propio cerro

        A nuestra derecha y al frente

          Hacia el sur

    Tras la Alameda

Arriba

    Y al oriente bajo

Puede apreciarse así de manera muy gráfica cómo los elementos de la descripción se disponen en un patrón casi geométrico que limita la tendencia natural de la expansión descriptiva y le otorga a esta, precisamente, el orden espacial de un cuadro, de una estampa. Como sostiene Hamon, este tipo de descripción hace «transformer la liste (extensible à l'infini) en "tableau" (régi par un ordre)»[181].

[179] Verschueren, 2002, pp. 59-60.

[180] Hamon, 1981, p. 195, distingue entre listas ordinales (primero, segundo, tercero…) y listas cardinales (delante, a la izquierda, a la derecha, al oriente, al sur).

[181] Hamon, 1981, p. 183.

El movimiento imaginativo está asegurado por las comparaciones («parecen una ronda de guerreros incas, coronados de diademas de plumas [...] e inmovilizados en las actitudes de una danza ritual») y las metáforas («se tiende en el valle el suntuoso tapiz de cultivos»). Si antes Riva-Agüero había calificado al Cuzco como «noble mendiga», en este punto, desde lo alto, es más *noble* que *mendiga*. La connotación apunta a una combinación virgiliana de bucolismo («las casas se agolpan y trepan [...] como un rebaño de alpacas blancas») e imperio sagrado[182] (los montes como anfiteatro y como ronda de guerreros; la cima de nieves del Ausangate como palio).

El retablo

El valle se dilata al oriente y al norte, cercado por las graves sierras de Matará y Pumacahuanca. Los tintes de los declives, opalinos y azulados, se armonizaban con el hondo esmalte del cielo en gradaciones suaves. El sol guiaba sosegadamente su rebaño de blancas nubes, y proyectaba reflejos áureos sobre los diversos cultivos y los pastos en que se movían los ganados. Su meditativa claridad tenía la dulce majestad con que imaginamos la augusta vejez de los héroes. Soplaba fresco el viento; y apenas, en algunas hoyadas y faldas, se adensaban las sombras. Cuando, casi de improviso, se incendiaron las cumbres, flameó el anfiteatro de los montes, y las nubes, ebrias de luz, se bordaron de franjas carmesíes y gualdas; pareció una vida serena que de pronto acabara en el fragor de una tragedia orgullosa. En el cruel resplandor del crepúsculo, los Andes, abruptos y violáceos, descubrieron nuevas alturas sucesivas, se superpusieron hacia todos los puntos del horizonte, fingieron arremolinarse y crecer todavía más, en estupenda proporción, como inmensas olas de amatista. Los ardientes arreboles semejaban unos, castillos desmesurados; otros, dragones y carabelas fantásticas; y los de enfrente refulgían como armaduras de pedrerías y bronce. El tramonto hizo alarde de su pompa, suntuosa y fúnebre como la de una reina viuda. Entre estos fulgores del celeste mosaico, vibró como una gota de plata el lucero de la tarde, el *Arányaj Huara Chhascja*, doncel favorito del Sol según la mitología peruana, que sacude en la penumbra los rizos de su cabellera centelleante. Las tinieblas se agolparon en el valle y extendieron sus sinuosos pliegues, bajo las nubes que se descoloraban rápidamente como en una lluvia de

---

[182] Como el Inca Garcilaso de la Vega, Riva-Agüero considera al Cuzco la Roma americana (Campos-Martínez, 2013).

rosas y de cenizas moradas. El cielo en unos trozos era color de perla, en otros presentaba manchas lilas y verdes, o profundizaba en largas ensenadas el añil de su azul; y en esta gama cambiante, florecían inquietas las estrellas. No se oía más rumor que el paso de nuestras cabalgaduras y el correr de los arroyos. Una cima, al occidente, brillaba solitaria, en exasperado y moribundo ardor; y sobre los negros cerros de la derecha ascendía la luna, curva y dorada, como una caricia apaciguadora tras el tumulto deslumbrante del ocaso.

La denominación —el pantónimo— de la descripción anterior (que corresponde al capítulo VIII) coincide en parte con el título: «La puna de Tocto». En realidad, lo propio sería referirse al atardecer contemplado en la puna de Tocto. De manera semejante a la estampa anterior, un testimonio explícito actúa como signo demarcativo: «En la travesía presencié el crepúsculo más bello de mi viaje, el que me ha dejado más viva impresión». A diferencia de otros retablos, como el que se refiere al descubrimiento del río Apurímac, en el capítulo III, Riva-Agüero matiza los tiempos verbales y no se reduce al presente típico de las descripciones. A una introducción de inventario, esta sí en presente, que sitúa el espacio en coordenadas puntuales («al oriente y al norte», «cercado») y lo conecta aún más con topónimos, le sigue una larga enumeración de elementos, una nomenclatura: los declives, el cielo, el sol, los pastos, los ganados, el viento, las hoyadas y las faldas, las sombras. Toda esta sección está en pretéritos imperfectos, formas verbales que expresan procesos continuos, no concebidos con límites, ni iniciales ni finales: «se armonizaban», «guiaba», «proyectaba», «se movían», «tenía», «soplaba». Luego una frase adverbial con carácter de conector o de marcador de secuencia («De pronto») introduce sorpresiva y súbitamente un amplio conjunto de elementos que se vinculan por verbos en pretérito perfecto simple: «se incendiaron», «flameó», «se bordó», etc. Esta forma verbal rompe, con su carácter puntual, la plácida continuidad del proceso expresada por los imperfectos y marca el cambio del colorismo suave de los predicados por el drama fantástico. La descripción se narrativiza. Los colores connotan el mundo rico y legendario de la nobleza y la realeza descrito por elementos y predicados dinamizados por verbos: «carmesíes y guindas» y «amatistas», connotaciones que se refuerzan con las comparaciones: «Los ardientes arreboles semejaban unos, castillos desmesurados; otros, dragones y carabelas fantásticas; y los de enfrente refulgían como armaduras de pedrerías y bronce». El texto continúa con la animada representación de otros elementos en los que el cromatismo resulta detallado y tamizado. Lo legendario caballeresco-medieval-aventurero (de claro gusto modernista) se transforma en mito quechua con la referencia a Venus como el doncel favorito del Sol. La serenidad de la luna sigue al «tumulto deslumbrante del ocaso» y con ello se cierra anticlimáticamente (como eco del inicio) la descripción y el párrafo.

Como puede comprobarse, tanto la estampa como el retablo presentan ricas —hasta densas— imágenes. En nuestra opinión, se distinguen por la presencia de un punto de vista explícito que ordena los elementos del pantónimo en la estampa, lo que les otorga un carácter más estático. Si bien en los retablos se sigue determinado orden (el del camino), este no es tan importante como el drama plástico o pictórico que se desarrolla delante del lector. Como ocurre con determinado tipo de retablos en las artes plásticas, los elementos del pantónimo «representan en serie una historia o suceso»[183]. Es el caso de la ya mencionada bajada al río Apurímac (el cerro como cripta real y el río como espada) y el del ejemplo que acabamos de analizar (el animado drama cromático legendario que sucede a una paz de égloga y que termina con la serenidad lunar). De aquí a las mininarraciones de carácter costumbrista (como la del paso del viático en Ayacucho, en el capítulo X, o la del trisagio de la fiesta de san Juan, en el capítulo XII) hay solo un paso. Pero se trata en este último caso de narraciones, no de descripciones.

La imagen hermenéutica

Para completar el examen de los distintos tipos de descripción en *Paisajes peruanos* conviene estudiar otra, que podría denominarse *imagen hermenéutica* porque combina la representación —bastante escueta— del espacio con su interpretación histórica o patriótica. Considérese el siguiente texto, del capítulo V:

[183] Es la definición de *retablo* (s.v.) que trae el *Diccionario Espasa 1*: «Conjunto o colección de figuras pintadas o la talla, que representan en serie una historia o suceso».

El tropel contradictorio de noticias que traen los diarios limeños y las reflexiones que provocan, se disipan en la calma vespertina. *A la sombra de los Andes eternos*, que miraron pasar incas y conquistadores, diríase un desacato el mezquino rumor de la actualidad menguada. *Las nobles formas de las montañas patrias* ahuyentan las imágenes ruines. Y para el alma del Perú, que duerme *en las sublimes moles*, aguardando la hora del destino, ¿qué significado ha de tener la presente vida política, pobre entremés, largo e insípido intervalo entre dos dramas, farsa sin ideal, sin empuje y sin mañana?

Como se observa en el texto citado, la descripción está asociada a la repetición del pantónimo, matizado por predicados («eternos», «patrias», «sublimes»). Podría incluso discutirse su condición de descripción, al no existir la expansión de la denominación. Existe la descripción en tanto se trata de una suspensión del relato de viajes, de un breve marco que se refiere a un objeto (los Andes, las montañas de los Andes). El objeto recibe en el mismo texto una interpretación explícita y cabal. La grandeza de la geografía «eterna» y de la historia antigua presentada en expansiones plásticas, cromáticas e imaginativas, en viñetas, estampas y retablos y que se sugerían o se anunciaban con comparaciones y metáforas son aquí planteamiento directo y desvelado en este ejemplo de subclase textual. Ello no impide que, dentro del desarrollo argumentativo, el pantónimo se resemantice al volverse símbolo del drama histórico (pasado y futuro) que se opone al entremés de la actualidad política (presente).

En su sobriedad, la imagen hermenéutica representa quizás el *grado cero* de la descripción en *Paisajes peruanos*. Por ello, tal vez, pueda expresar más didácticamente la función de la descripción en este libro, que es corporizar la «"naturaleza histórica" inmutable del Perú, un núcleo central e imperecedero de tradición peruana»[184].

La articulación de la descripción con otros tipos textuales

¿Cómo se articula la descripción con otros tipos textuales para componer el lienzo o el mosaico que es el texto que Riva-Agüero articula en *Paisajes peruanos*?

[184] Wiesse Rebagliati, 2001, p. 243.

Normalmente, las descripciones van intercaladas en el relato del camino (el gran marco textual de *Paisajes peruanos* es la narración del recorrido de un itinerario, característica del género «relato de viajes») a partir de un topónimo mayor o menor. No son infrecuentes las descripciones que conforman la coda de un capítulo del libro o de un segmento de la ruta. En algún caso, la descripción actúa como preludio que genera expectativa. Es el caso de la siguiente viñeta (final del capítulo VIII):

> Durante la noche, para evitar las heladas, los pastores prenden fuego a los pajonales; y al despertarme en altas horas, veía yo *correr las llamaradas por las lejanas punas*, enrojeciendo el cielo *como un océano de sangre*.

La comprobación de una acción consuetudinaria en un contexto agrario da paso a la descripción del incendio de la puna formada por las llamaradas y sus reflejos rojos en el cielo negro. La comparación («como un océano de sangre») vuelve ominosa la pequeña viñeta, pues esta puede figurarse como proemio a la evocación histórica de la sangrienta batalla de Chupas, el 16 de septiembre de 1542, entre el presidente Vaca de Castro y Diego de Almagro el Mozo que se relatará en el capítulo siguiente, el IX.

El último capítulo del libro, el capítulo XVII, posee valor epilogal (lo expresa el mismo título: «Impresiones finales»). Correspondientemente, aunque ello no se exprese en el título, puede aventurarse que el primer capítulo de *Paisajes peruanos* posee valor de prólogo (de «exordio magistral» lo clasifica Porras Barrenechea, 1955, p. CVII). Por esta razón, o sea por la importancia de su carácter prologal o de exordio, y porque puede resultar un buen ejemplo de cómo la descripción se articula con otros tipos textuales, ofrecemos a continuación en un esquema (el esquema núm. 4) del conjunto de tipos textuales del primer capítulo del libro, en secuencia, como para mostrar su continuidad.

Esquema núm. 4: Tipos textuales (Capítulo 1)

	TIPO DE TEXTO	SIGNOS DEMARCATIVOS	CONTENIDO
1	Narración	Tiempo verbal: pretérito perfecto simple	Ruta
2	Descripción	Tiempo verbal: pretérito imperfecto	Retablo: descripción de la luz + profesión de monja en Sta. Teresa
3	Narración	Tiempo verbal: pretérito perfecto simple. –Frase adverbial: «Al fin»	Ruta
4	Narración - descripción	Tiempos verbales: pretérito perfecto simple –presente –pretérito imperfecto.	Ruta + descripción (casas de los conquistadores) + evocación histórica + evocación legendaria (baños de Sapi, sagrado arbusto de quinua, raíz de la ciudad y del imperio)
5	Descripción	Tiempo verbal: presente	Galería de arcos cegada, del convento de Santa Teresa
6	Narración - exposición –argumentación	Tiempos verbales: presente –pretérito perfecto compuesto –pretérito imperfecto –futuro compuesto	Explicación del detalle arquitectónico anterior: comentario autoral + citas (crónicas, *Concolorcovo*)
7	Descripción	Tiempos verbales: presente –pretérito imperfecto	Retablo: fiesta en la plazuela de Santa Teresa
8	Narración	Tiempos verbales: presente –pretérito perfecto simple	Ruta
9	Narración	Tiempos verbales: presente –pretérito perfecto simple	Evocación histórica (don Diego de Silva y Guzmán y otros)
10	Narración	Tiempos verbales: –pretérito perfecto simple –presente	Ruta
11	Narración	Tiempo verbal: pretérito perfecto simple	Evocación histórica (Suburra americana)
12	Narración	Tiempos verbales: –pretérito perfecto simple –presente	Ruta + evocación histórica (apacheta de Urcoscallan) + citas (Cobo, Cieza)

13	Testimonio - descripción	Tiempos verbales: -pretérito perfecto simple -pretérito perfecto compuesto -presente	Visión emocionada del Cuzco (lecturas + visión desde lo alto)
14	Argumentación - descripción	Tiempos verbales: -pretérito imperfecto -pretérito perfecto compuesto -presente -futuro imperfecto	Visión del Cuzco: decadencia a ras del suelo / grandeza desde lo alto y de lejos
15	Descripción	Tiempos verbales: -pretérito perfecto simple -presente	Estampa (descripción desde Urcoscallan)

Debe notarse que el paso de un tipo de texto a otro es fundamentalmente temático y que los tiempos verbales actúan no como elementos demarcativos sino como marcas de refuerzo, particularmente en narraciones y descripciones donde predominan el pretérito perfecto simple y el presente, respectivamente. Miguel Ángel Garrido Domínguez sostiene que la descripción «crea una memoria textual importante que facilita tanto el desarrollo de la trama como el éxito del proceso de lectura. Es, pues, importante factor de cohesión textual»[185]. Esta observación puede aplicarse también a la relación que suelda la descripción con los otros tipos textuales. En el primer capítulo —ya tendremos oportunidad de desarrollar más este punto— Riva-Agüero recuerda, a propósito de la apacheta de Urcoscallan, a los cronistas Cobo y Cieza. El primero relata cómo los antiguos súbditos del Tahuantinsuyo adoraban por última vez la «capital santa» antes de seguir la ruta hacia el norte, el camino del Chinchaysuyo; el segundo, cómo los indios viejos lanzaban un alarido grande al mirar la ciudad «contemplando el tiempo presente y acodándose del pasado». La evocación histórica —que aquí se presenta escuetamente, como una cita breve— se conecta con la descripción en tanto el observador de la estampa final (es decir, Riva-Agüero) se ubica en la misma posición de los indios, y desde ella describe el Cuzco. A diferencia de ellos, la visión desde lo alto posee el valor no de la grandeza perdida, sino el de la grandeza evocada como inspiración para el futuro.

En síntesis, un esquema como el siguiente (Esquema núm. 5) podría graficar los tipos textuales y sus vinculaciones ideales en la tesitura

---

[185] Garrido Domínguez, 2009, p. 747.

textual de *Paisajes peruanos*. Como puede observarse si se examina este, todos los tipos textuales pueden relacionarse directamente con la narración de marco (se trata, en verdad, de un relato de viajes). No obstante, la vinculación más frecuente es la de esta narración de marco con la descripción. A partir de la descripción, pueden conectarse los otros tipos textuales.

Esquema núm. 5: Vinculación ideal de los tipos textuales
de *Paisajes peruanos*

El paisaje

El análisis del fenómeno descriptivo que hemos intentado lleva a una comprobación evidente: el objeto de la descripción —el paisaje— solo circunstancial u originariamente es un fenómeno natural. En esencia, es una creación cultural. Eduardo Martínez de Pisón sintetiza su genealogía:

La imagen cultural en que hoy nos movemos, entre la percepción estética y la vivencia moral, se desarrolla en Europa desde Petrarca, los naturalistas alpinos del Renacimiento, toma vigor con los viajeros ilustrados y, sustancialmente, es una creación romántica[186].

No poca de esta condición romántica pasa por el gusto de lo sublime sobre lo bello, como lo destaca —entre otros— Remo Bodei. El desplazamiento de uno al otro, como veremos, generará valores no solo estéticos.

¿Cuál es la génesis del paisaje de Riva-Agüero? Nuestra hipótesis: ciertamente los libros y relaciones de viajeros como Humboldt, Squier, Raimondi, naturalistas y geógrafos que fatigaron la geografía peruana, y los cronistas antes de ellos; pero de manera inmediata y entusiasta, los ensayos, libros de viaje y los poemas —las meditaciones a partir de la geografía de España— de escritores como Azorín, Machado y Unamuno. Como lo examinaremos con más detalle más abajo, Riva-Agüero identifica en varios puntos la Sierra peruana con Castilla. No se trata de una asociación banal o menor. Para dar cuenta del significado profundo de la idea del paisaje y calibrar su valor trascendental, nos parece importante considerar las ideas que sobre el paisaje manejaba José Ortega y Gasset, pensador cercano en el tiempo a José de la Riva-Agüero (Ortega nació en 1883 y Riva-Agüero, en 1885), aunque no se guardan testimonios del conocimiento directo de ambos intelectuales. Ortega puede considerarse además como el creador de una de las reflexiones más refinadas sobre el tema, iniciado, por lo menos para ese grupo de creadores, en el último cuarto del siglo XIX, con las reflexiones de don Francisco Giner de los Ríos y el ideario de la Institución Libre de Enseñanza.

En una conferencia pronunciada en el Ateneo madrileño el 4 de abril de 1915 y recogida luego en «Temas del Escorial», José Ortega y Gasset reflexiona sobre el paisaje. Parte, precisamente, del recuerdo de una conversación con Giner de los Ríos en la raya de Segovia, mirando las lomas nerviosas del Guadarrama (la anécdota con Concha Espina que le cuenta Giner a Ortega es la misma que el primero registra en su conferencia «El paisaje»). El tema de su reflexión es el de la relación del individuo y el medio, que el madrileño juzga particular, única:

---

[186] Martínez de Pisón, 2012, p. 15.

Hay un mundo para la avispa y otro mundo para el águila y otro para el hombre. El individuo y el medio nacen el uno para el otro —más aún, el individuo no es sino la mitad de sí mismo; su otra mitad es su medio propio, con él forma la verdadera unidad superior que llamamos organismo. De él recibe las excitaciones frente a las cuales reacciona. La vida es precisamente este esencial diálogo entre el cuerpo y su contorno[187].

Hasta aquí, Ortega mantiene el término «medio», de clara raigambre positivista. A continuación propone un cambio radical:

Pues bien, señores, en lugar de «medio» digamos «paisaje». El paisaje es aquello del mundo que existe realmente para cada individuo, es su realidad, es su vida misma. El resto del universo solo tiene un valor abstracto. Y cada especie animal tiene su paisaje y cada raza de hombre el suyo. No hay un *yo* sin un paisaje en referencia al cual está viviendo: yo soy aquello que veo, pero otro desearía odiar lo que veo y aquello que me hace sentir lo que veo. No hay un yo sin un paisaje, y no hay paisaje que no sea mi paisaje o el tuyo o el de él. No hay un paisaje en general[188].

Esta condición «raigal», «ahincada» del paisaje genera consecuencias para el yo, ciertamente, pero también para el prójimo o para la comprensión que el yo pueda tener del prójimo:

No existe, pues, otra manera de comprender íntegramente al prójimo que esforzarse en reconstruir y adivinar su paisaje, el mundo hacia el cual se dirige y con el que está en diálogo vital. Y viceversa, solo veremos bien un paisaje que no sea el nuestro buscando con lealtad la pupila que le corresponde, la atalaya única con él enlazada[189].

Y, en una derivación hacia lo nacional, sentencia: «Señores, el patriotismo es ante todo la fidelidad al paisaje, a nuestra limitación, a nuestro destino»[190].

Finalmente, una identificación que recoge, sintetiza y concluye:

[187] Ortega y Gasset, 1988, p. 49.
[188] Ortega y Gasset, 1988, pp. 49-50.
[189] Ortega y Gasset, 1988, p. 50.
[190] Ortega y Gasset, 1988, p. 51.

La patria es el paisaje: el paisaje es nuestro ser mismo. Cuando Jehová quiere hacer con un pueblo una alianza, acordaos de que le promete una tierra. La tierra prometida es el paisaje prometido, es el destino, el porvenir, la vida de aquel pueblo y de aquel hombre[191].

Lo anterior refuerza una identidad y la anima vitalmente. La última reflexión de Ortega, sugerida por un comentario a las ideas de Hegel, vuelve al paisaje una elección vital. Como lo presenta la paráfrasis de Martínez de Pisón:

Y Ortega añade sin equívocos: «hace años llegué a la conclusión de que las condiciones geográficas no determinan la historia de un pueblo». El pueblo emigrante se detiene cuando encuentra una «afinidad» entre su alma colectiva y el estilo de un paisaje. El paisaje, de este modo, no aparece como imposición sino como una elección[192].

Aunque no referido a la relación entre medio o paisaje e historia, sino a la política, Luis Loayza parece referirse a la obra general de Ortega cuando sugiere su influencia en Riva-Agüero: «Ortega es, en la obra de Riva-Agüero, por acción y por reacción, una presencia tenue pero indudable, aunque no reconocida, por lo menos en los libros publicados»[193]. Más recientemente, Luis Alburquerque, en su investigación sobre *Paisajes peruanos*, identifica en el relato de viajes de Riva-Agüero las señas de Ortega:

Hablaba antes de la simbiosis novecentista peruano-española. Y no quiero dejar de aludir a dos claves en que se asientan *Paisajes peruanos*: el yo y su circunstancia y la teoría perspectivística, que entroncan con las figuras retóricas de la descripción ya aludidas, sobre todo con la prosopografía, la etopeya y la topografía, que se convierten en articuladoras de la relación entre persona y paisaje y resumen el principio constructivo de *Paisajes peruanos*[194].

[191] Ortega y Gasset, 1988, p. 53.
[192] Martínez de Pisón, 2014, p. 46.
[193] Loayza, 2010c, p. 283.
[194] Alburquerque, 2013, p. 207.

Hemos podido contribuir a sugerir algunos vasos comunicantes entre Ortega y Riva-Agüero en el artículo «¿Riva-Agüero, precursor de Ortega?», publicado en 2015 en la *Revista de Estudios Orteguianos*[195].

César Pacheco Vélez observa que José Ortega y Gasset fue una referencia para la generación de Víctor Andrés Belaunde, que fue quien, en 1905, durante su primer viaje a Europa, pudo haber tenido ya noticias del joven pensador español y comunicarlas a sus compañeros; por ejemplo, fue una referencia para Óscar Miró Quesada de la Guerra, para José Uriel García y para Luis E. Valcárcel[196]. ¿Qué podría decirse de Riva-Agüero?

En el estado actual de la investigación, no resulta fácil formular afirmaciones definitivas, pero puede sostenerse que Riva-Agüero, probablemente leyó, con poco tiempo de diferencia en relación a su aparición, las *Meditaciones del Quijote* y tres tomos de *El Espectador*. El volumen de las *Meditaciones* que conserva la Biblioteca del Instituto Riva-Agüero de la Pontificia Universidad Católica del Perú corresponde al de la primera edición, la de la Residencia de Estudiantes, y aunque no posee anotaciones manuscritas de Riva-Agüero, está tonsurada. También los ejemplares de *El espectador* que guarda el citado repositorio corresponden a las primeras ediciones. Varios contienen anotaciones marginales de puño y letra de Riva-Agüero. Se trata, más bien, aunque el refilo de la guillotina usada para la encuadernación las haya vuelto casi ilegibles, de precisiones puntuales —y hasta malhumoradas— de erudito.

Y, sin embargo, con un poco de aplicación, es posible descubrir esas «presencias tenues pero indudables» que detectó Loayza. Sobre todo si nos concentramos en *Paisajes peruanos*. Como ocurre en la obra de Ortega, en *Paisajes peruanos* las descripciones no son fondo prescindible, relleno inútil o escenografía descartable: son los *loci*, los lugares donde aparece la revelación de la idea. En el madrileño puede verificarse la evolución del concepto decimonónico taineano de «medio» al concepto propiamente orteguiano de «circunstancia», pasando por el de «paisaje», una evolución que, parafraseando a Ortega, sería «nada moderna y muy siglo xx». Al respecto, Martínez de Pisón nota la importancia del hecho de que Ortega, en las *Meditaciones del Quijote*,

---

[195] Exponemos aquí ideas del citado artículo (Wiesse Rebagliati, 2015), especialmente de la página 73 y de la nota 25, que abarca las páginas 77 y 78.

[196] Pacheco Vélez, 1993a, p. 63.

utilice al paisaje como ejemplo de la circunstancia[197]. El concepto de paisaje puede ser ejemplo del de circunstancia, pues a diferencia del mero medio o el mero territorio, el paisaje exige al yo (como el «yo» exige, a su vez, la circunstancia):

> Realmente, la mirada del hombre puede volver paisaje, con ese nivel de profundidad, lo que era solo territorio y apariencia, porque la mirada reorganiza el espacio desde el conocimiento de lo configurado y lo interpreta culturalmente. Es mi mirada la que lo descubre como tal paisaje, pero no lo inventa, porque el lugar descubierto por mí como paisaje está ya configurado esperando su descubridor[198].

Y el paisaje no es realidad epidérmica, sino experiencia densa, preñada, plena de posibilidades de sentido, tantas, que la visión de un paisaje puede enseñarnos mucho, es —para recordar un artículo de Ortega— «pedagógica»:

> Esta dimensión, cuyo mejor ejemplo es un paisaje en que la forma cubre su fondo, requiere otro modo de claridad para revelar y mostrar su existencia, para comprender sus calidades. Tras las alusiones someras del primer plano de una realidad o más allá de nuestras impresiones sobre ella hay otros trasmundos que exigen mayores esfuerzos intelectuales. La enseñanza del bosque, del paisaje pedagogo, es también la de una serie de «planos de la realidad, cada vez más profundos, más sugestivos», que reclaman una voluntad de comprensión para descubrirse[199].

¿Cómo no vincular estas ideas con el empeño de José de la Riva-Agüero de descubrir «el ser del Perú» a través de la contemplación de su geografía? Para Riva-Agüero la experiencia del viaje por la Sierra peruana resulta análoga a la experiencia que relata Ortega del bosque de La Herrería. Como lo expresa Cerezo Galán al tratar de precisar la naturaleza del «mundo» orteguiano:

> Podríamos decir que el paseante está-en-el-bosque al modo de ser-en-el-mundo. Este es su destino. ¿De qué mundo se trata? Obviamente, del «mundo de la vida», siempre ya dado de antemano —«el a priori

---

[197] Martínez de Pisón, 2014, pp. 40 ss.
[198] Martínez de Pisón, 2014, p. 43.
[199] Martínez de Pisón, 2014, p. 44.

mundano vital»— lo llama Husserl (*Krisis,* pr. 36), en que el hombre encuentra sus intuiciones originarias espacio/temporales, sus hallazgos primigenios de sentido y de valor, a las que siempre, en última instancia, ha de remitirse[200].

Para descubrir el sentido de este mundo se requiere un observador atento. Así podrá reconocer en lo geográfico lo histórico y aun lo metahistórico, como lo señala Margarida Amoedo:

> Retomando a ideia de que há na paisagem uma possibilidade de perceber um nódulo meta-histórico que promete o encontro, na actualidade, com realidades históricas pretéritas, note-se, porém, o requisito, para que isso possa acontecer, de saber olbar e olbar com un interesse moral e histórico, como diz a personagem Rubín de Cendoya. Essa é uma condição até para que os nossos olhos não se cansem de olbar as coisas. Ortega, na nalgumas das suas obras principais viria a insistir na distinção entre o simple ver e un ver activo muito dependente de quem vê, reserva, em *La pedagogía del paisaje,* uma quotaparte dessa potencialidade ao que é visto[201].

Opinamos que no es otro el empeño sintético, integrador, de Riva-Agüero en *Paisajes peruanos.*

Un dato más podría darnos un indicio del conocimiento al que podía haber accedido Riva-Agüero en relación a lo que se reflexionaba en España sobre el paisaje y su valor pedagógico (y qué podrían haber pensado al respecto personajes como Giner, Unamuno o el propio Ortega). En su artículo sobre Ortega, Eduardo Martínez de Pisón reseña algunos trabajos que tratan sobre la determinación del medio en el hombre:

> Escribía también [Manuel de] Terán en el trabajo que venimos citando [*La causalidad en la Geografía humana. Determinismo, posibilismo, probabilismo,* 1957] que el geógrafo Ritter había partido, en un ensayo fundamental en la evolución de esta disciplina [la Geografía humana], publicado en 1883, de la idea de que «la Tierra no se limita a constituir la morada del hombre, sino que en relación con este, cumple una función educativa. Paisajes habría especialmente dotados de esta virtualidad pedagógica».

---

[200] Cerezo Galán, 2014, p. 14.
[201] Amoedo, 2007, p. 97.

Esta idea fue motor de prácticas educativas concretas en la sociedad centroeuropea del siglo XIX y XX y, aquí [en España], explícitamente, en la Institución Libre de Enseñanza. Así, Rafael Altamira, en un artículo de 1915 titulado «Giner de los Ríos», incluido en su *Ideario pedagógico*, calificaba la excursión con alumnos, el contacto con el terreno, como un punto fundamental de la «doctrina pedagógica» de la Institución «con el régimen del esfuerzo al aire libre, en pleno campo, que llevaba también a la contemplación del paisaje, altamente educadora»[202].

Aparte de lo ilustrativo que pudiera resultar la cita anterior para la historia de la pedagogía, interesa retener el nombre de Rafael Altamira. Altamira estuvo en Lima en 1909. Riva-Agüero lo conoció y dio cuenta de la magnífica impresión que este le causó en carta que le escribió a Miguel de Unamuno[203]. Resultaría muy extraño que Altamira no hubiera comentado con Riva-Agüero quién era quién en el mundo intelectual español de esa época ni le transmitiera su entusiasmo sobre Giner, el paisaje y sus posibilidades pedagógicas, temas que Ortega ya había tratado en el artículo «La pedagogía del paisaje», en 1906, y que luego llevó a elevados y profundos desarrollos filosóficos.

Castilla y la Sierra peruana

En *Paisajes peruanos*, Riva-Agüero recurre repetidamente a la analogía entre la Sierra peruana y la Castilla española, o alguna otra comarca hispana. Al describir el campo de Anta, en el capítulo II, el viajero limeño observa:

> Es muy pobre de arbolado, al revés de las deleitosas tierras de Oropesa y Calca, Yucay y Urubamba, que he visto hace poco. Su desnudez iluminada lo asemeja a los alrededores de La Paz o a ciertos parajes de Castilla.

La comparación es más puntual y manifiesta al pasar por el puerto de Cunihuillca, en la vía de Argama y Andahuaylas (capítulo V):

[202] Martínez de Pisón, 2014, p. 39.
[203] Riva-Agüero a Unamuno, 6 de diciembre de 1909, en Pacheco Vélez, 1993c, p. 212.

Los cerros se encapotaban; y las lejanas nieves, bajo la luz turbia, parecían feas manchas de yeso o montones de polvo de mármol. He hallado después grandes analogías con esos parajes recorriendo en España los despoblados de Ávila, y divisando cerca del Ebro La Bureba y La Solana.

Y en el siguiente pasaje, del último capítulo, en el que Riva-Agüero se anima a caracterizar en general la Sierra peruana, por oposición a la Costa, el paisaje español y el peruano solo se distinguen por la mayor dimensión de este último:

Pero detrás de Lima y de la Costa, región de la siesta, de los esclavos negros y de la vida fácil, se alzaba la Sierra inmensa y aún indivisa, el verdadero Perú, de Pasto a Las Charcas, bien llamado en los comienzos de la colonización Nueva Castilla y Nueva Toledo, porque efectivamente parece en lo físico una España mayor, agigantada y descarnada; región austera, dobladísima y peñascosa, de fatiga y dolores [...]

En realidad, en el texto anterior, Riva-Agüero pudo haber dicho, más en consonancia con todo su discurso, «una Castilla mayor» en lugar de «una España mayor», pues la Costa y, concretamente Lima, se analogan a Andalucía. En la «geopoética» de Riva-Agüero, al decir de Porras (Porras Barrenechea 1955, p. CXIX), Lima es «hija de Sevilla y nieta de una sultana». Riva-Agüero refuerza sus impresiones del viaje a la Sierra peruana cuando, años después, en 1920, viaja a España:

He recorrido una de las regiones más típicas de España [Castilla], en primavera radiante y calurosa. La idea literaria del país no es inexacta. La observación la confirma; y el parecido con la Sierra peruana no es una ilusión solo que el Perú es más elevado y fragoso. Pero los canchales, las dehesas roquizas son como nuestras punas, con mayor arbolado es cierto; pero con igual majestad decorosa y devastada[204].

Al dar cuenta de una serie de textos de Benito Pérez Galdós sobre Castilla, recogidos en su *Prosa crítica* (2004), José-Carlos Mainer observa que el paisaje castellano fue un descubrimiento o una creación de pintores e ideólogos:

---

[204] Riva-Agüero, 2018, 7 de mayo de 1920, p. 48.

El novelista [Benito Pérez Galdós] —que era un dibujante mucho mejor que mediano— acometió algún paisaje al óleo y los grandes artistas que innovaron en ese ámbito le fueron muy cercanos: Martín Rico (nacido en 1833, pintor por excelencia de la sierra de Guadarrama) y Aureliano de Beruete (que vio la luz en 1845 y fue el descubridor del paisaje árido castellano), por ejemplo. Uno y otro estuvieron muy próximos también a la Institución Libre de Enseñanza y conviene recordar que la construcción ideológica de aquella referencia colectiva fue el tema de un importante artículo de Francisco Giner de los Ríos, «Paisaje» [...][205].

El artículo de Giner se publicó en 1886 y se reprodujo luego en varias publicaciones. Describe así el entorno geográfico de Madrid:

Suaviza, sin embargo, este contraste [entre la montaña y el llano de los alrededores de Madrid] una nota fundamental de toda la región, que lo mismo abraza al paisaje de la montaña que al del llano. En ambos se revela una fuerza interior tan robusta, una grandeza tan severa aún en sus sitios más risueños, una nobleza, una dignidad, un señorío como los que se advierten en el Greco o Velázquez, los dos pintores que mejor representan este carácter y modo de ser poético de la que pudiera llamarse espina dorsal de España [la sierra de Guadarrama][206].

Como dice Mainer, se trata de un paisaje «cuya desnudez transparenta los elementos —la geología— que configuran su trama ideológica: la recatada desnudez de Castilla, en su perfil geográfico o en la tímida adustez de sus moradores» (Mainer, 2005, p. 195). ¿No son parecidos a los rasgos con que Riva-Agüero caracteriza el paisaje serrano?: «desnudez iluminada», «región austera, de fatiga y dolores»? ¿No son «las dos notas fundamentales» —o por lo menos una—, *ternura* y *gravedad*, con que Riva-Agüero describe «el íntimo sentido de la tierra andina» en el último capítulo de *Paisajes peruanos* semejantes a la «nota fundamental» de «grandeza severa» con que Giner sintetiza el ser castellano? Agréguese el programa educativo excursionista y al aire libre de la Institución Libre de Enseñanza y se llega a la pedagogía del paisaje orteguiana, Ortega, quien en el artículo del mismo título, publicado en 1906, había dicho que el Guadarrama era, para él, el «paisaje-maestro» (Martínez de Pisón, 2014, p. 40). Para Riva-Agüero, también, la contemplación del

---

[205] Mainer, 2005, p. 193.
[206] Giner de los Ríos, 1965, p. 41.

paisaje es una actividad pedagógica, y escribir sobre él es un ejercicio docente en el que se desvela el carácter de una nación.

Tanto Giner como Ortega insisten en la imagen de la columna vertebral para la sierra del Guadarrama, eje de Castilla. Solo si se traslapa esta imagen a la Sierra peruana es posible comprender por qué a la «insularidad» de la Costa peruana Riva-Agüero opone la Sierra «inmensa e indivisa», cuando la experiencia del mismo viaje —que alterna estrechos campos amenos y extensas regiones áridas y escarpadas— probaba que la Sierra podía ser tan «insular» como la Costa. Riva-Agüero superpone, no sabemos si a partir de sus lecturas españolas o subsumiendo su experiencia en la idealidad de lo que Porras llamó «momento de euforia andinista» (Porras Barrenechea, 1955, p. CXLVIII), la experiencia de lo discontinuo a la imagen maciza de la columna vertebral que le permite erigir la Sierra en el «cuerpo suficiente para una gran nacionalidad», como lo señala en el último capítulo de *Paisajes peruanos*.

2.2.5. El ensayo

En su estudio sobre *Paisajes peruanos*, Luis Alburquerque García se refiere a las semejanzas entre Riva-Agüero y los ensayistas de la generación del 98 española:

> *Paisajes peruanos* cumple casi a la letra en su diseño las directrices de renovación del país que se marcaron como propósito los noventayochistas; en primer lugar, recorre el interior del Perú y ofrece la visión más objetiva que puede de pobreza y atraso que caracteriza a sus gentes y a sus tierras, pero lo hace siempre con una exaltada visión lírica de las costumbres y de su paisaje[207].

Más adelante, continúa:

> En segundo lugar, las consideraciones sobre el paisaje de Riva-Agüero se encaminan a descubrir los grandes valores de la patria o las raíces de los problemas presentes. Dos historias se entrecruzan en *Paisajes peruanos*, por un lado la Historia con mayúsculas, la historia externa (el mundo

---

[207] Alburquerque, 2013, p. 211.

prehispánico, los relatos de los cronistas, los acontecimientos recientes, etc.); y la historia interna, la que Unamuno denominó «intrahistoria», es decir la vida callada de «millones de hombres sin historia» que con su trabajo diario contribuyen a crear la realidad histórica profunda[208].

Alburquerque encuentra que, además de narraciones y descripciones, en el relato de viaje de Riva-Agüero pueden reconocerse textos ensayísticos:

> En el fondo, el «relato de viajes» que es *Paisajes peruanos* presta su forma literaria, a través del paisaje y sus gentes, a consideraciones más propias del ensayo. El «relato de viajes» se concibe como el género apropiado para albergar afirmaciones de un hondo calado filosófico y político que hurgan en la tierra, sus habitantes y sus costumbres. Es el carácter testimonial del género que viene definido por la observación en primera persona del escritor/viajero que reafirma sus convicciones sobre la patria con la autoridad con que le inviste esa condición de testigo de excepción[209].

A partir de estas consideraciones, parece claro que en *Paisajes peruanos* el ensayo es un género al que Riva-Agüero acude, como los escritores del 98, para discurrir de la historia y de la intrahistoria, y para sugerir programas y soluciones a cuestiones acuciantes para el presente y el futuro de su patria. Convendría agregar que Riva-Agüero no solo engasta ensayos a lo largo del relato de viajes (como partes y aun casi como capítulos completos), sino que todo el libro afecta un tono ensayístico. El que este rasgo lo vincule a sus dos grandes libros previos —*Carácter de la literatura del Perú independiente* y *La Historia en el Perú*— no hace sino volver más evidente la diferencia entre *Paisajes peruanos* y esos, pues el libro de viajes muestra que ensayo, narración (tanto la de marco como las otras) y descripción juegan polifónicamente entre sí y se reúnen en una totalidad de sentido que ninguno de esos géneros textuales habría podido sugerir por sí solo.

En lo que sigue, mostraremos la presencia del ensayo en *Paisajes peruanos*; intentaremos sugerir además una filiación y a la vez un contraste entre el estilo ensayístico del historiador limeño y el de dos ensayistas u oradores a los que Riva-Agüero admiraba o respetaba:

[208] Alburquerque, 2013, p. 212, y Unamuno, 1979, pp. 27-28.
[209] Alburquerque, 2013, p. 213.

Emilio Castelar y Manuel González Prada y, a propósito de este último, compararemos su famoso «Discurso del Politeama» con varios
textos de *Paisajes*: algunos fragmentos del capítulo XVII («Impresiones
finales») y casi todo el capítulo XI de *Paisajes peruanos* («Excursión a
Quinua y al campo de batalla»).

Riva-Agüero pasa de la narración de marco al modo ensayístico
con la misma naturalidad con la que imbrica en esa narración de marco descripciones y narraciones. Espigo algunas reflexiones ensayísticas
del texto de *Paisajes*: en el capítulo I, las consideraciones sobre el Cuzco como alma —«mistión indígena y española»—, corazón y símbolo
del Perú; en el capítulo II, la interpretación histórica y el juicio a la
figura del entonces futuro presidente Agustín Gamarra; en el capítulo
III, la explicación fundamentada de cómo la enigmática piedra de Sa-
yhuite es, básicamente, una *pachamama*, una imagen del mundo, una
representación del universo; en el capítulo IV, Riva-Agüero discurre
sobre el problema de la pésima distribución de las aguas de la zona de
Pincos, en un tono que recuerda el debate hidráulico planteado por
el regeneracionismo español de finales del siglo XIX; en el capítulo
XII sugiere formas de sustituir la caña de azúcar por otros cultivos de
modo de paliar en parte el problema del alcoholismo indígena y plan-
tea una política proteccionista que permita revivir la industria textil
ayacuchana. Con seguridad, más ejemplos pueden agregarse. Los dos
grandes ensayos del texto son los de los capítulos XI y XVII. El primero es una reflexión sobre la República del Perú. Luego de un viaje
por el gran Perú incaico y virreinal, Riva-Agüero se anima a escribir
sobre la República, en un ensayo en el que puede reconocerse el vigor y aun alguno de los temas de González Prada. El capítulo XVII
es casi un ejercicio de intrahistoria unamuniana (otros: las caminatas
por Ayacucho y el encuentro con la vida diaria indígena en la ruta)
envuelto en la narración ideal de la Costa y la Sierra, cuyos pueblos
se figuran como la ciudad castellana tópica e inexistente descrita por
Azorín en *España* (Azorín, 2010, pp. 168-172).

Antes de referirnos a estos dos últimos ensayos y con el propósito
tanto de describir algunos de los rasgos del ensayo rivagüerino como
de intentar precisar su filiación, compararemos un fragmento del gran
orador liberal español Emilio Castelar[210], uno de Manuel González

---

[210] Loayza refiere la admiración de Riva-Agüero por la pompa de los períodos de Castelar ya desde su época escolar (Loayza, 2010c, p. 238). Probablemente

Prada y, finalmente, uno de José de la Riva-Agüero. Considérese, primero, el de Castelar:

Yo agradezco al Sr. Brigadier Topete los impulsos nobles que le movieron; yo agradezco al general Prim que haya querido unir sus ímpetus de África y su retirada en México, la gloria de esa conspiración tan tenaz y porfiada, verdaderamente catalana. Yo agradezco al general Serrano que se haya valido de su fascinación militar, de esa fascinación que tantas veces ejerciera contra nosotros, para escribir con su espada en el puente de Alcolea la sentencia de los antiguos reyes y la emancipación de los futuros pueblos.

Pues bien, señores: ¿queréis que se escriban sus nombres en una lápida o en esa columna en loor suyo, queréis que se les otorgue una corona de laurel? Enhorabuena, pero poned en esa lápida o en esa columna una inscripción que diga: *«la patria está agradecida, pero os veda volver a ocupar el poder, porque sabéis vencer, pero no sabéis aprovecharos de la victoria»*[211].

Obsérvese ahora un texto de González Prada:

Señores:

Los que pisan el umbral de la vida se juntan hoy para dar una lección a los que se acercan a las puertas del sepulcro. La fiesta que presenciamos tiene mucho de patriotismo y algo de ironía: el niño quiere rescatar con el oro lo que el hombre no supo defender con el hierro.

Los viejos deben temblar ante los niños, porque la generación que se levanta es siempre acusadora y juez de la generación que desciende. De aquí, de estos grupos alegres y bulliciosos, saldrá el pensador austero y taciturno; de aquí, el poeta que fulmine las estrofas de acero retemplado; de aquí, el historiador que marque la frente del culpable con el sello de indeleble ignominia.

Niños, sed hombres tempranos, madrugad a la vida, porque ninguna generación recibió herencia más triste, porque ninguna tuvo deberes más sagrados que cumplir, errores más graves que remediar ni venganzas más justas que satisfacer[212].

---

sería un gusto generacional. Víctor Andrés Belaunde declara que al llegar a Lima desde su natal Arequipa para estudiar en la universidad a comienzos del siglo xx, su entusiasmo por Castelar aún no se había extinguido (Belaunde, 1967, p. 274).

[211] Castelar, 1874, p. 3.

[212] González Prada, 2019, pp. 156-157.

Finalmente, el texto de Riva-Agüero parte de la meditación que le suscita la visión del campo de Ayacucho:

> ¿Quiénes, en efecto, se aprestaban a gobernar la república recién nacida? ¡Pobre aristocracia colonial, pobre boba nobleza limeña, incapaz de toda idea y de todo esfuerzo! En el vacío que su ineptitud dejó, se levantaron los caudillos militares. Pretorianos auténticos, nunca supieron fijar sostenidamente la mirada y la atención en las fronteras. Héroes de rebeliones y golpes de estado, de pronunciamientos y cuarteladas, el ejército en sus manos fue, no la augusta imagen de la unión patria, la garantía contra los extraños, el eficaz instrumento de prestigio e influencia sobre los países vecinos, sino la palpitante y desgarrada presa de las facciones, la manchada arma fratricida de las discordias internas.
>
> [...]
>
> Las sombras de los sueños desvanecidos fueron mis melancólicas compañeras en la visita a la llanura célebre; y se me representó la terrosa extensión del campo regada con las cenizas de una fulgente aspiración extinta.

Algunos rasgos de lo oratorio son comunes a los tres textos (omito la totalidad de cada uno: me propongo solo listar marcas de estilo), aunque solo los de Castelar y González Prada sean propiamente oratorios, pues el primero se pronunció en un contexto parlamentario y el otro en un teatro, en medio de un acto público, el 29 de julio de 1888, con asistencia del general Cáceres, presidente de la República, acto en el que los estudiantes de los colegios privados de Lima recolectaron fondos para intentar rescatar las provincias peruanas de Tacna y Arica, ocupadas por el ejército chileno[213]. Preguntas retóricas, de valor apelativo y que asumen la existencia de un público, aunque fuera ideal («¿queréis que se escriban sus nombres en una lápida o en esa columna en loor suyo, queréis que se les otorgue una corona de laurel?», «¿Quiénes, en efecto, se aprestaban a gobernar la república recién nacida?»), vocativos («señores», «niños»), conectores ilativos de distinto valor, que refuerzan el carácter de discurso racional compartido de los textos («Pues bien»), frases de carácter sentencioso o lapidario, a veces al final del párrafo o de todo el texto («sabéis vencer, pero no sabéis aprovecharos de la victoria», «el niño quiere rescatar con el oro lo que

---

[213] Según nota de Tauzin-Castellanos: González Prada, 2019, p. 156, n. 39.

el hombre no supo defender con el hierro»[214], «Las sombras de los sueños desvanecidos fueron mis melancólicas compañeras en la visita a la
llanura célebre; y se me representó la terrosa extensión del campo regada con las cenizas de una fulgente aspiración extinta»[215]. Agréguense
las oraciones interrogativas, las exclamativas, o las exclamaciones sin
más, y las cláusulas condicionales, y así se irán completando más rasgos del estilo oratorio o ensayístico de los tres escritores que estamos
considerando.

Los tres autores tienden al paralelismo sintáctico: «Yo agradezco…
yo agradezco…Yo agradezco» (Castelar); «De aquí, saldrá el pensador…; de aquí, el poeta…; de aquí, el historiador…» (González Prada); «la augusta imagen… la garantía,… el eficaz instrumento…»
(Riva-Agüero). De los tres, Riva-Agüero luce un estilo más suelto,
en el sentido en que mantiene características del estilo oratorio de
Castelar y González Prada, pero varía las rígidas estructuras sintácticas
del paralelismo pradiano, que tiende a la bimembración y a la trimem-
bración bastante estrictas («<u>ninguna</u> generación recibió herencia más
triste, <u>ninguna</u> tuvo *d e b e r e s más sagrados que cumplir, e r r o r e s más
graves que remediar ni v e n g a n z a s más justas que satisfacer*»).

No resultaría arbitrario plantear que algunas ideas del capítulo final, el XVII, o de la meditación a partir de la batalla de Ayacucho del
capítulo XI de *Paisajes peruanos* pueden interpretarse como una asun-
ción, como un desarrollo y hasta como una aclaración o una crítica
por parte de Riva-Agüero al «Discurso del Politeama» de González
Prada. Examinemos algunas ideas de ambas obras. Sobre «el verdadero
Perú» sentencia Prada:

> No forman el verdadero Perú las agrupaciones de criollos y extranjeros
> que habitan la faja de tierra situada entre el Pacífico y los Andes; la nación
> está formada por las muchedumbres de indios diseminadas en la banda
> oriental de la cordillera[216].

[214] La sentencia más famosa de González Prada se registra también en este
discurso: «Los viejos, a la tumba; los jóvenes a la obra» (Gonzáles Prada, 2019, p.
161). Es frase final de párrafo.

[215] Quizás un mejor ejemplo, más en carácter sentencioso, pueda encontrarse
en el capítulo XVII («Impresiones finales») de *Paisajes peruanos*: «la suerte del Perú
es inseparable de la del indio: se hunde o se redime con él, pero no le es dado
abandonarlo sin suicidarse».

[216] González Prada, 2019, p. 159.

La afirmación de Riva-Agüero en las *Impresiones finales*, ya nos hemos referido a ella, repite hasta el sintagma «verdadero Perú»: «Pero detrás de Lima y de la Costa, región de la siesta, de los esclavos negros y de la vida fácil, se alzaba la Sierra inmensa y aún indivisa, el verdadero Perú».

Otro ejemplo. Es el caso de la falta de idea de patria en los soldados peruanos durante la guerra con Chile y la perfecta conciencia de identidad patriótica de los soldados chilenos. Escribe Gonzáles Prada: «Si del indio hicimos un siervo, ¿qué patria defenderá? Como el siervo de la Edad Media, solo combatirá por el señor feudal» (González Prada, 2019, p. 158). Más adelante, el pensador peruano agrega:

Por eso, cuando el más oscuro soldado del ejército invasor no tenía en sus labios más nombre que Chile, nosotros desde el primer general hasta el último recluta, repetíamos el nombre de un caudillo, éramos siervos de la Edad Media que invocábamos al señor feudal[217].

Riva-Agüero, en las *Impresiones finales* (capítulo XVII), repite conceptos semejantes:

Si en las campañas que sustentaron con su sangre no llegaron los indios a formarse conciencia clara de las causas que servían ni a diferenciar las contiendas civiles de las guerras nacionales, culpa fue de nuestras clases directoras, que no supieron infundirles, con la instrucción y la dignidad, el concepto de patria. Si carecen hoy de espontaneidad para el servicio y de empuje bélico, es que en ellos, *lo propio que en los mestizos y los criollos blancos*, el orgullo patriótico está dormido, suprema causa de nuestra mengua.

González Prada identifica en la Sierra peruana un triunvirato opresor: «A vosotros, maestros de escuela, toca galvanizar una raza que no se adormece bajo la tiranía del juez de paz, del gobernador y del cura, esa tiranía embrutecedora del indio». Riva-Agüero, en el capítulo final de *Paisajes peruanos* se extiende más sobre la comprobación de González Prada:

---

[217] González Prada, 2019, p. 159.

Próxima está la escuela primaria, en un galpón ruinoso. A menudo no funciona; el inspector de Instrucción se ha dedicado a la propaganda electoral, el maestro se ha dado a la bebida, y los alumnos no concurren, porque sus padres prefieren aprovecharlos desde la niñez como pastores o gañanes en sus chacras. Los útiles de enseñanza, enviados desde Lima, han ido a parar y malbaratarse en la pulpería inmediata. El juzgado, en cambio, está siempre animadísimo, por la invencible manía litigiosa de cholos e indios. El subprefecto es un forastero, pobre agente eleccionario, removido cada semestre, cuya tarea se reduce a preparar el camino del candidato oficial o a destruir la influencia del diputado indócil. Para este trabajo, único efectivo y práctico de la Administración, auxilian al subprefecto y sus gobernadores, la Recaudadora y la Justicia Militar. La primera moviliza en los menesteres políticos a todos sus empleados; y, cuando conviene, cierra los ojos a los contrabandos del alcohol de los grandes contribuyentes. La segunda atemoriza a los contrarios con laberínticos procesos y dilatadas prisiones.

A pesar de que en *Carácter de la literatura del Perú independiente*, Riva-Agüero, que repetía ideas de su profesor Javier Prado en *Estado social del Perú durante la dominación española*, denostaba de la herencia cultural española, hasta con el tinte racista con que parece teñirse el concepto en el «Discurso del Politeama» de González Prada, en *Paisajes peruanos* sus opiniones son otras. Examinemos el punto. En el «Discurso», González Prada afirma: «La nobleza española dejó su descendencia degenerada y despilfarradora» (González Prada, 2019, p. 159). Previamente, la había hecho corresponsable de las naturales tendencias serviles del peruano:

> Y aunque sea duro y hasta cruel repetirlo aquí, no imaginéis, señores, que el espíritu de servidumbre sea peculiar a solo el indio de la puna: también los mestizos de la Costa recordamos tener en nuestras venas sangre de los súbditos de Felipe II mezclada con sangre de los súbditos de Huayna-Capac. Nuestra columna vertebral tiende a inclinarse[218].

Contrariamente, Riva-Agüero valora en el capítulo XI la herencia española, no la considera como fruto de una descendencia degenerada y propugna la necesidad de integrarla al imaginario nacional: «La Colonia es *también* nuestra historia y nuestro patrimonio moral». El

---

[218] González Prada, 2019, p. 158.

adverbio «también» es aquí un término clave, pues parece contradecir la opinión común republicana a partir de la Independencia: la de que los tres siglos de dominio español son extraños a la historia del Perú, que parecería comenzar con los incas, suspenderse trescientos años y reiniciarse con la República.

Precisamente porque siente la necesidad de aclarar un punto que podría considerarse polémico, Riva-Agüero apela a la sinceridad: «El relato de mi peregrinación sería ineficaz e inútil si no fuera sincero; y debo a mis lectores y a mí mismo la confesión de mis impresiones exactas».

El arranque de este famoso ensayo resulta revelador: en primer lugar porque vuelve evidente la realidad de una comunidad lectora[219] a la que el autor no puede decepcionar; en segundo lugar, porque, retóricamente, eleva sus sentimientos personales a la categoría de valor[220]. La proposición fundamental, aquella en la que se basa toda la argumentación del texto, sigue a esta declaración sentimental: «Ayacucho, en nuestra conciencia nacional, es un combate civil entre dos bandos, asistido cada uno por auxiliares forasteros». Repárese en que Riva-Agüero no niega el hecho que ocurrió en «este rincón famoso», la batalla de Ayacucho, pero sí propone una nueva interpretación a la usual. Y para ello, llama la atención acerca de aspectos que esa interpretación no toma en cuenta: «De ambos lados corrió sangre peruana». Así, Riva-Agüero cambia lo que en la conciencia patriótica y aun historiográfica peruanas era un hecho indiscutido —la guerra de la Independencia fue una guerra de emancipación nacional, una guerra colonial— en una interpretación: la guerra de la Independencia fue una guerra civil[221].

[219] Como no se trata de un texto de ficción, quizás sería excesivo referirse aquí a un lector ideal o narratario, pero el concepto puede acercársele.

[220] «Con mucha frecuencia, el esfuerzo del orador tiende a atribuir a los elementos en los cuales se apoya el estatuto más elevado posible, el estatuto que goza del acuerdo más amplio. De esta forma, se otorgará el estatuto de valor a los sentimientos personales; el estatuto de hecho, a los valores» (Perelman y Olbrechts-Tyteca, 1989, p. 286).

[221] «Solamente queremos insistir en el hecho de que, en la práctica argumentativa, los datos constituyen los elementos sobre los cuales parece existir un acuerdo, al menos provisional o convencionalmente, unívoco y fuera de discusión. A estos datos, se opondrá, de forma consciente, su interpretación cuando esta aparezca como una elección entre significaciones que no parecen

Súbitamente, la época de la dominación española se convierte en un valor:

> La Colonia, a pesar de sus abusos —tan poco remediados aún— no pudo reputarse en países mestizos como servidumbre extranjera. Para el Perú fue especialmente una minoridad filial privilegiada, a cuyo amparo, y reteniendo nuestra primacía histórica en la América del Sur, iban nuestras razas entremezclándose y fundiéndose, y creando así día a día la futura nacionalidad.

La independencia, a pesar de su inoportunidad según Riva-Agüero —pudo darse antes de la creación del Virreinato de Buenos Aires, en el siglo XVIII o después, en el segundo tercio del siglo XIX, con núcleos directores «menos ineptos y desapercibidos»— fue, de todas formas, una oportunidad para consolidar la nacionalidad secularmente labrada y elevarla de acción mecánica a ideal moral:

> Mas para la definitiva nacionalidad ganada en Ayacucho se adecuara a sus destinos y obtuviera su completa verdad moral, no bastaba la mera conciliación de las personas, fácil siempre en nuestra tierra. Era y es aún necesaria una concordia de distinta y más alta especie: la adunación y armonía de las dos herencias mentales, y la viva síntesis del sentimiento y la conciencia de las dos razas históricas, la española y la incaica. Al cabo de noventa años, ¿hemos logrado, acaso, en su plenitud, esta condición esencialísima de nuestra personalidad adulta? [...] En la quieta y larga gestación de la Colonia, el proceso de nuestra unidad fue el callado efecto de la convivencia y el cruce de razas; pero, realizada la emancipación, se imponía, como deber imperiosísimo, acelerar aquel ritmo, apresurar la amalgama de costumbres y sentimientos, extenderla de lo mecánico e irreflexivo a lo mental y consciente, y darle relieve y resonancia en el seno de una clase directiva, compuesta por amplia y juiciosa selección. Sin esto el Perú había de carecer infaliblemente de idealidad salvadora;

formar cuerpo, por decirlo así, con las que interpretan los datos» (Perelman y Olbrechts-Tyteca, 1989, p. 199). Es el caso de la interpretación de los datos que propone Riva-Agüero, que desplaza —digámoslo así— la naturaleza del conflicto de los oficiales a la tropa: los oficiales podrán ser, por un lado, realistas, y por el otro, independentistas (colombianos, chilenos, argentinos o peruanos); pero la tropa es fundamentalmente peruana. Matiza esta idea Porras Barrenechea (1955, p. CXLIII). Una interpretación más reciente del hecho es la de Hugo Pereyra Plasencia (Pereyra Plasencia, 2014).

y desprovisto de rumbos, flotar a merced de caprichos efímeros, de minúsculas intrigas personales, y al azar de contingencias e impulsiones extranjeras. Y aun más se advirtió la urgente necesidad de aquella clase directiva, centro y sostén de todo pueblo, con el establecimiento de la república democrática, que la supone y reclama, porque privada de la guía y disciplina de los mejores, tiende a degenerar por grados en anarquía bárbara, en mediocridad grisácea y burda, y en inerme y emasculada abyección. Nuestra mayor desgracia fue que el núcleo superior jamás se constituyera debidamente.

Riva-Agüero, de un valor, ha llegado a un juicio. El valor es el mestizaje, que de condición «mecánica» debió convertirse en ideal «moral». El juicio es que los custodios y promotores de ese ideal, la clase directiva, jamás lo asumieron. Tanto los sustantivos como los adjetivos que se refieren a los sucesivos detentadores del poder en la República tienen un claro valor argumentativo, como dirían Perelman y Olbrechts-Tyteca (1989, p. 206):

1. ¿Quiénes, en efecto, se aprestaban a gobernar la república recién nacida? ¡Pobre aristocracia colonial, pobre boba nobleza limeña, incapaz de toda idea y de todo esfuerzo!
2. [...] los caudillos militares. Pretorianos auténticos [...]
3. [...] una nueva clase directora, que correspondió y pretendió reproducir a la gran burguesía europea. ¡Cuán endeble y relajado se mostró el sentimiento patriótico en la mayoría de los burgueses criollos! En el alma de tales negociantes enriquecidos, ¡qué incomprensión de las seculares tradiciones peruanas, qué estúpido y suicida desdén por todo lo coterráneo, qué sórdido y fenicio egoísmo! Para ellos nuestro país fue, más que nación, factoría productiva, e incapaces de apreciar la majestad de la idea de patria, se avergonzaban luego en Europa, con el más vil rastacuerismo, de su condición de peruanos, a la que debieron cuanto eran y tenían!

La secuencia de la historia de las clases dirigentes después de la Independencia y a lo largo de toda la República está clara: ausencia de una nobleza que ya era inútil, caudillos militares que ocuparon el vacío de poder, burguesía criolla. La inepcia de todas ellas se muestra en el desastre de la guerra con Chile, en 1879: «Con semejantes clases dirigentes nos halló la guerra de Chile; y en la confusión de la derrota, acabó el festín de Baltasar». Creo que bastará comentar un par de ejemplos, solo para hacer notar que absolutamente todo el texto de Riva-Agüero posee un solo y cargadísimo contenido argumentativo: el fracaso de la República por el fracaso de sus clases dirigentes. «Pretoriano» es cuasisinónimo[222] de «militar», de «soldado», de «guerrero»: su significado de 'soldado de la guardia de los emperadores romanos' se condice con el carácter más de intrigante palaciego que de guerrero defensor. De ahí la ironía del escritor limeño: «Héroes de rebeliones y golpes de estado» (no de gestas guerreras verdaderas, como el defender las fronteras del Estado). «Fenicio» puede valer por «negociante», «comerciante», «empresario»; en este caso, se relaciona perfectamente con la idea del país como factoría, apenas lugar de producción o de intercambio de bienes, pero no de morada permanente, tal como ocurrió con el imperio mercantil fenicio en el Mediterráneo. La actitud de «desdén por lo coterráneo» se opone, por ejemplo, al Riva-Agüero que como *flâneur* baudeleriano deambulaba por una Ayacucho en penumbras y apreciaba en sus portales, calles, casas y zaguanes supervivencias de criollismo colonial en los bordones de una jarana y en la música de los yaravíes.

Riva-Agüero remata el texto con la referencia a una retractación acerca de la interpretación de *La victoria de Junín. Canto a Bolívar* de José Joaquín Olmedo (1780-1847). La retractación tiene que ver con una opinión vertida en *Carácter de la literatura del Perú independiente*:

> Pasemos a la *Victoria de Junín*.
>
> Desde el propio Bolívar hasta Miguel Antonio Caro y Menéndez Pelayo, se ha considerado la aparición de Huaina-Capac a todo un ejército, como recurso burdo y desdichado (para poder incluir en el *Canto de Junín* la batalla de Ayacucho); y como evidente falsedad histórica la solidaridad que Olmedo establece entre la causa de los vencedores y la del imperio de los incas. Indudablemente, nada en común había entre Bolívar y Huaina-Capac; ni las victorias de Junín y Ayacucho eran la venganza de la Conquista; ni efecto de ellas fue la restauración de la nacionalidad incaica [...][223].

---

[222] Los cuasisinónimos son palabras que el orador puede emplear y de las cuales ha preferido la voz utilizada (Perelman y Olbrechts-Tyteca, 1989, p. 242).

[223] Riva-Agüero, 1962c, p. 90.

En relación a esa opinión, Riva-Agüero se confiesa (nuevamente, otra declaración sentimental):

> Menéndez Pelayo, en su cerrado españolismo, juzgó esto como *inoportuna ilusión local americana*[224]; y yo mismo, en mi primer escrito, sostuve con fervor la opinión de mi maestro, llevado por mi excesiva hispanofilia juvenil y por mis tendencias europeizantes de criollo costeño. A medida que he ahondado en la historia y el alma de mi patria, he apreciado la magnitud de mi yerro. El Perú es obra de los incas, tanto o más que de los conquistadores: y así lo inculcan, de manera tácita pero irrefragable, sus tradiciones y sus gentes, sus ruinas y su territorio.

Y, ya en materia, expresa su pensamiento final sobre la fantasía de Olmedo:

> No ilusión, por cierto, sino legítimo ideal y perfecto símbolo representa la evocación que Olmedo hizo en su imperecedero canto. El Perú moderno ha vivido y vive de dos patrimonios: del castellano y del incaico; y si en los instantes posteriores a la guerra separatista, el poeta no pudo acatar con serenidad los ilustres títulos del primero, atinó en rememorar la nobleza del segundo, que aun cuando subalterno en ideas, instituciones y lengua, es el primordial en sangre, instintos y tiempo. En él se contienen los timbres más brillantes de lo pasado, la clave secreta de orgullo rehabilitador para nuestra mayoría de mestizos e indios y los precedentes más alentadores para el porvenir común.

Ya sea en la afirmación «La Colonia es *también* nuestra historia» ya en esta otra: «El Perú es obra de los incas *tanto o más* que de los conquistadores», el fondo básico de la nacionalidad parece ser el incaico, a pesar de la cerrada defensa de los «tres siglos civilizadores por excelencia»[225].

---

[224] La cita exacta de Menéndez Pelayo es la siguiente: «[…] en el canto de Olmedo invocaba tan inoportunamente en el campo de Junín la sombra de Huayna Cápac […]» (Menéndez Pelayo, 1893, p. CLXII).

[225] José Carlos Mariátegui opina que Riva-Agüero «idealiza y glorifica la Colonia, buscando en ella las raíces de la nacionalidad. Superestima la literatura colonialista exaltando enfáticamente a sus mediocres cultores» (Mariátegui, 1995 [1928], pp. 199-200). Luis Loayza (2010e, pp. 307-310) muestra con textos del joven Riva-Agüero —que era el que Mariátegui conocía— que el historiador limeño ni idealiza ni glorifica a la Colonia ni, menos, exalta a los «mediocres

Luego de certificar la decadencia del Perú, Riva-Agüero relee a Olmedo y encuentra motivos para la esperanza en el *Canto a Junín*:

> Mas, al releer después la conmemoración de la batalla en la oda de Olmedo, para mí tan familiar, hallé un consuelo inefable en la sublime estancia que todos los peruanos deberíamos saber de memoria: aquella en que compara el vate —acaso no significa esta palabra *profeta*?— las virtudes de reacción súbita que guarda siempre nuestra patria, con el arranque memorable de Aquiles, que del indigno sopor de Sciros pasó de improviso a las hazañas victoriosas de Troya.

Riva-Agüero confiesa al principio de su ensayo que Ayacucho no le produjo los mismos sentimientos que el Cuzco:

> Mi sentimiento patrio, que se exaltó con las visiones del Cuzco y las orillas del Apurímac, no sacó del campo de Ayacucho, tan celebrado en la literatura americana, sino una perplejidad inquieta y triste.

Al final de este, sin embargo, una experiencia exaltada, como la que el autor experimentó a la salida del Cuzco, aunque a diferencia de esa, libresca, reanima al autor, en una nueva comunicación testimonial.

¿Qué tipo de discurso es este ensayo, esta meditación sobre la República peruana y, de paso, sobre el conjunto de la nacionalidad del país andino? Aparentemente, podría clasificarse como discurso epidíctico o demostrativo. Según Perelman y Olbrechts-Tyteca (1989, p. 102), los discursos epidícticos tienen como finalidad aumentar la intensidad de adhesión a los valores comunes del auditorio y del orador. En este caso, los valores reales e ideales del mestizaje hispano-incaico

cultores» de la literatura colonial. Sí es cierto que busca en ella «las raíces de la nacionalidad», pero, como se aprecia en este texto, sin excluir el componente indígena, y más bien —a veces para la impaciencia de Porras Barrenechea— privilegiando en esa fusión lo incaico sobre lo español. Podrían sorprender, en esta línea, las siguientes reflexiones, que Riva-Agüero confía a Luis Alberto Sánchez: «Por eso el ideal de nuestra civilización, panhispanista, pasa en este momento antes que el exclusivamente nuestro, vernáculo y doméstico, porque es aquel el medio y presuposición indispensable para que algún día logremos el específico ideal peruano, el nacionalista, más indígena que español» (Riva-Agüero a Sánchez, Roma, 28 de junio de 1929, en Sánchez, 1985, p. 107).

y la interpretación de la República peruana y aun de la nación peruana que se derivan de este. Riva-Agüero autor se identifica como peruano («Mi sentimiento patrio», «yo, que cada día me siento más viva y ardientemente peruano»), usa la primera persona del plural de pronombres y verbos con carácter de comunión con sus compatriotas y se refiere a su auditorio como peruano («todos los peruanos deberíamos saber de memoria»).

Sin embargo, podría ser interesante acudir a los otros dos géneros oratorios según Aristóteles: el deliberativo y el forense. Ambos se caracterizan porque en ellos se ejerce un juicio: «Hay quien juzga sobre las cosas futuras como miembro de la asamblea y quien juzga sobre las cosas sucedidas, como juez»[226]. La premisa fundamental sobre la que se ha basado la argumentación de Riva-Agüero en este ensayo ha sido un juicio: la Independencia fue una guerra civil, o sea que el historiador peruano se erige en este punto como juez de la Historia. Y, quizás sea aventurado postularlo, también como «miembro de la asamblea», como sus modelos Castelar y González Prada, en tanto pretende juzgar sobre cosas futuras, lo que ocurre con la deliberación política, como cuando se refiere a «las virtudes de reacción súbita que tiene nuestra patria». La interrogación oratoria final, colocada en el inciso de «vate»: «¿acaso no significa esta palabra *profeta*?» puede que no sea tan inocente ni se deba a un prurito de ilustración lingüística, en tanto el autor —Riva-Agüero— se apropia de un texto ajeno para hablar de sí, pues en verdad, las depresiones y las exaltaciones no solo eran en su texto las del Perú, sino también las de su ánimo.

Este ensayo, con el nombre de «Excursión a Quinua y al campo de batalla de Ayacucho (Reflexiones acerca de la Independencia) Fragmento de un libro inédito sobre paisajes y recuerdos del Perú», se publicó el 28 de julio de 1916 en el diario *La Crónica*. Fue el primer texto de *Paisajes peruanos* que vio la luz pública. A principios de 1915, Riva-Agüero fundó el Partido Nacional Democrático. ¿La clase directiva compuesta por «amplia y juiciosa selección» que el aristócrata limeño echaba de menos en toda la historia republicana[227] no podría haberse constituido en torno del nuevo partido político? ¿Y

---

[226] Aristóteles, 1973 [1358 a], p. 122.

[227] Una clase dirigente, que, como recuerda García-Corrochano de la generación del Novecientos, postulaba la soberanía de la inteligencia, una clase dirigente que conservaría valores culturales y éticos y propondría grandes objetivos

Riva-Agüero mismo no podría ser el profeta de Olmedo que anunciaba una reacción súbita del lacio y postrado Perú? La meditación de Ayacucho, por supuesto, vale como interpretación general de la historia republicana; pero la oportunidad de su publicación el día de la fiesta nacional en un diario de amplia audiencia podría apuntar también hacia una intención política de efecto más inmediato.

2.3. Plano de la expresión: la lengua y el texto

2.3.1. El léxico

Al ser factual, el discurso de *Paisajes peruanos* designa, ciertamente, sucesos y acontecimientos, y las reflexiones inmediatas que ellos suscitan en el narrador; pero también incorpora representaciones de objetos, manifestadas en el léxico. La función simbólica de Karl Bühler o la representativa de Roman Jakobson pueden reconocerse en el valioso inventario de cultura material e inmaterial que se despliega a lo largo del texto.

El español general

Sin intención de exhaustividad alguna, ofrecemos a continuación una lista de términos espigados del texto de *Paisajes peruanos* agrupados en un conjunto aleatorio de categorías generales, solo para ofrecer una idea somera de la riqueza y la variedad del léxico de Riva-Agüero: 1) transporte animal: «recuas de mulas y puntas de llamas» (II); 2) actividades agrícolas: «la siega y el desparve del trigo» (II); 3) geografía de la labranza: «andenes» (II), «cuarteles de caña» (V), «alfalfares, maizales» (V), «bardales» (VI); 4) elementos del paisaje: «collado» (II), «peñolerías» (V), «recuestos» (VI), «repechos» (VI), «saucerías» (XI), «recodo» (XI); 5) prendas de vestir: «ponchos» (V), «toga» (IX); 6) arreos de las caballerías: «pellones» (V); 7) plantas: «retamas» (VI), «ágaves» (XII), «nopales» (XII); 8) mundo religioso: «advocación» (VI), «exvotos» (VI), «novenarias» ('tipo de beatas', VI), «letanías» (VI), «trisagio» (XII); 9)

nacionales, a la vez que mantendría su identidad cultural y su independencia (García-Corrochano, 1994, p. 103). Un ideal magnánimo y a la vez esquivo.

árboles:, «sauces» (XVI); 10) enfermedades: «tifus» (V), «overía, uta y cretinismo» (V), «malignas cuartanas» (VII); 11) cargos administrativos o políticos: «oidor» (IX),«adelantado» (IX), «corregidores» (X), «intendentes» (X); 12) funciones militares: «maestre de campo» (IX), «corredores» ('exploradores').

Como puede apreciarse, se trata de un repertorio castizo, de un corpus léxico que solo ocasionalmente incorpora una voz italiana, aunque técnica («*condottiero*», IX) o un galicismo («rastacuerismo»[228], XI). Algunas formas de derivación podrían identificarse como particulares de la norma rivagüerina: «pardiciento» (II), «pastoricia» (IV), «blanquizca» (X), «roquizas» (XIII) o «femenil» (X), frente a «femenino», el término más frecuente. Y hasta podría detectarse el neologismo «diversicolores» (XVI), compuesto que no registra el *DRAE*. En general, lo que puede observarse es que el español de Riva-Agüero se aleja de la norma culta panhispánica solamente en la frecuencia con que incluye peruanismos y americanismos.

Resalta en el texto de Riva-Agüero un comportamiento discursivo que tiene que ver más con el plano elocucional que con el plano idiomático: la voluntad de precisión, de la que dan fe los testimonios textuales previos al definitivo y el uso del tecnolecto. Ocurre con los términos técnicos de la heráldica: «gules» ('rojo', X) al describir el escudo de la antigua Huamanga, actual Ayacucho, u «obscurecer» (X) con el significado de 'caer en humildad o bajeza en la condición social'. Ocurre también en las descripciones orográficas o sencillamente materiales de *Paisajes peruanos*, donde frecuentemente se especifica la naturaleza de los minerales: «traquita» (I), «calcáreas» (III), «roca sienítica» (V), «basalto» (V), «granito» (V), «travertino» (V), «blando alabastro de yeso llamado piedra de Huamanga» (X). Como puede apreciarse, esta disposición discursiva no se limita al aprovechamiento del léxico científico, sino que abarca cualquier ámbito de cosas o de actividades, como la agricultura, la arquitectura o el folklore. Obsérvese, por ejemplo, este texto donde Riva-Agüero describe los trajes de los habitantes de Huancayo (XV). Resulta patente la voluntad de singularizar a cada grupo social mediante sus prendas de vestir, que Riva-Agüero enumera con precisión y conocimiento:

---

[228] Consuelo García Gallarín da la palabra como neologismo barojiano (García Gallarín 1998, p. 26).

Como ocurre siempre en el interior, los vestidos se confunden en el más pintoresco desorden. Junto a los trajes semieuropeos de los blancos y mestizos, aparecen los ponchos y sombrerones de los cholos; los redondos faldellines punzóes, los monillos y las llicllas multicolores, los anacos bordados y ribeteados de plata, los rebozos de bayeta y los negros *cotones* de mangas cortas de las indias.

No infrecuentemente, esta opción por lo preciso, por lo claro y distinto, resulta en usos poéticos, fantásticos, que en algún caso generan creaciones inéditas: «El ganado *matiza* las orillas [...]» (XII); «[...] el circo de los nevados adustos, que *engastan* mesetas de lagunas e ichales» (XVI); «Algún pino, radiado y severo, *se enhiesta* en la lejanía» (XVI). Se aprecia que Riva-Agüero busca siempre el *mot juste*, el término preciso flaubertiano: «celosías *adufadas* ['en ventanas, galerías o balcones volados'] a la arábiga» (XVI).

Peruanismos y voces quechuas

Una de las formas de esta voluntad de precisión de Riva-Agüero consiste también en usar voces nativas (peruanismos predominantemente de origen quechua y términos declaradamente quechuas) como descriptores. Repetiremos el ejercicio anterior y presentaremos una muestra aleatoria de términos de diferentes ámbitos: 1) zonas geográficas: «pampa» (II, XII), «*quechua*» (XVII), «*puna*» (XVII), «*jallcas*» (XVII); 2) plantas: «capulíes» (III), «ichos» (IV); 3) comida y bebida: «chupe» (IV), «charqui» (IV), «choclos» (IV), «chicha de molle y de jora» (XI), «*chuño*» (XII); 4) flores: «amancaes» (IV); 5) aves: «parihuanas» (V), «santarrositas» (XVI); 6) fenómenos geográficos: «puquios» (IV), «huayco» (V); 7) frutos y árboles frutales: «plátanos» (V), «piñas» (V), «paltos» (V, 45), «pacaes» (XI); 8) árboles: «pisonayes» (II), «quishuares» (III), «huarangos» (V), «patis» (V), «molle» (III); 9) cultivos: «ocales» (V), «panllevar» (IX), «quinuales» (XIV); 10) arquitectura y urbanismo: «barandales»[229](V), «pircas» (V), «quincha» (V), «pata» ('plaza', XIII); 11)

---

[229] El 24 de noviembre de 1939, en Madrid, Riva-Agüero participó de la sesión de la Real Academia Española: «Enseguida intervengo en el debate (como anoche en el peruanismo *baranda*) de la Academia de la Lengua, que resulta un arcaísmo del XVI, hispano-portugués, procedente de la India Oriental, para designar el corredor alto con balaustres de madera [...]» (Riva-Agüero, 2018, p. 452).

mundo agrícola: «chácaras» (IV), «chacarillas» (VI), «chacras» (XI); 12) mundo del trabajo: «mita» (VI), «mitayos» (VIII), «auxiliares o *pongos*» (XIII); 13) autoridades: «curacas» (IV), «un alcalde o *varayo*» (XIII); 14) tipos humanos: «cholos» (VII), «morochucos» (X).

Se impone una curiosidad al examinar parte del corpus léxico: ¿por qué Riva-Agüero escribe «puna», en redondas, en el capítulo IV, y «*puna*», en cursivas, en el XVII? Podría ser que, en este último ejemplo, el historiador limeño intentara destacar el término e incluirlo en la serie de las otras dos zonas de la Sierra peruana que cita en ese capítulo. Aunque podría tratarse de una distinción entre el peruanismo ya asimilado y el término quechua. Así, para referirnos al mismo repertorio, «*chuño*», «*pongo*» y «*varayo*» estarían más cerca del quechua que «chupe» o «chicha». Los otros peruanismos, como «santarrositas» o «panllevar» son, más bien, creaciones locales del español. El punto es que la operación metalingüística que consiste en escribir con cursivas el término quechua y con redondas la voz española es fluida en la conciencia lingüística de Riva-Agüero y, así, este puede, a veces, tratar el mismo término como peruanismo de origen quechua o como palabra quechua sin más, en una curiosa forma de mestizaje idiomático. Podría tratarse también de fenómenos de explicación o traducción y por ello el foco estaría en el término quechua en cursivas, que es el que debería explicarse. De todas formas, el hecho de que Riva-Agüero no escriba todos los términos de origen quechua con cursivas significa que no son exóticos para él, que los maneja como suyos, que se los ha apropiado, que los integra dinámicamente en su lengua[230].

Ello puede presentar problemas de comprensión a los destinatarios, a los lectores de *Paisajes peruanos* (pero también puede ayudar a determinar cuál es el lector ideal del texto). Riva-Agüero asume que el conjunto de términos que usa y no explica son palabras consabidas por una comunidad lectora. Cuando le parece relevante —porque podría presentarse una grieta en lo consabido— don José explica, traduce. Así, el autor asume el papel de intérprete, de mediador privilegiado,

---

[230] Las formas quechuas se convierten casi en descriptores universales aplicados a otras realidades geográficas. Escribe Riva-Agüero de su viaje a Palestina: «Se llega por estos portachuelos o *llocllas (como dicen en mi tierra)* a un lugar que está al nivel del Mediterráneo; y se sigue bajando. Comienza la llanura verdaderamente desértica; ya en esto es como *nuestra costa*, en vez que el primer trecho hasta acá es como *nuestra puna* de *icho*» (Riva-Agüero, 2018, p. 352. Cursivas del autor.) Ver también Wiesse Rebagliati, 2019a.

entre el mundo andino —o por lo menos el mundo quechua— y su audiencia.

Las etimologías de los topónimos

En ningún ámbito léxico se produce esta actividad interpretativa con mayor rendimiento y constancia que en el tratamiento de topónimos y antropónimos[231]. Riva-Agüero recurre a varios procedimientos léxicos y gramaticales para expresar la equivalencia entre el término por explicar y su etimología:

1. Utilización de verbos especiales, como *traducir* (III), *significar* (III), *llamar* (III), *venir* (V), *provenir* (XII):
   Marcahuasi significa casa elevada o de varios pisos. (III)

2. Utilización de la aposición (que es la forma más común con que Riva-Agüero traduce no solo los topónimos, sino otros términos quechuas al español, o a la inversa, proporciona la voz quechua de una expresión española):
   Jatunhuayco (gran torrentera) (XI)
   vasos (*queros*) (IV)

3. Utilización de la frase conjuntiva de equivalencia «o sea»:
   [...] la quebrada de Pucacruz o sea de la *cruz colorada*. (XIII)

Riva-Agüero opina siempre que las denominaciones en lenguas aborígenes (el quechua, principalmente), sobre todo los topónimos, corresponden a los objetos a los que se refieren. Del nevado Carhuaraso, en Lucanas, Ayacucho, dice que Luis Carranza da como significado etimológico 'montaña sombría': «[...] y cuadra a su aspecto tan bien

---

[231] En el Congreso Internacional de Lingüística Coseriana VII «La Historia de la Lengua y la Dialectología. El concepto de cambio lingüístico», organizado por la Universidad de Cádiz y que se realizó en Cádiz, del 14 al 17 de enero de 2020, presentamos la comunicación «Innovación, adopción, norma individual: el caso de los topónimos y los antropónimos quechuas de *Paisajes peruanos* de José de la Riva-Agüero y Osma». Discutimos en ella cómo se representan ortográficamente los topónimos y antropónimos quechuas de *Paisajes peruanos* y las opciones ideológicas que motivan esas representaciones.

como suelen hacerlo todas las denominaciones autóctonas». Cuando
lo anterior no ocurría, es decir, cuando el nombre no se correspondía
con el objeto, se imaginaban otras explicaciones:

> Paucaray significa literalmente en quechua mi vergel, mi prado lozano;
> y a no ser por antífrasis, creo imposible que los indios, exactísimos siem-
> pre en sus denominaciones, aplicaran tan ameno calificativo a esta yerma
> y tétrica planicie. (XIII)

Nuestra impresión es que Riva-Agüero cree en el remontarse en el
tiempo hasta descubrir el *étymon*, la denominación original que desvela la esencia de las cosas, y en esto se acerca más a Platón que a
Saussure. Las etimologías de Riva-Agüero, bien que en el marco de
una polémica —la cuestión de los orígenes quechuas o aimaras de la
cultura andina— apuntan, según Cerrón Palomino, a un *protoquechua*
del cual descenderían no solo el quechua sino también el aimara modernos, tesis que actualmente no suscriben los lingüistas andinos[232].
No obstante, pueden entenderse como un testimonio más del discurso de los orígenes, del quechuismo primordial andino en el que
creía Riva-Agüero. Al repetirse este con cada etimología explicada,
puede afirmarse que este discurso recorre la trama textual de *Paisajes
peruanos*.

El léxico de la sensación. La sinestopía

Ya Raúl Porras Barrenechea le había dedicado unas páginas del
Estudio preliminar a la primera edición de *Paisajes peruanos* a considerar
las «impresiones auditivas y olfativas que enriquecen la visión verná-
cula» de Riva-Agüero[233]. Aunque recurrir al léxico, sobre todo de la
audición, pero también del olfato, resulte un mecanismo importante de Riva-Agüero para ampliar el espectro cognoscitivo, reforzar la
condición factual y de experiencia inmediata del relato y evocar con
mayor claridad y precisión el paisaje y el carácter asociado a este, pensamos que su ideal descriptivo es más amplio y también abarca léxico

---

[232] Cerrón Palomino, 2013, p. 219 y p. 230.
[233] «La técnica del color y el sonido», Porras Barrenechea, 1955, pp. CXXI-
CXXV.

vinculado al tacto, aparte, por supuesto, de aquel relacionado con la vista, sentido *príceps*. Considérese el siguiente texto, que corresponde a la salida del viajero de Ayacucho, en el capítulo X:

> *Relumbra* el sol en las aceras de la Alameda vacía; y de las *blancas* tapias de las quintas de la Tartaria y el Caballito, sube un *capitoso aroma* de jazmines y de enredaderas *fragantes*. En el cielo, *pálido a fuerza de luz*, asoman nubes pequeñas como copos de algodón. En este aire tan *seco*, en esta completa calma, cualquier *sonido* se destaca con inusitada *claridad cristalina*. El lento paso de las mulas *repercute* extrañamente *rítmico* [cursivas del autor].

Como puede comprobarse, el fragmento es un haz de léxico sensorial: vista («Relumbra», «blancas», «pálido a fuerza de luz»), olfato («capitoso – 'tenaz'– aroma», «fragantes»), tacto («seco»), oído («sonido», «claridad cristalina», «repercute», «rítmico»). Repárese, en estos últimos términos, en el refinamiento de las aliteraciones: «*cla*ridad *cri*stalina» y «*repe*rcute [...] *rí*tmico». Los arreos de las caballerías y el paso de las mulas «suenan» nítidos y rítmicos gracias a las evocaciones sugeridas por el significante lingüístico. Conviene agregar, también, que se producen verdaderas sinestesias cuando se predica al «sonido» con léxico visual («claridad cristalina»). El fenómeno ha sido identificado, para los relatos de viaje específicamente, por Luis Alburquerque:

> Pero lo que quiero apuntar, o mejor, esbozar, es el rendimiento que para los «relatos de viaje» pueda aportar un concepto nuevo, la sinestopía [del gr. «sin» 'junto' y «aesthesis» 'sensación' y «topos» 'lugar'], que propongo al hilo de las reflexiones sobre la «cronotopía» bajtiniana. Incorporo este nuevo término al reparar a menudo en el hecho de que los sentidos (determinados sentidos) parecen aferrados a determinados espacios (a través de objetos o personas), dependiendo de las épocas, de los viajeros y de los fines de los viajes. Aunque no exclusivo de los «relatos de viaje» por su frecuencia e interés podría llegar a considerarse como un rasgo distintivo del género[234].

En el fragmento comentado de *Paisajes peruanos*, se aprecia el valor que le concede Alburquerque a la sinestopía:

---

[234] Alburquerque, 2019, p. 43.

Descubrir los sentidos que el viajero privilegia en su relato y con qué realidades están asociados puede ser un instrumento útil para la evolución del género y para la historia de los sentidos en general[235].

En el caso de Riva-Agüero narrador —o descriptor— ello puede indicar una apertura epistemológica valiosa. El fragmento, además, está claramente vinculado a «los sentidos de la ruta», es decir, al conjunto de elementos sensoriales que se percibe unitaria y dinámicamente en el mismo camino, no cuando se está detenido. En síntesis, se trata de un fenómeno claramente sinestópico: la captación de un conocimiento vinculado a la ruta de un relato de viajes logrado a través de los significados léxicos asociados a una pluralidad de sensaciones.

Este ideal epistémico, sin embargo, no se cumple a cabalidad y lo que puede reconocerse en *Paisajes peruanos* es un predominio del léxico de la vista vinculado a veces con el del olor («Aromaban los ichales humedecidos», en el capítulo XIV), a veces con el del tacto y el olor («Un viento vivo y seco, efluvio de las gélidas cimas, saturado con el delicioso perfume de los pastos marchitos, bañaba los páramos», en el VII). Dicho esto, la verdad es que Riva-Agüero muestra una especial sensibilidad por lo que Marcel Velázquez Castro llama «los sonidos andinos» (2013), tanto los naturales como los culturales.

En relación con los sonidos naturales, Porras llama la atención sobre el pasaje del «amanecer sonoro» en Pomacocha, en donde Riva-Agüero va describiendo secuencialmente el amanecer mediante el inventario del léxico de los ruidos de la actividad de una finca, de una hacienda. Al final, sintetiza Porras: «Son los oídos los que ven»[236].

En relación con los sonidos culturales, convine notar el respeto y el aprecio del historiador limeño por el folklore andino. *Paisajes peruanos* registra un inventario detallado de géneros musicales y de instrumentos musicales del Ande: «cachua» (II), *«hayllis»* (II), «triste» (VIII, XII), «yaravíes» (X, XII), *«cacharpari»* (XVI), «quena» (IV, XV), *«huáncar»* (XII), *«pututus* y *quepas»* (XII), «zampoñas (*ayarichij*)» (XIV). La música y el paisaje son vías de acceso privilegiadas al alma indígena, como puede observarse en esta descripción de la frase melódica que le llega al narrador en la celebración del trisagio de la noche de san Juan, en el capítulo XII:

---

[235] Alburquerque, 2019, p. 43.
[236] Porras Barrenechea, 1955, p. CXXV.

> Era una melodía lastimera y monótona, entrecortada de pronto por un estallido bullicioso. La tenue frase musical se alarga, se repite interminablemente, suave, nostálgica y grácil, como aquellos senderos que serpentean en la uniforme y aterida desolación de las punas.

Los adjetivos que se predican de la melodía y el paisaje («lastimera y monótona», «entrecortada», «tenue», «suave, nostálgica y grácil», «uniforme y aterida») convienen también al alma del poblador andino. Marcel Velázquez encuentra que esta especial sensibilidad de Riva-Agüero por los sonidos andinos puede contribuir a matizar la visión de un narrador monolítico, ahincado en un saber racional de archivo y biblioteca y no de experiencia, tanto por su favorable valoración del folklore indígena como por el descentrarse de la cognición visual, «más racional y controlada»[237]:

> Una lectura atenta [de *Paisajes peruanos*] prueba que el sujeto narrador no es tan homogéneo ni mera voz del poder y el saber ya que su experiencia de viaje lo confronta con la historia y le crea una crisis en su mirada y en su escucha sobre la Sierra y el indio[238].

Velázquez llama la atención sobre la importancia de los sonidos —repicar de campanas, explosiones de pólvora— en el primer capítulo de *Paisajes peruanos* («Salida del Cuzco»)[239]. Lo hemos hecho notar también nosotros[240] y, además de función mimética y connotación festiva, le hemos encontrado al repicar de las campanas una función estructural, en tanto ese sonido festivo abre y cierra el capítulo y coincide, al final, con la exaltada epifanía en que se descubre al Cuzco como eje del Perú mestizo y, simultáneamente, a Riva-Agüero como su intérprete. Debe agregarse que el sonido de las campanas aparece otra vez más en el texto, al final del capítulo XVI («El convento de Ocopa»), que coincide con el fin del itinerario serrano del historiador, pero esta vez las campanas no tañen por la mañana, hacia el medio día, como en el Cuzco, sino a la hora del Ángelus crepuscular, a las 18.00 horas. Se trata de una marca compositiva o

---

[237] Velázquez Castro, 2013, p. 180.
[238] Velázquez Castro, 2013, p. 171.
[239] Velázquez Castro, 2013, pp. 174-175.
[240] Wiesse Rebagliati, 2016, p. 438.

estructural que señala el fin del viaje y le agrega una connotación nostálgica, opuesta al exaltado optimismo de la salida del Cuzco. Luego, solo queda el capítulo XVII (el apéndice sobre el *Ollantay* continúa la caracterización del alma indígena con que termina ese capítulo), con carácter epilogal y fuera de la ruta y su cronotopo.

2.3.2. Aspectos de la prosa[241]

Debe manifestarse, en primer lugar, que, como todo aspecto del plano del significante lingüístico, la prosa se subordina al plano del significado o del contenido. En el caso concreto de la de *Paisajes peruanos*, puede observarse que se incorpora coherentemente a un sistema retórico que otorga sentido a todo el texto. Como sostiene Herbert Ramsden para los escritores del 98 español[242], existe un empeño por «establecer un núcleo central e imperecedero de la tradición[243] nacional, una base firme que permita examinar el pasado y hacer recomendaciones cara al futuro: un "núcleo castizo", "una fuerza dominante y céntrica"»[244]. Este núcleo está fuertemente ligado al paisaje. Se activa aquí, con matices positivistas, el sistema terciario de Taine: paisaje, carácter, cultura[245]. Como propósito, entonces, no son muy diferentes el libro *Castilla* de Azorín y el poema *A orillas del Duero* de Antonio Machado de *Paisajes peruanos*. Como ya lo hemos observado, la Castilla de Riva-Agüero es la Sierra peruana y el Perú es, en esencia, una tierra «clásica y primogénita» (capítulo XI), adjetivos que también connotan estabilidad y origen. Consecuentemente, el pasado lejano es heroico; el presente y el pasado cercano, deleznables y efímeros; y el futuro, lleno de promesas. La geografía es inmutable y, por lo tanto, eterna. De ahí que, llegados al nivel geológico (remitámonos en este punto al artículo «El paisaje» de Francisco Giner de los Ríos), pueda expresar la idiosincrasia nacional con más fuerza aún que la propia historia.

[241] Nos remitimos a nuestro trabajo «Consideraciones sobre el 98 y la prosa de *Paisajes peruanos*» (Wiesse Rebagliati, 2001), específicamente las pp. 238-243.

[242] Ramsden, 1980, p. 21.

[243] La tradición en sentido unamuniano, sustancia y sedimento de la historia y revelación de la intrahistoria (Unamuno, 1979, p. 27).

[244] Ramsden, 1980, p. 21.

[245] Ramsden, 1980, p. 25.

Dentro de este contexto, la prosa «modernista»[246] de Riva-Agüero no resulta un elemento agregado a la reflexión ideológica o a la evocación histórica, sino su expresión más cumplida. Varios estudiosos —de manera justa, aunque impresionista— se han encargado de caracterizarla. Raúl Porras señala las influencias de José Santos Chocano y de Manuel González Prada y sostiene que tiende «a un cierto pathos declamatorio, sobre todo en el final sinfónico de sus capítulos»[247]. Pacheco agrega que es «opulenta y lapidaria»[248]. Con mayor precisión técnica, y al hablar de los dos tipos de ritmos prosarios —el *ritmo de contenido* y el *ritmo formal*—, Luis Jaime Cisneros afirma: «En la literatura peruana podríamos hallar ejemplos de lo primero en la prosa de Francisco Fernández de Córdova y del Lunarejo, en la Colonia, y en la de González Prada y Riva-Agüero, en lo segundo, aunque hay en estos dos últimos obstáculos que permitirían hablar de una complejidad de ritmos»[249].

Sin entrar en discusiones de metódica, no pertinentes en el presente contexto, comentaremos algunos fragmentos de la prosa de *Paisajes peruanos* para hacer notar su variedad y su especificidad. Partimos, para ello, de la caracterización de ritmo de la prosa hecha por Amado Alonso (con quien coinciden destacados representantes de la escuela formalista eslava, como Mukarovsky y Hrabák). Recogemos algunas ideas de la *Teoría del ritmo de la prosa* de Isabel Paraíso de Leal. Nos servimos también, para cuestiones específicas, del libro *Ritmo e melodía nella prosa italiana,* de Gian Luigi Beccaria.

Conviene precisar, para usar una denominación de este último estudioso, que la prosa de *Paisajes peruanos* es «prosa de arte» o «prosa artística» (para no usar la ambigua denominación «prosa poética»). Es decir, es prosa en la que pueden encontrarse ritmos propiamente prosarios —el ritmo formal y el ritmo del contenido, tal como los

---

[246] El Modernismo fue un estilo con el que Riva-Agüero nunca se sintió cómodo. A Luis Loayza le parecía sorprendente que un autor de la generación del Novecientos como Riva-Agüero no apreciara a Rubén Darío —ni a los simbolistas e impresionistas franceses— (Loayza, 2010b, pp. 244-245). No obstante, César Pacheco juzga que en *Paisajes peruanos*, Riva-Agüero «derrochó la mejor prosa modernista [de la literatura peruana] junto a la de Ventura García Calderón» (Pacheco Vélez, 1993d, p. 236).

[247] Porras Barrenechea, 1955, p. CXXXVIII.

[248] Pacheco Vélez, 1993a, p. 55.

[249] Cisneros, 1959, p. 70.

entienden Amado Alonso y Luis Jaime Cisneros—; pero también elementos sonoros que no se articulan en ritmos y que, no obstante, pueden cumplir una función expresiva —de «orquestación», en terminología formalista—. Es el caso de los metricismos, de las aliteraciones, de las rimas incluidas en la prosa.

Examinemos el primer texto seleccionado, del capítulo I:

1. La increíble suciedad de los rincones y muladares, digna de la medioeval *Roma Sporca*; los tallados balcones moriscos, que se caen de vetustez; los zaguanes obscuros; los silenciosos patios; los desvencijados balaustres y barandales de madera; las carcomidas pilastras y zapatas pintadas de verde o celeste; las gastadas escaleras de piedra; la queja de las fuentes que, bajo rudos mascarones labrados en los muros torvos, vierten su escasa vena; los envejecidos oros churriguerescos de las iglesias; los largos portales; los claustros taciturnos; las plazoletas cubiertas de grama, que amarillean al sol de tarde; la devastación muda de los barrios que se extienden más allá del Hospital de San Pedro; las casas arruinadas que en Belén y Santiago desaparecen poco a poco, sumergiéndose entre desmontes y sembríos, como un cadáver cuyas extremidades comenzaran a hundirse en el polvo: todo sugiere ideas de decadencia y muerte.

El texto anterior es un ejemplo muy claro de ritmo de contenido o de pensamiento. El ritmo se basa, fundamentalmente, en la repetición de un mismo esquema sintáctico: en este caso, de artículo + adjetivo + sustantivo, aunque la *varietas* imponga modulaciones, ya sea en la alteración de la ordenación canónica (como el esquema artículo + sustantivo + adjetivo), ya sea por la amplificación del sintagma mediante proposiciones subordinadas de relativo (en el texto anterior, todas las que empiezan con *que...*). La descripción posee un carácter lógico y produce el efecto de acumular razones para sustentar un argumento. El último grupo fónico (el que empieza con *todo...*) recoge el sentido de las imágenes parciales y explica la comparación incluida en el penúltimo («como un cadáver cuyas extremidades comenzaran a hundirse en el polvo»), que puede predicarse no solo del grupo fónico inmediatamente anterior, sino, por extensión, de todo el conjunto. Desde el punto de vista descriptivo, se trata de desmembrar la ciudad en una serie de imágenes de la decadencia presente que contrasta con la gloria pasada. Al final, tanto la comparación como la explicación que le sigue vuelven evidentes la intención del autor. El carácter del texto puede resultar, como lo sostiene Porras, un tanto declamatorio, más propio del orador que del poeta. Lo explícito de la comparación y la explicación final reafirman el carácter lógico del conjunto.

2. a. En los días tempestuosos, el viento, por las callejuelas grises y las casas destartaladas, clama y muge largamente como el espíritu de la desesperación (I).

b. A cada paso que damos en estas tierras lucientes y calladas, surge en la paz del campo un lejano recuerdo histórico, feroz y fúnebre como un cráter extinto (II).

c. El crujir de las malezas en el monte y de los guijarros al paso de la cabalgata semeja, en la ardiente sequedad meridiana, el crepitar de un incendio (VI).

Las tres oraciones anteriores constituyen lo que Amado Alonso reconoce como el verdadero ritmo de la prosa, que se basa en la identidad entre figura melódica y figura rítmica, y no implica medición de tiempo[250]. La primera (2a) presenta una prótasis hasta «destartaladas», a pesar de que, sintácticamente, «por las callejuelas grises y las casas destartaladas», un complemento circunstancial, dependa del verbo que sigue. Y es que la prótasis («En los días tempestuosos, el viento, por las callejuelas grises y las calles destartaladas») crea una tensión que se resuelve en la apódosis siguiente («clama y muge largamente como el espíritu de la desesperación»). A su vez, la prótasis se estructura en una tensión interna, formada por los tres grupos fónicos que la componen, los que terminan, respectivamente, en ascenso, descenso (o suspensión) y nuevamente ascenso tonales. Por su parte, la apódosis se divide en dos grupos fónicos terminados, ambos, en inflexión descendente. Esto último resulta especialmente relevante: la monotonía de la caída reiterada del tono contribuye a destacar las dos palabras que coinciden con esta: «largamente» y «desesperación».

La prótasis del siguiente ejemplo (2b), al contrario de la oración anterior, se compone de dos grupos fónicos («A cada paso que damos» y «en estas tierras lucientes y calladas»); la apódosis, de tres: «surge en la paz del campo», «un lejano recuerdo histórico» y «feroz y fúnebre

---

[250] Alonso, 1960, p. 262.

como un cráter extinto». La secuencia tonal es la siguiente: descenso, ascenso, ascenso, descenso, descenso. Como en el caso anterior (2a), los dos últimos grupos fónicos descienden al final; el último grupo fónico es una comparación (esta vez, reforzada por la aliteración de *feroz* y *fúnebre*).

La tercera oración (2c), posee una estructura melódica muy simétrica: descenso, ascenso, descenso, ascenso, descenso. Es de notar cómo la comparación (repárese en el verbo «semeja»), que podría limitarse a la sequedad de una descripción de trámite, se vivifica mediante la tensión producida por la prótasis («El crujir de las malezas del monte», «y de los guijarros al paso de la cabalgata») que genera una expectativa que se resuelve en la apódosis («semeja», «en la ardiente sequedad meridiana», «el crepitar de un incendio»). «*Cr*ujir», en el primer grupo, anuncia (aunque solo como posibilidad) a «*cr*epitar», del último grupo, en una aliteración onomatopéyica que subraya la continuidad de la imagen sonora a lo largo de la citada oración.

Gian Luigi Beccaria ha denominado «estructura melódica progresiva»[251] a un conjunto de grupos fónicos dispuestos de tal manera que el primero sea más corto que el segundo, el segundo más que el tercero y así sucesivamente. Se trata de una disposición típica de la «frase moderna», más libre, por ejemplo, que los esquemas casi externamente prefijados de una estructura más «oratoria» (el texto 1, por ejemplo). La prosa de *Paisajes peruanos* ofrece varios ejemplos de este tipo:

3. a. En derredor de la puna, como intercolumnios gigantescos, aparecen los calvos picos de las cordilleras, cuyos nevados y nubes en la serenidad azul semejan las marejadas espumosas que ciñen los arrecifes y peñascos de un mar diáfano (IV).

b. Al oriente, sobre el grisáceo escorzo de la cordillera, las nubes se extendían *como olas de rompientes gigantescos y quiméricos golfos de espuma*. Luego el camino tuerce, apegándose a los cerros de la derecha y descendiendo por revueltas espantables, *que parecen balcones sobre el abismo*. Abajo, en medio de los carrizos, chachacomas y nogales, la luz muriente ondulaba en el río *como las escamas de un gran pez dorado* (VII, cursivas del autor).

c. La quebrada de la Sauceda desciende con rápido declive, regada por el río Blanco. La vegetación aumenta; y a los sauces y alisos, los quishuares y los copudos pisonayes que adornan la región anterior, se

---

[251] Beccaria, 1964, pp. 66 ss.

agregan los nobles cedros, los molles, las lianas, los plátanos, los helechos, los herbazales pantanosos y los magueyes *que se retuercen en el aire
como culebras gigantescas* (III, cursivas del autor).

La primera oración de este grupo (3a), puede ilustrar claramente el
procedimiento descrito por Beccaria. Se trata, efectivamente, de un
conjunto de grupos fónicos dispuestos según una estructura melódica
progresiva. La secuencia es la siguiente: 8-10-15-16-30 sílabas. El último grupo, que se despliega ampliamente en una línea de largo aliento,
es el portador del elemento comparativo, fenómeno que se repite en las
tres oraciones del texto 3b, en lo que podría reconocerse como un esti-
lema de la prosa de Riva-Agüero. Una diferencia separa a 3c de los otros
textos: el tratamiento de grupos acentuales o grupos rítmicos, como los
llama Isabel Paraíso de Leal[252]. En efecto, estas unidades se presentan
muy simétricamente: *y los magueyes* (uuu´u) - *que se retuercen* (uuu´u) - *en
el aire* (uu´u) - *como culebras* (uuu´u) - *gigantescas* (uu´u). Si además se consideran otros elementos «orquestadores», como la rima interna magu*eyes*:
ret*uercen*, y la aliteración del fonema /k/ en «*c*omo *c*ulebras», la posición
destacada del último grupo melódico resulta ser un recurso importante
en la prosa de arte de Riva-Agüero. El carácter zoomorfo o arquitectónico de las comparaciones debe enmarcarse dentro del propósito retóri-
co-fantástico de animar y engrandecer la naturaleza.

El análisis de la prosa de uno de los momentos más exaltados del
itinerario —la bajada del río Apurímac, en el capítulo III— puede ofrecer una visión de conjunto de los recursos desplegados por
Riva-Agüero:

4. La cuesta es empinadísima, entre rocas y achaparradas malezas. A
    medida que avanzamos, se espesa el aire, aumenta el bochorno, y des-
    cubrimos lajas enhiestas, lisas como murallas, que se abren hendidas
    por un tajo soberbio. Diríase que descendemos a la cripta de un rey
    sobrehumano. Aún no oímos la corriente. De pronto, en una revuelta
    del camino, un fragor indecible nos asorda; y entre oscuros y des-
    mesurados bastiones, graníticos y calcáreos, relumbra el Apurímac, a
    modo de una grande espada curva. A veces el clamor remeda el rugir
    de una fiera herida; otras, repercutiendo en las quiebras peñascosas,
    imita el redoblar de los tambores o el rodar incesante de innumerables
    máquinas de guerra.

[252] Paraíso de Leal, 1976, pp. 44 ss.

El movimiento animado de la escena está garantizado por la variedad de medidas de los grupos fónicos. Las medidas silábicas de estos son las siguientes: 9-12-8-6-6-10-7-13-19-9-3-10-11-13-8-7-11-13-8-7-11-17-2-12-11-18. A diferencia de otros fragmentos prosísticos de Riva-Agüero, se comprueba aquí un fuerte predominio de metros cortos. Algunas alternancias notables se verifican en los grupos cortos que siguen a los grupos largos, como «De pronto», «otras». El movimiento melódico también resulta especialmente dinámico. La segunda oración, por ejemplo, empieza con una prótasis descriptiva, pero insinuante («A medida que avanzamos»). La apódosis es compleja y se va creando por agregación de grupos fónicos, como si se pretendiera algún tipo de bajada mimética: primero, tres oraciones simétricas, enumerativas («se espesa el aire», «aumenta el bochorno» y «y descubrimos lajas enhiestas»). A partir de este punto, empieza el movimiento imaginativo y la *amplificatio* de la idea de «lajas»: «lisas como murallas» y «que se abren hendidas por un tajo soberbio». Sigue una metáfora de carácter grandioso (el cañón del Apurímac como cripta real) que, desarrollada en el grupo fónico más largo del texto, parecería presentarse como la calma recogida que precede a un movimiento más dinámico y que se prolonga en el siguiente grupo fónico: «Aún no oímos la corriente», afirmación que silencia y a la vez anuncia lo que viene después. El «De pronto», un grupo melódico breve que contrasta con los dos largos anteriores, inicia el movimiento de descubrimiento del Apurímac, primero sonoro (el fragor que asorda) y luego visual (el río visto apenas a través de las peñas). Luego, el final es un juego de aliteraciones que buscan evocar el fuerte ruido del río entre las rocas. La continuidad metafórica es notable: va desde el «tajo soberbio» del principio hasta la «grande espada curva» (¿el alfanje del Guadalquivir machadiano?). La continuidad sonora, también. Las aliteraciones van desde «*r*ey sob*r*ehumano» hasta la notable oración final: «A veces el clamo*r r*emeda el *r*ugi*r* de una fie*r*a he*r*ida; otras, *r*epe*r*cutiendo en las quieb*r*as peñascosas, imita el *r*edobla*r* de los tambores o el *r*oda*r* incesante de innume*r*ables máquinas de gue*r*ra». Curiosamente, hasta «graníticos y calcáreos», un conjunto que podría clasificarse como meramente descriptivo, recibe relieve especial por la aliteración de la /r/, a la que habría que agregar el que ambos vocablos compartan el mismo grupo fónico y, también, su carácter esdrújulo. Las rimas internas crean una última continuidad: frago*r*: clamo*r*; y también, parcialmente, *r*ugi*r*: *r*edobla*r*: roda*r*. Los efectos de expectación, de sorpresa y, luego, de evocación no dejan de ser el trabajo de un artífice del lenguaje. El juego, sin embargo, no es gratuito: evoca la realeza, la majestad, el poder de la naturaleza del Perú y como dentro del especial código noventayochista (recuérdese a Antonio Machado y a Azorín), espacio = tiempo y naturaleza = historia, también muestra la «naturaleza histórica» inmutable del Perú, un núcleo central e imperecedero de tradición peruana.

2.3.3. Figuras retóricas. Comparaciones y metáforas

En su estudio sobre *Paisajes peruanos*, Luis Alburquerque afirma que todo el cortejo de figuras retóricas del libro se articula en torno de la descripción o écfrasis, «[...] entendida en sentido general (suele denominarse también "evidencia" o "demostración") como mecanismo que busca "poner ante los ojos" la realidad representada»[253]. Otras figuras, sigue Alburquerque, se integran a esta figura fundamental (la etopeya, la cronografía, la pragmatografía)[254]. En secciones anteriores del presente estudio nos hemos referido ampliamente a la descripción en *Paisajes peruanos*. Pensamos que en este punto de la investigación conviene referirse a dos figuras que Alburquerque no incluye en su inventario: la comparación y la metáfora.

La partícula comparativa *como* y verbos específicos (*semejar, recordar, remedar*) son aprovechados por el autor para unir ámbitos diversos de la realidad. Como en otros aspectos del estilo de Riva-Agüero, resulta patente la voluntad explicativa, explanatoria, hasta docente:

> En derredor de la puna, *como* intercolumnios gigantescos, aparecen los calvos picos de las cordilleras, cuyos nevados y nubes en la serenidad azul *semejan* las marejadas espumosas que ciñen los arrecifes y peñascos de un mar diáfano [cursivas del autor].

Frecuentemente, el segundo término, el elemento con que se compara el fenómeno natural, es el portador de la carga semántica fantástica:

---

[253] Alburquerque, 2013, p. 202.
[254] Alburquerque, 2013, pp. 202-203.

[…] la luz muriente ondulaba en el río *como las escamas de un gran pez dorado* [cursivas del autor].

Ocurre lo mismo con las metáforas (aquí la connotación poética se activa a partir de la equivalencia inducida por el verbo *ser*):

Retorciéndose entre ellos [los cerros], con fulgores y visos metálicos, el río *es una gran serpiente escamosa, el fantástico* amaru, *el mítico dragón de los incas, que se abalanza rugiendo en las montañas de los Antis* [cursivas del autor].

Puede ser interesante notar, sobre todo por la relevancia ideológica que Riva-Agüero le concede, la metáfora o la personificación femenina de las ciudades. Probablemente esta identificación entre lo femenino y una ciudad o una institución sea antigua (piénsese en «Alma mater studiorum» 'madre nutricia de los estudios' para referirse a la Universidad de Bolonia y por extensión, a toda universidad). Riva-Agüero puede haberse inspirado en un famoso artículo sobre el paisaje de Giner de los Ríos. Como observa María del Carmen Pena, en ese texto, Giner contrasta los paisajes del Norte y del Centro (concretamente, Castilla) de España y propone oposiciones entre lo gracioso y lo inarmónico, lo que se consigue sin lucha y lo que requiere esfuerzo, lo pasivo y lo activo, lo femenino y lo masculino, lo vulgar y lo especial (nótese que el primer o los primeros términos se refieren al paisaje norteño y el segundo o los segundos, a Castilla[255]). El sesgo masculino es evidente. Una fuente más próxima podría ser la de Miguel de Unamuno, corresponsal de Riva-Agüero, en un libro que con seguridad Riva-Agüero consultó (la primera edición de este, de 1911, de la Editorial Renacimiento, está en la Biblioteca del Instituto Riva-Agüero y suponemos que vino del fondo bibliográfico del propio don José) y que creemos inspiró no poco al viaje del peruano: *Por tierras de Portugal y de España*. En el segundo artículo recogido en este, «La literatura portuguesa contemporánea», el rector de la Universidad de Salamanca se anima a personificar a Portugal. El resultado es casi una alegoría:

Represéntaseme Portugal como una hermosa muchacha campesina que, de espaldas a Europa, sentada a orillas del mar, con los descalzos pies

[255] Pena, 1982, p. 63.

en el borde mismo donde la espuma de las gemebundas olas se los baña, los codos hincados en las rodillas y la cara entre las manos, mira cómo el sol se pone en las aguas infinitas. Porque para Portugal el sol no nace nunca: muere siempre en el mar que fue teatro de sus hazañas y cuna y sepulcro de sus glorias[256].

Riva-Agüero recurre a la personificación femenina de las ciudades[257] siempre en puntos relevantes de su relato y siempre en función de una retórica de la interpretación histórica. En el primer capítulo de *Paisajes peruanos* («Salida del Cuzco»), al contraste perspectivista entre la ciudad vista desde abajo y la ciudad vista desde arriba debe agregársele el contraste entre dos metáforas: el Cuzco como mendiga y el Cuzco como anciana madre. Vista desde abajo, la ciudad es «la vieja población, emperatriz destronada de infaustos destinos», la «noble mendiga» que se viste con «sórdidos harapos». Vista «con reverencia, de alto y de lejos», revive orgullosa «y en la luz incomparable resplandece milagrosamente la anciana dominadora, la madre de los incas».

La personificación femenina de las ciudades aparece en otro punto clave del relato, al final del capítulo X («Iglesias y casas de Ayacucho. Aspecto general de la ciudad»), cuando Riva-Agüero profetiza un renacimiento andino:

> Si La Paz y Arequipa son las mestizas modernas, que procuran ataviarse a la europea; y el Cuzco la noble *palla* incaica, empobrecida y desamparada, que entre sus andrajos guarda algunos retales agujereados y preciosos de su antigua túnica imperial, Ayacucho es la rancia mestiza españolizada de la Colonia, que mantiene inmutables entre sus cerros las creencias y las costumbres que le enseñaron sus padres, los conquistadores. Viviendo su tradición y consciente de su melancólica decadencia, no exenta de altivez, sueña y quizás espera, como sus hermanas, las otras viejas ciudades

---

[256] Unamuno, 1964a, p. 10.

[257] Mario Vargas Llosa ofrece ejemplos de feminización del espacio andino por escritores indigenistas posteriores a Riva-Agüero. De Luis E. Valcárcel (*Tempestad en los Andes*): «esta rebelión será andina, autóctona, antiespañola y antieuropea y [...] restablecerá la atávica hegemonía de la *sierra viril* sobre la *costa femenina*» [cursivas del autor] (Vargas Llosa, 1996, p. 69). De Uriel García (*El nuevo indio*): «[García] explica el desarrollo del *ayllu* como el triunfo del espíritu *viril* sobre la *feminidad* sentimental y muelle de la comunidad indígena primitiva, incompatible con el expansionismo guerrero y conquistador de los incas» [cursivas del autor] (Vargas Llosa, 1996, p. 75).

andinas del histórico Perú. Sucre, Potosí y Cochabamba en Bolivia, el Cuzco, Ayacucho, Huánuco y Cajamarca en el Perú Bajo, tierras quechuas benignas y tristes, coro patético de viudas fieles y desoladas, que ocultan entre los Andes sus memorias de pasadas grandezas y dormitan abrigándose al radiante sol serrano, hasta que su raza, sacudiendo el apocamiento y la desconfianza, despierte del letargo, vuelva a creer en sí misma, a vibrar y a restaurar dentro de la historia americana el privativo ideal que va ingénito en su peculiar mestizaje.

2.4. *Plano de la significación*

2.4.1. Narrador plural, destinatarios múltiples

Como observamos en una investigación anterior (Wiesse Rebagliati, 2019b, p. 302), en los capítulos II y IX de *Paisajes peruanos*, José de la Riva-Agüero da cuenta de dos hechos de armas que definieron el espacio de América Meridional en el siglo xvi: la batalla de Jaquijaguana, entre las fuerzas de Gonzalo Pizarro y las del presidente Pedro de La Gasca (el 8 de abril de 1548) y la batalla de Chupas (el 16 de setiembre de 1542), entre el ejército de Diego de Almagro el Mozo y el del licenciado Cristóbal Vaca de Castro, representante del emperador. Al comparar los dos relatos, sorprende el distinto tratamiento narrativo de ambas gestas. Mientras que en el capítulo II el encuentro de Jaquijaguana se reduce a la mínima expresión (apenas a precisar cuestiones puntuales de geografía histórica), la acción bélica de Chupas se desarrolla ampliamente y el escritor peruano compone, a partir de ella, un cabal relato épico, como lo hemos hecho notar anteriormente en el presente estudio.

Nos preguntábamos cuál podría ser la razón del distinto tratamiento de los sucesos. Y concluíamos que Riva-Agüero, en función del rendimiento retórico de su materia, asumía una *persona* narrativa distinta y se dirigía a públicos distintos (Wiesse Rebagliati, 2019b, p. 317). El texto del capítulo II, que se refiere a la batalla de Jaquijaguana, se dirige a un auditorio universal. En cambio, el texto del capítulo IX, que evoca la batalla de Chupas, se dirige a un auditorio particular[258].

---

[258] Chaïm Perelman y Lucie Olbrechts Tyteca distinguen entre auditorio universal y auditorio particular. El primero está constituido «por toda la humanidad, o al menos por todos los hombres adultos y normales (sic)» (Perelman y

Y, correspondientemente, ambos textos son producidos por dos clases de emisores: el primero es un historiador positivista que pondera datos, los contrasta con la realidad que está ante él y saca conclusiones de valor universal que pretenden la aceptación de una comunidad universal (la Ciencia, la Historia). El segundo es un escritor peruano, un hijo del Perú, que se dirige a un auditorio compuesto por sus compatriotas, en un conjunto ya definido en el prólogo a la segunda parte de los *Comentarios reales* por el Inca Garcilaso de la Vega: «los indios, mestizos y criollos de los reinos y provincias del grande y riquísimo imperio del Perú»[259].

Podemos agregar a estas observaciones otras que vuelven al narrador/autor/viajero una entidad más compleja. Ya hemos problematizado la no coextensión del viaje de Riva-Agüero y el texto de *Paisajes peruanos*. Y podemos agregar otras singularidades. El texto se inicia con una «salida» y no, como sería lo normal en un relato de viajes, con una «llegada». Los viajeros recorren un Cuzco decaído, digno de la *España negra* de Regoyos y Verhaeren o de la Brujas —ciudad muerta— de Rodenbach. Antes de partir por completo de la ciudad, en un espacio sagrado —la apacheta de Urcoscallan— Riva-Agüero contempla la ciudad desde lo alto y capta, en una especie de epifanía de la nación, el sentido de la ciudad y el suyo, en tanto intérprete de ella.

Conviene hacer notar aquí que, a diferencia de la visión del Cuzco desde abajo, que es solo la de la ciudad (y, por ello, solo la de la

Olbrechts-Tyteca, 1989, p. 70). Y agregan: «Una argumentación dirigida a un auditorio universal debe convencer al lector del carácter apremiante de las razones aducidas, de su evidencia, de su validez intemporal y absoluta, independientemente de las contingencias locales o históricas» (Perelman y Olbrechts-Tyteca, 1989, p. 72). Si bien el segundo auditorio está constituido idealmente por «el único interlocutor al que nos dirigimos» (Perelman y Olbrechts-Tyteca, 1989, p. 72), pienso que tal interlocutor puede ser un colectivo, una colectividad, lo que se aprecia más cuando los filósofos belgas tratan el tema de los valores: «La argumentación sobre los valores necesita una distinción […] entre valores abstractos, como la justicia y la veracidad, y concretos, como Francia o la Iglesia. El valor concreto es el que se le atribuye a un ser viviente, a un grupo determinado, a un objeto particular, cuando se los examina dentro de su unicidad» (Perelman y Olbrechts-Tyteca, 1989, p. 135). El colectivo formado por los peruanos —un auditorio particular— está compuesto por las personas que comparten un valor concreto: el Perú.

[259] Garcilaso de la Vega, *Historia general del Perú (Segunda parte de los Comentarios reales de los incas)*, p. 9.

historia), la visión desde lo alto incluye también a la naturaleza[260]. En esta visión, que es visión de lo sublime[261], la geografía y la historia, lo indígena y lo español se unen en una contemplación de lo completo y lo circular (Riva-Agüero se refiere al anfiteatro de los montes que rodean al Cuzco), símbolo de lo perfecto, que anuncia la tesis rivagüerina de la peruanidad integral. No es indiferente, además, que la visión ocurra de mañana, quizás aproximándose al medio día[262].

Finalmente, ¿cuál es la relevancia de empezar su libro «saliendo» del Cuzco y no «llegando» a él? Creemos que, de una manera en que jamás habría podido cristalizar en textos cerradamente expositivo-argumentativos previos, Riva-Agüero quiere destacar la importancia de la visión (la que tiene delante, la de quienes pudieron haberlo precedido). Se trata de una visión final —que remata una tradición de visiones anteriores: las referidas por Cieza (que aludía al llanto de los indios viejos cuando llegaban a Urcoscallan y se despedían del Cuzco) y por Cobo (la importancia religiosa de la apacheta de Urcoscallan), y seguramente la de muchos viajeros posteriores— adquirida luego de la conciencia de una decadencia (el recorrido a mula o a pie por el Cuzco), pero superada por las posibilidades de una contemplación desde lo alto, que integra lo indígena y lo español, la geografía y la historia.

De esta manera, podría decirse, elaborando a partir de lo sostenido por David Brading, que Riva-Agüero se convierte en el historiador decimonónico[263] que él mismo echaba de menos en el Perú (Brading,

---

[260] Considérese a partir de este punto nuestro trabajo «Literatura, historia y mito de una ciudad: el Cuzco como prólogo» (Wiesse Rebagliati, 2016, pp. 443 ss.).

[261] Remo Bodei afirma que *sublime* parece relacionarse con el adjetivo latino *limis* o *limo* 'oblicuo' y que se refiere al ascenso no vertical sino diagonal (Bodei, 2008, p. 21). Precisamente el que realiza el narrador de *Paisajes peruanos* y que le permite comparar perspectivas.

[262] Ricardo González Vigil contrasta, a esta salida matinal de Riva-Agüero, las crepusculares y nocturnas de Markham y Arguedas, respectivamente: «Su llegada al Cuzco [la de Markham], en pleno atardecer, símbolo de su postración actual, invita al contraste con los *Paisajes peruanos* en que Riva-Agüero comienza alejándose del Cuzco, en la mañana, narrando el itinerario a la inversa. José María Arguedas, en *Los ríos profundos*, parece ahondar la óptica indigenista de Markham, haciendo que Ernesto arribe en plena noche a la capital incaica» (González Vigil, 2001, p. C11).

[263] Lo que no significa necesariamente que sus preocupaciones fueran las de un historiador del XIX. Lo son en tanto ve su papel como historiador animador e

2013, p. 259), con lo que las conclusiones de *La Historia en el Perú*, la monumental revisión historiográfica que Riva-Agüero publicó en 1910, se pueden interpretar, también con Brading, «más como un epílogo que como una conclusión» (Brading, 2013, p. 260) y que esta obra, así considerada, resulta la introducción a *Paisajes peruanos*, verdadera encarnación del «nacionalismo romántico» de su autor (Brading, 2013, p. 260). Extendiendo un poco la metáfora y el argumento, Urcoscallan es el punto de vista justo que los historiadores y los cronistas previos a Riva-Agüero no encontraron y que le permite al historiador limeño vislumbrar el Perú integral. Nos encontramos, verdaderamente, ante una escena de comunión mítica en la que Riva-Agüero representa el papel de héroe.

Si se sigue el esquema mítico de la aventura del héroe de Campbell (Campbell, 1997, p. 223 ss.), el héroe es Riva-Agüero; el llamado a la aventura, la carencia de un historiador decimonónico a la manera de Michelet o de Carlyle en el Perú; el umbral de la aventura se cruza con el viaje, donde se verifican las pruebas (la conciencia del carácter decadente y vetusto del Cuzco); la revelación aparece con la visión de lo alto (una especie de concordia con el padre —la patria, madre también [¿matrimonio sagrado?]); el regreso es un regreso tranquilo, pues el héroe vuelve con el elixir que sanará los males de la comunidad: la visión integradora de lo inca y lo español, el espacio y el tiempo, claves para la interpretación del Perú.

Es posible agregar aún más *personae* narrativas. Ya lo hemos visto, por ejemplo, en el capítulo XI, en el ensayo surgido a partir de la contemplación de la pampa de Ayacucho, en donde Riva-Agüero se erige en juez de la Historia y en profeta, papel que repite en otras partes del texto, como al final del capítulo XI, al referirse al renacimiento de las «viejas ciudades andinas del histórico Perú». Los auditorios, hasta donde hemos podido identificarlos, son dos: el auditorio universal de la ciencia y el auditorio particular de sus compatriotas, los peruanos y las peruanas.

¿Cuál podría ser la autoridad de Riva-Agüero para asumir tal pluralidad de roles narrativos y representar, sobre todo, al Perú? Como dice Edward Said, «la autoridad se puede —de hecho se debe— analizar» (Said, 2018, p. 43). Y, aparentemente, lo que Said dice del Oriente

inspirador, poseedor de un propósito cívico, como Carlyle o Michelet. Considérense las observaciones de Trujillo, 2013, p. 136.

podría aplicarse al análisis de la autoridad de Riva-Agüero para hablar
del Perú:

> Todo el que escribe sobre Oriente debe definir su posición respecto a
> él; trasladada al texto, esta posición presupone el tipo de tono narrativo
> que él adopta, la clase de estructura que construye y el género de imáge-
> nes, temas y motivos que utiliza en su texto; a esto se añaden las maneras
> deliberadas de dirigirse al lector, de abarcar Oriente y, finalmente, de
> representarlo o de hablar en su nombre[264].

Este programa, aplicado al autor de *Paisajes peruanos*, fue intentado
por Víctor Vich en 2002. Para Vich, la autoridad de Riva-Agüero se
la otorga su «saber letrado» (Vich, 2002, p. 125). Como ocurrió con
otros estados nacionales latinoamericanos en el siglo xix y a principios del siglo xx, estos no estaban aún bien constituidos y fueron los
intelectuales los encargados de diseñarlos. Pasó con Andrés Bello, José
Faustino Sarmiento y José Martí; y pasa con Riva-Agüero, quien,
hombre de estado como ellos, decidió hablar *por* y *para* la patria.

La patria de Riva-Agüero —interpreto a Vich— es una patria
construida, mediada permanentemente por el archivo y la biblioteca,
y el viaje del intelectual limeño es un viaje textual:

> Riva-Agüero viaja y en dicho recorrido pretenderá construir la patria
> en el espacio del texto. Por ello no se trata tanto de *conocer* un territorio
> ajeno como sí de *producirlo* textualmente a partir de lecturas, imágenes
> consagradas y diferentes impresiones que siempre son enunciadas con
> mucha autoridad[265].

Así, el paisaje se «culturaliza», deja de ser «paisaje» y ahí, en ese,
pretende leerse una historia previamente escrita (Vich, 2002, p. 129).

El recorrido físico parecería ser casi una experiencia prescindible,
ya que la ruta ha sido definida por un modelo histórico-ideológico
previo:

> Entonces, en sentido estricto, más que *conocer* Riva-Agüero *reconoce* lo
> que previamente ha leído y así el viaje no implica necesariamente una

---

[264] Said, 2018, p. 44.
[265] Vich, 2002, p. 125.

movilización: es más, se trata de una compleja instancia para la articulación de una narrativa nacional ya establecida de antemano[266].

Se trata de un discurso, finalmente, de poder, que utiliza la nostalgia como un mecanismo de estetización del pasado, al que se le sustrae todo su carácter conflictivo y dinámico. Es este razonamiento estético el que concibe —y legitima— el mestizaje como la imposición de una cultura sobre otra (Vich, 2002, p. 127).

Según Vich, el viaje de Riva-Agüero es «monológico», Riva-Agüero no conversa con nadie y no hay diálogos en el libro (Vich, 2002, p. 126). Nunca ve a los indios y si los ve, estos solo representan la parte menos intensa y degradada del paisaje (Vich, 2002, p. 130):

> Entonces ocurre aquí un típico movimiento criollo que consiste en intentar incorporar al «otro» dentro del proyecto nacional pero siempre subalternizado e imaginado como un ser inferior[267].

Dentro de la ideología de la «república criolla» (Brading, 2015), y parafraseando a Cecilia Méndez[268], se incorpora en el imaginario nacional a los incas, pero no a los indios. En síntesis, la autoridad de Riva-Agüero es una autoridad letrada, otorgada por la biblioteca y el archivo, que le permite ocupar un territorio —dibujar un mapa— previamente construido en el que el paisaje desaparece, sustituido por una estetización de la historia donde los conflictos se diluyen en un mestizaje ideal y paritario que esconde una condición subalterna real.

Algunas cuestiones de detalle podrían precisarse: el relato del viaje de Riva-Agüero podrá ser monológico, pero ello no significa que en este Riva-Agüero no cuente con interlocutores, ciertamente autoridades y hacendados, pero también maestros, sacerdotes y peones (con los que conversa —se narra en el capítulo V— sobre cuestiones específicas de su actividad agrícola, lo que le permite observar que a pesar de ser labriegos bilingües no emplean en castellano quechuismos como *colca* o *chacra* y dicen *granero* y *finca*). Podría sorprender que no se refiriera al resto de su grupo expedicionario, o que lo haga muy parcamente (una sola vez menciona a Manuel Montero y Tirado, su

---

[266] Vich, 2002, p. 126.
[267] Vich, 2002, p. 131.
[268] Méndez, 2000.

compañero de viaje), pero esta omisión o atenuación no es infrecuente en el género de los relatos de viajes[269] y puede tener que ver, en el caso concreto de *Paisajes peruanos*, con el deseo de Riva-Agüero de hacerse cargo totalmente del discurso de su relato (el viaje puede ser colectivo, pero la responsabilidad de lo que emerge de este en el texto es individual). No es rasgo genérico obligatorio, tampoco, la reproducción de diálogos[270].

Otro punto por precisar es el del supuesto itinerario previo prefijado. Probablemente, existe un mapa mental —por otro lado, perfectamente legítimo— de aquello que se quiere ver, pero el viaje se alarga (en el Cuzco, por ejemplo) o se acorta (en Bolivia y Puno, quizás) en función de decisiones inmediatas que va tomando el viajero. Hemos podido precisar que Riva-Agüero no pretendió quedarse más de una semana en el Cuzco, por ejemplo, y se quedó probablemente quince días[271]. Aunque, en verdad, todo ello forma parte de la prehistoria del texto y puede ser interesante conocerlo, pero lo cierto es que con lo que tenemos que enfrentarnos es con el texto en sí. Vich parecería estar confundiendo viaje y relato de viaje. Quizás esa ingenuidad le haga suponer que un viaje mediado por el conocimiento sea una experiencia necesariamente menos valiosa que uno no mediado por él. En todo caso, parecería un poco anacrónico pedirle a Riva-Agüero que viajara o escribiera como Jack Kerouac.

Pero lo que verdaderamente nos parece esencial, y es importante que Vich lo problematice, es la idea del paisaje y el tratamiento del otro o de lo otro. Cuando Vich sostiene que en *Paisajes peruanos* el paisaje se «culturaliza», deja de ser paisaje, parecería estar suponiendo que

---

[269] Para ofrecer dos ejemplos de relatos de viajes modernos, Geneviève Champeau afirma que, como en el *Viaje a la Alcarria* de Camilo José Cela, *El río del olvido* se narra en solitario, cuando Julio Llamazares viajó en compañía de dos amigos (Champeau, 2005, p. 91).

[270] Al respecto, y al referirse específicamente a *Paisajes peruanos*, Luis Alburquerque afirma: «El marcado carácter ensayístico de *Paisajes peruanos* alejará del relato el recurso a los diálogos, uno de los más utilizados en la evolución posterior del género» (Alburquerque, 2013, p. 216). Los diálogos no son indispensables para todo relato de viajes ni eran recursos necesariamente frecuentes en los relatos de viajes de la época de Riva-Agüero y menos de los que acusan rasgos ensayísticos.

[271] Carta de Riva-Agüero a José Gabriel Cosio del 8 de abril de 1912 (Riva-Agüero, 1997, p. 1102).

existe un paisaje no cultural, uno puramente geológico, si pudiéramos formularlo de esa manera. Pero aun el paisaje puramente «geológico» trasunta valores culturales, como ocurre con la creación del paisaje castellano por Beruete y Giner o la creación del paisaje de la Sierra del Perú por Riva-Agüero. Todos ellos estaban convencidos de que al describir el paisaje, hasta en su dimensión «geológica», describían a los hombres y a las mujeres que lo habitaban. Más aún —así lo piensa Ortega y Gasset y lo hemos hecho notar anteriormente— el paisaje ejerce una pedagogía, el paisaje enseña, la sierra de Guadarrama es el «paisaje-maestro». Y Pío Baroja sentencia: «El paisaje es una novela» (Martínez de Pisón, 2012, p. 82). Como dice el destacado geógrafo español, «el paisaje es interpretación, siempre humana, de una configuración geográfica, no siempre humana» (Martínez de Pisón, 2012, p. 151). Tanto es así, que siempre es posible predicar de los paisajes un adjetivo propio de carácter histórico o estilístico: «paisaje romántico», «paisaje impresionista», ««paisaje de película de terror». Si quisiéramos encontrar el equivalente plástico de *Paisajes peruanos*, probablemente estaríamos más cerca de los óleos de José Sabogal o de Enrique Camino Brent que de los del paisajismo académico decimonónico. Curiosamente, más cerca del «paisaje indigenista».

El otro tema vinculado al itinerario es el de la constitución del cronotopo. No existe duda, creemos nosotros, de la existencia de un plan de viaje que obedezca a un subtexto histórico: el camino incaico y colonial va enhebrando hitos de una historia que empieza en el «gran Perú» del Cuzco y termina en el Perú menguado de Huancayo, sede del Congreso Constituyente de 1839 con que se certificó la derrota de la Confederación Perú-Boliviana, «el único propósito de veras grande que ha animado la vida nacional después de la emancipación americana», como escribe Riva-Agüero en el capítulo XV[272]. Pero organizar

---

[272] Vich califica como «nostalgia imperial» al propósito de Riva-Agüero en *Paisajes peruanos* de «construir una imagen nueva que pueda restaurar la condición de "superioridad" del Perú frente a los otros países de América del Sur» (Vich, 2002, p. 128). No puede descartarse sin más esta opinión, aunque Riva-Agüero probablemente esté pensando, en realidad, solo en parte de la América Meridional, y en la unión del Alto y el Bajo Perú, es decir, del Perú y de Bolivia. Seguramente, debe contextuarse la propuesta de Riva-Agüero dentro del ánimo de quien, como él o Manuel González Prada, para citar solo a dos intelectuales peruanos destacados, sufrió la guerra y la postguerra con Chile y vivía intensamente el drama de Tacna y Arica, «las provincias cautivas» que Chile

el viaje, y luego el relato del viaje, con un propósito no debería llamar tanto la atención. La crítica de Vich, en realidad, se dirige al cronotopo, concepto bajtiniano que es una posibilidad en la configuración de los relatos de viaje, porque es esta imagen —en el caso de *Paisajes peruanos*, como hemos observado, la del camino— la que se impone o se sobrepone al relato de viajes factual. Como observa Geneviève Champeau a propósito del cronotopo del río en dos relatos de viajes españoles recientes: el que un viajero siga el curso río abajo o río arriba es significante. El viaje río arriba es un viaje de la memoria[273]. En última instancia, la de Vich parecería ser una crítica a la cultura porque no es naturaleza. De José María Arguedas dijo Mario Vargas Llosa: «La originalidad de Arguedas consistió en que, al tiempo que parecía describir la Sierra peruana, realizaba una superchería audaz: inventaba una Sierra propia» (Vargas Llosa, 1996, p. 87). «Superchería», en nuestra opinión, es término poco feliz y evoca a la mentira y a la trampa. Pero Vargas Llosa tiene razón al decir que Arguedas inventa una Sierra propia. Lo que no quiere decir que fuera falsa, sino que es una construcción artística y cultural. ¿Por qué no pensar en la Sierra de Riva-Agüero con los mismos criterios?

Para decirlo en términos de Benedict Anderson[274], aunque seguramente no en el sentido que él quiere darles, Riva-Agüero propone una nación[275], una comunidad imaginada, limitada, de recuerdos y olvidos (considérese al respecto la ausencia de Tiahuanaco), con juicios y

ocupaba. El estado chileno terminó incorporando Arica a su territorio. Tacna «regresó» al Perú en 1929.

[273] «*Caminos del Esla* [1980] y *El río del olvido* [1990] se organizan a partir del cronotopo del río que estructura el relato y que desempeña una función narrativa. [...] . Los viajeros narradores de *Caminos del Esla* recorren las orillas del río en el sentido de la corriente, de sus fuentes a su confluente con el Duero, mientras que Julio Llamazares viaja a contracorriente. Esta inversión manifiesta dos posturas ante el presente y el futuro radicalmente distintas» (Champeau, 2005, pp. 90-91).

[274] Anderson define así a una nación: «In an anthropological spirit, then, I propose the following definition of nation: it is an imagined political community —and imagined both inherently limited and sovereign» (Anderson, 1994, p. 6).

[275] Es uno de los méritos que le reconoce Ricardo González Vigil: «Riva-Agüero desarrolla por primera vez una teoría integral del Perú» (González Vigil, 1990, p. 234).

entusiasmos, a lo Renan[276] o a lo Carlyle, en lo que David Brading ha calificado como «nacionalismo romántico» (Brading, 2013, p. 260) y que bien podría tener condición de mito fundador o refundador (con todas sus posibles contradicciones), como ocurre con la obsesión por la identidad española de los escritores del 98. Luego del desastre de la pérdida de las colonias a manos de los Estados Unidos o de la derrota por parte de Chile y la ocupación de parte del territorio peruano, se imponía un esfuerzo por repensar España y por repensar el Perú: en el país sudamericano lo hicieron, en primer lugar, Manuel González Prada, y luego, los escritores de la generación del Novecientos (Francisco García Calderón, Víctor Andrés Belaunde y el propio Riva-Agüero).

Edward W. Said sostiene lo siguiente:

> [...] uno de los grandes avances de la moderna teoría cultural es la comprensión, casi universalmente admitida, de que las culturas son híbridas y heterogéneas y de que, como señalé en *Cultura e imperialismo*, las culturas y las civilizaciones están tan interrelacionadas y son tan interdependientes que es difícil realizar una descripción unitaria o simplemente perfilada de su individualidad[277].

Mario Vargas Llosa parece concurrir con el profesor de la Universidad de Columbia cuando se refiere al caso peruano a propósito de su reflexión sobre la obra de José María Arguedas:

> Esa *conjugación* de elementos que forman la sociedad peruana, muy deseable sin duda, está lejos de ser confirmada por los hechos. Salvo en un sentido administrativo y simbólico —es decir, el más precario que cabe—, «lo peruano» no existe. Solo existen los peruanos, abanico de razas, culturas, lenguas, niveles de vida, usos y costumbres, más distintos que parecidos entre sí, cuyo denominador común se reduce, en la mayoría de los casos, a vivir en el mismo territorio y sometidos a la misma autoridad[278].

---

[276] Ernst Renan señala que la nación se construye tanto con recuerdos como con olvidos: «Ahora bien, la esencia de una nación es que todos los individuos tengan muchas cosas en común y que todos hayan olvidado muchas cosas» (Renan, 1987 [1882], pp. 75-76).

[277] Said, 2018, p. 455.

[278] Vargas Llosa, 1996, p. 210.

Ni Said ni Vargas Llosa coinciden con Anderson, quien destaca la idea de comunidad de su definición y sostiene que a pesar de la heterogeneidad interna, una nación se percibe como una honda y profunda hermandad. No deja de sorprender, recalca, el hecho de que tantos millones de personas se hayan dejado matar por ellas, por las naciones[279]. No parece justo con Riva-Agüero criticar *Paisajes peruanos* porque pretende imaginar una nación. Todas las naciones son comunidades imaginadas.

Finalmente, examinemos el problema del «otro» o de «lo otro». En relación al viajero/autor/narrador de *Paisajes peruanos*, ¿quién es el otro?, ¿qué es lo otro? Aparentemente, la respuesta es simple y ya la dio Vich: el otro es el indio, que se integra, subalternizado, a un proyecto criollo, el mestizaje, que diluye conflictos y silencia su voz. La respuesta no es tan simple si consideramos la naturaleza —digamos mítica, pero podríamos decir perfectamente existencial— del viaje. Vich parecería estar pensando en que todo viaje es, necesariamente, un viaje iniciático, como lo describe Friedrich Wolfzettel: «se puede decir que cada viaje es un acto de transgresión, un "rito de pasaje" que nos traslada de la normalidad de la vida cotidiana al reino del otro» (Wolfzettel, 2005, p. 13). El aristócrata Riva-Agüero pierde la oportunidad del encuentro con el otro por sobresaturación letrada. Existe, sin embargo, otra posibilidad, el viaje de comunión, tal como lo describe José-Carlos Mainer a propósito de los viajes de Benito Pérez Galdós por Castilla:

Pero, al lado del viaje de *iniciación*, hay otro que está inserto en el tiempo vivido: el de *comunión*. No se trata ahora de descubrir, sino de ratificar, porque se conoce de antemano el final, como se conocen todos los pasos del camino, pero recorrerlo es una experiencia consoladora y sacramental; la peregrinación al lugar sagrado tiene, a menudo, esa explícita dimensión, igual que la tienen otros *topoi* universales del *viaje de comunión*: entre ellos está el regreso a la casa paterna, el retorno de una larga emigración, la recuperación del paisaje o el ámbito doméstico

---

[279] Escribe Anderson: «Finally, it is imagined as a *community,* because, regardless of the actual inequality and exploitation that may prevail in each, the nation is always conceived as a deep, horizontal comradeship. Ultimately it is this fraternity that makes it possible, over the past two centuries, for so many millions of people, not so much to kill, as willingly to die for such limited imaginings» (Anderson, 1994, p. 7).

de la infancia. Y, por supuesto, el *viaje nacional*, periplo a las fuentes de pertenencia política que casi nunca se caracteriza por el descubrimiento sino por el reencuentro y que prefiere formularse como una vuelta a los orígenes inconscientes de la identidad que como adquisición de valores nuevos. El sentimiento nacional se quiere ver siempre como supuesto previo: epifanía jubilosa de lo que ya estaba[280].

Mainer continúa elaborando la idea de lo que ya ha identificado como nacionalismo romántico (el mismo término que usa David Brading para referirse a la inspiración de *Paisajes peruanos*[281]) y define sus rasgos: «por un lado, la negación del presente inestable por el pasado espiritualmente más denso, pero también, la capacidad que tiene ese pasado de prefigurar la amenaza del tiempo de hoy; por otro, la superioridad de lo telúrico —lo intrahistórico, hubiera dicho Unamuno— sobre lo histórico, a la hora de sustentar el alma nacional»[282].

Podríamos pensar, entonces, y en ello coincidirían Giner de los Ríos, Unamuno y Riva-Agüero, en que la identidad nacional se descubre en la capa geológica y geográfica, la esencial, la intrahistórica, y sobre esa —por lo menos en el caso de Riva-Agüero— una histórica[283] que juega con ella, al negarla o afirmarla (y que puede llegar a lo deleznable[284]). Al ser un viaje de comunión, lo otro no estaba «fuera» de Riva-Agüero, sino «dentro» de él, si bien, como lo sostiene Vich, sostenido por la reflexión y el saber, por el archivo y la biblioteca, pero

[280] Mainer, 2005, pp. 185-186.
[281] Brading, 2011, p. 281.
[282] Mainer, 2005, p. 187.
[283] Una naturaleza en estado puro, la «forest primeval» de Longfellow o la que según Mary Louise Pratt impuso Humboldt al imaginario americano no coincidiría exactamente con la que propone Riva-Agüero. Escribe Pratt: «Humboldt's "aesthetic mode of treating subjects of natural history" re-enacted an America in a primal state from which it would now rise into the glory of Eurocivilization. In the myth that followed from his writings (from which Humboldt must not be held solely responsible) America was imagined as unoccupied and unclaimed terrain; colonial relations were offstage; the European traveler's own presence, unquestioned» (Pratt, 2008, p. 178). Si bien la estetización de la naturaleza es evidente en las descripciones de Riva-Agüero, esta no es una naturaleza vacía, más bien, es un espacio denso de historia.
[284] Como cuando el narrador contrasta, en el capítulo V, «las nobles formas de las montañas patrias» con «la presente vida política, pobre entremés, largo e insípido entre dos dramas, farsa sin ideal, sin empuje y sin mañana», en una descripción que hemos denominado «imagen hermenéutica».

no solo por ellos necesariamente. Por eso, el enfrentarse directamente a la geografía y hasta a la geología es una experiencia radical que lo obliga a descubrir «el alma del Perú», primariamente en su paisaje. El choque entre lo ya sabido y lo recién descubierto podría resultar en una experiencia nueva.

Así, puede decirse que, en parte, el relato de Riva-Agüero es también un relato de iniciación, en tanto el viajero/autor/narrador no solo comprueba, sino descubre. Observa fascinado la trilla, en el capítulo II, espectáculo inédito «para un costeño como yo», dice; y se embelesa con el espectáculo de la cosecha del trigo y del maíz, animada por «los toques militares y los jubilosos cantos o *hayllis* de las cuadrillas de los segadores», en el capítulo III. Este especial aprecio a «los sonidos andinos», como dice Marcel Velázquez, manifestado por Riva-Agüero en un gusto sincero por el folklore de los Andes, no es un dato menor. A lo largo de *Paisajes peruanos*, se oyen *hayllis*, tristes, yaravíes; antaras, quenas, zampoñas o ayarichijs, pututos, huáncares o tambores, guitarras y cajones imponen melodías y ritmos; cacharparis y jaranas se organizan en campos y en zaguanes. Riva-Agüero aprecia, y no tenemos por qué dudar de ello, no solo las manifestaciones más «filológicas» de la cultura andina, como los dramas coloniales *Ollantay* y *Usca Páucar*, sino la mitología, la astronomía, la lírica, las baladas, todos testimonios del «alma indígena» que él conoce, valora y respeta, tal como se verifica en el *Apéndice* de *Paisajes peruanos* y en *El Perú histórico y artístico*. En *Buscando un inca. Identidad y utopía en los Andes*, Alberto Flores Galindo llama la atención acerca de la publicación de *Paisajes peruanos* en 1955 y *Los ríos profundos* de José María Arguedas en 1956 y observa que entre ambos libros se abre un profundo hiato (Flores Galindo, 1994, p. 282). Por lo menos en este aspecto, el del aprecio por el folklore andino y más específicamente por el folklore musical andino, puede comprobarse que no hay hiato, sino raigal coincidencia[285].

Dicho esto, no sería justo presentar a Riva-Agüero como un Arguedas *avant la lettre*. En la nochebuena de san Juan (capítulo XIII), al viajero le llegaban amortiguados «los ecos de las endechas y de los instrumentos pastoriles» y en Ayacucho había asistido con grata sorpresa

---

[285] Ricardo González Vigil encuentra una coincidencia aún más radical: «Anticipando a Arguedas [Riva-Agüero] anhela un mestizaje armónico que suponga el despertar del indio y la integración digna de todos los peruanos» (González Vigil 1990, p. 236).

a una jarana en un zaguán[286]. En ninguna de las dos oportunidades parece haber participado de la general algarabía[287]. Lo que pone en cuestión, o por lo menos matiza, la naturaleza de la relación del narrador con lo otro, sobre todo con lo otro indígena. Hasta una afirmación tan empática como «la suerte del Perú es inseparable de la del indio: se hunde o se redime con él, pero no le es dado abandonarlo sin suicidarse» (capítulo XVII) supone, por lo menos idealmente, una distinción entre el indio y el Perú. Se trata, probablemente, de un eco del problema del indio, tema recurrente en la literatura política decimonónica[288]. Como dice Said respecto de los orientales: «A los orientales raramente se les miraba directamente, se les contemplaba a través de un filtro, se les analizaba no como a ciudadanos o simplemente como gente, sino como a problemas que hay que resolver […]» (Said, 2018, p. 279). Existe, es evidente, un conflicto entre la experiencia de comunión y esta visión del otro como «lo otro»[289].

Con ocasión del tercer centenario de la muerte del Inca Garcilaso de la Vega, el 22 de abril de 1916 —podemos suponer que mientras estaba redactando *Paisajes peruanos*— José de la Riva-Agüero pronuncia en la Universidad Mayor de San Marcos de Lima un discurso originalmente titulado *Elogio del Inca Garcilaso*[290]. Se publica por primera vez en los principales diarios de Lima y luego, a lo largo de los años, se reimprime profusamente.

---

[286] Puede ser interesante notar que, al haberse embarcado en Huaqui (Bolivia) y estar cruzando el lago Titicaca, la conciencia de Riva-Agüero de «estar acercándose» al Perú es musical: «En la cámara del capitán, oigo cantos populares de Lima y del norte, cuya alegría dengosa, con muchos recursos españoles, contrasta con la severidad de los parajes en que me hallo» (Riva-Agüero, 2018, p. 19).

[287] Podría ocurrir también que, por temperamento, a Riva-Agüero no le gustara participar de la general algarabía de cualquier tipo de actividad colectiva. Y estaría en su derecho, pues a nadie se le puede obligar al entusiasmo.

[288] Sin embargo, aun en este contexto, Riva-Agüero, en el capítulo XVII de *Paisajes*, pondera el superior nivel cultural del poblador andino: «El agricultor quechua no es el cazador *piel roja* o *pampa;* y no hay analogía alguna entre los territorios y los consiguientes destinos de tan contrarias sociedades».

[289] El «problema del indio» no es, en verdad, preocupación exclusiva de Riva-Agüero, sino tema generacional (y hasta transgeneracional: puede reconocerse también en González Prada, por ejemplo).

[290] Comenta David Brading: «Fue en esta ceremonia y oración que el Inca quedó canonizado como el profeta y fundador de la historia del Perú, y por extensión de la patria peruana» (Brading, 2011, p. 278).

Porras Barrenechea en su libro *Fuentes históricas peruanas* (1962, p. 185) refiere que la opinión de Riva-Agüero sobre el imperio incaico cambia a lo largo del tiempo y que la visión definitiva, la que se recoge en *La civilización peruana. Época prehispánica*, no acepta ya la índole pacífica del colosal imperio, «idealizada y edulcorada» por Garcilaso. En el *Elogio*, Riva-Agüero se refiere al Tahuantinsuyo como «peculiarísimo estado conjuntamente sencillo y artificioso, refinado e infantil, expansivo y benigno, guerrero y patriarcal, que desempeñó en la América autóctona del Sur el papel de la enorme e idílica China en el Asia y del solemne Egipto faraónico en el amanecer de la civilización mediterránea» (Riva-Agüero, 1962a, pp. 48-49).

Es probable que, sin volverla totalmente explícita (aunque Riva-Agüero mencione en *Paisajes* episodios de fría y masiva crueldad como, por ejemplo, en el capítulo II, el recorrido de Huáscar inca cautivo por una calle larga que formaban los postes y las horcas de que pendían sus parientes y servidores), esta sea la visión del imperio incaico que trasunta el relato de viajes. Más interesante o más justa, sin embargo, resulta la interpretación que Riva-Agüero propone del propio Inca Garcilaso. Riva-Agüero le otorga a Garcilaso el título de «historiador con alma de poeta» (como Renan, Michelet y Taine)[291], que descubre *verdades esenciales*, y que como los historiadores poetas que «se equivocan y yerran en lo accesorio, pero que salvan y traducen lo esencial» (Riva-Agüero, 1962a, p. 49). Y continúa con un texto que podría perfectamente haber surgido de su contemplación de la Sierra peruana casi cuatro años antes:

> Y es la entraña del sentimiento peruano, es el propio ritmo de la vida aborigen, ese aire de pastoral majestuosa que palpita en sus páginas y que acaba en el estallido de una desgarradora tragedia, ese velo de gracia ingenua tendido sobre el espanto de las catástrofes, lo dulce junto a lo terrible, la flor humilde junto al estruendoso precipicio, la sonrisa resignada y melancólica que se diluye en las lágrimas[292].

---

[291] Precisamente igual al Riva-Agüero historiador nacionalista romántico que se descubre como tal en la epifanía de la contemplación del Cuzco desde la apacheta de Urcoscallan. Riva-Agüero podría verse a sí mismo, en este aspecto, como un nuevo Garcilaso.

[292] Riva-Agüero, 1962 a, p. 49.

Y, en una trasposición que se encuentra también en *Paisajes perua-nos*, los adjetivos que se atribuyeron al paisaje dibujan la figura y el estilo del hombre:

> Por todo esto os decía, señores, desde las primeras palabras de mi lar-go discurso, que el Inca Garcilaso es el más perfecto representante y la más palmaria representación del tipo literario peruano. Un mestizo cuzqueño, nacido al siguiente día de la Conquista, primero y superior ejemplar de la aleación de espíritus que constituye el *peruanismo*, nos des-cubre ya en sí, adultas y predominantes, las mismas cualidades de finura y templanza, sensibilidad vivaz y tierna pero discreta, elegante parquedad, blanda ironía, y dicción llana, limpia y donosa, que reaparecen en nues-tros literatos más neta y significativamente nacionales, en Felipe Pardo y Ricardo Palma[293], para no mencionar sino a los de mayor crédito. Sin pretenderlo ni saberlo quizá, es como ellos un clásico. Y esas dotes son en el Inca Garcilaso tan naturales y espontáneas, que las emplea en los argu-mentos que de por sí menos podrían sugerirlas: al describir el pavoroso derrocamiento de un gran imperio, la caída lastimera de una gloriosa estirpe, y los heroicos tumultos de la Conquista resonante[294].

A la luz de la historia posterior, podría discutirse si los rasgos que reconoce Riva-Agüero en el Inca Garcilaso sean los típicos de la lite-ratura peruana. Sin embargo, puede retenerse esta idea: el Inca Garci-laso, uno de los primeros peruanos, fue el primer escritor peruano. Y unía las dos tradiciones que Riva-Agüero reconoció a lo largo de su viaje por la Sierra peruana: la incaica y la española.

La comprobación de que el primer peruano fue un escritor es se-ductora. Max Hernández, que explora con una erudición que no opa-ca la lucidez del análisis la figura del Inca, destaca esta faceta:

> Escribir constituyó también una afirmación personal para nuestro autor [...]. Él escribiría; para sustanciar sus abolengos u otorgárselos, para ha-cerse de una historia, para recordar a su madre, para reubicar a su padre, para conseguir un lugar. Investigó los orígenes y describió los esplendores

---

[293] De Palma y Riva-Agüero comenta David Brading nuevamente: «En 1933, Riva-Agüero ofició otra vez de sumo sacerdote en el culto de los héroes na-cionales al hablar en el homenaje por el centenario del nacimiento de Ricardo Palma, fallecido en 1919» (Brading, 2011, p. 278).

[294] Riva-Agüero, 1962a, p. 57.

de un imperio creado por los suyos. Pero no olvidó que también fueron suyos los que lo destruyeron. Así, con el corazón dividido pero puesto en ese imperio «antes destruido que comprendido», intentó reintegrar mundo y lenguaje, construir una urdimbre de referencias para colocar la trama narrativa que le permitiera tejer el texto que pudiera dar realidad histórica a las leyendas de los incas. Así, podría devolver a los señores del Tahuantinsuyu el lugar de la historia del que habían sido arrancados y a los conquistadores el aliento épico que estaba en riesgo de ser olvidado[295].

Y, más adelante, Hernández valora el inmenso proyecto mental y cultural que implicó que el Inca Garcilaso se convirtiera en escritor:

> En el proceso, sufrió cambios. Al final era otro pero también era más él mismo. No solamente se apropió del signo; perfeccionó el arte de escribir. Así pudo explicar a los europeos la realidad del Nuevo Mundo. Su asombroso esfuerzo por acceder a lo mejor de la cultura europea de su tiempo y el cuidadoso esmero con que pulió su prosa elegantísima no impidió la expresión de las estructuras ideológicas andinas. Mediador entre orbes culturales, fue también un defensor de la cultura universal [...][296].

A pesar de su condición de «criollo costeño», como se define en el capítulo XI de *Paisajes peruanos*, Riva-Agüero es un mestizo cultural[297] —con todas las contradicciones que pueda suponer la apreciación o la apropiación de la cultura indígena por un descendiente de los fundadores españoles de Lima— y puede sentir a Garcilaso como su modelo. El Inca vuelve suyos todos los instrumentos mentales de su época para comprender, explicar y universalizar el mundo de su madre y el de su padre. En el mismo capítulo XI, Riva-Agüero enrostra a la fenicia clase dirigente que surgió de la «riqueza estercolaria», heredera de la «pobre boba nobleza limeña» el no haberse esforzado por convertir el mestizaje mecánico o biológico en un mestizaje «mental y consciente», en no comprender «las seculares tradiciones peruanas» y en avergonzarse «con el más vil rastacuerismo de su condición de peruanos». Fiel a su modelo el Inca Garcilaso, con quien Riva-Agüero está en íntimo

---

[295] Hernández, 1993, p. 146.

[296] Hernández, 1993, p. 146.

[297] Aunque no solo cultural: Riva-Agüero reconoce que tiene sangre indígena, pues un antepasado suyo casó con «la hija del cacique Talagante», una princesa araucana (Pacheco Vélez, 1966, p. XIX).

diálogo en la época de la redacción de *Paisajes peruanos*, y consciente de que su proyecto nacionalista excluía a las clases dirigentes anteriores y lo acercaba a la cultura popular y tradicional del poblador de los Andes, podemos considerar a *Paisajes peruanos* como un intento de convertir en mental y reflexivo a un mestizaje que ya existía, aunque se presentaba como mecánico e irreflexivo. Así como hubo en el Inca Garcilaso de la Vega la voluntad de apropiarse de los instrumentos mentales del humanismo renacentista para explicar y publicar el mundo de sus parientes maternos —no es poco haber reconocido la *prisca theologia* de Marsilio Ficino en los ritos y los mitos de la religión andina—, creemos que puede reconocerse en José de la Riva-Agüero la intención de apreciar ese mundo y también parte de sus supervivencias en el folklore andino contemporáneo. Y de asumirlo como parte del Perú, es decir, como parte suya.

Al final, un libro innovador y proyectivo en 1916 y 1917 resultó quizás «inactual» —para utilizar el término con el que Luis Loayza se refirió al Novecientos (Loayza, 2010a) en 1931— la irrupción de la «multitud» de Basadre (1980 [1929]) y de las «masas» orteguianas (1959 [1930]) habían cambiado el mundo, y más aún en 1955, cercano a 1956, fecha de la publicación de *Los ríos profundos* de José María Arguedas, aunque ni el Perú de Riva-Agüero ni el de Arguedas son inteligibles ya sin más para una peruana o un peruano contemporáneos, lo que no significa que no puedan descubrirse en los dos Perúes —las dos «comunidades imaginadas»— valores que ambos puedan apreciar. No sabemos si la conciencia de su inactualidad retuvo a Riva-Agüero de publicar *Paisajes peruanos* (aunque sí podemos certificar que había revisado el manuscrito y que pretendía iniciar con él la serie de sus obras completas). Con las limitaciones que creemos haber registrado, queda, sin embargo, como el testimonio leal y sincero de un peruano que trata de comprender a su país y que propone una imagen integral de él y —creemos haberlo probado— como uno de los relatos de viajes más elaborados y refinados de los que hayamos tenido noticia. Ciertamente, como el que más destaca en la literatura peruana.

3. Historia externa del texto. Criterios de edición.
Pronunciación y ortografía de las voces quechuas

Historia externa del libro

Entre el 28 de julio de 1916, fecha en que aparece publicado por primera vez un texto de *Paisajes peruanos* en vida de José de la Riva-Agüero y Osma en un diario limeño y el 28 de julio de 1941, la última fecha en que esto ocurre en otro diario, median 25 años. En ese lapso, el texto —que Riva-Agüero redactó, según propia declaración, entre 1916 y 1917 a partir de las libretas de apuntes del viaje a la Sierra peruana que realizó en 1912— apareció como artículos independientes, pero ya con el nombre de *capítulos*, en *Mercurio Peruano*, la revista de Ciencias Sociales y Letras fundada y dirigida por Víctor Andrés Belaunde, su amigo y compañero de generación. *Mercurio Peruano* se inauguró en 1918 con un texto de antología: «Paisajes peruanos», el magnífico epílogo que con la denominación «Impresiones finales», cierra *Paisajes*.

Casi una década después, entre 1926 y 1929, gracias a la diligencia de Francisco Moreyra y Paz Soldán (quien, según testimonio de Porras, «rescató en París [los textos] del inédito pertinaz»), se publicaron once capítulos del libro de viajes en *Mercurio Peruano*. Luego de la muerte de Riva-Agüero en 1944, se imprimieron, en 1952, en el primer número del *Boletín del Instituto Riva-Agüero*, cuatro capítulos, dos de ellos —los que aparecieron originalmente en los diarios limeños—, reediciones.

Poco tiempo después de su regreso al Perú, Riva-Agüero reunió los textos éditos e inéditos (dos capítulos y un apéndice) de *Paisajes peruanos* con el propósito de que constituyeran el primer tomo de sus obras corregidas. Datado en Chorrillos, en 1931, el documento reúne varios estadios de textos mecanografiados con correcciones manuscritas del historiador limeño. Estos testimonios constituyeron —no es posible saber en detalle cuál fue la exacta combinación de las distintas versiones— la fuente de la edición príncps de 1955, a cargo de Raúl Porras Barrenechea, quien quizás intervino el texto original con correcciones propias (es posible reconocer, cierto es que en muy pocos puntos, la presencia de una caligrafía distinta de la de Riva-Agüero; podría ser también que esas pocas intervenciones hayan resultado de instrucciones del propio Riva-Agüero a algún secretario o amanuense).

Hasta donde hemos podido averiguar, existen las siguientes ediciones de *Paisajes peruanos*, empezando por la de Porras Barrenechea. Por lo que sabemos, todas se basan, directa o indirectamente, en la prínceps de Porras:

1. Riva-Agüero, José de la, *Paisajes peruanos*, ed. Raúl Porras Barrenechea, Lima, Imprenta Santa María, 1955.
2. Riva-Agüero y Osma, José de la, *Paisajes peruanos*, selección y prólogo de Raúl Porras Barrenechea, Lima, Patronato del Libro Peruano, 1956.
3. Riva-Agüero, José de la, *Paisajes peruanos*, selección y prólogo de Raúl Porras Barrenechea, Lima, Editorial Latinoamericana, 1958.
4. Riva-Agüero, José de la, *Paisajes peruanos*, estudio preliminar de Raúl Porras Barrenechea, nota introductoria de César Pacheco Vélez, Lima, Pontificia Universidad Católica del Perú, 1969 (*Obras completas de José de la Riva-Agüero*, IX).
5. Riva-Agüero, José de la, *Paisajes peruanos*, Lima, Peisa, 1974 (Biblioteca Peruana).
6. Riva-Agüero, José de la, *Paisajes peruanos*, estudio preliminar de Raúl Porras Barrenechea, Lima, Pontificia Universidad Católica del Perú-Instituto Riva-Agüero, 1995.
7. Riva-Agüero, José de la, *Paisajes peruanos*, ed. Raúl Castro Pérez y Yesenia Silva Vargas, Lima, El Comercio-Producciones Cantabria, 2010 (Biblioteca Imprescindibles Peruanos).
8. Riva-Agüero, José de la, *Paisajes peruanos*, estudio preliminar de Raúl Porras Barrenechea, ed. Zaniel Novoa Goicochea, prólogo de Salomón Lerner Febres, Lima, Sociedad Geográfica de Lima/Pontificia Universidad Católica del Perú/Instituto Riva-Agüero, 2012. Reimpresión de la edición de 1995. Edición conmemorativa del centenario del viaje de 1912.

Los testimonios

En «Los originales de *Paisajes peruanos* en el Archivo Histórico Riva-Agüero»[298], Ada Arrieta publicó en 2013 un inventario con quince registros de material relativo a *Paisajes peruanos*. Se trata de los originales mecanografiados y corregidos que Riva-Agüero reunió en 1931 con vistas a su publicación. Trabajo de búsqueda posterior que ha

[298] Arrieta, 2013, pp. 104-105.

podido realizarse a partir de 2018 en el mencionado repositorio muestra que la documentación encontrada en este no coincide con el referido inventario. Nos referiremos solo a un par de ejemplos. El registro de signatura JRAO-0-0552, que corresponde al primer capítulo del libro, está compuesto por 43 páginas, cuando nosotros hemos tenido a la vista 50. Otra unidad documental, la de signatura JRAO-0-0559, está compuesta por 165 páginas según Arrieta. En nuestro registro, hemos contado solo 88. No podemos descartar algún traspapelamiento por el traslado de los documentos a causa del precario estado del ambiente de la Casa Riva-Agüero donde se alojaba el archivo. Lo cierto es que nos encontramos con un conjunto ya alterado de documentos que presentan distintos estadios de redacción —más exactamente podría decirse: de corrección— del texto de *Paisajes peruanos*. Algunos no contenían intervenciones manuscritas. La mayoría sí, de puño y letra del propio Riva-Agüero, aunque algunos textos —muy pocos y en pocos lugares— presentan una caligrafía distinta de la de don José.

Gracias a la diligencia y a la minuciosidad de Ivonne Macazana Galdos, es posible contar ahora con un conjunto documental ordenado de los originales mecanografiados de *Paisajes peruanos* que Riva-Agüero dató en Chorrillos, en 1931. No excluimos la posibilidad de encontrar originales adicionales en el Archivo Histórico Riva-Agüero. Lamentablemente, la suspensión de la atención del archivo, tanto por el traslado del fondo documental como, luego, por la emergencia sanitaria ha impedido cualquier trabajo extra. Sin embargo, nuestra impresión es que los hallazgos futuros —si ocurrieran— serían mínimos, pues la labor realizada cuando pudo hacerse fue exhaustiva y prolija.

A continuación, procederé a consignar los testimonios por capítulos. Como nuestro criterio ha sido incluir todos los testimonios anteriores a la edición prínceps —y en algún punto, hasta la propia edición prínceps— se registrarán no solo los originales mecanografiados con correcciones de puño y letra de Riva-Agüero, sino también las versiones de los capítulos aparecidas en diarios y revistas[299].

Capítulo I: Salida del Cuzco

1. Testimonios A, B, C, D y E del ms. de 1931. El testimonio D forma parte de un conjunto que puede identificarse por su numeración

---

[299] Porras presenta una lista de los textos publicados en su «Estudio preliminar» a *Paisajes peruanos* (Porras Barrenechea, 1955, pp. VIII-IX).

continua, que va de la página 1 hasta la página 175. Es probablemente el señalado por Ada Arrieta con la signatura JRAO-0-0559. Tiene varias lagunas. Al final, está compuesto por 88 páginas y no por 165, como afirma Arrieta. Las que corresponden al capítulo I son las páginas 1-9.

2. «Salida del Cuzco», *Mercurio Peruano* [MP], año IX, vol. XV, núms. 101-102, noviembre-diciembre de 1926, pp. 489-497.

Capítulo II: La llanura de Anta

1. Testimonios D y E del ms. de 1931.
2. «La llanura de Anta», *Mercurio Peruano* [MP], año X, vol. XVI, núms. 111-112, setiembre-octubre, 1927, pp. 1-13.

Capítulo III: Paso del río Apurímac

1. Testimonios D y E del ms. de 1931.
2. «Paso del río Apurímac», *Mercurio Peruano* [MP], año X, vol. XVI, núms. 105-106, marzo-abril, 1927, pp. 91-99.

Capítulo IV: Las piedras labradas de Concacha

1. Testimonio E del ms. de 1931.
2. «Las piedras labradas de Concacha», *Mercurio Peruano* [MP], año X, vol. XVI, núms. 103-104, enero-febrero de 1927, pp. 219-223.

Capítulo V: De Abancay a Andahuaylas

1. Testimonios D y E del ms. de 1931.
2. «De Abancay a Andahuaylas», *Mercurio Peruano* [MP], año X, vol. XVI, núms. 107-108, mayo-junio, 1927, pp. 265-278.

Capítulo VI: La quebrada del Pampas

1. Testimonio E del ms. de 1931.
2. «La quebrada del Pampas», *Mercurio Peruano* [MP], año X, vol. XVI, núms. 107-108 (sic), setiembre-octubre, 1927, pp. 347-354.

Capítulo VII: Las ruinas de Vilcas

1. Testimonio E del ms. de 1931.
2. «Las ruinas de Vilcas», *Mercurio Peruano* [MP], año XI, vol. XVII, núms. 123-124, noviembre-diciembre, 1928, pp. 416-422.

Capítulo VIII: Pomacocha. La puna de Tocto. Bajada a Antuhuana

1. Testimonio E del ms. de 1931.
2. «Pomacocha. La puna de Tocto. Bajada a Antuhuana», *Mercurio Peruano* [MP], año XI, vol. XVII, núms. 121-122, julio-agosto, 1928, pp. 334-337.

Capítulo IX: El llano de Chupas. Entrada en Ayacucho

1. Testimonios D y E del ms. de 1931.
2. «El llano de Chupas. Entrada en Ayacucho», *Mercurio Peruano* [MP], año XII, vol. XVIII, núms. 125-126, enero-febrero, 1929, pp. 54-63.

Capítulo X: Iglesias y casas de Ayacucho. Aspecto general de la ciudad

1. Testimonio E del ms. de 1931.
2. «Iglesias y casas de Ayacucho. Aspecto general de la ciudad», *Mercurio Peruano* [MP], año XII, vol. XIX, núms. 133-134, pp. 486-497.

Capítulo XI: Excursión a Quinua y al campo de batalla

1. Testimonios D, E y F del ms. de 1931. Por particularidades de numeración de las páginas, deducimos la estrecha vinculación de los testimonios E y F. Hemos encontrado el testimonio F casi idéntico a E. Se distinguen por pocas variantes.
2. «*Paisajes peruanos*. Excursión a Quinua y al campo de batalla», *Boletín del Instituto Riva-Agüero* [BIRA], I, 1951-1952, pp. 9-17.
3. «Excursión a Quinua y al campo de batalla de Ayacucho (Reflexiones acerca de la Independencia). Fragmentos de un libro inédito sobre paisajes y recuerdos del Perú», *La Crónica* [LC], Lima, 28 de julio de 1916, pp. 2-3.

Capítulo XII: Salida de Ayacucho. Las salinas de Atococha. Julcamarca. Acobamba. La fiesta de san Juan

1. Testimonios D y G del ms. de 1931. El testimonio G consta solo de tres páginas de numeración impar. No hemos encontrado su forma de presentar la numeración de las páginas, con números seguidos de punto y raya, en ninguno de los testimonios anteriores. Aparentemente, es la fuente del texto publicado en el *Boletín del Instituto Riva-Agüero*.

2. «*Paisajes peruanos*. Salida de Ayacucho. Las salinas de Atococha. Julcamarca. Acobamba. La fiesta de san Juan», *Boletín del Instituto Riva-Agüero* [BIRA], I, 1951-1952, pp. 17-28.

Capítulo XIII: Paucaray. Sus obeliscos naturales y sus recuerdos históricos

1. Testimonio D del ms. de 1931. En el conjunto documental de este ms.
existe una copia exacta que no hemos considerado.

Capítulo XIV: Riberas del Mantaro. Tablachaca. Izcuchaca. Casma

1. Testimonio D del ms. de 1931. En el conjunto documental de este ms.
existe una copia exacta que no hemos considerado.

Capítulo XV: Pucará. «Palla Huarcuna» (tradición indígena). La campiña de Huancayo

1. Testimonio D del ms. de 1931.
2. «*Paisajes peruanos*. Pucará. Palla Huarcuna (tradición indígena). La
campiña de Huancayo», *Boletín del Instituto Riva-Agüero* [BIRA], I,
1951-1952, pp. 24-37.

Capítulo XVI: El convento de Ocopa

1. Testimonio D del ms. de 1931.
2. «*Paisajes peruanos*. El convento de Ocopa», *Boletín del Instituto Riva-Agüero* [BIRA], I, 1951-1952, pp. 37-43.
3. «El convento de Ocopa (De las impresiones de viaje. Paisajes peruanos - 1912)», *El Comercio* [EC], Lima, 28 de julio de 1941, p. 3.

Capítulo XVII: Impresiones finales

1. Testimonio E del ms. de 1931.
2. «*Paisajes peruanos* (Fragmentos de un libro inédito)», *Mercurio Peruano*
[MP], año I, vol. I, núm. 1, julio, 1918, pp. 20-31.
3. Riva-Agüero, José de la, *Paisajes peruanos,* ed. Raúl Porras Barrenechea, Lima, Imprenta Santa María, 1955, pp. 171-172 y 185-190.
4. Riva-Agüero, José de la, «El Perú histórico y artístico. Primera parte: Encomio del pueblo quechua», en *Las civilizaciones primitivas y el*

imperio incaico, Lima, Pontificia Universidad Católica del Perú, 1966, pp. 93-97.

Apéndice: Sobre la autenticidad del «Ollantay» y la poesía anterior a la Conquista

1. Testimonios E y H del ms. de 1931.

Nota sobre el título del libro

Ada Arrieta (Arrieta, 2013, pp. 27-31) registra los siguientes títulos extraídos de las libretas de viaje de José de la Riva-Agüero: *Por las sierras del Perú y Bolivia* (Libreta de apuntes núm. 27), *En las serranías del Alto y el Bajo Perú* (Libreta de apuntes núm. 28), *Por las sierras del Perú. Paisajes andinos* (Libreta de apuntes núm. 30) y *Por la Sierra. Paisajes andinos* (Libreta de apuntes núm. 31). Este último título es el que Riva-Agüero escoge para el manuscrito de 1931 y el que se repite en las contribuciones a *Mercurio Peruano. Paisajes peruanos* (título del artículo publicado en el primer número de *Mercurio Peruano*) es solo el prototítulo de las *Impresiones finales* (capítulo XVII del libro definitivo), título absolutamente propio al contraste entre la Costa y la Sierra que en él se expone. ¿No habrá sido una decisión editorial arbitraria el colocar el título de un capítulo a todo el libro cuando el autor se había decidido ya por otro título?

Como hemos conjeturado, *Por las sierras del Perú y Bolivia* es título que evoca uno de Miguel de Unamuno, a quien Riva-Agüero consideraba uno de sus maestros: *Por tierras de Portugal y de España* (1911)[300].

[300] En carta, Miguel de Unamuno le escribe a José de la Riva-Agüero: «Ese tomo de *Mi religión* como el que acaba de aparecer *Por tierras de Portugal* son colecciones de ensayos y artículos publicados en revistas y diarios, sobre todo "La Nación" de Buenos Aires» (Unamuno a Riva-Agüero, 7 de marzo de 1911, en Pacheco Vélez, 1993c, p. 217). En «El sentimiento de la naturaleza», el último texto de *Por tierras de Portugal y de España*, Unamuno insta a su interlocutor Indio Manso a continuar viajando por su patria, la Argentina: «Triste, tristísimo, que se venga a ver Europa, a correr por fondas y hoteles, a hacer el oso en los bulevares de París, a aburrirse en sitios célebres, solo para poder decir que los han visitado, tantos y tantos argentinos —y quien dice argentinos dice chilenos, *peruanos*, colombianos, etc., que no conocen las hermosuras natales de su tierra nativa—, *que no vieron los Andes*, los valles patagónicos, el Neuquén, los fiordos de Magallanes,

Excluido del libro el periplo boliviano, ese título y *En las serranías del Alto y el Bajo Perú* resultaron descartados. *Por las sierras del Perú. Paisajes andinos* y *Por la Sierra. Paisajes andinos* quedaron, entonces, como testimonio de la profunda inclinación andinista de Riva-Agüero y de su convicción de que la Sierra es «la región más histórica» del Perú (como lo afirma en el capítulo III) y su «región principal» (como sentencia en el capítulo XVII). Sin embargo, el que en 1941, diez años después de la redacción de los borradores del manuscrito de 1931, Riva-Agüero escriba todavía *Paisajes peruanos* (en el artículo sobre el convento de Ocopa publicado en *El Comercio*) puede revelar que existía en su ánimo cierta vacilación y que la cuestión del título aún no estaba cerrada. Y, sobre todo, el abrirse hacia la Montaña o la Selva el capítulo XVI del libro (precisamente el del convento de Ocopa), que complementa la descripción ideal de la Costa y de la Sierra del capítulo XVII, hacen pensar que *Paisajes peruanos* resulta el título más justo, el más propio, porque con él se abarcan las tres regiones naturales del Perú a las que se refiere el libro, aunque resulte obvio que su objeto sea preponderantemente el periplo serrano. No contamos con ningún testimonio de ello, pero no podemos descartar que en el largo trato amical y académico que mantuvieron Raúl Porras y José de la Riva-Agüero el tema del libro y su título haya surgido varias veces y que Porras haya basado su decisión editorial en opiniones vertidas por el autor en esas oportunidades. *Paisajes peruanos* es, al fin y al cabo, un título creado y usado por Riva-Agüero, no una construcción hechiza de Porras.

Criterios de esta edición

Esta edición se basa en el testimonio E del manuscrito chorrillano de 1931. Cuando ha faltado este testimonio (ello ha ocurrido en cinco capítulos), nos basamos en el D. Tenemos la seguridad, por la presencia en ellos de las correcciones manuscritas del autor, de que ambos fueron revisados por Riva-Agüero. Creemos —varios indicios apuntan a ello— que el último testimonio corregido fue el E. D se acerca mucho al testimonio de *Mercurio Peruano* [MP]. Por ejemplo, cada vez que en D y MP aparece la palabra «encuentran», E cambia a «hallan»; cada vez

las cascadas del Iguazú» [cursivas del autor]. Riva-Agüero podría haberse sentido interpelado por estas palabras de su maestro.

que en D y MP aparece «legendario», E cambia a «leyendario». Puede verificarse un sistema en este procedimiento. Para referirnos solo al primer capítulo, que es el que cuenta con más testimonios: es posible encontrar en él formas en que coinciden todos los testimonios menos el E, lo que induce a pensar que este último es el más reciente.

Como ya se afirmó, se consignan en el aparato crítico todas las variantes de testimonios previos a la edición príncipe de 1955. Hemos adoptado la sugerencia editorial de Porras y hemos completado el final del capítulo XVII con un texto de un libro del propio Riva-Agüero. Y hemos debido recurrir a la autoridad de la citada edición príncipe —cuyo editor con seguridad tuvo a la vista un fragmento que no hemos encontrado en el Archivo Histórico Riva-Agüero— para reconstruir los párrafos iniciales y varios párrafos interiores del último capítulo (el XVII).

Además de las notas léxicas y enciclopédicas usuales en una edición de esta naturaleza, hemos intentado, primero ubicar y, luego, citar por completo las referencias bibliográficas que Riva-Agüero consignaba solo parcialmente. En algunos casos, nos ha parecido conveniente reproducir el texto del cronista o del historiador al que alude Riva-Agüero. Las notas de Riva-Agüero se individualizan con comillas («») seguidas de asterisco (*). Las que están fuera de ese espacio son nuestras.

Hemos modificado la puntuación del texto original a nuestro criterio, tratando de que el sentido surja con mayor claridad y así servir mejor al texto y al lector. Hemos modernizado la ortografía castellana. Para ello hemos recurrido al *Libro de estilo de la lengua española según la norma panhispánica* de la Real Academia Española (Real Academia Española, 2018).

Pronunciación y ortografía de las voces quechuas

Paisajes peruanos registra un buen número de voces quechuas. Nuestra edición no ha considerado normalización alguna. Más bien, ha respetado la representación gráfica u ortográfica elegida por Riva-Agüero y registra en el aparato crítico todas sus variantes, incluso de familia de letras. El mismo término, escrito en cursivas o en redondas, puede tener distinto valor metalingüístico, en tanto puede interpretarse como palabra quechua o como quechuismo, es decir, como peruanismo —voz del español peruano— de origen quechua (por ejemplo, *llojlla* o llojlla 'alud').

Obviamente, al ser el libro un relato de viajes, las palabras quechuas más frecuentes (aunque queden comúnmente más como una castellanización parcial) son los topónimos, cuya etimología Riva-Agüero se detiene en explicar casi siempre. En relación con los antropónimos, el autor precisa un uso particular (capítulo II):

> Uso la ortografía más ajustada a la pronunciación quechua solamente para los antiguos soberanos y personajes incaicos, respetando para los demás nombres propios modernos y locales la corriente castellanización, porque un más estricto sistema equivaldría a excesivo barbarismo.

En ese sentido, por ejemplo, el historiador peruano registra en el testimonio E del ms. de 1931 el nombre del primer inca como *Manco Cjápac* y evita la forma castellanizada *Manco Cápac* (de los testimonios B, C y MP); y, también en concordancia con lo dicho en el capítulo II, escoge la forma *Pumacahua* (de los testimonios A, B, C, D y E) frente a *Pumakhahua* (del testimonio MP) porque el personaje referido con ella es un cacique de fines del Virreinato, no un inca de la época clásica. Esta diferenciación podría apuntar a un sesgo ideológico —quzqueñista e imperial— en Riva-Agüero, como lo hemos señalado en otro lugar (Wiesse Rebagliati, 2020), pues el quechua cuya pronunciación escoge representar el historiador limeño es el Quechua IIC, tipo lingüístico al que pertenece el quechua cuzqueño. Creemos que si hubiéramos decidido aplicar una normalización ortográfica y uniformar con un solo criterio los vocablos quechuas quizás se habría ganado en coherencia, pero se habrían perdido matices, matices que al propio Riva-Agüero le interesaba expresar.

PAISAJES PERUANOS

JOSÉ DE LA RIVA-AGÜERO

ADVERTENCIA PRELIMINAR[1]

Principio esta colección de mis varios escritos con las notas de viaje *Por la Sierra*, que no han sido hasta ahora publicadas en su integridad, sino por fragmentos y capítulos aislados, en diversos periódicos y revistas, especialmente en el *Mercurio Peruano*.

Mi gusto literario actual halla algunos de estos paisajes en exceso estrepitosos y declamatorios; pero fueron impresiones directas y sinceras, y sirven cuando menos para probar que mi generación no ignoró, y antes bien sintió y apreció con bastante justedad, la antítesis física y psíquica de las regiones serrana y costeña, tan explotada y exagerada por los escritores de hoy.

La redacción definitiva de las siguientes páginas remonta, casi en su totalidad, a los años de 1916 y 17. Cuando mis apuntes me parecieron insuficientes o confusos, consulté de preferencia los antiguos pero muy exactos itinerarios de Espinar y Raimondi[2], cuyos originales me

---

[1] En la página que precede al conjunto de los ms., el plan de la obra: I. Salida del Cuzco. / II. La llanura de Anta. / III. Paso del río Apurímac. / IV. Las piedras labradas de Concacha. / V. De Abancay a Andahuaylas. / VI. La quebrada del Pampas. / VII. Las ruinas de Vilcas. / VIII. Pomacocha.- La puna de Tocto.- Bajada a Antuhuana. / IX. El llano de Chupas.- Entrada en Ayacucho. / X. Iglesias y casas de Ayacucho.- Aspecto general de la ciudad. / XI. Excursión a Quinua y al campo de batalla. / XII. Salida de Ayacucho.- Las Salinas de Atococha.- Julcamarca.- Acobamba.- La fiesta de san Juan. / XIII. Paucaray.- Sus obeliscos naturales y sus recuerdos históricos. / XIV. Riberas del Mantaro.- Tablachaca.- Izcuchaca.- Casma. / XV. Pucará.- Palla Huarcuna (tradición indígena).- La campiña de Huancayo. / XVI. El convento de Ocopa. / XVII. Impresiones finales. / Apéndice.

[2] «El coronel F. D. Espinar hizo en 1846 una exploración de los valles de Paucartambo y Marcapata y escribió una memoria sobre ellos que cita Raimondi [*El Perú,* tomo III]. Anexo a ella figuraba un mapa titulado *Reconocimiento sobre*

facilitó la Sociedad Geográfica; y el *Viaje del Estado Mayor* de 1914, cuyo texto y planos estudié gracias al entonces comandante e inspector general de infantería don Manuel M. Ponce[3]. He retocado o corregido después algunos pormenores, en particular lo relativo a las comarcas de Huancayo y Ayacucho, que he recorrido de nuevo. Los últimos párrafos del epílogo son de composición reciente, y en ellos he procurado sintetizar mi juicio sobre el problema indígena.

Chorrillos, 1931.

José de la Riva-Agüero

los valles de Paucartambo y Marcapata (1846) (Ministerio de Relaciones Exteriores del Perú)» (Porras, 1963).

[3] Desde «Cuando mis apuntes…» hasta «… Ponce» en hoja suelta precedido de *Prólogo*, manuscrito y en lápiz: E. Aparece como nota en MP.

Pourquoi donc nous faut-il, par un pénible soin,
Sans rien voir près de nous, voyant toujours bien loin, [...]
Retraçant un tableau que nos yeux n'ont point vu,
Dire et dire cent fois ce que nous avons lu?

(André Chenier, *L'Invention*).

Aux vallons de Cuzco, dans ces antres profonds,
Si chers à la fortune et plus chers au génie,
Germent des mines d'or, de gloire et d'harmonie.

(Ídem).[4]

---

[4] Así en E. En MP cita otros textos de Chenier: «Et ces mêmes objets que vos doctes mépris / Accueillent aujourd'hui d'un front dur et sévère / Alors à vos regards auraient seuls droit de plaire (Andrés Chenier, *L'Invention*) // Sous des deshors plus vrais peindre l'Esprit aux sens! (Ídem) // Un esprit de tristesse immuable et profonde / Habite dans ces lieux et nous suit pas à pas; / Hors l'écho du passé, pas de voix qui réponde: / Le souvenir vous gagne et le présent n'est pas (*Roma* de Guillermo Deschlegel [de Schlegel], traducción francesa de Sainte-Beuve)». Como títulos, antes de cada epígrafe en MP, y seguidos como título y subtítulo, en A, B, C, D, que no tienen epígrafes: «*Por la Sierra. Paisajes andinos*».

I

SALIDA[1] DEL CUZCO

Partí del Cuzco el sábado 1° de junio de 1912[2]. La mañana era[3] alegre y radiante, de aporcelanada limpidez. En el vecino convento de Santa Teresa, celebraban con repiques y cohetes una profesión[4] de monja. Como era la estación seca, el claro invierno serrano, la luz brillaba en la cal de las paredes, chispeaba en los guijarros del piso y en el cauce seco[5] del Huatanay[6], y cubría con toques dorados la terrosa miseria de los escombros y basurales que ocupan el derruido solar del antiguo obispo Mendoza[7], inmediato a mi alojamiento. Transitaban algunas devotas, arrebujadas en pañolones[8] obscuros, que se dirigían a la fiesta próxima; y un indio de gorro colorado arriaba una recua[9] de llamas[10] hacia la plaza mayor. Las mulas, atadas junto a la puerta, se impacientaban con la espera. Al fin, concluidos los preparativos[11], nuestra cabalgata se puso en

---

[1] Salidas B, C.

[2] de 1912: tachado A; omitido en B, C.

[3] era: omitido en B, C.

[4] *profesión*: acto de profesar, o sea de comprometerse a cumplir los votos propios de una orden religiosa. Se refiere a la ceremonia en que una monja toma los velos.

[5] seco: omitido en MP.

[6] *Huatanay*: río pequeño, canalizado, que cruza el Cuzco de E a O.

[7] *solar*: casa señorial; *obispo Mendoza*: Fernando González de Mendoza, sacerdote jesuita, obispo del Cuzco de 1608 a 1617.

[8] *arrebujadas en pañolones*: envueltas en pañuelos grandes.

[9] *arriaba*: arreaba, estimulaba a las bestias para que anduvieran; *recua*: conjunto de animales de carga.

[10] *llamas*: camélido americano (*Llama glama*), domesticado y aprovechado como bestia de carga.

[11] Añadido: y los cumplimientos de amables despedidas D.

marcha. Terminada la calle de Plateros (que en otros tiempos se llamó de los Conquistadores, por los muchos que en ella vivieron), torcimos a la izquierda, cruzando el arroyo Huatanay por una alcantarilla o puente pequeño. A nuestras espaldas dejamos la casa de Astete, que abrigó la conjuración de Pumacahua[12, 13] a principios del siglo XIX; las que en el XVI pertenecieron a Hernán Bravo de Lagunas, Alonso de Hinojosa[14] y el licenciado Carbajal[15]; y las pendientes callejuelas que entre quintas[16] de cercos blancos y puertas verdes suben a las arboledas de Collcampata y a la histórica fortaleza de Sajsayhuamán[17, 18]. Al norte, la recta de Plateros remonta el curso del arroyo en dos filas de vetustos caserones,

[12] *Astete:* Domingo Luis Astete, abogado y militar cuzqueño. Integró la junta formada en el Cuzco en 1814. Su casa fue saqueada ese año por una turba, aparentemente instigada por Vicente Angulo (Vargas Ugarte). Luego de ese incidente, se retiró al campo; *Pumacahua:* Mateo García Pumacahua (Chincheros, 1738-Sicuani, 1815), caudillo indígena. Con el coronel Domingo Luis Astete y el teniente coronel Juan Tomás Moscoso, integró la junta constituida por José Angulo para que ejerciera el gobierno del Cuzco en agosto de 1814 según los términos de la Constitución sancionada por las Cortes de Cádiz (Tauro).

[13] Pumakjahua MP.

[14] *Hernán Bravo de Lagunas:* vecino del Cuzco donde tenía una encomienda. Fue leal al rey tanto durante la rebelión de Gonzalo Pizarro [1544-1548] como cuando Hernández de Girón se sublevó en el Cuzco [1553-1554] y luego propagó su rebelión por el territorio peruano (Mendiburu); *Alonso de Hinojosa:* «Natural de Trujillo de Extremadura, caballero y antiguo vecino del Cuzco. Militó en el partido de Pizarro, en 1538; se halló en la batalla de las Salinas y en la ejecución de D. Diego de Almagro. [...] En 1554 cuando D. Francisco Hernández Girón se levantó en el Cuzco contra el rey, Alonso de Hinojosa se vino a Lima como otros a presentarse a la audiencia gobernadora. [...] Sus casas en la plaza del Regocijo fueron compradas por el virrey Toledo para el cabildo y para la cárcel pública» (Mendiburu).

[15] «El que en venganza de la muerte de su hermano fue encarnizado enemigo del virrey Blasco Núñez Vela, cuya cabeza hizo poner en la picota; y que, luego, siendo corregidor del Cuzco, murió tan novelescamente por celos, precipitado al escalar el balcón de una dama»*. «El licenciado Benito Suárez de Carvajal, respirando odio y crueldad buscaba con afán a Blasco Núñez [...] Suárez de Carvajal llenó al virrey de soeces insultos recordándole la muerte del factor Yllén, su hermano, y mandó a un negro su esclavo que al punto le degollase» (Mendiburu).

[16] *quintas:* casas de recreo campestres. Los arrendatarios pagaban el quinto de la cosecha.

[17] *Sajsayhuamán:* «*Sacsayhuamán:* fortaleza. Está situada al N de la ciudad del Cuzco y a 255 m de altura sobre su plaza de armas, o sea, a 3 671 m de altura sobre el nivel del mar» (Tauro).

[18] Sajsayhuaman A, B, C, D, MP.

cuyas puertas conservan las labraduras[19] y las grandes aldabas coloniales, y cuyas fachadas adornan balconcitos de madera y antepechos[20] de hierro forjado; y sigue hasta los baños de Sapi, manantial que según la fábula un rayo reveló al inca Rocja[21, 22] y que regaba el sagrado arbusto de quinua, crecido a sus orillas, mítica raíz de la ciudad y[23] del imperio[24].

En la esquina formada por la calle de Sapi y la plazuela de Santa Teresa, el alto muro del monasterio se corona con una galería de arcos, cegada[25] reciamente[26] por tapias de tierra y piedras. Es severa nota, de las que tanto abundan en el Cuzco, esta arquería condenada, advertencia rígida de clausura[27] y misterio. Según crónicas locales, la precaución que expresa no ha sido siempre eficaz, porque de allí mismo se han descolgado en épocas recientes algunas religiosas prófugas, parecidas a las que el ladino Bustamante Concolorcorvo[28] (burlón andaluz sin duda, que se fingió indio noble), describía en su picaresco *Itinerario* hace más de ciento cuarenta años, encerradas muy a su pesar en los conventos cuzqueños. ¡Cuántas, en cambio, no habrán vivido y vivirán satisfechas, al amparo de estas paredes adustas, en plácido

---

[19] *labraduras*: labores, producto de haber labrado la madera siguiendo un determinado diseño.

[20] *aldabas*: piezas de metal que se ponen en las puertas para llamar golpeando con ellas; *antepechos*: protección a modo de barandilla en un lugar alto para poder asomarse sin riesgo.

[21] *inca Rocja*: «*Inca Roca*: Sexto inca, y el primero de la rama de Hanan Cuzco» (Tauro).

[22] Roca B, C; Rocca MP.

[23] Omite la conjunción: MP.

[24] «Padre Bernabé Cobo, *Historia del Nuevo Mundo*, 1. XIII, cap. XIII»*. «La sétima *guaca* se decía *Capi*, que significa raíz: era una raíz muy grande de quinua, la cual decían los hechiceros que era la raíz de donde procedía el Cuzco, y que mediante aquella se conservaba. Hacíanle sacrificios por la conservación de la dicha ciudad», Cobo, *Historia del Nuevo Mundo*, Tomo IV, libro XIII, cap. XIII, p. 17.

[25] *cegada*: cerrada, clausurada.

[26] recientemente MP.

[27] *condenada*: tapiada; *clausura*: «Obligación que tienen las personas religiosas de no salir de cierto recinto, y prohibición a las seglares de entrar en él» (DRAE).

[28] *ladino*: astuto; *Concolorcorvo*: «Yo soy indio neto, salvo las trampas de mi madre, de que no salgo por fiador. Dos primas mías coyas conservan su virginidad, a su pesar, en un convento del Cuzco en donde las mantiene el rey nuestro señor», Concolorcorvo, *El lazarillo de ciegos caminantes*, p. 116.

sopor, obedeciendo, dentro de los ritos cristianos, a la inmemorial disciplina de su raza, que instituyó las gentílicas *acllas*[29, 30]!

Al llegar a la plaza de Santa Teresa, atruenan los estampidos de los cohetes, compañeros inseparables de toda fiesta en la Sierra, y la loca algarabía de las campanas monjiles. Indias vestidas de vivos colores, con grandes cántaros al lado, se acomodaban en las gradas de la portería. Llegaban afuera los acordes de la música; y en el fondo de la iglesia, se veían la iluminación y el incienso de la profesión solemne.

Pasamos luego delante del que fue palacio del opulento conquistador Diego de Silva y Guzmán[31], hijo de aquel Feliciano de Silva, caballero de la casa condal[32] de Cifuentes, autor fecundísimo en el reinado de Carlos V de novelas caballerescas, y tan ironizado por su laberíntico estilo en *El Quijote*. Hermano por consiguiente de Amadís de Gaula y Florisel de Niquea[33], el capitán Diego de Silva parece, no obstante su romántica filiación, haber sido más cauteloso que audaz, si bien en las guerras civiles del Perú le ocurrieron aventuras como las que solía imaginar su padre. Condenado a muerte por Gonzalo Pizarro[34], se salvó casi al pie el cadalso. Llevado en rehenes por Francisco Hernández Girón, se le escapó en Pachacámac[35] y huyó al ejército real[36], a la vista

---

[29] *acllas*: «*ajllakuna*: Vírgenes o vestales escogidas, consagradas al culto del Sol o bien destinadas al inka y sus dignatarios» (Rosat).

[30] aqllas A.

[31] *Diego de Silva y Guzmán*: nacido en Ciudad Rodrigo, hijo de D. Feliciano de Silva, perteneciente a una distinguida familia relacionada con los duques de Pastrana y Medina Sidonia, D. Diego fue vecino regidor y alcalde del Cuzco, y disfrutaba de un repartimiento de indios en Aymaraes que le producía 20 000 pesos (Mendiburu).

[32] condal: omitido en MP.

[33] *Amadís de Gaula y Florisel de Niquea*: Amadís es personaje del ciclo artúrico y se le llama también *el Caballero Griego* (Alvar); Feliciano de Silva escribió el *Amadís de Grecia* (1530); y su continuación, *Florisel de Niquea* (1532), donde se relatan las aventuras de Florisel, hijo de Amadís.

[34] *Gonzalo Pizarro*: (Trujillo de Extremadura, ¿1511?-Cuzco, 1548). Hermanastro de Francisco Pizarro; luego de la muerte de este, lideró un ejército, formado en el Cuzco, contra el licenciado Pedro de La Gasca, enviado como pacificador por Carlos V. Fue derrotado en la batalla de Jaquijahuana, el 9 de abril de 1548 (Tauro).

[35] Pachacamac B, C.

[36] *Francisco Hernández Girón*: nacido en Cáceres (Extremadura), se trasladó a América en 1535. Apoyó al virrey Núñez Vela contra Gonzalo Pizarro. Apoyó también a Pedro de La Gasca contra las fuerzas pizarristas en Sacsahuana

del campamento rebelde. Por su maña y sagaz lealtad a la Corona, vio confirmadas y acrecentadas sus pingües encomiendas[37], y llegó a ser uno de los primeros señores del Cuzco. En consonancia con sus riquezas, levantó en este lugar un amplio edificio que, contrastando con los sombríos aposentos incaicos en que se albergaron sus compañeros de la Conquista, se reputaba en el siglo XVI como el más lucido, claro y risueño de la ciudad[38]. Allí se alojó con gran boato, en calidad de deudo[39] de su viuda[40], don Francisco de Toledo[41], todo el tiempo que residió el virrey en el Cuzco; porque Silva fue casado con la hija del infeliz maestre de campo de Almagro el Viejo[42], el mariscal don Rodrigo

(Jaquijahuana) en 1548. Luego de este hecho de armas, lideró a los descontentos contra La Gasca por la distribución de las encomiendas de indios que hizo el presidente en el Cuzco antes de regresarse a Lima. La rebelión surgió violentamente el 12 de noviembre de 1553. Con un ejército de números importantes para aquellas épocas, Hernández Girón se desplazó atacando y defendiendo las fuerzas reales a lo largo de los territorios del virreinato. Fue abandonado por sus soldados, hasta que se quedó con su cuñado y muy pocos más. Fue capturado el 24 de noviembre de 1554. El 7 de diciembre de ese año fue ejecutado por órdenes de la Audiencia —el virrey D. Antonio de Mendoza había fallecido en julio de 1552— (Mendiburu); *huyó al ejército real*: «Hallándose en Pachacamac [sur de Lima], hubo activos tiroteos con las avanzadas de los realistas: tomaba parte en ellos Silva con voluntad fingida, hasta que aprovechando una coyuntura favorable en la última de esas escaramuzas, abandonó a Girón pasándose con cuatros buenos soldados al bando del rey en que fue recibido con mucha satisfacción por los oidores que tenían a su cargo el gobierno del Perú» (Mendiburu).

[37] *encomiendas*: institución mediante la cual un número de indígenas era asignado a un encomendero para que trabajaran para él; el encomendero debía instruir a sus servidores en la doctrina cristiana; la *encomienda* se refiere también al espacio geográfico donde ambos vivían y laboraban.

[38] «Padre Lizárraga, *Descripción del Perú*, Libro I, Cap. LXXX»* «[...] las casas de los españoles por la mayor parte son sombrías y tristes, si no es la del capitán Diego Silva que la labró alegre», Lizárraga, *Descripción del Perú, Tucumán, Río de la Plata y Chile*, p. 169.

[39] *deudo*: pariente.

[40] mujer A, B, C.

[41] *Francisco de Toledo*: (Oropesa, ¿1514?-1584). Quinto virrey del Perú, desde 1569 hasta 1581. Organizó el virreinato y le otorgó una estructura legal (Tauro).

[42] *Almagro el Viejo*: Diego de Almagro (Almagro, ¿1480?-Cuzco, 1538); con Francisco Pizarro y Hernando de Luque, uno de los tres socios de la conquista del Perú. Luego de una serie de desavenencias, Almagro fue derrotado en la batalla de las Salinas el 26 de abril de 1538. Fue ejecutado dos meses después por Hernando Pizarro (Tauro).

Orgóñez[43], cercano pariente de los Toledos[44] de Oropesa. Quizá en recuerdo de tal hospedaje, o por concesión debida a la calidad de sus dueños, tuvo la casa el privilegio señoril de asilo[45], atestiguado por[46] gruesas cadenas tendidas en la puerta principal. De ella tomó apelativo el barrio, que hoy todavía se llama, con la forma posesiva quechua[47], Silvaj[48]. El segundo Silva del Cuzco fue don Tristán (nombre de libros de caballerías, muy adecuado en verdad para el nieto de Feliciano); y casó con una prima lejana de los duques del Infantado, doña María de Torres y Mendoza[49]. Los descendientes suyos, ufanos con estos entronques y otros con los Córdobas de Cabra y Priego, y los Guzmanes de la Algaba, engreídos con sus ingentes caudales, tocados de aquella fiebre de orgullo y presunción a que era tan propensa la ociosidad nobiliaria en las muertas ciudades históricas, no alcanzaron en el Cuzco del siglo XVII más dignos rivales de hinchada altanería que los Esquibeles de[50] Valle Umbroso y aquellos Castillas vulgarmente intitulados *almirantes de la Mar del Sur,* cuya curiosa casa pretenden que[51] se conserva, aunque amputada de sus dependencias, en la cuesta próxima a la catedral. De un Silva refieren cierta extravagancia mayor que las atribuidas a los Castillas. Dícese que no quería tratar con la gente común del Cuzco y con sus indios vasallos, sino apareciendo semanalmente en una alta ventana o galería de piedra (que bien pudo ser la que he visto hace un instante en la esquina de Santa Teresa, incluida entonces en el palacio); y oyendo desde allí las cortesías y peticiones que le dirigían los congregados en la calle. La anécdota es tradicional; pero cierta o no pone

---

[43] *Rodrigo Orgóñez*: nacido en Oropesa, diócesis de Toledo. Soldado aguerrido y muy práctico, de un carácter severo e inflexible. Había servido en las guerras de Italia, y ganó la clase de alférez en el ejército del condestable de Borbón, concurriendo al famoso saqueo de Roma [...] D. Francisco de Toledo, virrey del Perú, era su pariente cercano. Fiel seguidor de Diego de Almagro, murió en la batalla de las Salinas, el 26 de abril de 1538 (Mendiburu).

[44] Toledo D.

[45] *asilo*: refugio para los perseguidos. Las casas de cadenas gozaban del privilegio del asilo.

[46] que atestiguaban: A, B, C, D, MP.

[47] *la forma posesiva quechua*: se trata, más bien, de un híbrido formado por el apellido español y el sufijo agentivo quechua. Significa 'que Silva'.

[48] *Silvaj* A, B, C, D; Silvak MP.

[49] Doña María de Torres y Mendoza: omitido en A, B, C.

[50] Esquilaches del MP.

[51] pretenden que: omitido en A, B, C, D.

de resalto la vanagloria de esos hidalgos remotos que en su quieta vida
de herederos coloniales, faltos de ensanche y del fecundo desahogo
de la acción, sintieron exacerbarse hasta la locura la soberbia castellana de sus abuelos al contacto de la atmósfera de grandezas que flota
perdurablemente entre las ruinas de la metrópoli imperial. He visitado
en días anteriores la casa de estos vanidosos magnates criollos, que
intentaron remedar en alguna parte la esquiva pompa del ceremonial
de audiencias incaico, y con gran decepción mía, no descubrí en ella[52]
vestigios del pretérito esplendor que debió alimentar los remontados[53]
devaneos. Se halla[54] tan deteriorada y venida a menos como la mayoría
de las del Cuzco, y mucho más modernizada que casi todas ellas[55]. Ex-
tinguida la descendencia masculina de los Silvas[56], pasó el palacio con
los demás bienes en el siglo XVIII por línea femenil a los marqueses de
Casa-Jara[57], condes de Valle-Hermoso, que emigraron a España en los
primeros tiempos de la República y allí invistieron por lejana herencia
el rancio condado malagueño de Casa-Palma. Enajenaron[58] las fincas
del Perú; y su solar del Cuzco pasó a manos extrañas. Reconstruido
y desfigurado, sirve hoy, por su espaciosidad, de fábrica de cerveza.
Pegado a él, pared de por medio, estuvo el del soldado cronista Juan de
Betanzos, marido de la princesa D.Angelina, hija de Atahualpa, que[59]
en su *Capacuna*[60] o *Suma y narración de los incas*[61], tradujo tan fielmente
los cantares épicos indios. Cerca debió de estar la prisión incaica de
Sancacancha, mazmorra llena de fieras y reptiles venenosos, en que
arrojaban a los criminales y rebeldes condenados a muerte[62].

---

[52] no descubrí en ella: en ella no hallé A, B, C; no encontré en ella D.

[53] *remontados*: elevados, encumbrados.

[54] Se halla: Está A.

[55] casi todas ellas: las otras A; otras B.

[56] Silva MP.

[57] Casa-Jara: Jara A, B, C, D, MP.

[58] *Enajenaron*: «Pasar o transmitir a alguien el dominio de algo o algún otro
derecho sobre ello» (DRAE).

[59] y que: A, B, C, D.

[60] *Kjapakjuna* MP.

[61] Betanzos, *Juan de Betanzos y el Tahuantinsuyo. Nueva edición de «Suma y narración de los incas»*.

[62] «Juan Santacruz Pachacuti cuenta en su *Relación* que el piadoso inca Yahuar
Huákjaj [Yahuar Huácac A, B, C, MP] que perdonaba a tantos culpados, hizo
construir esta cárcel de Sancacancha y otras, lejos de los palacios reales y en apartados externos de la ciudad, para no oír los tormentos de aquellos cuyos castigos

Continuamos por callejas de escalones, solitarias, deshabitadas. Quedan detrás el humilde beaterio[63] de Arcopata y la ruinosa iglesia de Santa Ana, visitada de ordinario por sus pinturas, y en especial por el cuadro que representa una procesión de antaño con tipos locales y vestidos característicos, análogo a los que se conservan en la capilla de La Soledad[64] de Lima.

Los barrios semidesiertos que recorremos, de mezquinas viviendas y corralones, asentados en las laderas septentrionales de la ciudad, fueron en la época de los incas los arrabales de Quillipata y Carmenca[65, 66], tan poblados entonces de forasteros o *mitimaes*[67, 68] que un escritor moderno llamó al último la Suburra de la Roma americana[69]. Hasta Carmenca[70] llegaron los chancas[71] cuando el célebre asedio rechazado por el príncipe heredero Huiracocha o Pachacútej[72]; y aquí la valerosa Chañan Curillcoca emuló las hazañas de la Clelia latina[73]. En este cerro existieron las doce torrecillas o relojes

era imposible remitir por la clase y magnitud de sus delitos. El rasgo, en la barbarie de esas [estas MP] edades, tiene una humana delicadeza muy propia en [de MP] la cultura incaica»⋆. «Y así dicen que este inga Yabar Uacac, por no ver castigar a los culpados le mandó que heciesen las cárceles fuera de la ciudad, como el Arauay, Uimpillay, Sancacancha que son cárceles penables y donde se castigaban cruelmente», Pachacuti, *Relación de antigüedades deste reino del Pirú,* p. 216.

[63] *beaterio*: casa de beatas, quienes viven en comunidad según regla.

[64] *La Soledad*: santuario de Nuestra Señora de la Soledad, en la plaza de San Francisco de Lima.

[65] *Quillipata*: barrio cuzqueño tradicional, en la parte NO de la ciudad; *Carmenca*: es el actual barrio cuzqueño de Santa Ana, en la parte NO de la ciudad.

[66] Carmenkja MP.

[67] *mitimaes*: «*mitma*: en el tiempo de los incas, pueblo trasladado obligatoriamente a un lugar distante» (*DiPerú*).

[68] *mitimayos* MP.

[69] *Suburra:* barrio de la antigua Roma, construido sobre las colinas del Quirinal y del Viminal, donde se estableció un subproletariado en que campeaba la delincuencia y la laxitud de costumbres; *la Roma americana:* el Cuzco.

[70] Carmenkja MP.

[71] *chancas*: «*chankakuna*: estado y pueblo antiguo y belicoso que ocupaba un amplio territorio al NO del Cuzco (Apurimaj, Ayacuchu), con su propia cultura y civilización (1300-1400 d.C.)» (Rosat).

[72] Pachacútec B, C, MP; Pachacutec D.

[73] «Sarmiento de Gamboa, Segunda parte de la *Historia general índica*, cap. 27, pág. 63, en Berlín por Pietschman, 1906; y en *Relación* de Juan de Santa Cruz Pachacuti, pág. 272, en el tomo *Antiguedades peruanas* de Jiménez de la Espada, (Madrid, 1879)»⋆, Sarmiento de Gamboa, *Historia índica*, cap. 27, p. 233; «Al fin

solares (*intiphuatana*)[74], engalanados de flores en los equinoccios y solsticios[75].

El camino, entre terrenos rústicos y altos tapiales, toma una mediana cuesta empedrada. Llegamos al recodo[76] desde el que se pierde de vista el Cuzco. Como no se ha alterado el trazo de la vía desde los tiempos imperiales, este sitio es la misma famosa huaca o adoratorio (*apacheta*[77, 78]) de Urcoscallan, en que los antiguos peruanos, al salir por la calzada del norte o Chinchaysuyu, se detenían y volvían el rostro para adorar una última vez la capital santa[79]. Aquí debió de oírlos Cieza lamentarse y llorar sobre el estrago y la profanación, como los judíos sobre las ruinas de Jerusalén: «Yo me acuerdo», escribe, «por mis ojos haber visto a indios viejos, estando a vista del Cuzco, mirar contra la ciudad y alzar un alarido grande, el cual se les convertía en lágrimas salidas de tristeza, contemplando el tiempo presente y acordándose del pasado»[80].

Repitiendo vagamente los citados textos históricos, hice alto para despedirme[81] de la vieja población, emperatriz destronada de infaustos destinos[82]. Me he iniciado en el encanto fúnebre de sus monumentos caducos, y he aquilatado y enriquecido mis sentimientos de

en esta batalla [el infante inga Yupanqui] sale con gran vitoria y haze su triunfo. Y entonces dizen que una india vuida [viuda] llamada Chañan Cori Coca peleó valerosamente como mujer varoñil» Pachacuti, *Relación de antigüedades deste reino del Pirú*, p. 220. La *Clelia latina* es la heroína de las guerras entre reyes etruscos y pueblo romano. Su historia se narra en Tito Livio, *Ab urbe condita*, II, 9, 1-4.

[74] *intiphuatana*: *intihuatana* (que. 'donde se amarra el sol'): monumento de piedra, especie de reloj solar incaico (Tauro).

[75] Omitidos en A este párrafo y el siguiente.

[76] *recodo*: ángulo que forman calles, caminos, ríos, etc.

[77] *huaca*: «Lugar natural o estructura prehispánica que servía de centro de adoración de una deidad local» (*DiPerú*); *apacheta*: cumbre de las cuestas altas, donde en tiempos antiguos ejecutaban los indios demostraciones de adoración y hacían ofrendas (Tauro).

[78] *apacheta*: omitido en A, B, C, D; apachejma MP.

[79] «P. Bernabé Cobo, *Historia del Nuevo Mundo*, Libro XIII, cap. XIII»*, «La novena guaca se decía Urcoscalla. Era el lugar donde perdían de vista la ciudad del Cuzco los que caminaban a Chinchaysuyu», Cobo, *Historia del Nuevo Mundo*, tomo IV, libro XIII, cap. XIII, p. 20.

[80] «*Señorío de los incas*, cap. XIII»*; Cieza de León, *Crónica del Perú, Segunda parte*, cap. XIII, p. 35.

[81] Añadido: quién sabe hasta cuándo D.

[82] Añadido: Gracias a amigos solícitos e inteligentes, he vivido en ella dos semanas inolvidables D.

nacionalidad con las imágenes de su magnífica desolación. Hoy, en la soleada y fresca mañana, la emoción final que deja en mi ánimo no es la que generalmente produce: no es la melancolía penetrante de su abandono, el siniestro vencimiento de sus murallas ciclópeas, disgregadas y truncas. Visto de esta altura y a esa hora, el panorama del Cuzco, lejos de ser lúgubre, es de una grave y fuerte serenidad casi gozosa, de una clara robustez, comparable a un acorde rico y viril. El caserío blanco, cubierto con tejas del más vibrante rojo, adornado con innumerables arcadas y portales, y dominado por las macizas torres de sus templos y los ramilletes de sus árboles, que emergen de las huertas, resalta con refulgencia indecible. Desde aquí el Cuzco es bello, con belleza viviente y enérgica. Ya había yo disfrutado de esta sensación desde la plaza de Collcampata[83] y la cumbre de la ciudadela[84], en la última semana; pero ahora la saboreo con el atractivo de lo conocido y sin la[85] fatiga respiratoria que me malogró[86] la excursión aquella. Prefiero también el[87] presente punto de observación, porque de él se distinguen mejor los amenos y majestuosos campos que rompen el círculo de las montañas y se dilatan hacia el sureste.

El Cuzco es[88] tierra de[89] contrastes; y el mayor es, sin duda, la oposición radical de sus aspectos, según se le contemple en su mismo recinto o desde los cerros que lo circundan. Paseando sus calles y plazas, la impresión de conjunto es de severidad ceñuda hasta lo terrible, de solemnidad trágica, a pesar de la generosa luz del cielo y la albura cegadora de las paredes encaladas. Los angostos pasadizos de sillares[90] incaicos, como El Triunfo, Jatumrumíoj[91] y Loreto, semejan corredores de la cárcel más lóbrega. Son de aplastante opresión las grandes piedras que los[92] forman, en irregulares hileras acolchonadas, rocas durísimas de

---

[83] *Collcampata*: al pie de la fortaleza de Sacsayhuamán, donde se asienta el palacio de Manco Cápac, tradicionalmente considerado el lugar más antiguo del Cuzco.

[84] *la ciudadela*: la fortaleza de Sacsayhuamán.

[85] Omite el artículo: D.

[86] *malogró*: estropeó.

[87] Omite el artículo: D.

[88] Agregado: la D.

[89] Agregado: los D.

[90] *sillares*: piedras labradas.

[91] (H) Jatunrumioj A; Hatunrumioj B, D, MP; Hatunrumiój C.

[92] Omite el pronombre: MP.

contornos mórbidos, moles de traquita[93] negra[94] con tonos verdosos y azules sombríos, salpicadas de enigmáticas protuberancias, y por toda decoración apenas alguna rara serpiente esculpida y algún *tocjo*[95], alacena estrecha; murallas cuya áspera continuidad solo rompen los hierros[96] multiplicados de los ventanajes españoles y las distantes portadas de una casa hidalga o de un convento. Su pesadez misteriosa parece gemir infinitas servidumbres; y tras ellas creemos que va a elevarse, como en el *Ollanta*[97], un cántico sollozante de cautiva[98]. La increíble suciedad de los rincones y muladares, digna de la medioeval *Roma Sporca*[99]; los tallados balcones moriscos, que se caen de vetustez; los zaguanes[100] obscuros; los silenciosos patios; los desvencijados balaustres y barandales de madera; las carcomidas pilastras[101] y zapatas[102] pintadas de verde o celeste; las gastadas escaleras de piedra; la queja de las fuentes que, bajo rudos mascarones[103] labrados en los muros torvos, vierten su escasa vena; los envejecidos oros churriguerescos[104] de las iglesias; los largos portales; los claustros taciturnos; las plazoletas cubiertas de grama, que

[93] *traquita:* «Roca volcánica compuesta de feldespato vítreo y cristales de hornablenda o mica, muy ligera, dura y porosa, y estimadísima como piedra de construcción» (DRAE).

[94] granito negro: A, B, C, D.

[95] *toco* A, B, C, D; *ttokio* MP.

[96] fierros A, B, C, D.

[97] *Ollanta* [tachado: *y*] A; *Ollantay* D.

[98] *un cántico sollozante de cautiva:* podría referirse a los hijos y las mujeres de los cautivos de la insurrección contra Pachacútec hechos prisioneros por el general Rumi-Ñahui (*Ollantay*, pp. 293-295).

[99] *Roma Sporca*: Roma sucia. La Roma medieval, por contraste con la Roma clásica.

[100] *zaguanes:* «Espacio cubierto dentro de una casa, que sirve de entrada a ella y está inmediato a la puerta de la calle» (DRAE).

[101] *balaustres*: «Columnita de perfil compuesto por molduras cuadradas y curvas, ensanchamientos y estrechamientos sucesivos, que se emplea para ornamentar barandillas, etc.» (Fatás-Borrás); *pilastras*: «Pilar adosado, con basa y capitel» (Fatás-Borrás).

[102] *zapatas*: «Madero corto, horizontal, colocado sobre un pie derecho (cualquier apoyo vertical)» (Fatás-Borrás).

[103] *mascarones*: «Cara grotesca o fantástica usada como ornamento» (Fatás-Borrás).

[104] *churriguerescos*: Barroco faustuoso español e hispanoamericano. Adjetivo formado a partir del apellido de José de Churriguera (1665-1723).

amarillean al[105] sol de tarde; la devastación muda de los barrios que se extienden más allá del hospital de San Pedro; las casas arruinadas que en Belén y Santiago desaparecen poco a poco, sumergiéndose entre desmontes y sembríos, como un cadáver cuyas extremidades comenzaran a hundirse en el polvo: todo sugiere ideas de decadencia y muerte. La historia del Cuzco, a partir del siglo XVI, no es, en efecto, sino una continua despoblación, una lenta agonía[106]. *Quomodo sedet sola civitas antea populosa?*[107] Resuenan en la memoria las lamentaciones bíblicas y cobran pavorosa exactitud; porque igualmente cayeron aquí la antigua gloria de las armas, los palacios, alcázares y templos; y cuando los viajeros vulgares miran la ciudad sin ventura, ríen y hacen mofa de su pasada magnificencia. En los días despejados, ante la hosca y ponderosa masa de la catedral, descascarada a trechos, rojiza como si se hubiera embebido de sangre, la plaza inmensa, teatro de tantos suplicios ilustres, palpita todavía bajo el ridículo y burgués jardincillo moderno que la profana; y las bandas violetas[108] de luces y de sombras[109], en profundos recortes, diríase[110] que expresan la angustiosa alternativa de agobiadas resignaciones y frenéticas ansias. En los días tempestuosos, el viento, por las callejuelas grises y las casas destartaladas, clama y muge largamente como el espíritu de la desesperación. He sentido el maleficio de este ambiente alucinador y letal, comparable al de un regio sepulcro violado; y había horas en que la aflicción me invadía. No era la dulce tristeza que he gustado después junto a las ruinas romanas, o en la tortuosa Toledo y la torreada Ávila; porque no provenía de la mera curiosidad artística, ni la inspiraba el tibio saludo de respeto a las lejanas influencias mentales, ni el homenaje enternecido pero rápido a la ascendencia carnal, ya tan remota y vaga; [111] sino que la nutrían la acerba congoja y la preocupación íntima y rebosante por el destino de

---

[105] amarillea el: A, B, C, D.

[106] «En 1790 contaba todavía con más de 30 0000 habitantes. Hoy según muy aproximados cálculos, no tiene arriba de 18 000»★.

[107] *Quomodo sedet sola civitas antea populosa?*: «Quomodo sedet sola/ civitas plena populo!» [¡Qué solitaria ha quedado/ la ciudad que un día fuera populosa!] Jeremías, *Lamentaciones* 1, 1-2. El texto se recita en el oficio de tinieblas del Viernes Santo según el rito romano.

[108] violentas A, B, C, D.

[109] sombra B, C.

[110] diríanse B, C.

[111] ya tan remota y vaga: tachado A; omitido B, C.

mi propio pueblo y por la suerte de mi patria, cuya alma original, mistión indígena y española, habita indestructible en la metrópoli de los Andes. El Cuzco es el corazón y el símbolo del Perú. ¿Consistirá acaso la esencia de nuestra ciudad representativa en la tiránica pesadumbre, la tragedia horrenda y el irremediable abatimiento?

Enseñanzas mejores guarda para los que saben interrogarla afanosamente, para los que la contemplan desde las eminencias leyendarias[112] en que ha depositado el conjuro[113] de sus fieros secretos: desde los campanarios de Santo Domingo y la Compañía, el andén[114] de Collcampata, la cumbre del Sajsayhuaman[115] o la cuesta de Carmenca. El Cuzco quiere ser visto con reverencia, de alto y de lejos. Entonces se reanima orgulloso; y en la luz incomparable, resplandece milagrosamente la anciana dominadora, la madre de los incas, la bélica ciudad blanca y bermeja, que sigue produciendo los mejores soldados del Perú. Es en verdad la hija predilecta del Sol. Sus rayos la transfiguran; y convierten en mantos de fiestas[116] los sórdidos harapos de la noble mendiga. Del descanso de Urcoscallan la admiré, rejuvenecida y serena, en la claridad de sus arquerías y sus extensas plazas.

Al lado de la parda y purpúrea catedral, distinguí la fachada floridísima de la Compañía y la portada de la universidad, en que el barroquismo nos dejó sus más finos encajes de piedra. A la izquierda, las casas se agolpan y trepan hacia el verde cerro de[117] Sajsayhuaman[118] como un rebaño de alpacas blancas. Junto a los árboles del jardín de Lomellini y las ruinas del palacio de Manco Cjápaj[119, 120], brillaba la capilla de San Cristóbal, que cobijó en el siglo XVI la sumisión del príncipe Paullu[121] y los últimos días angustiosos de Almagro[122] y Túpaj

---

[112] legendarias A, B, C, D, MP.

[113] conjunto MP.

[114] *andén*: terraza.

[115] Sacsayhuaman A, B, C, D, MP.

[116] fiesta A, B, C, D.

[117] del A.

[118] Sacsayhuaman A, B, C, D, MP.

[119] *Manco Cjápaj*: primer inca, fundador mítico del imperio incaico.

[120] Jápaj A; Cápac B, C, MP; Capac D.

[121] *príncipe Paullu*: hermano de Túpac Amaru I, aliado de Diego de Almagro contra Francisco Pizarro y sus hermanos.

[122] y los últimos días angustiosos de Almagro y Túpaj Amaru: omitido en A, B, C.

Amaru[123, 124], y en el XVII las estudiosas vigilias del literato indio Espinosa Medrano[125]. De aquel propio cerro, en que se asienta la formidable ciudadela consagrada por el heroísmo de Cahuide[126], el bosquecillo de eucaliptos[127] de los padres salesianos desciende tremulante. A nuestra derecha y al frente, los montes se redondean y describen la curva regular y simétrica de un anfiteatro. Ceñidos los últimos de nubes, parecen una ronda de guerreros incas, coronados de diademas de plumas (*pillcocaras*) e inmovilizados en las actitudes de una danza ritual. Hacia el sur se destacan, insignes entre todos por los mitos patrios, el Anahuarqui y el Huanacauri, en el que se hundió la áurea barra de Manco[128]. Tras la alameda, el templo de Santo Domingo (antiguo

[123] *Almagro*: Diego de Almagro (Almagro, ¿1480?-Cuzco, 1538). Se asoció a Francisco Pizarro y a Hernando de Luque para llevar a cabo la conquista del Perú. Luego de fuertes desavenencias con Pizarro a causa de disputas por la delimitación de los territorios que incluía la gobernación de cada uno, Almagro fue derrotado por Hernando Pizarro, hermanastro de Francisco, en la batalla de las Salinas, el 26 de abril de 1548. Le dieron muerte con garrote dos meses después (Tauro); *Túpaj Amaru*: cuarto de los «incas de Vilcabamba», hijo de Manco inca. Acusado de las depredaciones hechas por sus antecesores, fue ejecutado en la plaza mayor del Cuzco (1572) durante el gobierno del virrey Toledo (Tauro).

[124] Túpac D, MP

[125] *Espinosa Medrano*: Juan de Espinosa Medrano (Calcauso, 1632-Cuzco, 1688), escritor y sacerdote. Además de obras dramáticas y colecciones de sermones, escribió el *Apologético en favor de don Luis de Góngora* (1662), estudio de la retórica gongorina destinado a rebatir las censuras del portugués Manuel de Faria (Tauro).

[126] *Cahuide*: «(¿?-1535); guerrero inca. Tuvo a su cargo la defensa de la fortaleza de Sacsayhuamán, durante la rebelión promovida por Manco inca. Al ver que los españoles lograban penetrar por dos o tres lados, se cubrió la cabeza y el rostro con su manto, y se arrojó para evitar que lo tomasen con vida» (Tauro).

[127] eucaliptus MP.

[128] *Manco*: «*Manco Cápac*: fundador del imperio incaico. Según una leyenda colla fue un héroe de naturaleza semidivina, por ser hijo del Sol. Enviado por su padre, con la misión de pacificar y civilizar a los pueblos que hasta entonces se hallaban en plena confusión, emergió de las aguas del lago Titicaca, y en recuerdo de aquel origen erigiose un templo en la isla del Sol. Lo acompañaba Mama Ocllo Huaco, su hermana y esposa; y en la mano derecha llevaba una barra de oro, "de media vara de largo y dos dedos de grueso", que su padre le había dado, diciéndole que hincase con ella el suelo y estableciese "su asiento y corte" allí donde la barra "se hundiese con solo un golpe" (Garcilaso). Empezó su marcha; pero al golpear la tierra no se hundía la barra hasta la deseada profundidad o chocaba sordamente contra el suelo rocoso, y continuaba adelante; hasta que llegó

Coricancha)[129] y el convento de la Recoleta se tiende en el valle el suntuoso tapiz de los cultivos. Arriba el Padre Sol, el Inti benéfico, faz y escudo de oro, triunfa en la pura bóveda azulada; y al oriente, el Ausangate, bajo la rutilación[130] del aire, alza su cima de nieves como un palio[131] de gloria. Así se me apareció la capital incaica, en[132] breve visión deslumbrante, por postrera vez, a[133] modo de un feliz presagio que surgiera del más hondo pasado, mientras las campanas de Santa Teresa seguían repicando incansables.

al valle del Urubamba, y en el cerro Huanacauri se hundió al primer golpe y ya no apareció. Allí decidió establecerse, y fundó la ciudad del Cuzco, centro de su nuevo imperio» (Tauro).

[129] *Coricancha*: el famoso templo del Sol del Cuzco.

[130] *rutilación*: brillo.

[131] *palio*: «Cubierta portátil usada en el culto católico, especie de dosel portado por sus soportes verticales, que antes se usaba para resguardar a los monarcas en sus desplazamientos» (Fatás-Borrás).

[132] en: omitido en MP.

[133] al B, C.

II

LA LLANURA DE ANTA[1]

Acabada la cuesta de Carmenca[2], entramos en una alta quebrada, a cuya izquierda se desliza un torrente. Parece que en ella fue la matanza de las mujeres y partidarios de Huáscar por los generales de Atahualpa; y cuentan que presenciándola Huáscar maniatado, impetró del cielo y pronosticó el castigo de su hermano[3].

---

[1] Sobre título del capítulo, un título general: Por la Sierra MP.

[2] Carmenkja MP.

[3] «Garcilaso, *Comentarios,* primera parte, libro nono, cap. XXXVII; Sarmiento de Gamboa, *Historia general índica,* cap. 66»*, «No pudo la crueldad permitir que los demás prisioneros quedasen sin castigo, porque en ellos escarmentasen todos los demás curacas y gente noble del imperio, aficionada a Huáscar; para lo cual los sacaron maniatados a un llano, en el valle de Sacsahuana, donde estaban (donde fue después la batalla del presidente Gasca y Gonzalo Pizarro), y hicieron de ellos una calle larga; luego sacaron al pobre Huáscar inca cubierto de luto, atadas las manos atrás y una soga al pescuezo, y lo pasearon por la calle, que estaba hecha de los suyos; los cuales, viendo a su príncipe en tal caída, con grandes gritos y alaridos se prostraban en el suelo a le adorar y reverenciar, ya que no podían librarle de tanta desventura. A todos los que hicieron esto, mataron con unas hachas y porras pequeñas, de una mano, que se llaman *champi*; otras hachas y porras tienen grandes, para pelear a dos manos. Así mataron delante de su rey casi todos los curacas y capitanes y la gente noble que habían preso, que apenas escapó hombre de ellos», Inca Garcilaso de la Vega, *Historia general del Perú (Segunda parte de los Comentarios reales de los incas)* t. II, libro nono, cap. XXXVI, pp. 287-288; «Y rompiéndose las entrañas de ver tales lástimas y crueldades y que no las podía remediar, con un sospiro altísimo, dijo: "¡Hoy, Pachayachachi Viracocha, tú que por tan poco tiempo me favoreciste y me honraste y diste ser, haz que quien así me trata se vea de esta manera, y que en su presencia vea lo que yo en la mía he visto y veo!"», Sarmiento de Gamboa, *Historia índica,* cap. 67, p. 272.

A poco más de media legua del Cuzco, se levanta el arco español de la Alcabala[4]. Desde allí damos vista en el fondo noroeste al espléndido nevado del Salcantay. El camino real que principio es muy aceptable hasta el extremo de la pampa[5] de Anta. Constituye la primera sección del itinerario o carrera[6] entre el Cuzco y Lima, arteria principal del tráfico peruano antes de la Independencia; y es en mucha parte la misma vía septentrional de la Sierra o calzada de Chinchaysuyu[7], construida por los incas y que terminaba en Quito.

Estas inmediaciones contienen los más ilustres recuerdos incaicos. El llano en que se ensancha la quebrada, tomando el camino hacia Urubamba[8], es el de *Yahuárpampa*[9] (campo de sangre), en que se libró, a mediados del siglo XIV, la reñida batalla ganada sobre los invasores chancas por el inca a quien llaman Pachacútej[10] Betanzos y Cieza, y Huiracocha, Garcilaso. Los peñascos diseminados en el llano y las alturas son los *Pururaucas*, piedras sagradas que se metamorfosearon en guerreros para socorrer al príncipe. En memoria de la batalla que salvó al Cuzco y regeneró el imperio, mandó el inca vencedor construir un templo cercano, que los primeros conquistadores españoles, como Peralonso Carrasco y Juan de Pancorbo, conocieron y visitaron. Refiere Cieza que era «una casa larga, a manera de tumba»[11], y que en ella se conservaban las momias de los principales jefes vencidos. Venerábanse los tres *puquios*[12] o manantiales próximos: el de *Quíshuar*[13], que apagó la sed de los soldados victoriosos; el de *Catachillay*; y el de *Aspatquiri*, que refrescó al inca triunfante y tenía para los viajeros igual virtud

---

[4] *el arco español de la Alcabala*: se encuentra en el barrio de Santa Ana. Bajo él se cobraban los impuestos en la época virreinal.

[5] *pampa*: llanura extensa sin árboles.

[6] *carrera*: carretera.

[7] *Chinchaysuyu*: «*Chinchaysuyo*: (que.: "provincia de los chinchas"): provincia del imperio incaico, situada hacia el N. Desde el próspero valle de Chincha se extendía hasta el llamado reino de Quito» (Tauro).

[8] O sea, hacia el N.

[9] *Yahuarpampa* D, Yahuarpampa MP.

[10] *Pachacutec* D, *Pachacútej* MP.

[11] *a manera de tumba*: Cieza ofrece otra formulación: «una casa larga a manera de tambo ['almacén']» (Cieza de León, *Crónica del Perú. Segunda parte*, capítulo XLVI, p. 135).

[12] *puquio*: manantial.

[13] *Quishuar* D, MP.

sedativa[14]. En el punto en que se apartan los caminos de Chincheros y Yucay[15], se elevaba sobre un cerro el ara sacrificatoria desde la cual los sacerdotes dirigían al sumo dios Huiracocha[16] la soberbia plegaria de que dilatara las conquistas de los incas hasta los extremos límites del mar[17].

El riachuelo de nuestra izquierda, cascajoso y rápido, lleva aguas color de acero. Las tradiciones indias contaban que el día de la batalla se convirtió en un raudal rojo con la sangre de los treinta mil hombres que perecieron en sus riberas[18]. Por varias quebradas y lomas bajas, oblicuamos[19] hacia el noroeste. En las faldas, verdeantes por las últimas lluvias, pero que la estación empieza a agostar[20], hay chozas y casitas blancas; y me pareció ver una ermita arruinada. En el trayecto está el caserío de Poroy, que perteneció al conquistador Juan Julio de Hojeda, pariente de Gómez de Tordoya[21] y de[22] Garcilaso de la Vega[23]. La perspectiva era a ratos muy despejada. Delante se erguían los severos montes que rodean al pueblo de Chincheros, histórico señorío

---

[14] «P. Cobo, Libro XIII, cap. XIII»* «La décima guaca se decía Catachillay. Es una fuente que está en el primer llano que abaja al camino de Chinchaysuyu. La duodécima era otra fuente llamada Asapadaquiri, a la cual mandó sacrificar inca Yupanqui, porque dijo que su agua quitaba el cansancio», Cobo, *Historia del Nuevo Mundo,* libro XIII, capítulo XIII, p. 20; «La novena guaca se decía Quishuarpuquiu: era un manantial en que decían haber bebido la gente del inca acabada la batalla de arriba [una victoria innominada]», Cobo, *Historia del Nuevo Mundo,* libro XIII, capítulo XIII, p. 21.

[15] Ambos son distritos de la provincia de Urubamba.

[16] *Huiracocha:* el dios creador andino.

[17] «Ídem. Ibídem»*. Se refiere a la cita de Cobo.

[18] «Garcilaso, *Comentarios reales*, primera parte, libro quinto, cap. XIX»*. «La batalla, habiendo sido tan reñida que duró más de ocho horas, fue muy sangrienta; tanto, que dicen los indios que, demás de la que se derramó en el campo, corrió sangre por un arroyo seco que pasa por aquel llano, por lo cual le llamaron de allí adelante Yáhuar Pampa, que quiere decir campo de sangre. Murieron más de treinta mil indios [...]» (Inca Garcilaso de la Vega, *Comentarios reales de los incas,* tomo I, libro quinto, capítulo XIX, p. 264.)

[19] *oblicuamos:* marchamos en dirección oblicua a la que habíamos seguido hasta ese momento.

[20] agotar MP.

[21] Gómez Tordoya MP.

[22] Omitida la preposición: MP.

[23] *Garcilaso de la Vega*: capitán español, padre del Inca Garcilaso de la Vega.

o curacazgo[24] de los Pumacahuas.[25, 26] Luego, torciendo siempre a la izquierda, desembocamos en la gran pampa de Anta[27], cuya primera aldea de este lado es Puquiura[28]. La iglesia parroquial de Puquiura[29] tiene una gruesa torre cuadrada y unas arquerías bajas de aspecto curioso. Encima del arco pegado al campanario, las hierbas ondulan al viento, junto a las tejas encarnadas y sobre el fondo sombrío de las sierras. Fronterizo se encuentra el cerro antiguamente conocido por *Collana Sayhua*, cuya *apacheta*[30, 31] o montón de piedras era la huaca[32] en que comenzaban sus adoraciones los peregrinos peruanos que bajaban del Chinchaysuyu al Cuzco.

Según la relación geográfica de la comarca, hecha por mandato de Felipe II, los indios denominaron poéticamente *Anta* (cobre) a la llanura y su población principal, porque los rayos solares, al reverberar en las agrias laderas y peñas que al norte la ciñen, sombreadas a menudo de nubarrones, encienden reflejos cobrizos. La historia la conoce más por la llanura de Jaquijaguana (*Xaquixahuana*[33] conforme la verdadera pronunciación)[34], célebre a causa de la segunda derrota de los chancas,

---

[24] *señorío*: territorio de un señor; *curacazgo*: territorio perteneciente al curaca o cacique.

[25] *Pumacahuas*: el Pumacahua más célebre es, con seguridad, Mateo García Pumacahua (Chincheros, 1738-Sicuani, 1815), «caudillo indígena, sacrificado por su adhesión a la independencia» (Tauro).

[26] Pumakjahuas MP.

[27] *Anta*: villa, pampa y distrito cuzqueños del mismo nombre, «cap. Anta. Está a 3090 m de elevación. Dista 4 leg del Cuzco, 3 de Huarocondo, 3 de Zurite, 28 de Abancay y 12 de Paruro» (Stiglich).

[28] Pucquiura MP.

[29] Pucquiura MP.

[30] *apacheta*: «Montón de piedras que se colocan al lado de un camino, especialmente en las partes altas de los cerros, para invocar a los apus [divinidades]» (*DiPerú*).

[31] apacheta D, MP.

[32] *huaca*: lugar de adoración de una deidad prehispánica local.

[33] Xaquixahuana D, MP.

[34] «Los españoles de la Conquista reprodujeron el sonido de la *sh* o *s* silbada quechua con la *x* castellana tal como se pronunciaba en el siglo XVI. Alterada esta en la siguiente centuria, y convertida fonética y ortográficamente luego en la *j* gutural, se deformó por la innovación la toponimia peruana. Así se adulteraron, entre blancos y mestizos, el sonido y la escritura de infinitos nombres indígenas, introduciendo en ellos la *j* que mucho más que la *sh*, se acerca a la *cc* doble o dura de otros vocablos quechuas, que nosotros representamos con *cj* [kj MP] aproxi-

acaecida inmediatamente después de la de Yahuarpampa, y de la captura y ajusticiamiento de Gonzalo Pizarro y Carbajal en 1548. Llamóse también *Ichupampa*[35], por los dilatados pastos de la hierba icho[36, 37] que hay en ella; y *Sillapampa*, que en quechua vale tanto como cascajal. A pesar de la última apelación, es comarca abundante en cereales, considerada como el granero del Cuzco; y sería fertilísima[38] si se desecara y regularizara la enorme ciénaga[39] que llena su centro y[40] se desborda en la época lluviosa.

Encontrando a cada momento recuas de mulas y puntas[41] de llamas, me dirijo al pueblo de *Izcuchaca*[42] (puente de cal), situado al oriente de la llanura y distante solo unas pocas cuadras de la villa de Anta, la cual se asienta en una colina[43]. No faltan aquí las banderolas anunciadoras de los bebederos de chicha[44], ni los cohetes en honor de todos los viajeros conocidos.

madamente. Uso la ortografía más ajustada a la pronunciación quechua solamente para los antiguos soberanos y personajes incaicos, respetando para los demás nombres propios modernos y locales la corriente castellanización, porque un más estricto sistema equivaldría a menudo a excesivo barbarismo»*. [La última oración: omitida en D, MP.]. Riva-Agüero confunde dos fonemas del español del siglo XVI, la fricativa postvelar /ʃ/ y la fricativa ápico-alveolar /s̠/ (Penny, *A History of the Spanish Language*, p. 99). La «*sh*» y la «*s* silbada quechua» no representan al mismo fonema. En las otras observaciones, Riva-Agüero confunde dos variantes de la «*cc* doble»: la postvelar /q/ del quechua del Cuzco, Puno y La Paz, y la aspiración /h/ del quechua ayacuchano.

[35] *Hichupampa* D.

[36] *icho:* del quechua *ichu*, «Planta gramínea, con tallos herbáceos que nacen del suelo, con entrenudos pilosos y hojas rígidas y erectas de color amarillento, que crece silvestre en la puna y sirve de pasto a los camélidos. N.c.: *Stipa ichu*» (*DiPerú*).

[37] hicho D.

[38] fertilísimo MP.

[39] ciénega D.

[40] Agregado: que MP.

[41] *puntas:* «Pequeña porción de ganado que se separa del hato» (*DRAE*).

[42] Izcuchaca MP.

[43] «En la iglesia parroquial de Anta debe de conservarse la imagen de san Juan de Sahagún, traída del Cuzco por los agustinos en 1614, y de la que refiere grandes milagros la *Corónica* de Calancha (Primera Parte, Libro II, cap. XXXVII)»*. Calancha, *Crónica moralizada,* volumen III, libro II, capítulo XXXVII, pp. 1126 ss.

[44] *chicha:* refresco, alcohólico o no, elaborado con maíz. También se prepara con molle.

Continuando hacia el extremo oriental de la pampa[45], voy a la finca de Huayrurquente[46] (*picaflor rojo*)[47], propiedad de D. Manuel Cáceres[48]. El párroco vecino, mozo y locuaz[49], se luce en expresiva arenga. Advierto que en la región cuzqueña los curas son muy respetados y los indios les besan la mano con mucho acatamiento. Nos solaza con aires europeos el fonógrafo del hacendado; pero, más en armonía[50] con el aspecto típico del país, llegan por intervalos del patio exterior, los ecos, a la vez alborotados y monótonos, de una cachua.[51, 52] Desde la galería de cristales en que almorzamos, se domina considerable extensión del campo. Es muy pobre de arbolado, al revés de las deleitosas tierras de Oropesa y Calca, Yucay y Urubamba[53], que he visto hace poco. Su desnudez iluminada lo asemeja a los alrededores de La Paz o a ciertos parajes de Castilla. Es, como ellos, grave y fría tierra de panllevar[54]. En la rinconada[55] que los montes forman a la derecha de Izcuchaca y Anta, se coloca generalmente el lugar del encuentro de Jaquijahuana, entre el ejército real de Gasca y el de[56] Gonzalo Pizarro, a pesar de ciertas autoridades que inducen a colocarlo más al oeste. Sea como fuere, en los arroyos de aquel ángulo de la llanura, cayó y fue preso Francisco de Carbajal, el veterano de las guerras de Italia, el cruel *Demonio de los Andes*[57], el maestre de campo de Gonzalo[58], que aconsejaba a su caudillo casarse con una coya[59] y coronarse rey del Perú.

[45] *pampa*: llanura extensa sin árboles.

[46] *Huairurquente* D, *Huairurkjente* MP.

[47] *rojo*: omitido en D.

[48] Agregado: en la que el dueño, con la amable hospitalidad de estas tierras, me ofrece un buen almuerzo. Entre los comensales figura D.

[49] Agregado: que D.

[50] harmonía D, MP.

[51] *cachua*: «Baile de los indios del Perú, el Ecuador y Bolivia, suelto y zapateado, que tiene tres figuras» (DRAE).

[52] *cachua* D, *ccachuakjasua* MP.

[53] Oropesa está al E del Cuzco. Calca, Yucay y Urubamba, al N.

[54] *panllevar*: «Conjunto de productos agrícolas de primera necesidad» (DRAE).

[55] *rinconada*: ángulo entrante que se forma en la unión entre dos montes.

[56] el de: omitido en D, MP.

[57] Demonio de los Andes D.

[58] *Gonzalo*: Gonzalo Pizarro (Trujillo, ¿1511?-Cuzco, 1548), hermano de Francisco y de Hernando.

[59] *coya*: «Entre los antiguos incas, mujer del emperador, señora soberana o princesa» (DRAE).

El río en que desagua la larga ciénega[60], toma por el noroeste[61], atravesando la quebrada y el pueblo de Huarocondo, cuyo curaca[62], según algunos analistas incaicos, robó a Yahuar Huácjaj[63], niño[64]. Afluye este riachuelo al Urubamba y desemboca en él tres leguas más abajo del pueblo de Maras, conocido por sus salinas y el carácter andariego de sus naturales, todos arrieros y trajinantes. Lo visité la semana anterior, cuando fui a Ollantaytambo[65]; y me sobrecogieron su vejez y soledad. Algunas casas ostentan blasones esculpidos en piedra. Maras fue en el siglo XVI encomienda[66] del convento de Santo Domingo del Cuzco; luego de Pedro Ruiz de Oré[67], marido de la Princesa Dª. María, hija del último inca Manco; y al cabo mayorazgo de los marqueses de Oropesa, Enríquez de Almansa y Borja, descendientes legítimos de los soberanos autóctonos del Perú[68].

De Huayrurquente fui a pernoctar en Zurite, el mejor pueblo de la pampa. El camino serpentea entre los pantanos. Crecen espesos totorales[69], entre los que asoma el ganado. En medio de toda la gran ciénaga[70], que corre más de tres leguas de oeste a este, va una calzada de piedra, obra de los incas, en uso hasta el día. Mucha porción del alcantarillado

[60] ciénaga MP.

[61] noreste MP.

[62] *curaca*: cacique.

[63] Yahuarhuajac D.

[64] «Según otros, como es Sarmiento de Gamboa (caps. 20, 21 y 22) fue Tocay Kjápaj, sinchi o jefe de los ayamarcas, quien, despechado por el matrimonio de Inca Rocja, raptó a su primogénito Yahuar Huácjaj para matarlo, el cual fue salvado y criado maternalmente por Chimpu Orma, hija del cacique de Anta, proviniendo de aquí la alianza y confederación entre los anteños y cuzqueños»*, Sarmiento de Gamboa, *Historia índica*, caps. 20, 21 y 22, pp. 224-227.

[65] *Ollantaytambo*: «Distrito [de la provincia] de Urubamba, capital Ollantaitambo. Está a 3030 m de elevación. Dista 12 leg del Cuzco y 5 de Urubamba» (Stiglich).

[66] *encomienda*: asignación a una persona o institución de un grupo de indígenas para que esta se aprovechara de su trabajo, con la responsabilidad de instruir a estos en la doctrina cristiana. Alude también al territorio que ocupan el encomendero y los encomendados.

[67] Orúe D, Orué MP.

[68] y al cabo mayorazgo de los marqueses de Oropesa, Enríquez de Almanza y Borja, descendientes de los soberanos autóctonos del Perú: omitido en D.

[69] *totorales*: lugares donde abundan las totoras, plantas de tallo erguido frecuentes en esteros y pantanos.

[70] ciénega D.

me pareció refección[71] relativamente moderna y ya en bastante deterioro. A una y otra banda, entre las manchas de los pastales verdes, los atolladeros[72], casi secos ahora, muestran al sol del mediodía sus charcos, que parecen de plomo fundido, y el fango ceniciento y blanquecino de sus orillas, revueltas por las pisadas de las vacas. Más allá, en suaves y onduladas pendientes, ascienden casitas blancas, chozas pajizas y las cercas de los rediles, intercaladas entre andenes de sementeras de maíz y papas[73]; y los recién segados trigales espolvorean la tierra obscura con un tenue velo dorado. El cielo conserva en la tarde, hacia el cenit y el sur, su azul de índigo; pero sobre los cerros pardicientos[74] y rojizos de la derecha, proyectan sombras movibles gruesas nubes, grises en la base, que rematan arriba en albos y espesos vellones. Se levanta un viento fuerte.

Dan de Zurite diversas etimologías. Quieren unos que venga de *Sutuj*[75] *riti* (nieve que gotea) o *Surumpij riti*[76] (nieve que deslumbra), por los deshielos de la cordillera que tiene al norte. Suponen otros provenir de *Suriti*, que equivale a penacho de avestruz; o de la palabra castellana *zurita*[77], castizo apelativo de la paloma silvestre. En cualquier caso, las etimologías son poéticas y no indignas del simpático pueblecito. Los españoles lo llamaron San Nicolás de Sillabamba (*Sillapampa*)[78], mas desde muy antiguo ha prevalecido su primer nombre. El caserío es entre blanco y terroso, con balconcillos, corredores, tejas vistosas y árboles frutales. Sus vecinos poseen regular ganado vacuno y de cerda. Como había algunos perseguidos por los últimos disturbios políticos, me reciben con gran alborozo, y me obsequian con flores e invitaciones y un álbum pequeño. Me alojo en casa del oficial retirado del[79] ejército D. Celestino Santander, que volvió a empuñar las armas en 1910 con

---

[71] *refección*: «Compostura, reparación de lo estropeado» (DRAE).

[72] *atolladeros*: atascaderos, lodazales donde se atascan bestias, vehículos o personas.

[73] *rediles*: recinto cercado; *andenes*: «Terraza escalonada rellena con tierra, ubicada en la ladera de los cerros andinos para sembrar en ellos» (*DiPerú*); *papas*: patatas.

[74] pardicientes MP.

[75] *Sutuq* D; *Suturjriti* MP.

[76] *Surumpijriti* MP.

[77] zurita D.

[78] Sijllapampa D, MP.

[79] de D, MP.

Samanez Ocampo y me está agradecido por la amnistía[80]. Es acomodado agricultor; le acaba de nacer un hijo; y me pide que apadrine a la criatura, por lo cual me detengo en Zurite más de lo que tenía pensado.

A la mañana siguiente[81] resultan tres mis ahijados, porque demandan igualmente mi padrinazgo para sus vástagos respectivos otros dos vecinos notables[82], D. Néstor Núñez del Prado y D. Enrique Díaz. Es domingo de la Santísima Trinidad; y la vetusta parroquia, junto a una plaza de añosos árboles, tal vez *pisonayes*[83, 84] (leguminosas arbóreas), se llena con los fieles del lugar y los contornos. Oigo la misa mayor en el banco del presbiterio. En la nave baja se arrodilla la muchedumbre indígena, maloliente y andrajosa. Hay indias ancianas, desgreñadas, de rostros apergaminados, de misérrimo traje, que rezan con increíble fervor y a cada instante besan el suelo. En la techumbre interior de la iglesia, anidan infinidad de pajaritos, que con sus vuelos y píos alegran la ceremonia. De la torre chata desciende la argentina parlería de las campanas. Cargando a mis ahijados, bulliciosos y renitentes[85, 86], voy y vuelvo a la capilla bautismal tres veces[87], seguido de una fila de personas con velas encendidas, cuyas luces se reflejan en las tallas doradas de los altares. Los broncíneos monaguillos se afanan y corren, agitando los blancos sobrepellices de mangas anchas y los gruesos incensarios plateados. Concluidos los bautizos y firmadas luego las partidas en casa de mi buen amigo el cura Pareja, vuelvo a curiosear la iglesia: parece de fines del siglo XVII, por las ingenuas redondeces y contorsiones de sus adornos y molduras. En el crucero yacen arrumadas las andas de las procesiones anuales. Leo en un cuadrito que el Ilmo. Sr. obispo del Cuzco, D. Agustín de Gorrichátegui, concedió en su visita pastoral,

---

[80] *la amnistía*: «Riva-Agüero fue recibido en el Cuzco por una frenética manifestación pública de entusiasmo, encabezada por los Samanez, los rebeldes amnistiados en cuyo favor alegara Riva-Agüero en Lima» (Porras Barrenechea, 1955, p. CII).

[81] Con orden sintáctico inverso: A la siguiente mañana D, MP.

[82] Agregado: del pueblo D, MP.

[83] *pisonayes*: «Árbol de hasta 15 m de altura, con espinas en tronco y ramas, de flores rojas en racimo y fruto en vaina con semillas marrones lustrosas». N.c.: *Erythrina edulis* (*DiPerú*).

[84] *pisonays* D.

[85] *renitentes*: «Que se resiste a hacer o a admitir algo» (DRAE).

[86] remitentes D.

[87] tres veces: con otro orden sintáctico en D, MP: voy y vuelvo tres veces a la capilla bautismal.

por los años de 1773, indulgencias a cierta imagen que allí se venera.
El sabio y dulce obispo, que fue en Lima el maestro de la generación
del *Mercurio Peruano*[88] y que murió en Urubamba por los afanes de
sosegar una insurrección precursora de la de Condorcanqui, merece
recordarse como una de las más honrosas figuras intelectuales y morales de la Colonia en la centuria decimaoctava: educador, humanista,
orador notable y de gusto delicado en español y quechua, caluroso
defensor de los indios contra corregidores y párrocos. Cuando gobernó la diócesis del Cuzco, esparciendo en ella los dones de su celo y
su elegante palabra, fermentaba ya, contra los intolerables y agravados
abusos, la revuelta aborigen que había de estallar pocos años más tarde.
Para disiparla fueron ineficaces sus buenos propósitos; y no pudo sino
rendir la vida en las angustias del conflicto que se dibujaba inminente.
De su lecho de muerte y a pesar de los desacatos que amargaron sus
últimos momentos, pedía al virrey piedad y alivio para los infelices
naturales. Probablemente lo acompañaban, al pasar por este curato, su
discípulo y secretario Baquíjano, que luego había de ser introductor
en el Perú del enciclopedismo y los nuevos estudios económicos; y
su vicario y amigo, el tacneño D. Ignacio de Castro, que purificó de
resabios gongorinos la incipiente literatura criolla.

Otra visión histórica, menos apacible que el recordado grupo de
cultos filántropos, evoca la modesta iglesia de Zurite. En ella, el año
de 1825, se vieron y velaron[89], con grande pompa y regocijos públicos,
el general D. Agustín Gamarra[90] y D. Francisca Zubiaga[91], desposados

---

[88] *Mercurio Peruano*: «bisemanario de la Sociedad Académica de Amantes del
País (1791-1794), en cuyas páginas se mencionó por primera vez al Perú con el
nombre de patria, y que tuvo como colaboradores a Hipólito Unanue, José Baquíjano y Carrillo, Toribio Rodríguez de Mendoza y otros próceres» (Tauro).

[89] *se vieron*: porque, como se dice más abajo, se habían desposado por poder;
velaron: se refiere a la velación, «Ceremonia instituida por la iglesia católica para
dar solemnidad al matrimonio y que consistía en cubrir con un velo a los cónyu-
ges en la misa nupcial que se celebraba, por lo común, inmediatamente después
del casamiento y que tenía lugar durante todo el año excepto en tiempo de Ad-
viento y en el de Cuaresma» (DRAE).

[90] *D. Agustín Gamarra*: Agustín Gamarra (Cuzco, 1785-Ingavi, 1841), «como
jefe de Estado Mayor fue uno de los artífices del triunfo alcanzado en la batalla
de Ayacucho (9 de diciembre de 1824). Luego ocupó la prefectura del departamento de Cuzco y como jefe militar de los departamentos del sur, preparó
una expedición militar que puso término a la influencia colombiana en Bolivia;
tomó parte en la guerra peruano-colombiana (1829); y, habiendo depuesto al

por poder algunos meses antes. Cuando los futuros amos del Perú formalizaron aquí su matrimonio, él era el triunfante jefe de Estado Mayor de la batalla de Ayacucho, elogiado por Sucre, favorito de Bolívar, que de la decisiva campaña emancipadora regresaba a mandar casi como un virrey su nativa comarca, en fundada espera de los destinos más altos; y ella, la esbelta hermosura de ojos magníficos, insondables de ambición y neurosis, la inquietante amazona, experta en ejercicios varoniles, la que en su orgullo declaraba que no se casaría sino con el hombre que hubiera de presidir el país. Celebrando el pacto mutuo de amor y de soberbia, debieron los dos sentir la deliciosa embriaguez de la ascensión comenzada, tan distinta de la fría luz de la cumbre; y pudieron creerse afortunados entre todos sus compatriotas en la ilimitada perspectiva de sus ansias de dominio, en el extraordinario aliento que ha de infundir en un hombre ambicioso la asociación con mujer de especie semejante, férvida colaboradora, perpetuo acicate y premio en las luchas más ásperas. La realidad defraudó las ambiciones[92] que en este sitio debieron acariciar ambos; pero las defraudó no como en otros casos, por capricho ciego, sino por justa consecuencia y castigo de sus faltas. Diez años después, la gallarda novia, que aquí debió ostentar altivez tan bizarra[93], sucumbía en el destierro, desesperada, deshonrada y maldecida, tras de haber escandalizado Lima con sus

presidente general José de La Mar, asumió la suprema magistratura. Durante su gobierno (1829-1833) hubo de afrontar catorce revoluciones. Lejos del poder, continuó influyendo en la política peruana; y en Chile obtuvo apoyo para organizar una expedición militar contra la Confederación Peruano-Boliviana (1938). Con sus triunfos en la Portada de Guía (Lima) y en Yungay quedó disuelto aquel régimen, y nuevamente ocupó la presidencia. [...] Y, movido a declarar la guerra a Bolivia, para asegurar la orientación de su política interna, halló heroica muerte en la batalla de Ingavi (18 de setiembre de 1841)» (Tauro).

[91] *D.ª Francisca Zubiaga*: Francisca de Zubiaga y Bernales (Anchibamba, Urcos, 1803-Valparaíso, 1835), «la Mariscala». Dejó su propósito de profesar como monja y se casó con Agustín Gamarra. Además de la prominencia social que le dieron los cargos de su esposo (prefecto del Cuzco, presidente de la República), cabalgó a su lado en las campañas militares vestida de militar, participó de los conciliábulos de los conspiradores y se rodeó de una pequeña corte, que la halagaba y medraba a su sombra. Huyó en 1834 a Valparaíso, luego de un motín. Murió en el puerto chileno. Dispuso que se le extrajera el corazón para enviárselo a su esposo (Tauro).

[92] ilusiones D, MP.

[93] *bizarra*: intrépida.

liviandades y arrebatos, como de reina bárbara; y lejos de los suyos, en el desamparo de su agonía, no hallaba más rostro amigo que el del aventurero español, último y fiel amante. Dieciséis años después, Gamarra, al cabo de dolorosas vicisitudes, reñido con la más genuina opinión, moría en medio de la derrota de su ejército, dejando el Perú vencido y anarquizado. El mérito de su muerte en Ingavi, frente al enemigo externo, es insuficiente para rescatar las graves responsabilidades que lo abruman en la historia. Su desdichada mujer puede alegar para eximirse el desvanecimiento y la inconsciencia femeniles, y la histeria incurable. El varón no. Era consciente, reflexivo y dueño de sí, sabía qué hacía y a dónde iba ese mestizo de alargada cara, de mirar hondo, de labios apretados, en cuyas comisuras parecía latir toda la astucia indígena. Nacido en el Cuzco, impregnó su niñez y adolescencia en el espectáculo de las ruinas que hablan de augustos y duraderos designios. Educado entre eruditos frailes y doctores hasta los veinticuatro años, se alimentó en la primera juventud con la lectura de los clásicos, eternos maestros de generosidad y civismo; y esos libros latinos que repasaba a menudo y que llevaba siempre consigo, para los ratos de descanso en las campañas, debían abrirle horizontes despejados y magnánimos. La indulgencia nacional, perdonando su tardía separación de las filas realistas a la hora undécima, y su desastre en[94] Macacona[95], lo proclamaba el mejor militar peruano y depositaba en él las más preciosas esperanzas. Su mujer le sirvió en los primeros años como un incomparable auxiliar; y lo hubiera[96] sido siempre, si hubiera acertado a refrenarla. Después de su feliz intervención en Bolivia el año 28, las miradas se volvían a él, reputándolo el brazo y sostén más sólidos de la patria recién constituida.

El Perú, que tiene por sus antecedentes los títulos más auténticos para el predominio occidental sudamericano, se había rezagado en la guerra de la Emancipación, a pesar de nobles tentativas; y había acabado de recibir de fuera, como dádiva de sus hermanos menores, el impulso decisivo de la independencia. Era necesario reivindicar la autonomía,

[94] en: de la D, MP.

[95] *Macacona*: «Hacienda situada 10 km al N de la ciudad de Ica, en el distrito de San Juan Bautista. El 6 de abril de 1822 librose allí una acción de armas, durante la cual fue deshecha la división patriota comandada por los generales Domingo Tristán y Agustín Gamarra, por las fuerzas realistas a órdenes de los generales José de Canterac y Jerónimo Valdez» (Tauro).

[96] habría D, MP.

entrar con resuelto paso en la vida nueva, borrar las últimas sombras del vasallaje, recomponer el cuerpo étnico e histórico de nuestra nación, arbitrariamente desmembrada Esto intentaba el gobierno de entonces, el círculo inspirador del presidente La Mar[97], mandatario débil pero honradísimo patriota. Su nacimiento en Cuenca influía en la notoria voluntad de reincorporarse en el Perú que retoñaba en las provincias meridionales de la antigua Audiencia de Quito, deseosas de separarse de Colombia. Aun después de vencido en el Portete[98], en combate que distó mucho de ser una catástrofe, había que apoyarlo y sostenerlo, por decoro y por conveniencia colectiva. Nada decisivo se había perdido: conservábamos la preponderancia marítima, ocupábamos Guayaquil; y reanudando las hostilidades bajo el presidente cuencano y la constitución descentralizadora del 28, mientras la Gran Colombia corría a su inevitable disolución, el Perú, si acaso no lograba la fusión con todo el Ecuador actual, a lo menos se reintegraba el sur de él y definía el litigio de Maynas[99]. Gamarra, en vez de secundar en[100] tal empresa a su jefe, como se lo ordenaba el deber más claro, lo minó, lo depuso y lo envió a morir desvalido en Centroamérica, pobre mártir de un alto pensamiento. ¿Intentó siquiera, ya posesionado en el mando, aprovechar las ventajas y recursos de la situación, para repetir con nuevos auspicios la campaña y obtener una paz fructuosa? Su ambición mezquina, en innegable complicidad con el enemigo, se apresuró, desde antes del pronunciamiento, a negociar cualquier paz, la más ambigua e insegura; y luego

[97] *presidente La Mar*: José de La Mar (Cuenca [Ecuador], 1778-San José de Costa Rica, 1830), «Presidente de la República [del Perú]. [...] Retirose [...] a Guayaquil, y allí le fue comunicada su elección como presidente de la República (1827). Afrontó tres conspiraciones; una fácil campaña contra las tropas auxiliares colombianas en Bolivia (1828); y una guerra contra Colombia, cuya conducción dio motivo a su caída, en virtud de un doble golpe de estado llevado a cabo en Lima y Piura (junio de 1829), y su destierro» (Tauro).

[98] *Portete*: Batalla del Portete de Tarqui (cerca de Cuenca, Ecuador), ocurrida el 27 de febrero de 1829, donde las tropas peruanas de José de La Mar fueron derrotadas por las grancolombianas de Antonio José de Sucre.

[99] *litigio de Maynas*: controversia con el Ecuador relativa a la soberanía sobre el territorio de Maynas, en la Amazonía peruana, a raíz de la reincorporación al Virreinato del Perú de la Comandancia General de Maynas (real cédula de 15 de julio de 1802). En 1739 la Comandancia había pasado al Virreinato de Nueva Granada.

[100] Omitida la preposición: MP.

en el poder, asentó el pretorianismo[101] en el triste aprovechamiento de la primera derrota y del primer bochorno del Perú republicano. Opuesto durante su período, por pseudocentralismo, a toda confederación con Bolivia, la acepta cuando se encuentra caído, y ajusta con Santa Cruz la unión peruboliviana[102] como un medio de conseguir auxilios, sin convicción ni amor a la idea; y al verse pospuesto en la ejecución, incapaz de sacrificar su personalidad ante los eternos intereses de la patria, derriba el régimen confederado y separa perpetuamente el Perú de Bolivia, con el apoyo de Chile, al cual entrega así la hegemonía del Pacífico. ¡Hombre funesto, que en los dos hechos culminantes de su existencia, deparó las dos profundas causas de nuestra debilidad y postración presentes! ¡Cuánto más peruano de alma, cuánto más imbuido en la tradición de los incas y los virreyes unificadores, fue su perpetuo rival, el mestizo aimará[103] Santa Cruz, que soldó por un instante el vínculo en malhora roto, y soñó en instalar la sede de su dominio sobre los dos Perúes[104] junto a las antiguas mansiones imperiales, en aquel claustro de La Merced del Cuzco, que con italiana elegancia del Renacimiento señorea la sagrada plaza de Cusipata! Con tales meditaciones históricas me entretengo, paseando la tranquila población, en la soñolienta quietud del domingo luminoso.

Los días que pasé en Zurite no dejé de concurrir a la era, situada al oriente, en el ejido del pueblo. Para un costeño como yo, que jamás había visto la siega y desparve[105] del trigo, fue gran novedad presenciar la trilla. La hacen aquí con caballos, al añejo uso español. Sobre los cojines de oro formados por las mieses, movíanse los vestidos rojos y azules de las cholas[106] atareadas. Al caer la tarde, se agolpan siempre las nubes en las alturas del norte y comienzan a desfilar sobre la pampa, con gran contento de los labradores, enemigos de la limpieza del cielo

---

[101] *pretorianismo*: por la condición palaciega, de intrigas dentro del cuerpo del ejército.

[102] *unión peruboliviana*: Confederación Perú-Boliviana (1836-1839), proyecto político liderado por Andrés de Santa Cruz (La Paz, 1792-Versalles, 1865) que pretendió reunificar al Perú y a Bolivia.

[103] *aimará*: o aimara, «Pueblo indígena, vecino del quechua, que habita en el Altiplano [del Perú y de Bolivia]» (*DiPerú*).

[104] *los dos Perúes*: el Bajo (el Perú, propiamente) y el Alto (Bolivia).

[105] *desparve*: acción de desparvar, es decir, de levantar la parva o mies tendida en la era, para aventarla.

[106] *cholas*: «Serrano de rasgos andinos» (*DiPerú*).

por temor de las heladas. De noche, el viento arrecia; y encima de los tejados campesinos de mi cuarto, lo oigo que zumba arrastrando los nublados hacia el Cuzco.

En los almuerzos y el concurrido desayuno de casa de Santander, recita el maestro de escuela Monteagudo trozos del drama quechua *Usca Páukjar*[107] posterior al *Ollantay*[108] y con signos más ostensibles de inspiración castellana[109, 110]. Me hago traducir los principales pasajes. La literatura dramática quechua — refundición de temas tradicionales, cantares y aun verdaderas tragedias anteriores a la Conquista— fue predominantemente obra eclesiástica, de los misioneros y curas que arreglaban tales piezas para las representaciones escénicas acostumbradas por los indios en las grandes festividades. Hoy se halla[111] en completa decadencia, perdidas o en ignorado paradero sus producciones antiguas (a excepción del *Ollantay*[112] y del *Usca Páukjar*)[113]; y escasísima de continuadores, reducidos, según mis noticias, al señor Caparó Muñiz, cuyo repertorio está inédito, al canónigo Rodríguez, y a[114] D. Nicanor Jara, redactor de *Súmaj Ttica*[115]. Podría quizás reanimarse con el establecimiento de una cátedra de filología quechua en la Universidad del Cuzco, que a más de la gramática y la onomástica[116], estudiara el folklore indígena, explicara los textos del *Ollantay*[117] y el *Usca Páukjar*[118], los sermones de Avendaño y las composiciones del *Lunarejo*[119, 120] (Espinosa Medrano), documentos

---

[107] *Usca Paucar* D.

[108] *Ollantay*: «Drama anónimo, en tres actos, compuesto en octosílabos quechuas [...] Actualmente se conocen tres copias; una, hecha hacia 1770 por el cura de Sicuani Antonio Valdez» (Tauro).

[109] Agregado: Está todo él en rima, nuevo argumento de su relativa modernidad. D.

[110] En nota: Véase el *Apéndice* final [MP].

[111] encuentra MP.

[112] Ollantay D.

[113] Usca Paucar D.

[114] Omitida la preposición en MP.

[115] *Sumaj Tica* D, MP.

[116] toponimia D.

[117] Ollantay D.

[118] Usca Paucar D.

[119] *Lunarejo*: Juan de Espinosa Medrano (Calcauso, 1632–Cuzco, 1688). Célebre escritor de estilo gongorino, autor del *Apologético en favor de don Luis de Góngora, príncipe de los poetas líricos de España* (1662) y la colección de sermones *La novena maravilla* (1695), entre otras obras (Tauro).

[120] Lunarejo D.

literarios cuyos términos y giros van haciéndose arcaicos y requieren interpretación especial; y procurara, en fin, rastrear —a través de la prosa española de Betanzos, Pachacuti Salcamayhua, Huamán Poma de Ayala y otros analistas— los fragmentos épicos que compendiaron o vertieron. Dichos estudios, dificilísimos y casi infecundos en Lima, por falta de oyentes preparados, tienen en el Cuzco ambiente propicio. Otra imponderable ventaja de ellos consistiría en el acercamiento entre la clase ilustrada y los indios. No desconozco los inconvenientes del *poliglotismo*, o variedad de lenguas, en una nacionalidad, ni lo artificial que sería la reanimación erudita del quechua; pero siendo ilusorio esperar su rápida extinción y la total castellanización de los aborígenes, el elemento educado y superior del país debe inclinarse hasta el indio, ya que este no tiene fuerzas para subir hasta él, y no olvidar en la tarea de aproximación, que es la verdadera reconstitución de la patria, el eficacísimo instrumento del idioma, llave de la confianza. El indio cree y aprecia como hermano a quien le habla en su lenguaje; y la adhesión a ciertos curas y hacendados no reconoce otra causa. El gran tropiezo para el resultado práctico de esta enseñanza, proveniente de la multiplicidad de dialectos en que se ramifica el quechua, no existe para los departamentos del Cuzco y Apurímac, que con ligeras desviaciones hablan el mismo quechua clásico empobrecido.

Los naturales del llano de Anta visten por lo general el calzón corto, la casaca azul y la chupa roja del siglo XVIII, y la pintoresca montera[121] galoneada de plata que vengo viendo desde Sicuani[122]; los alcaldes y tenientes indígenas llevan sus varas con cabos de metal, como en toda región que he recorrido; pero no tengo ocasión de escuchar, en la cosecha del trigo y del maíz, los toques militares y los jubilosos cantos o *hayllis*[123] de las cuadrillas de segadores, que me embelesaron en la feliz quebrada del[124] Urubamba[125].

---

[121] *chupa*: chaqueta; *montera*: «Prenda para abrigo de la cabeza, que generalmente se hace de paño y tiene varias hechuras, según el uso de cada provincia» (DRAE).

[122] *Sicuani*: «Distrito [de la provincia] de Canchis, capital Sicuani. Está a 3552 m de elevación. Dista 25 leg del Cuzco y 3 de San Pedro de Cacha» (Stiglich). Está al S del Cuzco.

[123] *hayllis* [*jayllí*]: «Género poético musical (de JAY!): himno, canto de victoria, de triunfo al final de las batallas o al terminar trabajos de importancia como la siembra o la cosecha» (Rosat).

[124] de D.

La mañana que salí de Zurite, ya el sol rayaba bien alto. El camino corre entre prados abiertos, limitados a la distancia por las cadenas paralelas de los cerros. Delante de las chozas y alquerías, se amontonaban las papas[126] puestas a helar; en las laderas se desplegaban los superpuestos cultivos de los andenes[127]; y en las verdes lontananzas se desvanecían algunos rebaños, envueltos en leve polvareda. Es natural que en esta pampa[128] edificaran los incas y sus dignatarios los palacios y casas de recreo de que Cieza nos habla: venían a respirar el aire sutil de la meseta y a complacerse en el paisaje descampado, serio y solemne como sus almas, cuando se saciaban de sus otras residencias campestres, cuando se hastiaban de la espejeante laguna de Muyna o del mimoso recogimiento de Yucay.

La llanura se estrecha, y subo la cuesta que conduce a la quebrada de Limatambo. Pero la pampa no termina aquí, sino que se prolonga a la izquierda, en una ensenada o bolsa cuya entrada ocupa la finca de Jaquijaguana. La casa de ella es de arquerías claustrales. Me dicen que perteneció a los jesuitas, mas[129], si así fue, hubo de ser mucho antes de su expulsión por Carlos III; pues[130] no se halla en la lista de los bienes confiscados. La circunstancia de llevar el nombre de Jaquijaguana solo esta porción de llano, me hace creer que fue en sus cercanías el mal llamado combate —o mejor dicho, dispersión y desbarato[131]— de 8 de abril de 1548, y la consiguiente ejecución de Gonzalo Pizarro y sus principales compañeros. La hueste de los rebeldes, en efecto, aguardó a Gasca, según los cronistas, al pie de la bajada de Limatambo[132], en la

---

[125] *Urubamba*: «Provincia [del departamento] del Cuzco, capital Urubamba. Está a 2498 m de elevación. Dista 2 [y] ½ legua de Chincheros, 4 [y] ½ de Tambo [y] ½ de Yucay» (Stiglich).

[126] *alquerías*: «Casa de labor, con finca agrícola» (DRAE); *papas*: patatas.

[127] *andenes*: «Terraza escalonada, rellena con tierra, ubicada en la ladera de los cerros andinos para sembrar en ella» (*DiPerú*).

[128] *pampa*: llanura extensa sin árboles.

[129] más, si así fue, hubo de ser mucho: omitido en D, MP.

[130] pues no se halla en la lista de los bienes confiscados: omitido en D, MP.

[131] *desbarato*: el término coincide con el que usa Prescott: «rout ['desbandada']» (Prescott, *History of the Conquest of Perú*, book V, chapter III, p. 400).

[132] «Pedro Pizarro»★, «Salió a Jaquijaguana con toda su gente, y allí nos aguardó en un llano, junto a un cerro alto por donde bajábamos, y cierto Nuestro Señor le cegó el entendimiento, porque si nos aguardaban al pie de la bajada hicieran mucho daño en nosotros» (Pedro Pizarro, *Relación del descubrimiento y conquista de los reinos del Perú*, cap. 30, pp. 231-232).

rinconada[133] que hace el valle, entre el río pequeño y una áspera sierra que viene a juntarse formando punta[134]; señales todas que convienen al presente lugar. Y aunque es cierto que luego Pizarro y los suyos se retiraron algo, para situarse en el collado inmediato a una ciénaga[135], debió ser muy breve contramarcha, y en ningún caso hasta el otro extremo de la pampa, en Anta y Huarocondo, como algunos modernamente sostienen[136]; porque en los escritores de la época no hay indicios para suponer movimiento tan extenso, y porque, aun cuando fuera muy rudimentaria entonces la estrategia de esos ejércitos diminutos, no es concebible que Pizarro y Carbajal, retirándose al rincón opuesto de la pampa, se expusieran tan a las claras a ver cortadas sus comunicaciones con el Cuzco, que tanto les interesaba conservar. Cieza, testigo presencial de la acción, y que describe su itinerario en dirección inversa al mío, trae estas palabras, concluyentes a mi entender: «*Al principio* (del valle de Xaquixaguana) es el lugar donde Gonzalo Pizarro fue desbaratado, juntamente él, con otros capitanes y valedores suyos, justiciado por mandado de Pedro de la Gasca»[137]. Los tremedales[138] y pantanos que los cronistas mencionan, y en que se encenegó el traidor licenciado Cepeda, existen allí como en toda la llanura, particularmente en la estación del mes que fue el de la batalla. En el propio campamento de Gasca, funcionó el tribunal regio y se cumplieron los

[133] *rinconada*: ángulo entrante que se forma en la unión entre dos montes.

[134] «Garcilaso»*, «Asentó Gonzalo Pizarro su ejército en una rinconada que en aquel valle se hace, de un río (aunque pequeño) que pasa por él y de una sierra áspera, que ambos vienen a juntarse en punta y queda allí el sitio de tal manera fuerte que ni por el un lado ni por el otro ni por las espaldas le podían acometer» (Inca Garcilaso de la Vega, *Historia general del Perú. Segunda parte de los Comentarios reales de los incas,* tomo II, libro quinto, capítulo XXXIV, p. 247).

[135] ciénega D.

[136] «Prescott así lo sugiere, *Conquista del Perú*, Libro V, cap. III»*, «At length, on the morning of the eighth of April, the royal army, turning the crest of the lofty range that belts round the lovely valley of Xaquixaguana, *beheld far below on the opposite side* the glittering lines of the enemy [...]» (Prescott, *History of the Conquest of Peru,* book V, chapter III, p. 394, cursivas del editor).

[137] «Cieza, *Crónica del Perú*, cap. XCI»* Cieza de León, *Crónica del Perú. Primera parte,* capítulo XCI, p. 256.

[138] *tremedales*: «Terreno pantanoso, abundante en turba, cubierto de césped, y que por su escasa consistencia retiembla cuando se anda sobre él» (DRAE).

fallos: fueron decapitados Gonzalo, Juan de Acosta[139] y varios más; y descuartizado el octogenario Carbajal, cuyos trozos sangrientos llevaron al Cuzco y plantaron en las picotas[140] de los cuatro caminos reales.

Tal vez en este mismo paraje o sus contornos ocurrió la otra célebre tragedia del valle: el suplicio del guerrero indio Challcuchima[141], quemado vivo por orden de D. Francisco Pizarro. Era el mejor general de Atahualpa, el único que no se asombraba con el espantoso galopar de los nunca vistos caballos. Pedro Pizarro nos lo pinta robusto, cetrino y bien dispuesto de miembros[142]. Después de la muerte de su soberano, fue conducido prisionero por los conquistadores en la marcha al Cuzco, y acusado de estimular a sus compatriotas para que se resistieran en los pasos y desfiladeros de las montañas. «El marqués acordó de matalle[143], porque si se soltara pusiera en aprieto a los españoles»[144]. Ejecutóse la sentencia luego, a principios de noviembre de 1533, junto a aquellos tambos[145] o depósitos de Jaquijaguana en que almacenaban los incas los más preciados productos de todo el imperio, desde la sedosa lana de las vicuñas, hasta los polvos de oro, los nácares y los corales marinos[146]. Cuando lo llevaban encadenado a la hoguera, Challcuchima[147, 148] se quejó en alta voz de la indiferencia de su colega de mando Quizquiz, que nada hacía por libertarlo de la muerte, contando aún con soldados

[139] *Juan de Acosta:* nació en Villanueva de Barcarrota, Extremadura, hacia 1524. Vinculado a Gonzalo Pizarro desde que llegó al Perú, lo siguió a la expedición al País de la Canela. A pesar de su enconada rivalidad con Francisco de Carbajal, participó luego en todos los acontecimientos de la Gran Rebelión.

[140] *picotas*: «Rollo o columna de piedra o de fábrica, que había a la entrada de algunos lugares, donde se exponían públicamente las cabezas de los ajusticiados, o los reos» (DRAE).

[141] Challcochima D.

[142] Pedro Pizarro, *Relación del descubrimiento y conquista de los reinos del Perú,* capítulo 14, p. 85.

[143] matallo D, MP.

[144] «Pedro Pizarro»*, Pedro Pizarro, *Relación del descubrimiento y conquista de los reinos del Perú,* cap. 14, p. 84.

[145] *tambos*: almacenes.

[146] Pedro Pizarro, *Relación del descubrimiento y conquista de los reinos del Perú,* cap. 30, p. 232.

[147] Challcochima D.

[148] *Challcuchima:* o Cilicuchima, capitán de Atahualpa (Zárate, *Historia del descubrimiento y conquista del Perú,* libro segundo, capítulo VI, pp. 80-81); «Chalcochima era como maese de campo» (Cobo, *Historia del Nuevo Mundo,* libro XII, capítulo XIX, pp. 197-198).

en las alturas vecinas. Pagado este tributo a la sensibilidad humana, formulada la amarga protesta contra la ingratitud de los amigos, que es la prueba más dura e intolerable, recobró su estoica firmeza, antes jamás desmentida. Más altivo que Atahualpa, rechazó indomable y desdeñoso el bautismo de los extranjeros, que quizá le hubiera valido, como a su monarca, la conmutación de la hoguera por suplicio menos atroz; y mientras el fuego devoraba sus carnes, entre los rojos espirales del tormento horrible, se le escuchaba invocar a Pachacámac[149, 150] y sus ídolos. Pocos años antes, y según Garcilaso en aquel mismo lugar, Challcuchima[151] y los demás capitanes de Quito habían paseado al cautivo Huáscar, vestido de luto, con un cordel al cuello y atadas las manos a la espalda, por una calle larga que formaban los postes y horcas de que pendían sus parientes y servidores, los cuales acallaban las ansias de la agonía próxima para reverenciar y consolar a su rey destronado[152].

A cada paso que damos en estas tierras lucientes y calladas, surge en la paz del campo un lejano recuerdo histórico, feroz y fúnebre como un cráter extinto.

[149] *Pachacámac*: «(que.: "el hacedor del universo") Según el testimonio transmitido por el veedor Miguel de Estete, a quien tocó el privilegio de ser el primer español que visitó aquel lugar [el del oráculo que está a 35 km al S de Lima], "este pueblo de Pachacámac es gran cosa" [...] Antiguamente había pertenecido al señorío de Cuismancu, a cuyos sucesores se debió la doctrina en torno a Pachacámac: hacedor y sustentador del universo, al cual no habían representado porque no se había dejado ver, lo tenían "por dios no conocido" y lo adoraban solo mentalmente» (Tauro).

[150] Pachacamac D.

[151] Challcochima D.

[152] Inca Garcilaso de la Vega, *Comentarios reales de los incas*, tomo II, libro nono, capítulo XXXVI, pp. 287-288.

III

PASO DEL RÍO APURÍMAC[1]

El macizo de sierras que separan la pampa[2] de Anta y Jaquijaguana
de la quebrada de Limatambo afluente al Apurímac, en tiempo de la
Conquista se llamaba *Huillcacunca* (voz o garganta sagrada), y ahora
recibe los nombres de Chamancalla[3] y Casacancha[4]. Desde el abra o
puerto[5] que lo corona (*Tastacasa*)[6], se disfruta de muy hermosa vista.
Paisaje austero y bravío, cuya ceñuda majestad aumentan los tonos
ocres y granates de los peñascos. Estamos en el centro de la región más
histórica del Perú. Detrás de nosotros quedan, a izquierda y derecha
de la pampa de Anta y el Cuzco, las altas hileras de cerros que ocultan
Pacaritambo[7] y Ollantaytambo[8], misteriosas mansiones solariegas de
la raza incaica[9]. En frente, la honda quiebra[10] de Limatambo corre al
famoso Apurímac o *Cjapaj Mayu*[11], que se traduce *príncipe sonoro* o *rey
de los ríos*, y fue adorado por los indígenas entre los mayores dioses. Al
norte y a los confines occidentales, se empina la cordillera en violácea

---

[1] Sobre el título del capítulo, un título general: Por la Sierra; y un subtítulo:
Paisajes Andinos MP.

[2] *pampa*: llanura extensa sin árboles.

[3] *Chamancalla* D, MP.

[4] *Ccasacancha* D, MP.

[5] *abra*: abertura entre dos montañas; *puerto*: paso entre montañas.

[6] *Tastta-ccasa* D, *Tastaccasa* MP.

[7] Paccarijtampu D, MP.

[8] Ollantaytampu D, MP.

[9] incásica MP.

[10] *quiebra*: grieta.

[11] Cápac Mayu D, MP.

gradería, de la que emergen el Soray y el Salcantay[12] embozados en nieves y nubes, y a cuyos pies se guarecen, adivinadas en la lejanía, entre bosques tropicales invisibles, las fortalezas de Choquequirau (cuna de oro) y Vilcabamba (*Huillcapampa*[13], llanura sagrada), últimos refugios de los incas proscritos[14].

El descenso a la quebrada de Chaquimayu, se hace por un mal camino, gredoso[15], cortado en escalones y caracoles, que fue probablemente el lugar del combate entre Hernando de Soto y Almagro, y las tropas de Quizquiz[16], cuando el avance de la vanguardia de los conquistadores al Cuzco[17]. El principio del valle de Limatambo es bien angosto, encajonado entre cerros de color gris verdoso y amarillento[18] fulvio[19], con espesos matorrales en el centro. A poco distingo retazos lustrosos: sembríos de aterciopelada alfalfa y espigado maíz. Me detengo a descansar en la pobre casa de una finca que se llama *Challabamba*[20] y que sirve de apeadero o pascana[21, 22] a la mitad de la[23] jornada. Ante el cobertizo rústico, en el patio que el sol alumbra con violencia, se agitan las cabalgaduras y las mulas de carga; mueven los llamas la grácil cabeza y se desvían del tumulto con ademán arisco y

---

[12] Sallcantay D, MP.

[13] Huillcapampa D.

[14] *incas proscritos:* los incas (como Manco inca, hijo de Huayna Cápac) que se refugiaron en Vilcabamba, al NO del Cuzco, mientras los conquistadores españoles dominaban el antiguo territorio del Tahuantinsuyo.

[15] *gredoso:* relativo a la greda o arcilla arenosa.

[16] *Quizquiz:* general de Atahualpa. «[…] tenía mandado que a los que preguntasen ¿quién viene allí?, respondiesen: el capitán Quizquiz, que era tanto como si dijésemos el César o el Cid» (Cobo, *Historia del Nuevo Mundo,* libro XII, capítulo 19, p. 197).

[17] «Allí también hubo de librarse un reñido encuentro de los generales de Atahualpa y los de Huáscar, preliminar de la batalla de Quepaypa (Cobo, *Historia del Nuevo Mundo,* Libro XII, cap. 18)»*. Cobo, *Historia del Nuevo Mundo,* Libro XII, capítulo 18, p. 196. Riva-Agüero no cita ad verbum.

[18] amarillento: omitido en MP.

[19] *fulvio:* del lat. *fulvus,* rojizo, rubio.

[20] «*Challabamba,* [*Challapampa* D, MP] llano de las hojas del maizal»*.

[21] *apeadero:* lugar donde los viajeros se apean y descansan; *pascana:* «Etapa o parada en un viaje, posada» (DRAE).

[22] *pascana* D, MP.

[23] esta D, MP.

delicado; los tercios de chala[24] y los rastrojos confunden sus matices verdes y gualdas[25]; las gallinas picotean el polvo, que brilla como si estuviera entreverado con fragmentos de cristal. Estos esplendores de la luz, que realza y magnifica los objetos más humildes, bastan a encantar mis ojos de limeño, habituados a la niebla opaca y húmeda. El cielo ofrece el tierno color de la turquesa. Paso el estrecho río Colorado por un pésimo puentecito de tierra y tablas, vacilantes y con enormes huecos. En las orillas crece tupido monte de carrizos[26] o *píntojs*[27]; rezuman los puquios[28] en la faja de las laderas; y encima, en algunos cortos repechos[29], brotan hierbas densas y amarillas que semejan una erizada melena de león. La atmósfera se entibia cada vez más, y se hace al fin calurosa y pesada.

Al lado del camino, en el fundo de Tarahuasi, hay restos de muros y un terraplén[30], vestigios sin duda de los cuarteles y almacenes incaicos[31] que existían en este valle. Limatambo es corrupción de *Rimajtampu* (posada del vaticinante)[32], así llamada por la proximidad del Apurímac y su oráculo; y en la vía del Chinchaysuyu[33] correspondía casi a equidistancia a los otros tres grandes mesones[34], Paucartambo[35],

[24] *tercios*: «*And*. Porción de tierra adehesada o de labrantío que se pasta o siembra un año y se deja descansar al siguiente» (DRAE); *chala*: hoja que cubre la mazorca del maíz.

[25] *rastrojos*: «Residuos de las cañas de la mies, que queda en la tierra después de segar» (DRAE); *gualdas*: de color gualdo, amarillo.

[26] *carrizos*: planta gramínea, de tallo alto, que crece cerca del agua y que se aprovecha para cubrir techos y fabricar escobas.

[27] *pintocs* D, *píntocs* MP.

[28] *rezuman*: «Dicho de un líquido: salir al exterior en gotas a través de los poros de un cuerpo» (DRAE); *puquios*: manantiales.

[29] *repechos*: «Cuesta bastante pendiente y no larga» (DRAE).

[30] *terraplén:* «Macizo de tierra con que se rellena un hueco, o que se levanta para hacer una defensa, un camino u otra obra semejante» (DRAE).

[31] incásicos MP.

[32] «*Rimaj* [Rímac MP], el que habla, se traduce metafóricamente aquí por oracular, vaticinador»*.

[33] *Chinchaysuyu*: «*Chinchaysuyo* (que.: "provincia de los chinchas"): provincia del imperio incaico, situada hacia el N [del Cuzco]. Desde el próspero valle de Chincha se extendía hasta el llamado reino de Quito» (Tauro).

[34] *mesones*: hospedajes públicos a lo largo de los caminos.

[35] Paucartampu D, MP.

Ollantaytambo[36] y Pacaritambo[37], situados a la primera jornada de las restantes vías cardinales[38].El actual pueblo de Limatambo, que se encuentra más allá de las ruinas, me pareció miserable y casi desierto. Su extensa plaza, todavía de aspecto mayor por su soledad, tiene unos pocos sauces; y la cercan barandas y balconcitos viejísimos. Dos veces ha servido de cuartel general: a Francisco Hernández Girón[39] cuando comenzaba su revuelta (enero de 1554); y al virrey La Serna[40] cuando preparaba la campaña de Ayacucho[41]. Sarmiento de Gamboa[42] refiere que en Limatambo el gran inca Pachacútej[43] hizo ejecutar a su hermano, el general victorioso Cjápaj[44] Yupanqui, conquistador del centro del Perú, en castigo de haberse retardado en la empresa y haber dejado escapar al jefe chanca Ancohuallu[45] hacia Moyobamba.

La quebrada de la Sauceda desciende con rápido declive, regada por el río Blanco. La vegetación aumenta; y a los sauces y alisos, los quishuares[46] y los copudos pisoyanes que adornan la región anterior, se agregan los nobles cedros, los molles[47], las lianas, los plátanos, los

[36] Ollantaytampu D, MP.

[37] Paccarictampu D; Paccarijtampu MP.

[38] Paucartambo al NE, Ollantaytambo al NO; y Pacaritambo al S.

[39] *Francisco Hernández Girón* (Cáceres, 1510-Lima, 1554): opuesto a las Leyes Nuevas, se erigió en líder de la última rebelión de los encomenderos contra la Corona española (de 1553 a 1554) (Mendiburu),

[40] Laserna D.

[41] *José de La Serna* (Jerez de la Frontera, 1770-Cádiz, 1832), cuadragésimo virrey del Perú. Luego de la derrota del ejército realista y la posterior capitulación en Ayacucho (9 de diciembre de 1824), regresó a España (Tauro).

[42] «Cap. 38)»*, «Y así cuando supo que Capac Yupangui estaba en Limatambo, ocho leguas del Cuzco, mandó a un su teniente del Cuzco, llamado inga Apon, que le fuese a cortar la cabeza [a Cjápaj Yupanqui], dándole por culpa el habérsele ido el Anco Ayllo y el haber pasado el término que le había mandado» (Sarmiento de Gamboa, *Historia índica,* cap. 38, p. 244).

[43] Pachacútec D, MP.

[44] Cápac D, MP.

[45] Ancohuaillu MP.

[46] *quishuares:* «Árbol de copa redondeada, tronco con ramificaciones desde el suelo, ramas tortuosas, hojas blanquecinas y flor en racimo que varía de blanco a rojizo según la especie y crece en la puna ['tierra alta de los Andes'] N.c.: *Buddleja* sp.» (*DiPerú*).

[47] *pisonayes:* «Árbol de hasta 15 m de altura, con espinas en tronco y ramas, de flores rojas en racimo y fruto en vaina con semillas marrones lustrosas. N.c.: *Erythrina edulis*» (*DiPerú*); *molles:* «Árbol mediano, de ramas colgantes, corteza

helechos, los herbazales pantanosos y los magueyes[48] que se retuercen en el aire como culebras gigantescas. Al atardecer los cerros se purpurean vivamente; y en la sombría garganta de Mollepata, hacia la hondura del Apurímac, se dibujan sobre los tintes del crepúsculo, a manera de fantasmas negros, varios fortines incaicos[49]. La fiebre infesta los terrenos bajos; y decido pasar la noche en *Marcahuasi*[50], altura de la derecha[51]. Desde esta eminencia, propia para un nido feudal, los indios de Titu Cusi y Túpaj[52] Amaru[53] salteaban a los viajeros en el siglo XVI. Formó una heredad en las faldas Pero[54] López de Cazalla, el secretario de Gasca[55], y sacó de sus viñas canarias el primer vino que se bebió en la comarca del Cuzco. Entre esos parrales, se hospedó, yendo para España, el cronista Garcilaso Inca de la Vega, cuyos relatos han recreado mi adolescencia y juventud. De allí, cuando el levantamiento de Girón[56], escaparon los principales encomenderos del Cuzco, en compañía de la varonil mujer de Cazalla, Da. Francisca de Zúñiga[57].

exterior café o gris, muy áspera y exfoliante, flores pequeñas blanco-amarillentas y frutos redondos de color rojo púrpura cuando están maduros. N.c.: *Schinus molle*, también *Haplorhus peruviana*» (*DiPerú*).

[48] *magueyes*: «pita» (DRAE); «*cabuya*: hierba de hojas o pencas radicales, carnosas, en forma de pirámide triangular, con espinas en el margen y en la punta, de flores amarillentas en ramilletes que crecen sobre un alto bohordo central» (*DiPerú*).

[49] incásicos MP.

[50] Marcahuasi D, MP.

[51] «Marcahuasi significa casa elevada o de varios pisos»*.

[52] Túpac D, MP.

[53] *Titu Cusi y Túpaj Amaru*: Titu Cusi Yupanqui (Cuzco, ¿1526?-Vilcabamba, 1570), tercero de los incas de Vilcabamba; Túpac Amaru (m. Cuzco, 1572), cuarto y último de los incas de Vilcabamba (Tauro).

[54] Pedro MP.

[55] *Gasca*: Pedro de La Gasca (Caballería de Navarregadilla, 1494-Sigüenza, 1565): presidente de la Audiencia de Lima. Se le confió la especial misión de debelar la rebelión de Gonzalo Pizarro, tarea que Gasca llevó a cabo (Tauro).

[56] *levantamiento de Girón*: la última rebelión de los encomenderos contra las Leyes Nuevas. Francisco Hernández Girón se levantó en el Cuzco en noviembre de 1553. Luego de una campaña errática que terminó con el desbande de su ejército, fue capturado y ajusticiado en Lima en diciembre de 1554 (Mendiburu).

[57] «*Comentarios Reales*, primera parte, libro nono, cap. XXVI; segunda parte, libro séptimo, cap. IV»*. «El año de mil y quinientos sesenta, viniéndome a España, pasé por una heredad de Pedro López de Cazalla, natural de Llerena, vecino del Cozco, secretario que fue del presidente Gasca, la cual se dice Marcahuasi, nueve leguas de la ciudad, y fue a 21 de enero, donde hallé un capataz portugués,

Pertenece hoy Marcahuasi a mi caballeroso[58] amigo D. David Samanez Ocampo, que acaudilló la revolución de 1910. En la mañana me hace visitar la gran acequia que labra, con la cual extenderá sus cañaverales y reparará los quebrantos causados por las tropas de Leguía[59]. Después, por el camino que bordea precipicios, me acompaña a la[60] Estrella, hacienda e ingenio azucarero de su pariente el senador D. Abel Montes. Tiene la[61] Estrella casa nueva y cómoda, buenas maquinarias y oficinas espaciosas. Muy atentamente acogido por el propietario y su familia, me detuve allí buena parte del día 4 de junio y, a más de las dos, proseguí la bajada al Apurímac[62].

La cuesta es empinadísima, entre rocas y achaparradas[63] malezas. A medida que avanzamos, se espesa el aire, aumenta el bochorno, y descubrimos lajas enhiestas, lisas como murallas, que se abren hendidas por un tajo soberbio. Diríase que descendemos a la cripta de un rey sobrehumano. Aún no oímos la corriente. De pronto, en una revuelta[64] del camino, un fragor indecible nos asorda; y entre obscuros y desmesurados bastiones, graníticos y calcáreos, relumbra el Apurímac, a modo de una grande espada curva. A veces el clamor remeda el rugir de una fiera herida; otras, repercutiendo en las quiebras[65] peñascosas,

llamado Alfonso Váez [¿Báez?], que sabía mucho de agricultura y era muy buen hombre. El cual me paseó por toda la heredad, que estaba cargada de muy hermosas uvas, sin darme un gajo de ellas [...]» (Inca Garcilaso de la Vega, *Comentarios reales de los incas*, libro nono, cap. XXVI, p. 269); «La mujer de Pero López, que se decía doña Francisca de Zúñiga, mujer noble y hermosa, de toda bondad y discreción, quiso hacer la misma jornada, por servir, no a su majestad, sino a su marido, y, aunque era mujer delicada y de poca salud, se esforzó a ir en una mula ensillada con un sillón y pasó toda la aspereza y malos pasos de aquellos caminos con tanta facilidad y buen suceso como cualquiera de los de la compañía» (Inca Garcilaso de la Vega, *Historia general del Perú. Segunda parte de los Comentarios reales de los incas*. Libro séptimo, cap. IV, p. 104).

[58] caballeresco D.

[59] *Leguía:* Augusto B. Leguía (Lambayeque, 1863-Lima, 1932) presidente del Perú de 1908 a 1912 y de 1919 a 1930 (Tauro).

[60] la: con mayúscula en D, MP.

[61] la: con mayúscula en D, MP.

[62] *Apurímac:* «Río que es el origen más remoto del Amazonas. Nace en la laguna de Villafro en Cailloma [Arequipa]» (Stiglich).

[63] *achaparradas:* cosa baja y extendida.

[64] *revuelta:* «Punto en que algo empieza a torcer su dirección o a tomar otra» (DRAE).

[65] *quiebras:* grieta (hendidura en la tierra).

imita el redoblar de los tambores o el rodar incesante de innumerables máquinas de guerra. En este momento acuden a mi memoria versos de Manuel Adolfo García[66], que leí en mi niñez. Dicen:

> … las juguetonas
> Sirenas del Apurímac[67].

¡Cómo ignoraron y falsearon nuestros románticos la verdadera fisonomía del paisaje peruano! Ese[68] foso de piedra profundísimo, en el que hierve el caudal espumante de las aguas, a nadie puede ofrecerle imágenes de juego y de blandura: es un cuadro de salvaje belleza, de exaltación siniestra, suscitador de un sombrío frenesí. El numen de sus orillas era una cruel divinidad que inspiraba furor profético, y a la que erigieron los indios un templo célebre, en la[69] ribera oriental. Profería el oráculo sus sentencias junto al estrépito del río, y de los destrenzados torrentes que platean los barrancos y despeñaderos. Su santuario, según Pedro Pizarro, estaba muy pintado[70], sin duda de bermellón y amarillo naranja como los otros principales del país. Cerca de él, añade Cieza[71], había un palacio habitado por los incas cuando acudían en peregrinación a consultar al ídolo, como todavía lo hizo el último Manco. La efigie era un leño grueso y rudo, tinto en la sangre de los sacrificios, con cinturón y pechos femeniles de oro, vestido de ropas muy finas, y adornado con alfileres y cascabeles de oro y plata. A los lados del

[66] *Manuel Adolfo García:* Lima, 1827-1883; escritor romántico. Publicó *Composiciones poéticas*, 1872 (Tauro).

[67] «Besó humilde el Amazonas/ Tus plantas; las juguetonas/ Sirenas del Apurímac, / Las bellas ninfas del Rímac, / Dieron a tu sien coronas» (García, «A Bolívar», *Composiciones poéticas,* pp. 215-216).

[68] Este D, MP.

[69] esta D.

[70] «[…] en este Aporima había un buhío muy pintado […] De este era guarda una señora que se decía Asarpay, hermana de estos ingas. Esta se vino después a despeñar de un paso muy alto que hay a la bajada para la puente del río de Aporima: tapándose la cabeza, se arrojó en el río que va junto a esta barranca más de doscientos estados de alto, llamando al Aporima, el ídolo a quien ella servía» (Pedro Pizarro, *Relación del descubrimiento y conquista de los reinos del Perú,* cap. 14, pp. 82-83).

[71] «Pasado este río se ve luego dónde estuvieron los aposentos de los ingas, y en dónde tenían un oráculo» (Cieza de León, *Crónica del Perú,* primera parte, p. 256).

aposento, se alineaban otros ídolos menores con iguales aderezos. Era guardiana y profetisa una hermana de los postreros incas, la princesa Asarpay, cuando la ruina del imperio. El factor[72] Núñez de Mercado, a quien cupieron en señorío las tierras de esta banda, quitó el sagrado simulacro[73]; y desesperada entonces la sacerdotisa, loca de dolor ante el sacrilegio, tapándose la cara con las manos, se precipitó desde aquella espantosa altura para aplacar con su muerte la cólera del divino río. El horror del oráculo y la tragedia de su última sibila[74] bárbara, parecen vagar aún en el ambiente. Los cerros descomunales muestran sus dorsos pelados y hostiles, como una manada de monstruos antediluvianos. Retorciéndose entre ellos, con fulgores y visos metálicos, el río es una gran serpiente escamosa, el fantástico *amaru*, el mítico dragón de los incas, que se abalanza rugiendo en las montañas de los Antis[75].

Con mejor estro que el pobre Adolfo García, Olmedo[76], al cantar la batalla de Ayacucho, librada en región próxima al bajo Apurímac, ha celebrado en duraderos versos la rápida corriente[77] y las bullentes linfas[78] del río sonoro,[79] junto a cuya margen fragosa[80] la Victoria esperaba con palmas a los guerreros de la Independencia[81]. Epítetos exactos, pero que resultan muy pálidos ante la realidad.

Es tan raudo el ímpetu de las aguas, que produce vértigo. La escabrosidad de las riberas, increíble para quien no la haya visto, excepcional aun en país tan áspero y doblado[82] como el nuestro, evoca un cataclismo ciclópeo, una marea de tempestad petrificada. No decora

---

[72] *factor*: oficial que recaudaba los tributos y las rentas de la Corona.

[73] *simulacro*: imagen hecha a semejanza de algo.

[74] *sibila*: sacerdotisa pagana con poderes proféticos.

[75] *Antis*: la cordillera de sierra nevada que pasa al oriente del Perú, según Garcilaso (Tauro).

[76] *estro*: inspiración; *Olmedo*: José Joaquín de Olmedo (Guayaquil, 1780-1847), autor de la oda *A la victoria de Junín. Canto a Bolívar* (1826).

[77] *rápida corriente* D, MP.

[78] *bullentes linfas* D, MP.

[79] *linfas*: aguas (poético); «Y las bullentes linfas del Apurímac» (Olmedo, *A la victoria de Junín. Canto a Bolívar*, p. 44.)

[80] *margen fragosa* D, MP.

[81] «Por las manos de Sucre la Victoria/ Ciñe a Bolívar lauro inmarcesible/ ¡Oh triunfador! La palma de Ayacucho/ Fatiga eterna al bronce de la Fama, / Segunda vez Libertador te aclama» (Olmedo, *A la victoria de Junín. Canto a Bolívar*, p. 45).

[82] *doblado*: quebrado.

sus márgenes el clásico arbusto que sugieren los versos de Olmedo, el laurel de hojas inmarcesibles y amargas; pero en las estrechas listas[83] que dejan libres el cascajo y la arena del cauce, luce el molle[84] generoso e incorruptible, hermano del olivo, su follaje palpitante y de perpetua lozanía; y se levantan como candelabros de bronce las cardosas *queyllas* y *ahuacollays*[85], que para servir de nuevo símbolo a la gloria, poseen dos atributos adecuados: las espinas y el eterno verdor.

De curso arrebatadísimo, como todavía próximo a las cascadas de sus nacientes, el Apurímac es, en este sitio, impropio para la navegación. Sin campos en sus orillas, sumido en honda concavidad, entre formidables acantilados de piedra, es, igualmente, inútil para el riego. Ajeno a todo menester prosaico, tiene aquí solo el desinteresado valor de un espectáculo, la esterilidad fecunda de los seres más nobles: incomparable excitante para la imaginación, aliento para el alma, exhortación de sublime vehemencia, visión significativa y magnífica, heroico entre sus almenas de rocas, destrozador de las moles ingentes, vencedor de las más duras breñas[86]. Cantado por los poetas, cruzado por incas y libertadores, testigo de las guerras y disensiones de la Conquista, eje de toda nuestra historia, inviolado por la invasión chilena[87], es la gigante voz de la patria, el sacro río de los vaticinios, que naciendo entre riscos saturados de leyendas y recuerdos, corre impaciente a dilatarse en las llanuras amazónicas, entre las selvas vírgenes, que duermen pletóricas de futuras riquezas.

En el seno de la quebrada, sofocan el calor y las nubes de mosquitos. No se ve del cielo más que una angosta franja de intenso azul. La corriente, velocísima y lodosa, arrastra ramas y pedruscos; se crispa, en unas partes, con espumosos remolinos; presenta, en otras, placas

---

[83] *inmarcesibles:* que no se marchitan; *listas:* líneas, filas.

[84] *molle:* «Árbol mediano, de ramas colgantes, corteza exterior café o gris, muy áspera y exfoliante, flores pequeñas blanco-amarillentas y frutos redondos de color rojo púrpura cuando están maduros. N.c.: *Schinus molle.* También *Haplorhus peruviana*» (*DiPerú*).

[85] *cardosas:* «semejantes al cardo, planta de la familia de la alcachofa; *queyllas:* «q'ellu-q'ellu: arbusto espinoso» (Rosat); *ahuacollays:* «jawa-qolla: cacto gigante, espino gigantón de flores grandes y blancas» (Rosat).

[86] *ingentes:* muy grandes; *breñas:* «Tierra quebrada entre peñas y poblada de malezas» (DRAE).

[87] *la invasión chilena:* durante la guerra del Pacífico (1879-1884), que enfrentó a Chile contra Bolivia y el Perú, el ejército chileno invadió el territorio peruano.

lívidas[88] y aceradas; centellea, más abajo, como las mallas de una armadura. El puente nuevo, denominado de Tablachaca, que sucedió al antiguo colgante de mimbres (descrito por Markham, Squier[89] y Castelnau), fue cortado en la revolución del anteaño[90]. Se le ha reparado, sin más que extender[91] nuevamente los maderos que lo forman. Al extremo opuesto, hay una gran peña a cuya sombra me siento. Me dicen que detrás de ella se apostaban los montoneros a defender el paso contra las fuerzas del Gobierno. Esta margen izquierda, aunque asperísima, lo es algo menos que la de enfrente. Sus tierras, según la *Ordenanza de los tambos* de mediados del siglo XVI[92], debieron de pertenecer a Illén Suárez de Carbajal, el apuñalado[93] en Lima por el iracundo virrey Núñez Vela[94], que después pagó esta muerte con la suya en Añaquito[95]. Entre peñascos grises y verdosos y a[96] grande elevación, corre en las alturas[97], al oriente[98], el camino viejo de los incas y de la Colonia. El pasaje del río se realizaba entonces efectivamente un poco abajo, hacia la[99] Banca, La Sauceda y Mollepata. Por allí hizo el príncipe de Esquilache[100] un puente de piedra. Recias avenidas[101] lo

---

[88] *lívidas*: pálidas (no 'amoratadas', la acepción etimológica).

[89] *mimbres*: varillas flexibles que produce la mimbrera (arbusto saliáceo); Markham, *Cuzco and Lima,* 2001, p. 96; Squier, *Peru: Incidents of Travel and Exploration in the Land of the Incas,* 1877, p. 545.

[90] *la revolución del anteaño*: la revolución de David Samanez Ocampo (Huambo, 1866-Cuzco, 1947) contra el gobierno de Augusto B. Leguía, en 1909. El viaje de Riva-Agüero es en 1912.

[91] tender D, MP.

[92] «Publicada en la *Revista Histórica*, tomo III, trimestre IV»★; «Ordenanzas de tambos. Distancias de unos a otros, modo de cargar los indios y obligaciones de las justicias respectivas hechas en la ciudad del Cuzco en 31 de mayo de 1543», *Revista Histórica,* tomo III, 1908, pp. 427-492.

[93] apuñaleado D, MP.

[94] Nuñez de Vela MP.

[95] *Núñez Vela*: Blasco Núñez Vela (Ávila, ¿?-Añaquito, 1546), primer virrey del Perú (Tauro); *Añaquito* o Iñaquito, llanura al N de Quito (Ecuador), donde cayó derrotado —y fue luego decapitado— el virrey Núñez Vela.

[96] Omitida la preposición en MP.

[97] Añadido: delanteras D.

[98] Añadido: y a grande elevación D.

[99] la: con mayúscula en D, MP.

[100] *el príncipe de Esquilache*: Francisco de Borja y Aragón (Madrid, 1581-1658), duodécimo virrey del Perú (Tauro).

[101] *avenidas*: avalanchas de agua, piedras y lodo.

destruyeron en 1620, y lo reconstruyó el marqués de Guadalcázar[102]. Ese era el lugar que el Judío anónimo describió por aquellos años tan concurrido y animado, con el comercio de los mercachifles[103] y las cargas de Potosí[104], y en donde halló que el alcalde del pontazgo[105] era un flamenco[106]. La inundación de 1819 barrió pueblos enteros, asoló la comarca y rompió el histórico puente; y desde entonces se trasladó el paso más al sur, al punto de Tablachaca[107], por donde lo he efectuado.

La subida es un molesto sendero. Serpentea en las laderas abruptas, sobre el abismo del río. Algunos torrentes profundos socavan las faldas calcáreas, revestidas de tunas y zarzales. A ambas manos[108], se escalonan las sierras yermas, desmesuradas, amenazadoras, como un ejército de titanes que pretendiera escalar los cielos y extinguir la luz del sol. Al cabo, reaparecen los cañaverales con sus alegres oros y las begonias de flor escarlata. Duermo en la hacienda de Jesús María; y, muy temprano, a la madrugada siguiente, subo al pueblo de Curahuasi.

El camino va entre cañas y maizales. Los tonos rosados de la mañana se filtran en las tunas y en el ramaje de los pacaes[109], y suavizan las crestas deformes de los cerros. Detrás de la cordillera oriental y sus nevados chispeantes, se extiende como una gasa áurea. El paisaje,

---

[102] *el marqués de Guadalcázar*: Diego Fernández de Córdoba (Sevilla, 1578-Guadalcázar, 1630), decimotercer virrey del Perú (Tauro).

[103] *mercachifles* D, MP.

[104] *mercachifles*: mercaderes insignificantes; *Potosí*: ciudad del S de Bolivia, cuya riqueza argentífera animó el comercio virreinal.

[105] *pontazgo*: «Derechos que se pagan en algunas partes para pasar por los puentes» (DRAE).

[106] «*Descripción anónima del Perú y Lima en el siglo XVII*, por un judío portugués, existente en la Biblioteca Nacional de París, y que en extracto presenté al Congreso Hispanoamericano de Sevilla de 1914»★. «Esta ponte e laje têm um alcaide para que esteja a par e os dirigir, e todas as mercadorias que por ali passam pagan metade para o adereço desta laje e ponte. Eu conheci ali, através do alcaide, um flamengo», León Portocarrero, *Descripción del Virreinato del Perú,* pp. 201-202. El anónimo judío portugués fue identificado como León Portocarrero por Guillermo Lohmann Villena.

[107] «Voz mestiza, *puente de tablas*»★.

[108] *tunas*: tunales, higueras de tuna; *A ambas manos*: a mano derecha y a mano izquierda, a ambos lados.

[109] *pacaes*: «*pacay*: Árbol mediano, de tronco delgado, hojas con vello sedoso y fruto en vainas grandes de color verde que encierran una sustancia algodonosa. N.c. *Inga feuilleei*» (*DiPerú*).

fresco y cristalino, es de égloga[110]. Hemos abandonado las zonas malsanas, de miasmas cálidos, en que reinan el paludismo y el coto[111]; y
nos hallamos en una de las más sanas y apacibles. Parece una costa de
florida quietud, tras el piélago convulso de precipicios y montañas que
acabamos de atravesar.

El pueblecito de Curahuasi es muy pobre; sus habitaciones son estrechas y míseras; en el lodo de sus callejuelas vagan libres los animales
domésticos; pero hay en él y sus alrededores tal sello de tranquilidad
agreste que su imagen se graba entre las preferidas del viaje, como
un nido acogedor, de amenidad y reposo, suspenso en la luz matinal
sobre la región más atormentada y agria. Muy parecido debe de ser
aquel próximo asiento de Huaynarímac[112] (*el oráculo joven*), situado tres
leguas abajo, en que el licenciado Gasca[113], después del estruendo de
la guerra y el horror de los suplicios, se retiró, lejos de la insoportable
importunidad de los pretendientes, a repartir de nuevo el Perú entre
los capitanes y soldados leales. Ciertamente que toda esta comarca
es la más apropiada para el sosiego apacible tras el tumulto de la acción tempestuosa. Entre las tapias desportilladas de Curahuasi, asoman
los ciruelos, manzanos y perales. Hay numerosos cercos de tunas, y
grupos de acacias, cedros y capulíes[114]. En el claro esmalte del aire,
se recortan los aleros, sobre los que nacen espigas flexibles, como si
quisieran justificar la etimología corriente del pueblo (Corajhuasi[115],
casa de hierbas). Sus recuerdos históricos son igualmente amables. En
su benigno escenario, la clemencia del inca triunfador perdonó al joven cacique huanca[116] Túpaj[117] Huasco; y, dándole en matrimonio una
ñusta, infanta imperial, le concedió en signo de concordia y alianza
el señorío hereditario del lugar, y entre otras preeminencias, el uso

[110] *de égloga*: porque la naturaleza es tan amena que parece ideal, como se representa en ese género literario.

[111] *miasmas*: efluvios malignos desprendidos por cuerpos enfermos, materias
corruptas o aguas estancadas; *coto*: bocio.

[112] Huaynarima D, Huainarimac MP.

[113] *Gasca:* Pedro de La Gasca, presidente de la Audiencia de Lima (1546-
1550).

[114] *capulíes*: «Árbol de ramas alargadas, hojas ovaladas alternas, flores pequeñas
blancas y frutos globosos rojos. N.c.: *Prunus serotina*» (*DiPerú*).

[115] Coraj-huasi D, MP.

[116] chanca D, MP.

[117] Túpac D, MP.

del trono de oro o *tiana*[118]. Por esto Jiménez de la Espada[119] deriva el nombre Curahuasi[120] de Cúraj[121] y huasi[122] (*mansión del primogénito*)[123], a causa de haberse otorgado como heredamiento al hijo del sometido jefe chanca y de la princesa cuzqueña. Aquí también, el mestizo Almagro el Mozo, vengador de su padre, se halagó con las falsas nuevas de perdón real y grandes mercedes que el clérigo Márquez le trajo y le aseguró sobre la hostia consagrada; y el alma inquieta del mancebo rebelde, antes de decidir la fatídica campaña[124] de Chupas, se entreabrió un instante a falaces soplos de conciliación y paz. Bien cercana queda la aldea o estancia a la cual llaman los indios, en su pintoresca lengua, Asilli, que quiere decir *riente, bañada de alegría*.

El olvidado título español de Curahuasi es Santa Catalina[125]. Es tierra de temple muy saludable y de cielo purísimo. Su campiña, bien cultivada, aunque escasa de agua, abarca legua y media[126] de ancho. Cuenca fértil, ánfora risueña en las laderas del tajo espantable del Apurímac, despierta involuntariamente el símil de una de aquellas *urpis*, palomas serranas que tanto nombran y celebran los yaravíes[127], posada sobre el alto peñón de un arroyo, o de una fresca guirnalda colgada en un muro de granito. Su hechizo indefinible viene de la contraposición de su mansedumbre y la augusta fiereza de las cercanías. Junto al río estrepitoso, de exaltaciones heroicas, es el puerto de sedación y

---

[118] «Cieza»★, «En este aposento dicen que dio a un capitán de los chancas, llamado Tupa Vasco, por mujer una palla del Cuzco y que la tuvo en mucho» (Cieza de León, *Crónica del Perú. Segunda parte*, cap. XLVII, p. 137).

[119] «*Relaciones geográficas de Indias*, tomo II, Madrid, 1885. Curahuasi, en los primeros años de la Conquista, perteneció a Miguel de Estete, el que relató la primera expedición de Hernando Pizarro a Pachacámac, y en la sorpresa de Cajamarca le arrancó la *mascapaycha* a Atahualpa (Ídem, tomo I)»★. *Relaciones geográficas de Indias,* tomo II, Madrid, pp. 215-219.

[120] Cura huasi D.

[121] *Cúrac* D, MP.

[122] *huasi* D, MP.

[123] mansión del primogénito D, MP.

[124] fatídica campaña: con orden sintáctico invertido: campaña fatídica D, MP.

[125] *Santa Catalina* D.

[126] Añadido: de largo por un cuarto de legua D.

[127] *urpis:* «Paloma aborigen, pequeña; tórtola común» (Rosat); *yaravíes:* «Canción mestiza de tema dulce y a la vez triste, procedente del *harawi* incaico, que se combina con elementos españoles» (*DiPerú*).

refrigerio. La gracia suave al lado de la extrema violencia arrebatadora, la ternura alternando con la desolada majestad, y el idilio[128] elegante con la más patética tragedia: ¿no son acaso las notas características de la naturaleza, de la música y de la historia de nuestro país?

[128] *idilio:* «Composición poética que suele caracterizarse por lo tierno y delicado, y tener como asuntos las cosas del campo y los afectos amorosos de los pastores» (DRAE).

IV

LAS PIEDRAS LABRADAS DE CONCACHA[1]

Al oeste de Curahuasi, en collados y cañadas[2] de lentas curvas, suben largas praderas de pastos naturales. Tardías lluvias de mayo los han reverdecido y mullido; y en su lozana alfombra, apenas se imprime todavía, con levísimo toque, la huella dorada de la sequedad invernal. Los pueblan ovejas y cabras, guardadas[3] por indiecitos de corta edad. La senda, como una cinta blanquecina, se tiende entre la verdura de las gramas y los ichos[4]. Dos veces nos topamos con partidas[5] de esbeltos llamas, también a cargo de muchachitos de ocho a diez años y ya con ponchos[6] y grandes sombreros de paja. Hay profunda consonancia entre la huraña dulzura de los animales indígenas y la asustadiza ingenuidad de los *llamamíchic*[7] niños. Del horizonte se elevan delgadas columnas de humo, efectos de alguna quemazón rústica. Gime a lo lejos una quena[8] pastoril. En derredor de la puna[9], como intercolumnios gigantescos, aparecen los calvos picos de las cordilleras, cuyos

---

[1] Sobre el título del capítulo, un título general: Paisajes Andinos MP.

[2] *collados:* «Tierra que se levanta como un cerro, menos elevada que el monte» (DRAE); *cañadas:* «Espacio de tierra entre dos alturas poco distantes entre sí» (DRAE).

[3] que guardan MP.

[4] *ichos:* gramínea que crece salvaje en las punas.

[5] *partidas:* hatos.

[6] *ponchos:* manta cuadrada o rectangular, que tiene en el centro una abertura para pasar la cabeza, y cuelga de los hombros generalmente debajo de la cintura.

[7] *llamamíchic:* «llama-michi(j): Pastor de llamas» (Rosat).

[8] *quena:* flauta de los habitantes de los Andes; puede confeccionarse con caña o hueso.

[9] *puna:* tierra extensa y llana en las alturas de los Andes.

nevados y nubes en la serenidad azul semejan las marejadas espumosas que ciñen los arrecifes[10] y peñascos de un mar diáfano. Se acerca el mediodía, nunca fatigoso en la frescura de estas altiplanicies; hora de belleza extraña, la plenitud de la luz en la frialdad del aire.

Llego a la frágil casa de una hacienda de pastos. En su ramada pajiza, almuerzo los platos más comunes de la Sierra: chupe de papas blancas, charqui, pan de mote[11] y leche recién ordeñada. Al continuar mi marcha, tuerzo algo a la izquierda y tomo[12] un pajonal, cercado de lomas y muy abundante en manantiales y vertederos. Uno de ellos, lumbroso[13] a la verdad, lleva el lírico nombre de Punchaypuquio, *la fuente del día*. Por terrenos de la estancia de Sayvite[14], me dirijo a las ruinas de Concacha.

Ocupan estas el poniente de un prado muy verde, blando y jugoso por las ciénagas que lo alimentan. Entre malezas y arboledas de alisos, hay dos monolitos labrados[15]. El primero es una de aquellas peñas talladas en asientos y escalerillas, que el vulgo denomina tronos del inca[16] o *incamisanas* (altares en que imaginan que el inca oficiaba). Por sus cavidades y conductos secretos, debe de haber sido una ara sacrificatoria, destinada probablemente a inmolaciones humanas. La otra piedra es mucho más rara y curiosa. Es una roca redondeada, con huequecillos en los bordes de sus lisas superficies laterales, y cuya mesa o cara superior está toda ella esculpida en profusos altorrelieves, que representan serpientes, monos, lagunas y ríos. Las figuras se hallan muy maltratadas, muchas descabezadas y rotas, intencionalmente al parecer. Recuerdan con bastante exactitud las toscas esculturas de animales en las iglesias de la primitiva Edad Media europea. No

---

[10] *arrecifes*: bancos o bajos formados en el mar por piedras o puntas de rocas etc., casi a flor del agua.

[11] *chupe*: «Sopa de carne o mariscos con papas, choclo, queso, leche, ají y huevos» (*DiPerú*); *papas*: patatas; *charqui*: «Carne salada expuesta al sol para que se seque y conserve» (*DiPerú*); *mote*: «Maíz seco desgranado y cocido con cal o ceniza, que se emplea como alimento» (*DiPerú*).

[12] Añadido: por MP.

[13] *lumbroso*: «Que despide luz» (DRAE).

[14] *Sayvite*: «*Saihuite*: Hacienda, provincia de Abancay, distrito de Curahuasi» (Stiglich).

[15] Angrand, *Imagen del Perú en el siglo* XIX, pp. 266-268 (láminas 244, 245, 246, 247 y 248).

[16] *tronos del inca* MP.

presenta su agrupación la simetría escrupulosa de casi todo el arte incaico. La porción eminente de la peña no está en el centro, sino arrimada a uno de los lados. Simboliza un lago, del cual descienden canalillos que simulan[17] ríos y cataratas. Esta distribución de cursos de agua y montañas que bajan de un elevado mar interior, situado hacia el oriente de la esferoide irregular, no puede ser sino la imagen del mundo (Tahuantinsuyu)[18] como lo hubieron de concebir los antiguos peruanos: en forma oval imperfecta, cuya excéntrica cima, origen de los ríos, la constituían el Titicaca[19] y la circundante llanura del Collao[20]. La interpretación más verosímil de este monolito es, en consecuencia, la de una *pachamama*[21], ídolo representativo del universo, de la tierra madre[22]. Su importancia para el estudio de la civilización indígena es considerable en lo religioso y artístico, y apenas inferior a los vestigios de Tiahuanaco[23] y Chavín de Huántar[24]. Los naturales

[17] simulando MP.

[18] *Tahuantinsuyu*: «*Tahuantinsuyo* (que.: "las cuatro provincias unidas"): nombre aplicado por los indios al imperio incaico. Puede interpretarse también como "la reunión de las cuatro partes del mundo", en tanto que la ciudad del Cuzco era el centro del imperio y sus cuatro provincias estaban orientadas hacia esas partes» (Tauro).

[19] *Titicaca*: «Lago del Perú y Bolivia a 3 535 m de elevación» (Stiglich).

[20] *Collao*: «Así se llamaba a las provincias de Cailloma, Puno y otras inmediatas al departamento del Cuzco. Con esto se quería significar el lugar de mayores fríos, de altiplanicies y donde cuesta trabajo producir los cultivos de lugares templados o no se producen. Era, en quechua, el Collasuyo» (Stiglich).

[21] *pachamama*: «*pacha-mama*: La madre tierra, deidad incaica, ubicua y poderosa, que vive en la entraña de la tierra» (Rosat).

[22] «Vid. sobre estos relieves geográficos Garcilaso, *Comentarios Reales*, primera parte, libro II, cap. XVI»*; «Yo vi el modelo del Cozco y parte de su comarca con sus cuatro caminos principales, hecho de barro y piedrezuelas y palillos, trazado por su cuenta y medida, con sus plazas chicas y grandes, y todas sus calles, con sus barrios y casas, hasta las muy olvidadas, con los tres arroyos, que era admiración mirarlo. Lo mismo era ver el campo con sus cerros altos y bajos, llanos y quebradas, ríos y arroyos, con sus vueltas y revueltas, que el mejor cosmógrafo del mundo no lo podría poner mejor» (Inca Garcilaso de la Vega, *Comentarios reales de los incas*, libro segundo, capítulo XXVI, p. 119).

[23] *Tiahuanaco*: «Sitio arqueológico al S del lago Titicaca, unos 35 km al E del pueblo fronterizo de Desaguadero y en la margen izquierda del río de este nombre, en territorio de la actual república de Bolivia» (Tauro).

[24] *Chavín de Huántar*: conjunto arqueológico «en la provincia de Huari, departamento de Áncash [en la Sierra centro norte del Perú]; fue conocido desde tiempo inmemorial como un influyente centro político y religioso (Tauro).

del Perú, aunque no soportan cotejo con los mayas de Centroamérica y Yucatán, que han dejado tan magníficos relieves, no carecieron de dotes escultóricas como pretenden algunos. Ni podían faltar en pueblo que llevó a florecimiento tan extraordinario las artes análogas de la cerámica y los dibujos en tejidos. Buena prueba de sus aptitudes para el modelado nos da la lujosa ornamentación de animales fantásticos en los muros de Chanchán[25]. Numerosas eran las estatuas, ya de dioses, ya de soberanos, príncipes y señores ilustres (llamadas estas *huauquis*)[26]; las planchas de oro y plata repujadas en forma de aves, *amarus*[27] y cabezas de pumas[28], con que revestían las paredes de los santuarios y aposentos reales; y las grandes labores de orfebrería que por su tamaño venían a componer grupos escultóricos, como los espléndidos jardines de oro y pedrería fina con figuras de rebaños y zagales de lo mismo, en el Coricancha[29] y varios templos y palacios. Pero cinceladas o vaciadas casi todas esas piezas en metales preciosos, fueron cuando la Conquista fundidas en barras para los españoles u ocultadas por los indios. En piedra esculpieron menos, por falta de instrumentos idóneos; y por lo general, se redujeron, como se ve en el Cuzco y Vilcas, y más a menudo, [a] artefactos, vasos (*queros*), idolillos antropomorfos y breves conopas[30] que retratan llamas y choclos[31, 32] (o sean mazorcas de maíz). A veces

[25] *Chanchán*: «*Chan-chán*: capital del antiguo señorío chimú, reputada como la más grande urbe de la América prehispánica. Sus ruinas se hallan sobre la margen derecha del río Moche, 2,5 km al O de la ciudad de Trujillo, en el departamento de La Libertad [560 km al N de Lima]» (Tauro).

[26] *huauquis*: «*ayllu wawque*: Así llaman al ídolo (divinidad) o estatua de cada nación» (Rosat).

[27] amarus MP.

[28] *amarus*: «Serpiente de tamaño considerable; dragón mitológico que provoca terremotos, volcanes, avenidas y domina sobre lagunas y ciénagas profundas. Para los incas era animal sagrado, tótem, al que rendían culto» (Rosat); *pumas*: felino mayor, especie de león americano.

[29] *Coricancha*: «(que.: "recinto de oro") Templo del Sol, en Cuzco, el más rico e importante de todos los existentes en el antiguo Perú» (Tauro). Actualmente, iglesia de Santo Domingo.

[30] *queros*: «*queru*: Vaso para libar a los manes o en grandes acontecimientos. Generalmente eran de madera, con pintados motivos guerreros, bucólicos, domésticos etc.» (Rosat); *conopas*: «Dios tutelar de la familia en el Perú antiguo. Era a veces una piedra de forma o color raro, o esculpida a imitación de algún fruto o animal» (Tauro).

[31] *choclos*: maíz tierno.

[32] *choclos* MP.

incrustaron delicadamente pedrezuelas de diversos colores, como en la minúscula e interesantísima imagen del inca Yáhuar Huácjaj[33, 34] de la colección Caparó Muñiz, tan animada y expresiva. De crecidos bultos trabajados en piedra, la historia rememora la célebre efigie del dios Huiracocha[35] en Cacha, derribada en los primeros años de la Conquista; bastantes otras quebraron o deshicieron, especialmente en el siglo XVII, los visitadores para la extirpación de idolatrías; y casi no se conservan hoy sino los misteriosos y antiquísimos gigantes de Tiahuanaco, los dibujos de Chavín y algunas cabezas humanas en las serranías del norte, y este altorrelieve de Concacha. De aquí su imponderable valor y la lástima que infunde su deterioro[36].

Wiener, siguiendo a Angrand[37], supone que la piedra esculpida servía de fuente o surtidor. No la he examinado con el detenimiento necesario para permitirme opinión sobre tal hipótesis. En lo que nadie puede disentir es en considerarla objeto sagrado y símbolo del universo. A corta distancia de ella y del altar de sacrificios, hacia el levante, se hallan[38] restos de cimientos y paredones, entre los que hay una cascada muy pequeña, que parece artificial. ¿Pertenecerían a un templo? ¿Sería la habitación de los ministros destinados al culto de la Pachamama, o,

[33] *Yáhuar Huácjaj:* el séptimo inca.

[34] Huaccac MP.

[35] *Huiracocha: Viracocha:* «Divinidad principal de los incas. Le atribuían dominio sobre todas las cosas del cielo y de la tierra, e inclusive sobre los demás dioses» (Tauro).

[36] «Es probable que el deliberado destrozo de la presunta *pachamama* de Concacha haya sido obra de los misioneros coloniales; pero expuesta por siglos a los ultrajes de estúpidos caminantes y pastores, que por diversión la han apedreado sin duda, y a la intemperie de este páramo, tan azotado por rayos y granizo en la estación tempestuosa, se halla a punto de borrarse y obliterarse del todo. Mediando buena voluntad, ¿no podría la Junta Departamental o el Gobierno cobijarla con techo debidamente defendido y pagar un guardián, para evitar la total pérdida de una de las más notables reliquias arqueológicas del Perú? No sería por cierto, muy costoso; y nos ahorraría la vergüenza de nuevas destrucciones contemporáneas, de que con razón acusan a los habitantes y transeúntes los escritores extranjeros. Más aún que por escasez de recursos, las antigüedades peruanas se estropean y perecen por la desidia y la ignorancia»*.

[37] *Wiener:* En efecto, al pie del dibujo de Wiener se lee «Fuente de Quonncacha, piedra labrada», Wiener, *Perú y Bolivia,* capítulo XVI, p. 309; *Angrand:* «El señor Léonce Angrand lo visitó en 1849; por desgracia no ha publicado todavía los datos que recogió» (Wiener, *Perú y Bolivia,* capítulo XVI, p. 314, n. 9).

[38] encuentran MP.

como quieren Angrand y Desjardins, la residencia campestre de algún inca o *sinchi*[39] poderoso, ornada de juegos de aguas y de esculturas grotescas como una villa[40] clásica? Todo es posible; porque al lado de los santuarios levantaban casi siempre palacios y hospederías; y las casas de los soberanos y curacas[41] albergaban con frecuencia o tenían en sus inmediaciones adoratorios y huacas[42], tales como piedras y fuentes divinizadas.

Hay que reconocer en los incas la instintiva pero profunda comprensión del paisaje para sus moradas de campo. A más de Yucay, tan justamente afamado, recuerdo ahora Tambomachay, en una lomada al este del Cuzco y camino de Calca; palacete vuelto de espaldas a la capital y la ciudadela, como personificando el desengaño cortesano; escondido entre rocas musgosas, tallado en una ladera verde junto a un limpio arroyo y puquios sagrados, indemnes de sangre humana, en la quieta concha de la encañada florecida por los *cantus* (flores del inca) y los amancaes[43]; lecho de paz y de olvido maravillosamente propio para su huésped Amaru Yupanqui, el conquistador de Chile, derrotado luego por los araucanos y los mojos[44], y destronado por los suyos en provecho de su hermano Túpaj Yupanqui[45]. En la pastoricia tranquilidad de ese rincón, el blando monarca desposeído, «el que solo se aplicaba a los edificios y las chácaras»[46, 47] debió de consolarse con

---

[39] *sinchi*: «*sinchi-kuna:* Jefes guerreros durante el incanato» (Rosat).

[40] *villa* MP.

[41] *curacas*: caciques.

[42] *huacas*: «*wak'a:* Templos y otros lugares de oración o adoración: adoratorios» (Rosat).

[43] *encañada*: cañada; *cantus*: «*clavelina de las Indias.* Flor sagrada de los incas. Es un arbusto cuyas flores largas, acampanuladas, olorosas, están en racimos. Las hay de tres colores: coloradas, amarillas, blancas» (Rosat). También llamada *cantuta* (n.c.: Cantua buxifolia); *amancaes*: «*amancay:* Hierba anual, con bulbos blancos, de tallo subterráneo, hojas lanceoladas a modo de cintas y flores terminales de un amarillo intenso. N.c.: *Ismene amancaes*» (*DiPerú*).

[44] *los araucanos y los mojos:* etnias de los actuales Chile y Bolivia, respectivamente.

[45] «Véanse *Historia del Nuevo Mundo* por el Padre Bernabé Cobo, Libro XIII, Cap. XIV; y mi libro *La Historia en el Perú*, págs. 139 y 140»*, Cobo, *Historia del Nuevo Mundo,* libro XIII, capítulo XIV, p. 23; Riva-Agüero, *La Historia en el Perú,* pp. 128-129.

[46] *chácaras*: chacras, campos de cultivo.

[47] «Relación de Juan Santa Cruz Pachacuti»*, «Y así el dicho Pachacuti Inga Yupangui le hace la renunciación del reino en su hijo Amaro Ttopa Inga, el cual

los goces del recogimiento más apacible. El Baño de la Ñusta[48], en la estrecha y sinuosa quebrada próxima a San Sebastián, a la orilla de un ágil torrente que destella entre juncos, tiene la encantadora esquivez virginal evocada por su nombre[49]. Y este suave prado de Concacha, plantado de arbustos, vivificado por manantiales, erguido sobre los cerros entre las honduras del Apurímac y Abancay como una ara egregia[50], rodeado por las cimas arremolinadas de las cordilleras como una isla de reposo en medio de amargo y revuelto océano, fue digno en verdad de enamorar a un inca o a un sacerdote de la soñadora raza quechua. Para templo o palacio, retiro de adivinos y *amautas*[51, 52] o recreo de príncipes, el sitio estuvo escogido con acierto singular.

Por el abra[53] de Sojllacasa, bajé a la llanura de Abancay. El descenso es pendiente, y se retuerce entre montes de espeso arbolado. Hay hermosísimos cedros gigantescos. En sus frondosidades, toros altos, recios y fornidos, que contrastan con el ganado raquítico que he visto hasta aquí, pacen y retozan; y el sol declinante ilumina entre las ramas sus testuces[54] con una aureola encendida. Abajo, el valle, festoneado de vegetación boscosa, es como una gran copa orlada de una guirnalda obscura. En el fondo, el verde claro de los cañaverales anticipa en la imaginación el abrigado ambiente de sus campos y el dulzor regalado de sus mieles. Y por todo el contorno, formando un circo titánico, los Andes soberbios, coronados de blancos cirros y armiñados de nieve, se encumbran imponiendo su religiosa majestad en la solemne armonía azul y oro de la tarde.

jamás lo acepta, antes se aplica a sus chácaras y a sus edeficios» (Pachacuti, *Relación de antigüedades deste reyno del Pirú,* p. 228).

[48] *Baño de la Ñusta* MP.

[49] *evocada por su nombre: ñusta* significa, en efecto, 'virgen de sangre real'.

[50] *ara egregia:* altar ilustre.

[51] *amautas:* «*amawt(')a:* Sabio, filósofo en el incanato» (Rosat).

[52] amantes MP.

[53] *abra:* «Abertura ancha y despejada entre dos montañas» (DRAE).

[54] *testuces:* frente (parte superior de la cara) del toro.

V

DE ABANCAY A ANDAHUAYLAS[1]

La ciudad de Abancay[2] se halla en una feracísima vega sembrada de cañas de azúcar, moreras y frutas tropicales. El cielo es de admirable trasparencia[3], y el clima medianamente cálido, ahora de suave tibieza, muy acomodado para los costeños. Por efecto de él, sus pobladores descuidan menos el aseo personal que los de las alturas, tan completamente olvidados de la antigua predilección de los incas por los baños. En todo se nota desde luego el cambio de zonas. La pronunciación de la *cc* áspera de los idiomas autóctonos, que en La Paz, Puno y el Cuzco estalla desgarrando la garganta, aquí se dulcifica, acercándose mucho a la *j* española o a la *c* aspirada de Florencia. Los blancos y mestizos del Cuzco, por curiosísima excepción entre los hispanoamericanos, conservan en unas pocas palabras castellanas el sonido[4] de la *c* y la *z*, por ejemplo en *doce*, *diecisiete*, que se distingue y resalta, oponiéndose a la *s* silbante serrana, tan bien como en el propio riñón[5] de Castilla[6].

---

[1] Sobre el título del capítulo, un título general: Por la Sierra; y un subtítulo: Paisajes andinos MP.

[2] Capital del departamento de Apurímac: «*Abancay*. Distrito [de la provincia] de Abancay, capital Abancay. Está a 2 457 m de elevación. Dista 32 leguas del Cuzco, 7 de Curahuasi, y 70 de Ayacucho» (Stiglich).

[3] transparencia D, MP.

[4] Añadido: castizo D.

[5] *riñón*: interior, centro.

[6] La «cc áspera de los idiomas autóctonos» corresponde a varios fonemas quechuas: en La Paz, Puno y Cuzco representa a una oclusiva uvular sorda /q/, que puede ser eyectiva /q'/ o aspirada /qʰ/. En Abancay y Ayacucho, representa una fricativa faríngea sorda /h/. La «jota española» es la fricativa uvular sorda del español [χ] y la «c aspirada de Florencia» es la llamada *gorgia* toscana, la realización

En Abancay he advertido mucho menos esta interesante supervivencia fonética.

El indumento[7] y la fisonomía principian de igual modo a variar. Disminuyen y hasta escasean los indios de montera[8] y calzón corto, substituidos casi del todo por los de pantalones o *huaras*[9] largas, y criollos sombreros de paja o lana. Ya no se ven aquellas abultadas facciones y aquellos cuerpos macizos y cuadrados que predominan en Bolivia y Puno, y todavía aparecen en plena región cuzqueña. Los indígenas del Cuzco, aunque menos deformes que los collas o *aimaras*[10, 11] son aún[12] de aspecto muy sombrío y tosco, salvo en la adolescencia. Pero en el departamento de Apurímac, foco de la raza quechua pura, el tipo se afina considerablemente; la expresión, siempre triste, es más dulce y despierta, a veces casi ingeniosa; y hay mujeres jóvenes de rostros ovalados, de gracia melancólica y de mirar sumiso que recuerda la ternura inefable que hay en los ojos de las vicuñas. De Abancay fue la hermosa Micaela Bastidas[13], que casó con el que mereció llamarse postrer inca, José Gabriel Condorcanqui, curaca de Tungasuca[14] (el segundo Túpaj[15] Amaru[16], descendiente del primero); ejecutada con

---

aspirada de las consonantes oclusivas sordas en posición intervocálica (DISC), que varía entre la fricativa velar sorda [x] y la fricativa faríngea sorda [h]. «El sonido de la *c* y la *z*» corresponde a la fricativa interdental sorda /θ/, típica de la mayoría de los dialectos del español peninsular. La «*s* silbante serrana» corresponde a la fricativa ápico-alveolar sorda [ṣ].

[7] La indumentaria D.

[8] *montera*: «*Montero*: Prenda para abrigo de la cabeza, que generalmente se hace de paño y tiene varias hechuras, según el uso de cada provincia» (DRAE).

[9] *huaras*: «*Wara*: Pantalón» (Rosat).

[10] *collas o aimaras*: habitantes de la región del Collao, del Collasuyo incaico, al SE del Cuzco; *aimara* designa tanto a la etnia como al idioma.

[11] aimaraes, D, MP.

[12] todavía D, MP.

[13] *vicuñas*: «Mamífero rumiante del tamaño del macho cabrío, al cual se le asemeja en la configuración general, pero con cuello más largo y erguido, cabeza más redonda y sin cuernos, orejas puntiagudas y derechas, y piernas muy largas» (DRAE). N.c.: *Auchenia vicunna*; *Micaela Bastidas*: Abancay, ¿1745?–Cuzco, 1781: heroína de la rebelión indígena de 1780 (Tauro).

[14] *Tungasuca*: pueblo cuzqueño, «provincia de Canchis, distrito de Pampamarca» (Stiglich).

[15] Túpac D, MP.

[16] *Túpaj Amaru*: Túpac Amaru II, José Gabriel Condorcanqui (Surimana, 1741–Cuzco, 1781), líder de la rebelión indígena que levantó campos y pueblos

su marido, su hijo y su hermano en la plaza del Cuzco el año de 1781. Tenía esta última coya[17] el cuello tan delicado y esbelto, que el torno del garrote[18] no la pudo ahogar, como a sus anteriores parientes: «y fue menester», dice un documento contemporáneo, «que los verdugos le echaran lazos, y tirando de una y otra parte, y pisoteándole los pechos, la acabasen de matar»[19].

Fuera del atroz martirio de su hija más ilustre, no sugiere Abancay reminiscencias históricas. Su relativa importancia es moderna, de la época republicana. Solo en 1873 fue promovida a capital de departamento, no sin desagrado y protestas de su rival Andahuaylas. El viejo cronista Cieza de León refiere que en su comarca hubo depósitos y aposentos incaicos[20], pero de poco renombre y entidad[21]. La etimología corriente de Abancay viene de la flor *amancae* blanco o *yúraj amáncay*[22], azucena o lirio peruano, que esmalta sus inmediaciones. Es tierra de temblores violentos. En el siglo XVI la arruinó una erupción volcánica; y en 1747, un furioso huracán precedido de varios terremotos. Tuvo la ciudad un convento de Santo Domingo, hoy supreso[23]. La pobre iglesia matriz, junto al río, se levanta en una plazuela espaciosa, recientemente arreglada como jardín o parquecillo, adorno y progreso preciadísimo de estas poblaciones del interior, pero que aquí no desentona ni perturba evocaciones leyendarias[24] como en el Cuzco. El

cuzqueños y que duró del 4 de setiembre de 1780 al 6 de abril de 1781. Fue ajusticiado: los verdugos intentaron descuartizarlo atándolo a cuatro caballos y como no pudieron desmembrarlo, lo decapitaron (Tauro).

[17] *coya*: mujer del inca, princesa.

[18] *garrote*: instrumento de ejecución; al condenado se le comprimía la garganta por la parte posterior del cuello con una soga retorcida con un palo a modo de torniquete.

[19] «Transcrito de Odriozola, *Documentos históricos del Perú*, Tomo I, pág. 162»*. Odriozola, «Castigos ejecutados en la ciudad del Cuzco con Túpac Amaru, su mujer, hijos y confidentes», *Documentos históricos del Perú*, tomo I, pp. 161-162.

[20] incásicos MP.

[21] «No muy lejos de este río [Abancay] estaban aposentos y depósitos como los que había en los demás pueblos, pequeños y no de mucha importancia» (Cieza de León, *Crónica del Perú. Primera parte*, cap. XC, p. 255).

[22] *amancae*: «amancay: Hierba anual, con bulbos blancos, de tallo subterráneo, hojas lanceoladas a modo de cintas, y flores terminales de un amarillo intenso. N.c.: *Ismene amancaes*» (*DiPerú*); *yúraj amancay*: «*yuraj, q'ellu jamank'ay*: Especie de lirio blanco o amarillo» (Rosat).

[23] *supreso*: suprimido.

[24] legendarias D, MP.

mejor edificio es el Colegio Nacional, capaz y sólido, que data del último tercio del siglo XIX. Las casas particulares, de leve construcción, con barandas de madera, contienen en su mayoría agradables huertas de plátanos, piñas, paltos[25], limoneros y naranjos. Hasta la entrada de Abancay llegan los cañaverales, que constituyen la fortuna y la fama del valle. De un grupo de árboles emerge el caserío de la hacienda de Patibamba. Todos los alrededores son hazas o suertes[26] de caña dulce, sombreadas a menudo por saucerías y moraledas. A alguna distancia, al oriente, blanquea una capillita de tejas vivas, campanario bajo y esquila humilde. Los cuarteles[27] de caña, con su verde tierno y dorado, que contrasta con el tono profundo de los alfalfares y los toques[28] de la arboleda rala, ofrecen una linda vista; pero no puedo contemplarlos en la Sierra sin afligirme y desconsolarme: más que azúcar, de ellos se saca el *huarapo*[29] o el[30] cañazo[31], alcohol fuertísimo, que envenena a los indios, acaba de embrutecerlos y degradarlos, y produce así la degeneración de su raza y la consiguiente decadencia del Perú. El día en que se exterminara ese cultivo maldito sería el primero de esperanza nacional para la efectiva resurrección del país.   Como es fiesta de Corpus[32], recorren las calles de Abancay pandillas de indígenas ebrios, con disfraces y máscaras. Delante de la cárcel, cuyos altos creo que ocupa el Concejo Municipal, yacía una mendiga, testimonio infeliz del desvalimiento indio. Tendida en el suelo a lo largo, paralítica o entumecida por la fiebre, envuelta en una sucia bayeta, deliraba y se quejaba en sonidos inarticulados; y nadie en toda la mañana pareció prestarle atención. Luego la población se animó con desfile y músicas militares: eran las dos compañías de la guarnición, que publicaban

[25] *plátanos*: bananos; *piñas*: ananás; *paltos*: aguacates.

[26] *hazas*: porción de tierra de labranza; *suertes*: «Parte de tierra de labor, separada de otra u otras por sus lindes» (DRAE).

[27] *esquila*: campana pequeña con que se convoca a la comunidad en los conventos; *cuarteles*: «Cuadro (de los jardines)» (DRAE).

[28] *toques*: pincelada rápida y sutil.

[29] *huarapo*: «*guarapo*: Bebida fermentada de la caña de azúcar» (*DiPerú*).

[30] *el*: artículo omitido en D.

[31] *cañazo*: «Aguardiente de caña de azúcar, de elevada concentración alcohólica» (*DiPerú*).

[32] *fiesta de Corpus*: Corpus Christi, fiesta católica que se celebra sesenta días luego del Domingo de Resurrección, el jueves siguiente al domingo en que se celebra la fiesta de la Santísima Trinidad. En 1912, Corpus se celebró el jueves 6 de junio.

el bando de convocatoria a las sesiones ordinarias de Congreso. Me acuerdo que lo oí desde las ventanas de la modesta Junta Departamental; y que a mis amigos abancaínos y a mí nos tranquilizó respecto de los tan difundidos rumores de golpe de estado. La agitación política era considerable en la provincia; frescas estaban las memorias de la última revolución[33]; y en las plazas y esquinas, me mostraban los lugares del combate en el fracasado asalto. Las divergencias de opinión se agriaban con los padecimientos de la última lucha y las rivalidades locales; pero, con todo, el ambiente me pareció mucho menos tempestuoso que en el Cuzco, en donde a fines de mayo era sofocante e intolerable de pasiones y violencias prontas a estallar. Si al cabo se ataja la desorganización del Perú, y cesa la dolorosa necesidad de recurrir a la protesta armada; si se logra establecer entre gobernados y gobernantes el concepto de la indispensable disciplina nacional, y el predominio absoluto de los fines externos y supremos, ¡qué magnífica aplicación podría darse a todas estas energías que hoy se malgastan y derrochan en contiendas intestinas y obscuras, y en mediocres inquietudes eleccionarias!

El tropel contradictorio de noticias que traen los diarios limeños y las reflexiones que provocan se disipan en la calma vespertina. A la sombra de los Andes eternos, que miraron[34] pasar incas y conquistadores, diríase un desacato el mezquino rumor de la actualidad menguada. Las nobles formas de las montañas patrias ahuyentan las imágenes ruines. Y para el alma del Perú, que duerme en las sublimes moles, aguardando la hora del destino ¿qué significado ha de tener la presente vida política, pobre entremés[35], largo e insípido intervalo entre dos dramas, farsa sin ideal, sin empuje y sin mañana?

Una onda apaciguadora baja del cielo sereno. Hay una austeridad tranquila y dulce. La gama del atardecer es bellísima: rosa, violeta, perla y ámbar pálido. El nevado Ampay, que en la luz diurna reverberaba como un diamante inmenso, se tiñe de carmín; y los cerros

---

[33] *la última revolución*: el abortado levantamiento de Samanez Ocampo de 1909.

[34] miraron pasar incas y conquistadores, diríase un desacato el: omitido en MP.

[35] *pobre entremés*: Riva-Agüero recurre a términos de géneros teatrales para describir la historia contemporánea en relación al «Perú eterno»: *entremés* ('pieza graciosa de un acto que se representaba entre las jornadas de la comedia'), *drama*, *farsa* ('pieza cómica breve').

próximos, hacia el sur, visten sus faldas escarpadas del color de la amatista[36]. En la nitidez del firmamento, los luceros, visibles desde las primeras horas de la tarde, se van multiplicando y avivando; y asombra en la noche su fosforescencia. Fulgura Venus, en que estos quechuas, tan poéticos, vieron a un príncipe resplandeciente (*Auqui Illaj*), paje del Sol, de crespa cabellera (*Chhascja*)[37]. Entre dos golfos de claro azul, se desenvuelve el collar esplendoroso de la Vía Láctea, en cuyas manchas blancas y negras creyeron percibir la listada guedeja[38] de un llama, que amamanta a sus hijuelos, o un río de luz, origen de todas las aguas terrenas[39]. En el extremo, como un joyel, pende la Cruz del Sur, que denominaron Chacana[40, 41] o *escalera celeste*.

Los peruanos incaicos no avanzaron mucho, es cierto, en astronomía teórica; pero soñaron largamente en los astros y sus influencias, a fuer de pueblo de pastores y habitador de alturas en que brilla tan vívida la luz estelar. Tuvieron a los cuerpos siderales por sus mayores dioses; pronosticaron por sus eclipses y signos; tomaron como imperial divisa el arco iris; dieron a sus ñustas[42, 43] y princesas el nombre de

---

[36] *amatista*: Riva-Agüero enaltece la naturaleza: de día, el Ampay es un diamante (piedra preciosa) transparente; de tarde, es una amatista (piedra fina) violeta.

[37] *Auqui Illaj*: *awki* 'título dado a los príncipes incaicos en su juventud'+ *illaj, illay* 'brillante, diáfano, transparente, traslúcido' (Rosat); *Chhascja*: «*ch'aska*: El planeta Venus» (Rosat); «*ch'askay*: Despeinar, enredar, enmarañar, descomponer, desordenar cabello, desmelenar» (Rosat).

[38] *listada guedeja*: en el mundo andino, los campesinos decoran con vistosas listas de colores los mechones de lana (de ahí la *guedeja* 'melena') o las orejas de sus llamas favoritas.

[39] «Garcilaso, *Comentarios Reales*, primera parte, libro II, cap. XXIII. Cobo, *Historia del Nuevo Mundo*, Libro XIII, Cap. VII»*. «En la vía que los astrólogos llaman láctea, en unas manchas negras que van por ella a la larga, quisieron imaginar que había una figura de oveja con su cuerpo entero, que estaba amamantando a un cordero» (Inca Garcilaso de la Vega, *Comentarios reales de los incas*, libro segundo, cap. XXIII, p. 114);«Decían más, que por medio del cielo atravesaba un río muy grande, el cual señalaban ser aquella cinta que vemos desde acá abajo, llamada Vía láctea» (Cobo, *Historia del Nuevo Mundo*, libro XIII, capítulo VII, p. 331).

[40] *Chacana*: «*chakana*: Escalera, peldaño, grada, escalón» (Rosat).

[41] *Chacana* D, MP.

[42] *ñustas*: «*ñust'a, ñusta*: Princesa, infanta, doncella de sangre real» (Rosat).

[43] *ñustas* D, MP.

las estrellas (*Cjoyllur*)[44]; a la constelación de las Siete Cabrillas (*Oncoy* o *Cjollcacjoyllur*[45])[46] le encomendaron el cuidado de los trojes[47] y graneros; pusieron bajo el patrocinio de la Lira (*Urcuchillay*[48])[49] la guarda y multiplicación de los ganados; llegaron a veces a extrañas analogías con las fábulas clásicas, como en la predilección de la Luna por los bulliciosos *allcos* (perros), y con instinto casi platónico imaginaron que todos los seres poseían madres y modelos en la región de las esferas. ¡Singular raza, hoy tan envilecida; y que, entregada a su propio impulso, en la solitaria penumbra de su antigua barbarie, alcanzó a columbrar tantas exquisiteces!

En la mañana del 7 de junio salí de Abancay. La niebla en la madrugada había cubierto el valle; y al alborear, la desgarró el sol en jirones que aún colgaban desde las cimas hasta las medias laderas. Bajé por muy amenos campos a las haciendas de Letona[50]; y me detuve breves minutos en una de ellas, Illanya. En el patio, las cañas cortadas, de pálido rubio, formaban un pavimento brillante.

De allí a poco, prosiguiendo el declive, aparece el río Pachachaca, en hondo cauce pedregoso, como un estrecho cíngulo cerúleo[51], entre cerros cercados por matorrales y peñascos. Incomparablemente menor en concavidad y raudal que el Apurímac, parece llano y apacible en comparación con este. No debe serlo tanto, sin embargo, en otros lugares y en época de avenidas, para merecer su nombre que, más que puente de tierra[52], como sería su versión literal, quiere decir *puente profundo* o *enterrado*. Cuando la Conquista, y mucho después, los españoles lo

[44] *Coyllur* D, MP.

[45] *Cjoyllur*: «*qoyllur*: Estrella (en general), planeta, astro, estrella fugaz, aerolito» (Rosat); *Oncoy*: «*onqoy, unqoy*: Enfermedad, peste, achaque, malestar; Las Pléyades, a las que se atribuían las enfermedades» (Rosat); *Cjollcacjoyllur*: «*qollqa qoyllur*: nombre de la Vía Láctea en el incario» (Rosat). Literalmente, "granero de estrellas" (*qollqa* [colca] 'troje de adobe, granero, silo' + *qoyllur* 'estrella').

[46] *Collcacoyllur* D, MP.

[47] *trojes*: «*troje, troj*: Espacio limitado entre tabiques para guardar frutos y especialmente cereales» (DRAE).

[48] *Urcuchillay*: «*orqo-chillay, -ch'illay*: Constelación de Lira: el crucero de estrellas-Cruz del Sur» (Rosat).

[49] *Urcuchíllay* D.

[50] *Letona*: nombre del propietario de las haciendas.

[51] *cíngulo cerúleo*: cordón o cinturón del color del cielo.

[52] *puente de tierra* D, MP.

denominaron[53] río de Abancay (sin diferenciarlo del crecido torrente, su tributario, que atraviesa esta ciudad); y en las márgenes de su curso alto, se dieron los dos combates en que fue batido el mariscal Alonso de Alvarado: la primera vez, en 1537, por Almagro el Viejo; y la segunda, en 1554, por el pintoresco Francisco Hernández, a quien los cronistas apellidan por antonomasia *el Tirano*, demagogo y supersticioso, siempre rodeado de agoreros, adivinas y saludadoras[54] moriscas. Nuestro buen Pedro Peralta cantó por ello en su *Lima fundada*:

> El Amancay le brotará sangriento
> Traidoras palmas…[55]

El puente en que lo paso es colonial, de un solo arco de cal y piedra, construido en 1654 por orden del virrey conde de Salvatierra[56] (el mismo que colocó la pila de bronce en la plaza[57] de Lima), para reemplazar el que mandó hacer el primer marqués de Cañete. Muy cerca se ven los estribos de la antigua *chaca*[58] colgante de mimbres[59], vestigio al parecer de la época incaica. En el puente se despiden nuestros amigos y acompañantes de Abancay; y se organiza con formalidad nuestra caravana. Van por delante los indios arrieros y las mulas del equipaje, precedidas por la yegua madrina[60], que las guía, engalanada de un

[53] denominaban D.

[54] *saludadoras:* «Embaucador [o embaucadora] que se dedica a curar o precaver la rabia u otros males, con el aliento, la saliva y ciertas deprecaciones o fórmulas» (DRAE).

[55] «Canto V, octava XXIII»*, «De un general por necio pensamiento/ Del Robles por los ímpetus noveles,/ El Amancay le brotará sangriento/ Traidoras palmas, pérfidos laureles» (Peralta, *Lima fundada*, canto V, octava XXIII, p. 169).

[56] *virrey conde de Salvatierra:* «*García Sarmiento de Sotomayor, conde de Salvatierra* (m. Lima, 1659), decimosexto virrey del Perú» (Tauro), virrey de 1648 a 1655 (Del Busto, *Conquista y Virreinato*).

[57] Añadido: mayor D.

[58] *el primer marqués de Cañete:* Andrés Hurtado de Mendoza, tercer virrey del Perú (1556-1561), último bajo el reinado de Carlos V (Del Busto, *Conquista y Virreinato*); *chaca:* «*chaka:* Puente de piedras, de palos etc.» (Rosat).

[59] *mimbres:* «Cada una de las varitas correosas y flexibles que produce la mimbrera (arbusto saliáceo)» (DRAE).

[60] *madrina* D, MP.

rapacejo[61] de lana, y muy altiva y briosa con su cargo director; enseguida, el oficial y los gendarmes que ha puesto a nuestra disposición el anciano prefecto, coronel José del Carmen González. Voy luego con mi amigo D. Manuel Montero y Tirado[62], mi excelente compañero en toda esta larga travesía andina; y detrás nuestros criados cierran la marcha. La subida de esta ribera tiene como dos leguas, por fácil y razonable camino, entre cañaverales, huarangos, patis[63], sauces, áloes elevadísimos y sonoros sembrados[64] de crecido maíz. El calor es fuerte, y solo por instantes lo modera la brisa que sopla de las abras[65]. Entre los verdes zigzagueos de la vereda pendiente, flotan las argelinas[66] blancas de nuestra diminuta escolta. Para descansar del bochorno de mediodía, nos apeamos en el seno que forma la hacienda de Auquibamba, la cual castizamente traducida significa *llano del príncipe, la vega o nava del infante*. Tiene Auquibamba arboledas de naranjos, cedros, paltos[67] y cafetales; y en su huerta florecen las rosas y los geranios. Centellean en el horizonte los picos de nieve[68]. Cerca están las haciendas de Carhuacahua, también de azúcar, y Mozobamba, que debe de ser la tierra

[61] *yegua madrina*: la yegua líder de la manada; *rapacejo*: «Alma de hilo, cáñamo o algodón sobre la cual se tuerce estambre, seda o metal para formar los cordoncillos de los flecos» (DRAE).

[62] *Manuel Montero y Tirado*: Manuel G. Montero y Tirado (Lima, 1866–París, 1921), citado como corresponsal en el índice onomástico del *Epistolario* de Riva-Agüero, pero sin carta publicada (Riva-Agüero, *Epistolario*, 2005, p. 961). Porras Barrenechea (1955, p. CV) lo identifica como «prominente caballero limeño, gerente de la Salitrera».

[63] *huarangos*: «Acacia de hojas finas, copa extendida, tallo flexible y espinoso, flor amarilla y vainas anchas. N.c.: *Acacia macracantha*» (*DiPerú*); *patis*: «Árbol de madera blanda, que se dobla y quiebra sola, de corteza plomiza a pardo claro, de flores pequeñas blancas en racimo y de fruto seco de forma elíptica de color mostaza a marrón con muchas semillas. N.c.: *Eriotheca ruizii*» (*DiPerú*).

[64] *sonoros sembrados*: por el sonido del viento al rozar las plantas de maíz en los sembríos de esta especie americana.

[65] *abras*: abertura entre montañas.

[66] *argelinas*: cubrenuca (Benvenutto, s. XXa). Abraham Valdelomar tituló a las crónicas de su paso por la Escuela Militar de Chorrillos *Con la argelina al viento* (1910).

[67] *paltos*: aguacates.

[68] «Según el contralmirante Melitón Carbajal (*Boletín de la Sociedad Geográfica*, tomo II), Auquibamba está no más que a 2229 metros de altura sobre el mar, lo que explica su sofocante calor, que casi se equipara con el [de] Tablachaca en el río Apurímac»*, Carbajal, «Estudios hipsométricos», p. 115.

erigida en mayorazgo y título de marquesado a principios del siglo XVIII para la antigua familia López del Pozo de Huamanga[69]. Ya las cañas son bajas y raquíticas, muy inferiores a las del valle de Abancay, que compiten con las de la Costa. Más arriba, cesa la vegetación de tierra caliente; a los nogales y los cedros suceden los alisos y eucaliptos; y en algunas encañadas, hay chácaras[70] de medianos maizales, en granazón y en cosecha, cercadas por pircas[71, 72] de menuda piedra.

Llegamos al puerto o apacheta[73] de Cochacasa, que equivale en castellano a *abra del lago* o *laguna fría* (3 240 metros sobre el nivel del mar). Efectivamente, como a media legua del camino, aparece una corta laguna. Entre las rocas grises de la altura y bajo la pureza glacial del firmamento, luce extrañamente inmóvil, como un záfiro[74] incrustado en una placa de acero. A sus orillas, parece haber restos de una huaca[75, 76]o sepultura de gentiles[77]. En esta eminencia corre un viento helado y recio, que sobre el azul sombrío de la tarde, mueve las nubes por las cumbres como una procesión de blancos pendones[78]. El ocaso

[69] «Quizá no sea esta la histórica posesión de los Pozos y Donesteves, ensangrentada con las riñas y el fratricidio de sus bastardos, sino la del mismo nombre de Mozobamba que se halla más arriba de Andahuaylas, entre Ocobamba y Ongoy, vecina a las fincas que fueron de los marqueses de Feria»*.

[70] *encañadas:* cañada o paso entre montes; *chácaras:* chacras, o sea campos, terrenos de cultivo.

[71] *granazón:* «Acción y efecto de granar [producir y desarrollar el grano]» (DRAE); *pircas:* «Muro bajo hecho de piedras unidas con barro para la separación de los terrenos» (*DiPerú*).

[72] *pircas* D, MP.

[73] *puerto:* paso entre cerros o montañas; *apacheta:* «*apachita, apacheta:* Montón de piedras en lugares solitarios considerados sagrados o misteriosos, o en los puntos más altos del camino» (Rosat). Por metonimia, Riva-Agüero designa con el término *apacheta* al abra o puerto.

[74] zafiro D, MP.

[75] *huaca:* «Sepulcro prehispánico donde se enterraba a personajes importantes, junto a objetos de valor simbólico o económico» (*DiPerú*).

[76] *huaca* D, MP.

[77] «Inmediato a este paraje existió un gran depósito o almacén imperial, construido por inca Rocja [Roca D, MP] (*El príncipe prudente*). Garcilaso, *Comentarios reales,* primera parte, libro IV, cap. XV. El distrito de Cochacasa fue señorío del griego Pedro de Candia, uno de los Trece de la isla del Gallo»*, Inca Garcilaso de la Vega, *Comentarios reales de los incas,* tomo I, libro IV, capítulo XV, p. 205. No se encuentra en esta parte del texto de Garcilaso la referencia a Candia.

[78] *pendones:* banderas, estandartes.

las colora pronto con todos los ricos tintes del cuello de las torcaces. Las amarillentas gramíneas de la puna[79] aroman con la campesina fragancia del pasto seco. Pasada el abra[80] de Cochasaca[81], nos obscureció muy en breve; y por el camino que ondula entre cerros (cuesta de Runipalla), con una quebrada honda a la derecha (Piahuasi), entramos, ya bien de noche, en el pueblo de Huancarama, rodeado de huertas.

Fue nombrada Huancarama en el período de la Colonia, porque en ella se hacían las *ojotas*, alpargatas indígenas, para casi todo el Perú. Esta industria (así como la de obrajes de paños y tapices en las regiones del Cuzco, Ayacucho y Cotahuasi) se arruinó con la substitución de la vía marítima a la terrestre en la edad republicana. Según Raimondi y otros, Huancarama está a 3 400 metros de altura. Su nombre viene de *huáncar* (tambor)[82]. Situada entre Abancay y Curampa, a Huancarama debe referirse el siguiente pasaje de Pedro Pizarro, evocador de la desolación y los tesoros metálicos de la Conquista. Corresponde al primer viaje de D. Francisco Pizarro al Cuzco: «Bajando de Curamba, en un llano donde estaba un pueblo de *mamaconas* (mujeres del Sol o del inca), desierto por haberse huido toda la gente dél, delante de las casas el marqués paró a comer, y a mí me mandó entrase en aquellas casas, a ver si había algo de comer[83]. Andando yo buscando maíz u otras cosas, acaso entré en un buhío[84] donde hallé tablones de plata, largos de veinte pies, de ancho uno y de gordor tres dedos. El marqués y todos los que con él estaban, entraron a vello. Dijeron indios que lo llevaban a Trujillo, para hacer allí una casa para su ídolo, que se llamaba Chimo»[85].

---

[79] *torcaces*: «Paloma torcaz; tiene el cuello verdoso y cortado por un collar incompleto muy blanco» (DRAE); *puna*: tierra alta andina, de yermos extensos y fríos.

[80] *abra*: abertura entre montañas.

[81] Cochacasa: D, MP. Garcilaso escribe «Cochacassa» (Inca Garcilaso de la Vega, *Comentarios reales de los incas*, tomo I, libro IV, capítulo V, p. 205).

[82] «A principios del siglo XVII fue cura de esa doctrina el poeta criollo Pedro Espinosa de los Monteros, verdadero autor de *El aprendiz de rico*, obra festiva atribuida hasta hace poco al homónimo escritor indio Juan Espinosa Medrano, el cuzqueño *Lunarejo* [en el siglo XVI, correspondía, lo mismo que Cochacasa, al convento agustino de Nuestra Señora de la O en Abancay. D]»*.

[83] de comer: que comer D.

[84] *buhío*: bohío, cabaña sin ventanas.

[85] Pedro Pizarro, *Relación del descubrimiento y conquista de los reinos del Perú*, cap. 14, pp. 80-81. No es cita ad verbum. Riva-Agüero modifica aspectos menores del texto original. *Chimo:* Chimú.

El 8 en la mañana, por alturas descampadas (cuesta de Huasioto), y pasando junto a la finca de Huambo, fui a visitar las inmediatas ruinas de Curampa[86]. Estos lugares antes de los incas fueron materia de continuas luchas entre los quechuas y los chancas invasores de Andahuaylas. Contra ellos sin duda levantaron los quechuas las fortificaciones, orientadas hacia el norte, cuyos vestigios aún se reconocen. Están en un crucero, a menos de cien pasos del camino, que corre por el mismo plano, dominando los cultivos de la quebrada que sigue a la derecha y se llama[87] Callaspuquio. Cuenta Garcilaso que inca Rocja[88] redujo la fortaleza con facilidad, por no tener entonces la provincia muchos pobladores[89]; y Sarmiento de Gamboa dice que Túpaj[90] Yupanqui la hubo de recobrar por asalto contra los naturales sublevados, al comenzar la gran expedición a Chachapoyas y los cañaris[91]. Cuando las guerras civiles castellanas, aquí se unieron Gaspar de Sotelo y Hernán Bravo de Lagunas, encomenderos[92] de la comarca, a los otros vecinos feudatarios que venían huyendo a Lima del alzamiento del Cuzco[93]. Lo más notable en las ruinas de Curampa es el monumento cuadrangulado, con escalones y terraplenes[94], que debió de ser altar de sacrificios. Debajo hay como una celda o cueva. La disposición se asemeja a un teocalli[95, 96] mejicano. Se yergue la pirámide a mano derecha de la senda, en una plazoleta o llano pequeño que, como la

[86] «Muy cerca está la Cruz de San Gabriel, sobre la peña en que cuentan los indios que se arrodilló el Arcángel»*.

[87] Añadido: de D, MP.

[88] Roca MP.

[89] «*Comentarios reales,* primera parte, libro IV, cap. XV»*, Inca Garcilaso de la Vega, *Comentarios reales de los incas*, tomo I, libro IV, cap. XV, p. 205.

[90] Túpac D, MP.

[91] «Sarmiento de Gamboa, *Historia del imperio de los incas,* cap. 44»*, Sarmiento de Gamboa, *Historia índica,* cap. 44, p. 249.

[92] *encomenderos*: señores que tenían indios encomendados que trabajaban para ellos y a quienes debían instruir en la doctrina cristiana.

[93] «Garcilaso, *Comentarios reales,* segunda parte, libro VII, cap. IV»*. Inca Garcilaso de la Vega, *Historia general del Perú (Segunda parte de los Comentarios reales de los incas)*, tomo III, libro VII, cap. IV, p. 104. El alzamiento es el de Francisco Hernández Girón (1553-1554), «el último alzamiento encomendero» (Del Busto).

[94] *terraplenes*: «Desnivel con una cierta pendencia» (DRAE).

[95] *teocalli*: pirámide de terrazas coronada por un templo.

[96] *teocalli* D, MP.

azotea de un mirador, descubre buena parte de la campiña y el arroyo afluente al Pachachaca. Tapizan esta apacheta cardos, geranios, gramas secas y algunos marchitos amancaes[97]. En los cerros de la izquierda hay huecos que servían de tumbas y enterramientos, y de los que han sacado muchas momias. Próxima se ve la ermita moderna; y siguiendo el camino, hay cercos de piedra o sean[98] *pircas*[99] incaicas. No falta quien sostenga que eran oficinas para el laboreo de vetas pobres, trabajadas antes de la Conquista.

Ladeando las verdes alturas, continúo mi jornada hacia el noroeste. A veces creo ver restos del camino del inca. Las sierras dentelladas[100] presentan cálidos tonos bermejos y violáceos (roca sienítica[101], leo en Raimondi). Luego, por una empinadísima cuesta, bajo a la hacienda azucarera de Pincos, propiedad del senador Trelles, donde me detengo dos días.

La quebrada de Pincos se menciona en todos los antiguos itinerarios del Perú, porque en ella hubo un tambo muy concurrido y pasajero, obligada pascana[102] de la carrera[103] entre Lima y Cuzco. En el siglo XVIII sus tierras pertenecían a los Tamayo de Mendoza, Ríos y Salazar, marqueses de Villahermosa de S. José[104]. Aunque el comercio sea ahora pobrísimo, y muy escaso el trajín en comparación con el de la época de auge del Virreinato, cuando era este el principal camino para el asiento de Potosí, todavía trepan y descienden a diario sus laderas y atraviesan la estrecha banda de sus cañaverales, bastantes recuas de mulas y asnos; y muchos llamas cargados se balancean a la distancia, con leve y menudo andar. Los duros cerros de las cercanías, desnudos o nevados, se suavizan en la luz radiante; y brillan graves y gozosos,

---

[97] *apacheta*: lugar eminente, con carácter sagrado; *amancaes*: «amancay: Hierba anual, con bulbos blancos, de tallo subterráneo, hojas lanceoladas a modo de cintas y flores terminales de un amarillo intenso. N.c.: *Ismene amancaes*» (*DiPerú*).

[98] o sean: o sea D, MP.

[99] *pircas*: «Muro bajo hecho de piedras unidas con barro para la separación de terrenos» (*DiPerú*).

[100] *dentelladas*: «Con dentellones o salientes a modo de almenado o escalonado» (Fatás-Borrás). Es término de la heráldica.

[101] *roca sienítica* D, MP.

[102] *tambo*: «Albergue en los caminos, a la distancia justa para descanso tras una jornada de viaje» (*DiPerú*); *pascana*: «Parada en un viaje. Lugar donde los viajeros descansan o comen» (*DiPerú*).

[103] *carrera*: camino real o carretera.

[104] Oración omitida en D, MP.

con la dulce sonrisa de un anciano. En la tarde[105], se ensangrienta la
crestería de las cumbres moradas. Parecen un mágico telón de fondo;
y cuando ya el valle angosto reposa entenebrecido, vibra aún en las
cúspides violentas la pincelada roja del crepúsculo.

Detrás del caserío de Pincos se extiende un gran huayco[106, 107] casi
enjuto, llamado Ancaypagua, atestado de cantos[108] y rocas, y abierto
sin duda por un tremendo alud. Entre los carrizales[109] y malezas del
monte que lo guarnece, se emboscan gruesos peñascos, arrastrados
hasta allí por aquella espantosa inundación, y que semejan en la espesura un tropel de fieras en acecho. Las peñolerías[110] y salientes de los
cerros occidentales (siempre rocas sieníticas)[111], presentan las mismas
huellas del inmemorial derrumbe; y las hondas grietas de las torren-
tadas y barrancos ponen sombras casi negruzcas en el ópalo[112] de las
faldas asoleadas. En este sitio, como por desgracia en la mayor parte
de la Sierra, la pésima distribución de las aguas ha devastado el país; y
se ve de manifiesto cómo despoja las laderas de tierra vegetal, arrastra
las materias deleznables, y va dejando solo la impermeable osatura de
basalto, calcáreo y granito.

Pincos se cita en la historia prehispana como teatro de un combate de los ejércitos de Atahualpa, mandados por Quizquiz[113],
Challcochima[114] y Rumiñahui[115], con los de Huáscar, cuyo general era
su hermano Huanca Auqui (*el príncipe de los huancas*)[116]. El paisaje, de

---

[105] la tarde: las tardes D.

[106] *huayco*: «*Huaico:* Quebrada o barranco donde se producen aluviones» (*DiPerú*).

[107] *huayco* D, MP.

[108] *cantos*: trozo de piedra.

[109] *carrizales:* lugares cercanos al agua donde abundan los carrizos (plantas de
tallo largo con flores en panojas anchas y copudas).

[110] *peñolerías*: de *peñol* 'peñón'.

[111] *rocas sieníticas* D, MP.

[112] *ópalo*: por el lustre resinoso, traslúcido u opaco de esta piedra con que Riva-Agüero identifica las faldas asoleadas de los montes, sobre las que los cerros
accidentados proyectan sus sombras casi negruzcas.

[113] Quízquiz D, MP.

[114] Challccochima D.

[115] *Quizquiz, Challcochima y Rumiñahui*: generales de Atahualpa (Cobo, *Historia del Nuevo Mundo,* libro XII, capítulo XIX, pp. 199-200). Quizquiz saqueó el
Cuzco y capturó a Huáscar inca.

[116] «Cobo, *Historia del Nuevo Mundo*, libro XII, cap. XVIII»*, Cobo, *Historia
del Nuevo Mundo,* libro XII, capítulo XVIII, p. 195.

catástrofe geológica, se aviene bien con el recuerdo de la cruel guerra fratricida[117], precursora del desplome del imperio.

Subí a la puna por el puerto y la cruz[118] de Cunihuillca, que es la vía de Argama y Andahuaylas. Los pastos de las alturas sustentan muy pocos y flacos rebaños. La travesía de este páramo es triste; la coloración del terreno, casi bermeja; el aspecto, siniestro. A tal efecto contribuía el amenazar lluvia, no obstante lo avanzado de la estación. Los cerros se encapotaban; y las lejanas nieves, bajo la luz turbia, parecían feas manchas de yeso o montones de polvo de mármol. He hallado después grandes analogías con estos parajes recorriendo en España los despoblados de Ávila[119], y divisando, cerca del Ebro, La Bureba y La Solana[120].

Desciendo en la tarde a los fértiles trigales y alfalfares de Argama, que tienen algunas casas a la izquierda. Junto a un prado muy verde, se alza una capilla ruinosa. Se humaniza aquí el campo. Ondean las mieses, y aumenta el ganado vacuno. Argama está a 3 283 metros sobre el nivel del mar. De ella se sigue bajando, por el abra[121] de Acoscasa[122] y el pueblo de San Jerónimo, al valle de Andahuaylas, que merece en toda justicia su nombre (Antahuaylla, *pradera* o *vergel de los Andes*). El primer arroyo que hallamos, lleva el título poético de Rosas mayu[123], *el río de las rosas*.

Esta amenísima llanura cuenta con tres poblaciones: San Jerónimo al sur; Talavera al norte; y en el centro, la ciudad de Andahuaylas[124], capital de la provincia, que a pesar de su reducido vecindario, se

---

[117] Huáscar y Atahualpa eran hermanos, hijos del inca Huayna Cápac.

[118] *puna*: yermo extenso de las alturas de los Andes; *puerto*: pasaje entre montañas; *cruz*: ¿encrucijada?

[119] *Ávila*: ciudad histórica de la comunidad de Castilla y León.

[120] *La Bureba y La Solana*: La Bureba es una comarca al NE de Burgos, en la comunidad autónoma de Castilla y León; La Solana es un municipio en la provincia de Ciudad Real (Castilla-La Mancha).

[121] *abra*: abertura entre montañas.

[122] «Es fama que aquí, a mediados del siglo XIX, la indiada insurrecta por el establecimiento de la contribución personal, enterró vivos a varios jóvenes blancos de Andahuaylas, dejándoles afuera las cabezas y destrozándoselas con el galope de los caballos»*.

[123] Rosasmayu D, MP.

[124] *Andahuaylas*: «*Andahuailas*: cap. del distrito y de la provincia de Andahuailas. Está a 3 017 m de elevación. Dista 32 leguas de Ayacucho, 8 de Cachi, 13 de Casabamba, 12 de Cocharcas, 13 de Carhuacarhua y una de Talavera» (Stiglich).

llamaba antiguamente Andahuaylas la grande[125], para distinguirla de la chica[126] o Andahuaylillas[127], situada en la comarca del Cuzco. ¡Cuán breves y espaciados son estos oasis de verdor, en el pétreo anfiteatro de la serranía! Su misma rareza acrecienta su indecible encanto. Sobre los alfalfares, maizales y ocales[128, 129] se disemina numeroso arbolado; y se alargan frescas alamedas de sauces, eucaliptos[130] y cedros. Las frutas son más abundantes y ricas que en todos los lugares recorridos, desde la quebrada del[131] Urubamba. El temperamento es salubre y templado. La elevación, como de 3 000 metros. Los cerros circunvecinos, cubiertos con sembríos de trigo y cebada, recuerdan esas *aparquis*[132] indias, mantas remendadas de diversos colores. Un aire de leve nostalgia caracteriza el paisaje, impregnado de severa ternura.

El valle de Andahuaylas perteneció a la nación quechua, hasta que por el siglo XIII los chancas, venidos de las punas[133] y el lago de Choclococha[134], lo invadieron y se asentaron en él. Fue cuna y señorío del guerrero Hancohuayllu, célebre sitiador del Cuzco, que vencido luego, emigró con sus vasallos fieles a Moyobamba[135]. Los incas, al restaurar la hegemonía de la raza quechua, reconquistaron dos veces Andahuaylas: bajo inca Rocja[136] y Huiracocha. Por estas alternativas y

[125] *Andahuaylas la grande* MP.

[126] *la chica* MP.

[127] Andahuaylas MP.

[128] *ocales:* campos sembrados de ocas; *oca:* «Tubérculo alargado con yemas, de cáscara amarilla, rosada o morada y de sabor ligeramente ácido o dulce» (*DiPerú*).

[129] cocales MP.

[130] eucaliptus MP.

[131] del: de MP.

[132] *aparquis:* «*aparki:* Frazada, cobija: viejas, muy remendadas; frazada hecha de retazos cosidos unos con otros» (Rosat).

[133] *punas:* terrenos rasos y yermos de las alturas de los Andes;

[134] «Vid. Cieza de León, *Crónica del Perú*, Cap. XC. Cerca de este lago, todavía un asiento minero lleva el nombre de Astohuaraca, el antiguo general chanca»*, «Preguntándoles yo a estos chancas qué sentían de sí propios, y dónde tuvo principio su origen, cuentan otra niñería o novela como los de Jauja; y es que dicen que sus padres remanecieron y salieron por un palude pequeño llamado Soclococha [...]» (Cieza de León, *Crónica del Perú,* primera parte, capítulo XC, p. 254).

[135] «Garcilaso, *Comentarios reales*, primera parte, libro IV, caps. XV y XXIII; libro V, caps. XXVI y XXVII»*. Inca Garcilaso de la Vega, *Comentarios reales de los incas,* libro IV, capítulo XV, pp. 205-208 y capítulo XXIII, pp. 220-222; libro V, capítulo XXVI, pp. 280-282 y capítulo XXVII, pp. 282-284.

[136] Roca MP.

las colonias de mitimaes[137, 138] su base étnica es producto de una fusión de quechuas y chancas. Hay blancos puros, y abundan los mestizos de sangre española. Todos los habitantes parecen menos sumisos y pasivos que los de las regiones anteriores; y en especial los naturales de Talavera, esmerados trabajadores de ponchos[139] y telas de vicuña, tienen fama de revoltosos e inclinados al bandolerismo. La onomástica de los aledaños es predominantemente castellana (Talavera, San Jerónimo, Aranjuez, Bellavista, San Juan); y aun los nombres de procedencia autóctona han tomado genuina eufonía española; *v. gr.* Cabira y Argama. Cuando llegue el proyectado ferrocarril, o siquiera se construya un camino carretero[140], esta cuenca de Andahuaylas, hoy en gran parte desaprovechada, ha de ser campo de muy apreciable actividad económica.

Pasé dos días en Andahuaylas. La casa en que me alojé, aunque no es tambo[141], sino domicilio de varias familias particulares, presenta la fisonomía de[142] la más típica y rancia posada: alto y cuadrado portón, paredes revestidas de cal, balcones y ventanas desiguales, barandas torneadas, zapatas[143] verdes, ancha y lenta escalera de piedra, corredores con piso de ladrillo, algunos tiestos[144] floridos; y en el patio y zaguán[145] empedrados, la confusión de las mulas, la algarabía de los indios, los pellones[146] y los costales de los arrieros.

---

[137] *mitimaes*: «*Mitma*: (En tiempo de los incas) Pueblo trasladado obligatoriamente a un lugar distante» (*DiPerú*).

[138] *mitimaes* MP.

[139] *ponchos*: especie de manta, cuadrada o rectangular, que tiene en el centro una abertura para pasar la cabeza y cuelga de los hombros generalmente hasta más abajo de la cintura.

[140] *camino carretero*: «El que está expedito para el tránsito de carros o de otros carruajes» (DRAE).

[141] *tambo*: «Albergue en los caminos, a la distancia justa para descanso tras una jornada de viaje» (*DiPerú*).

[142] varias familias particulares, presenta la fisonomía de: omitido en MP.

[143] *zapatas*: zócalos.

[144] *tiestos*: macetas.

[145] *zaguán*: «Espacio cubierto situado dentro de una casa, que sirve de entrada a ella y está inmediato a la puerta de la calle» (DRAE).

[146] *pellones*: «Pelleja curtida que se usa sobre la silla de montar» (DRAE).

La plaza mayor, llena de vendedoras que la animan con sus gritos y la audaz policromía de sus trajes y llicllas[147, 148] tiene una pila regular y frondosos árboles. A su lado oeste, se halla la vasta iglesia parroquial, construida con el bello calcáreo[149] de las cercanías, que Raimondi comparó con el travertino[150] romano. Por una viejísima escalera, en cuyas junturas crecen hierbas, subo a la torre, y de ella miro la preciosa y pensativa campiña. Moría la tarde; algunas parihuanas[151, 152] aves acuáticas, volaban en demanda de las lagunas próximas, y los vapores del llano, convertidos en nubes y agolpados hacia Talavera y el curso del río, se matizaban y palpitaban como una red de oro. Los maíces movían sus airones[153] de plumas; y entre los cultivos, se empinaban los corpulentos pisonayes[154] y las hileras de álamos temblorosos.

Después de la Conquista, fue encomendero de Andahuaylas el salmantino Diego Maldonado, apellidado por sus compañeros el Rico a causa de su mucha opulencia; señor, a más de este valle, del de Nazca en la Costa; que en su granja del Pino, inmediata a Lima, introdujo y aclimató en el país los árboles de aquel nombre; dueño en el Cuzco del palacio de Hatuncancha, que fue del inca Yupanqui; y cuyo solar limeño se extendía por las actuales calles de Espaderos, Lezcano y Lártiga. Durante las guerras civiles de los Conquistadores, era curaca hereditario de Andahuaylas, según cuenta Cieza[155], el sinchi[156, 157] Huasco, muy afecto a España y leal siempre a la causa del rey. Atendió

[147] *llicllas*: «Manta de colores que se lleva en la espalda y va anudada al pecho, que sirve a la mujer andina para llevar niños o alguna carga» (*DiPerú*).

[148] *llicllas* D, MP.

[149] *calcáreo*: que tiene cal; piedra calcárea o caliza.

[150] *travertino*: tipo de roca sedimentaria utilizada en la decoración de casas y edificios.

[151] *parihuanas*: «Flamenco de color rosado. N.c.: *Phoenicopterus andinus*» (*DiPerú*).

[152] *parihuanas* D, MP.

[153] *airones*: penachos.

[154] *pisonayes*: «Árbol de hasta 15 m de altura, con espinas en tronco y ramas, de flores rojas en racimo y fruto en vaina con semillas marrones lustrosas. N.c.: *Erythrina edulis*» (*DiPerú*).

[155] «Cuando yo entré en esta provincia, era señor de ella un indio principal llamado Basco, y los naturales han por nombre chancas» (Cieza de León, *Crónica del Perú. Primera parte*, capítulo XC, p. 254).

[156] *sinchi*: «*sinchi-kuna*: Jefes guerreros durante el incanato» (Rosat).

[157] *sinchi* D, MP.

y regaló grandemente a las tropas de D. Pedro de La[158] Gasca, cuando acamparon aquí en el invierno de 1548. En Andahuaylas se reunieron con Gasca, Diego Centeno, el vencido de Huarina[159]; Pedro de Valdivia, el conquistador de Chile; Belalcázar, el de Popayán; y el oidor Ramírez de Quiñones, con los soldados de Nicaragua. Entonces confluyeron en esta hoyada los veteranos de toda América, como lo hicieron cerca de tres siglos después para la batalla de Ayacucho. Dice Garcilaso que Gasca, para animar a su gente y desvanecer la impresión de los descalabros del sur, organizó en Andahuaylas lucidas fiestas de cañas y sortijas[160]. Seis años más tarde, los banderizos[161] de Francisco Hernández Girón, vencedores de Villacurí y Chuquinga[162], recibieron en Andahuaylas con triunfales regocijos y aclamaron como reina del Perú a la mujer de su caudillo, la apuesta y gentil Da. Mencía de Sosa, Portocarrero y Almaraz, que acogió luego su trágica viudez al claustro, y fue abadesa y fundadora del monasterio de canonesas de la Encarnación de[163] Lima.

Conversando con los labriegos mestizos (cholos[164])[165], noto que, a pesar de ser todos bilingües y quizá por lo mismo, no emplean al hablar castellano ciertos quechuismos rurales muy usados por los agricultores costeños. Así, tanto en Apurímac como en el Cuzco, he oído decir correctamente *finca* en vez de *chacra*, *granero* en vez de *colca*, *desnudo* en

---

[158] La: artículo en minúsculas MP.

[159] *Huarina:* batalla librada el 26 de octubre de 1547 en Huarina,, en la ribera oriental del lago Titicaca, entre las fuerzas rebeldes de Gonzalo Pizarro (que resultaron vencedoras) y las realistas de Diego Centeno (Tauro).

[160] «Por la venida de Pedro de Valdivia y de tanta gente noble de capitanes y de soldados, y particularmente por alentar al capitán Diego Centeno y a los suyos, que con la memoria de la pérdida pasada andaban melancólicos, hicieron grandes regocijos y fiestas muy solenes. Jugaron cañas, corrieron sortija, aunque con falta de lanzas de ristre. Los regocijos hicieron el efecto que dicen de la música, que alegra a los que están alegres y entristece a los tristes» (Inca Garcilaso de la Vega, *Historia general del Perú. Segunda parte de los Comentarios reales de los incas,* tomo II, libro V, cap. XXIX, p. 232).

[161] *banderizos:* «Que sigue bando, parcialidad; fogoso, alborotado» (*DiPerú*).

[162] Cchuquinga MP.

[163] de: en D.

[164] *cholos:* «Mestizo de ascendencia europea e indígena» (*DiPerú*).

[165] *cholos* D, MP.

vez de *calato*, *lampear* en vez de *cuspar*[166] y *avenida* en vez de *lloclla*. En cambio, la sintaxis, cosa más esencial que el vocabulario, tiende en toda la Sierra a deformarse con giros impropios, de índole indígena, según se ve hasta en la prensa periódica de La Paz, Cuzco y Ayacucho.

Ya desde Andahuaylas se advierte la desviación del quechua en dialecto huamanguino, perceptible aun por los que como yo no alcanzamos del idioma aborigen más que algunas etimologías y unas pocas docenas de raíces. Por ejemplo, al paso que en el Cuzco y en las provincias orientales del Apurímac, quechuas por excelencia, se designa el agua con el vocablo clásico *unu*, aquí, para hacerse entender hay que llamarla con la voz vulgar y dialectal de *yacu*, tan frecuente en la topografía del centro y del norte.

Los pasajeros iliterarios pueden no atender, en esta como en las demás regiones de la Sierra, sino a la languidez del comercio, a las deficiencias de los pueblos, al desaseo de los indios, la aspereza de los caminos, la incomodidad de los alojamientos y el poco regalo de las comidas; pero quien se eleve un tanto sobre tan prosaicas consideraciones —dignas de agentes comisionistas o a lo más del pícaro Concolorcorvo[167]— , quien posea alguna centella de sentimiento de la naturaleza y no carezca del instinto de la poesía campestre, habrá de admirar la severidad de los Andes, la suave luz y la apacible melancolía, blanda y feraz a ratos, en que estriba la peculiar hermosura de la comarca de Andahuaylas. No es por cierto, la imperial desolación del fiero Cuzco, donde hasta las flores son rojas, como el silvestre *cantu*, la *pucatica*[168] y el preciado y purpurino *ñujchu*[169, 170] adorno de los templos y las imágenes sagradas. Igualmente lejana de la heroica adustez del

---

[166] «*Lampa* por azada, y su derivado *lampear*, son igualmente peruanismos, pero de eufonía mucho más castellana que la *cjospa* [*ccospa* D, MP] quechua»*.

[167] *Concolorcorvo*: seudónimo de Alonso Carrió de La Vandera (Gijón, 1715-Lima, 1783), autor del *Lazarillo de ciegos caminantes desde Buenos Aires hasta Lima* (Gijón [¿Lima?], 1773).

[168] *cantu*: «cantuta: Flor tubular en forma de campanilla, generalmente roja» (*DiPerú*); *pucatica*: 'Flor roja'; «*puka*: Rojo, colorado, escarlata, encarnado»; «*t'ika*: Flor en general, silvestre y de jardín» (Rosat).

[169] *ñujchu*: «*ñujch'u, ñujchu*: Flor colorada, de plumaje; salvia; flor sagrada en el incario por estar consagrada al dios Qhon y Wiraqocha. Se la ofrece ahora al Señor de los Temblores [el Cristo crucificado que se venera en el Cuzco] por su color carmesí o rosado» (Rosat).

[170] ñucchu D, MP.

Apurímac y de la pingüe abundancia de Abancay, hallo en las tierras de Andahuaylas una seriedad encantadora e íntima, a la par altiva y resignada. En sus punas he visto a las vizcachas[171] montaraces agruparse a contemplar, desde las más altas breñas, el sol vespertino, como un gris y recogido coro de frailes. Sus lagunas celestes se rizan con los fríos soplos de las cordilleras. Los sembrados se recortan entre pircas pedregosas o setas de vivos quechuales[172]. En las vegas y quebradas, el aliso elegante y el molle alternan con el pati[173], el cedro eminente y el sauce gemebundo. La luz resbala como una caricia sobre los reflejos metálicos de los eucaliptos[174] y el estremecido follaje de los álamos; en las lomas verdes, aparecen las ovejas y las alpacas como manchas de espumas movedizas; las cumbres, con sus tocas de nieve, relumbran como cascos de plata; de cuando en cuando, el vuelo de un cóndor o un halcón rasga el cielo profundo. Hay en todo una enérgica y fina tristeza, una valerosa y juvenil gravedad solitaria, una delicadeza fuerte y casta, que obtendrían su perfecto símbolo en la meditativa actitud de una virgen agreste.

[171] *vizcachas:* «(zool. *Lagidium peruvianum*) Pequeño roedor, propio de la región andina. Comparado a veces con el conejo, debido a su tamaño y sus costumbres, tiene pelo de color gris oscuro en la región dorsal y las extremidades; y amarillento en la región abdominal; blanco grisáceo en la cabeza, y plateado en el hocico» (Tauro).

[172] *pircas:* muros bajos de piedra y barro; *setas:* ¿setos?; *quechuales:* ¿queñuales?, ¿quishuares?

[173] *pati:* «Árbol de madera blanda, que se dobla y quiebra sola, de corteza plomiza a pardo claro, de flores pequeñas blancas en racimo y de fruto seco de forma elíptica de color mostaza a marrón con muchas semillas. N.c.: *Eriotheca ruizii*» (*DiPerú*).

[174] *eucaliptus* MP.

VI

LA QUEBRADA DEL[1] PAMPAS[2]

Dejando paralela a la izquierda la quebrada de Aranjuez, salí de Andahuaylas por el camino del poniente, hacia las punas[3] de Cascabamba y Maray. Pronto perdí de vista el valle y la campiña de Talavera, oculta tras la cortina de sus alamedas rumorosas. Ya en la altura, entre unos sembríos, nos alcanzó corriendo un indio, y reclamó a los gendarmes de la escolta el caballo de carga traído de la ciudad. Hubo que detenerse a reparar el abuso y concertar el precio. Luego, por laderas verdes, recuestos pardos y rastrojeras[4] de trigo, atravesando la cuesta de Huacoto, llegamos temprano al pueblo de Huancaray. Está en una garganta estrecha de alfalfares y alisos, regada por un riachuelo que se vierte en el Pampas[5]. El cura del lugar me refirió que pasó por allí en 1881, después de las grandes derrotas nacionales[6], el dictador Piérola; y que los habitantes lo llamaban inca y se arrodillaban en los caminos, porfiando por besarle los pies. Miller menciona en sus *Memorias*[7] este pueblo de Huancaray, por haber vadeado el Pampas en

[1] de MP.

[2] Sobre el título del capítulo, un título general: Paisajes andinos MP.

[3] *punas*: tierras altas, frías y yermas de los Andes.

[4] *recuestos:* lugar en declive; *rastrojeras*: «Conjunto de tierras que han quedado de rastrojo (residuo de cañas de la mies que queda en la tierra después de segar)» (DRAE).

[5] *Pampas*: «Río, provincia de Cangallo [departamento de Ayacucho], distrito de Carhuanca» (Stiglich).

[6] *las grandes derrotas nacionales*: la caída y ocupación de Lima por el ejército chileno en enero de 1881 y el colapso del gobierno del presidente Nicolás de Piérola, quien se internó en la Sierra peruana.

[7] «Tomo II, cap. XXV, p. 165»*, Miller, *Memorias*, tomo II, cap. XXV, p. 165.

dicho sitio la caballería realista de Valdés el 24 de noviembre de 1824, en vísperas de Ayacucho[8].

Subí a las salinas de Cachi Huancaray, que se hallan en un árido repecho[9], cuya hondura terminal ocupa el mísero pueblecito de Cachi[10]. Apenas un tenue vello de gramíneas cubre a pedazos los riscos superiores. En las vertientes, los peñoles[11] grises tienen toques color de plomo. Algunas retamas perfuman el aire ligero. Nos hallábamos[12] a más de 3 200 metros de altura. En esta eremítica soledad, me detuve dos días. Recuerdo muy bien que en Cachi Huancaray me alcanzaron los periódicos con las noticias de la muerte y funerales de D. Marcelino Menéndez Pelayo[13]. Paseé al segundo día las galerías y socavones de una mina de sal, en que trabaja número mediano de operarios indígenas, vestidos de cordellate[14]. Asediaron al gerente con gran alharaca de quejas humildes contra los empleados; y parecieron muy satisfechos cuando les permitió solicitar del obispo permiso para construir una capilla junto a las minas. Presumo que lo que en ello más les alegraba era la perspectiva de fiestas y borracheras.

Una de las tardes que permanecí en Cachi Huancaray, vi desde un cerro inmediato que los nublados se amontonaban y obscurecían hacia las lejanas honduras del Pampas, mientras que todo el resto del cielo conservaba su inalterable serenidad de lapislázuli[15]. De pronto, aquel punto del horizonte se alumbró con la lividez de un relámpago, descolorido por la distancia, al que siguieron muchos otros, y al cabo un nítido arco iris; y fue singular espectáculo esta tempestad de los bajíos[16] mirada desde una altura quieta y límpida.

---

[8] *Ayacucho*: la batalla de Ayacucho, librada el 9 de diciembre de 1824 entre el ejército patriota y las fuerzas realistas.

[9] *repecho*: «Cuesta bastante pendiente y no larga» (DRAE).

[10] «*Cachi* significa *sal*»★.

[11] *peñoles*: peñones.

[12] encontrábamos MP.

[13] *Marcelino Menéndez Pelayo*: polígrafo español (Santander, 1856-1912). Riva-Agüero lo reconoce como su maestro: «Me considero feliz al poder expresar el agradecimiento que profeso al hombre que, por medio de sus libros, ha sido mi maestro predilecto y el principal educador de mi espíritu» (José de la Riva-Agüero a Marcelino Menéndez y Pelayo, carta del 24 de setiembre de 1905, en Riva-Agüero, *Epistolario*, 2003, p. 353).

[14] *cordellate*: «Tejido basto de lana, cuya trama forma cordoncillo» (DRAE).

[15] *lapislázuli*: mineral muy duro, de color azul intenso.

[16] *bajíos*: terrenos bajos.

Descendiendo de Huancaray y Cachi Huancaray al Pampas, emerge y se agiganta al suroeste el gran nevado del Carhuaraso en Lucanas, destacándose entre toda la cordillera occidental. Su nombre, según Carranza, significa *montaña sombría*[17], y cuadra a su aspecto tan bien como suelen hacerlo todas las denominaciones autóctonas.

La aldea de Cachi, situada, conforme ya dije, al pie de las salinas, es una de las poblaciones más desoladas y miserables que cabe ver en el Perú, tan pródigo en escombros. No puedo compararla sino con las agonizantes villas limeñas de Surco, Ate y Chontay[18]. A juzgar por estos caseríos caducos, diríase que los campos peruanos se van despoblando a toda prisa. En las callejuelas de Cachi, entre casas derrumbadas y agrietados bardales[19], transitaba una india vieja, cargada de leña y ramas a la espalda, de mechas revueltas y ojos fijos, cuya decrépita y torva expresión nos la hizo imaginar bruja del pueblo desierto. No habría podido, en verdad, descubrir un pintor modelo más acabado de hechicería maléfica.

Esta paupérrima comarca parece muy obediente a la autoridad de los curas. Me cuentan que cobran con extraordinaria severidad las primicias y los derechos parroquiales, y que castigan por sí mismos ásperamente a los feligreses impagos.

Hacia el noreste, y en la misma ribera oriental del Pampas, está el célebre santuario de la Virgen de Cocharcas, patrona de toda la provincia, advocación peruana muy afamada en los tiempos de la Colonia, y cuya romería[20], concurridísima antaño, da ocasión a una feria, hoy decaída en extremo. Dista Cocharcas cosa de doce leguas de Andahuaylas, y como dieciséis de Huancaray; pero no solamente de toda la quebrada sino de más de cincuenta leguas a la redonda, acuden todavía al novenario[21] y la fiesta, que es el 8 de septiembre. Su historia

---

[17] «*Carhua-rasu*: Del aymará, *rassu* montaña y del quechua *karhua*, color gris oscuro» (Carranza, «Etimologías de algunos nombres de la zona del Centro», p. XIX).

[18] *Surco, Ate y Chontay*: localidades relativamente cercanas a la capital del Perú ubicadas al S la primera, y al E de Lima, las dos últimas.

[19] *bardales*: «*barda* (seto que circunda una propiedad) cubierta de espinos» (DRAE).

[20] *romería*: peregrinación a un lugar santo.

[21] *novenario*: «Tiempo [nueve días] empleado en el culto de un santo, con sermones» (DRAE).

es muy significativa de las tradiciones religiosas del Virreinato, dignas a veces de la medioeval *Leyenda áurea*[22].

Cocharcas significa en quechua *pantano* o *lugar cenagoso*; y es una corta pradera en la mitad de la bajada al Pampas, sembrada de huertas de melocotonares y manzanos. A fines del siglo XVI, un indio mozo de ese pueblo, Sebastián Quimichi, descendiente del curaca Chuquisulca, quedó manco de un brazo, por la astilla de un maguey[23] encendido con que se hirió en los regocijos y fuegos de la noche de san Pedro. Inutilizado para el trabajo de la labranza, se fue al Cuzco, a aprender de cantor ambulante, como lo hacían entonces tantos indios y mestizos; y se acomodó entretanto en casa de una señora *palla*[24], india noble y viuda, llamada D.ª Inés, del linaje de los incas. Por las amigas y visitantes de su ama, se enteró de los prodigios del santuario agustino de Copacabana, ribereño del Titijaja[25], entre Tiquina y Yunguyo[26], erigido en honor de la Virgen sobre los derribados templos aborígenes de la Luna y de la diosa del gran lago, y a la sazón en todo su auge. Emprendió la peregrinación, ganándose el viaje con sus músicas y cantares; y a las primeras jornadas en Pucará[27] del Collao[28], tuvo un sueño sobrenatural, y despertando, se halló bueno del brazo. En agradecimiento del milagro, cumplida la romería, se propuso llevar a su pueblo un trasunto[29] de la imagen, obra del mismo indígena escultor de la original, D. Francisco Titu Yupanqui, a quien los devotos juzgaban movido de inspiración del cielo. Los frailes agustinos, que con los monasterios de Copacabana en el Collao y de Guadalupe en Pacasmayo[30], poseían el

---

[22] *Leyenda áurea*: la *Leyenda dorada* o *Legenda sanctorum*, en el original latino, es una compilación de relatos hagiográficos reunidos a mediados del siglo XIII por Jacobo o Santiago de la Vorágine, arzobispo de Génova.

[23] *maguey*: pita o agave, planta suculenta con espinas en la punta de las hojas.

[24] *palla*: «Matrona, dama noble entre los incas» (*DiPerú*).

[25] Titicaca MP.

[26] *Copacabana*: península del lago Titicaca; *Tiquina*: estrecho que separa Bolivia del Perú por medio de la península de Copacabana, en el lago Titicaca; *Yunguyo*: capital de la provincia de Chucuito, en Puno.

[27] Pucara MP.

[28] *Pucará del Collao*: capital del distrito de Lampa (Puno); la determinación "del Collao", la zona geográfica al SE del Cuzco, la distingue de las otras Pucará, en Apurímac y en Ayacucho.

[29] *trasunto*: imitación, copia idéntica.

[30] El Collao queda al SE del Cuzco; Pacasmayo, al N de Lima, en el actual departamento de La Libertad.

monopolio de los santuarios romeros[31] del Perú, temiendo la competencia, le quitaron la copia; y cuenta la leyenda que para superar las contradicciones y tropiezos, fue menester la intervención divina, que inclinó a favor del humilde Quimichi no menos que al obispo y la Audiencia de Charcas[32], y por fin obró el portento, una noche[33] que ambas imágenes estaban guardadas en la iglesia de Copacabana, de identificarlas, al extremo que solo por los vestidos se les[34] pudo distinguir en adelante. Los jesuitas de Juli[35] acogieron a la nueva Virgen con solemne veneración, y de allí salió en litera, a hombros de indios, el año de 1598, dirigiendo la muchedumbre de acompañantes el juglar Sebastián, cuyos cánticos pretendía el vulgo, y repite el antiguo historiador Montesinos[36], que allanaban las rocas y hacían florecer los campos. El cura de Urcos y el obispo del Cuzco interrumpieron esta virgiliana[37] procesión, por parecerles su organizador supersticioso y visionario. Lo enjuiciaron y encarcelaron; más al cabo, convencidos de su ingenuidad, le devolvieron la libertad y la imagen, la cual entre danzas, iluminaciones y festejos de los pueblos del tránsito, llegó a Cocharcas, donde imaginaban los sencillos indios que por su propio peso se detuvo. Los habitantes comarcanos le construyeron templo con celeridad extraordinaria; le instituyeron una famosa cofradía; y la reputaron dispensadora de las lluvias y protectora de las cosechas en esta provincia, tan amenazada por sequías, aluviones y hielos. Para subvenir los gastos del culto, Sebastián Quimichi se dedicó a recoger limosnas en las ricas poblaciones de Potosí y el Alto Perú; y murió a poco en Cochabamba[38], con crédito de santo. Es probable que fuera un místico instintivo. Escribía cuadernos de maravillas, y un vicario se los rompió por hallarlos inseguros y malsonantes. La rústica devoción que

[31] *santuarios romeros*: santuarios a los que se va en romería.

[32] *Audiencia de Charcas*: circunscripción político-administrativa que abarcaba, en la época virreinal, el territorio del Alto Perú, o sea, la actual Bolivia.

[33] Añadido: en MP.

[34] le MP.

[35] *Juli*: localidad de Puno, provincia de Chucuito, cerca del lago Titicaca.

[36] Montesinos, *Anales,* 1598, pp. 140-141.

[37] *virgiliana*: seguramente, por lo geórgico (inspirado en las *Geórgicas,* poesía agrícola de Virgilio) del florecer de los campos.

[38] *Cochabamba*: importante ciudad virreinal localizada en el centro de Bolivia.

había fundado se propagó con rapidez por todo el Bajo Perú[39], conservando siempre carácter de advocación de naturales. Le atribuyeron a la Virgen andahuaylina milagros infinitos, cuyo recuerdo perpetuaban pinturas y exvotos[40] en las paredes del santuario, y el manuscrito historial allí archivado. En 1623 se le consagró nueva y vasta iglesia, cercada de almenas, que, maltrecha por los derrumbes comunes de la región, reedificó en los postreros años del siglo XVII el ilustre D. Cristóbal de Castilla y Zamora[41], obispo de Huamanga e hijo bastardo de Felipe IV. Los jesuitas servían de capellanes. Formaban el coro veinticuatro indios cantores, exentos de toda mita[42] por su oficio religioso. Alumbraban el altar mayor seis grandes lámparas de plata. Junto al templo residían algunas beatas indias, que se llamaban *novenarias*, ocupadas de continuo en tejer, para adorno de él, esas tupidas alfombras coloniales y tapices de complicados dibujos, a imitación de los de Turquía y El Cairo. Plantaron el estrecho prado de cedros, sauces y arrayanes[43]; y en la plaza delantera, arreglaron un jardín pequeño, denominado *jardín de la Virgen*, cercado de cañas y compuesto de azucenas, alhelíes, claveles y clavellinas[44] de España y de Indias. Había en él un surtidor, que no corría sino en el octavario[45]; y un árbol que el pueblo consideraba milagroso, por coincidir su renovación primaveral con el tiempo de la fiesta[46]. Rodeaban la extensa plaza muchas tiendas de mercaderes,

[39] *Bajo Perú*: el Perú, propiamente; el Alto Perú es la tradicional denominación virreinal de la actual Bolivia.

[40] *exvotos*: ofrendas que los donantes dan a Dios o a la Virgen por los beneficios recibidos. A veces, presentan formas de miembros corporales, según el órgano curado.

[41] *D. Cristóbal de Castilla y Zamora*: (Lucena, Córdoba, ¿?-Huamanga, 1683). Según se decía, era hijo natural del rey Felipe IV. Estudió y se graduó en cánones en la Universidad de Granada. Convocó y llevó a cabo el sínodo de su obispado (1672). Denunció ante la Corona los abusos que se cometían con ocasión de la explotación de las minas (DB-e).

[42] *mita*: «Trabajo público, obligatorio y por turnos que tenían que realizar los indígenas en labores comunales o centros de explotación» (*DiPerú*).

[43] *arrayanes*: arbustos de la familia de las Mirtáceas de color verde olivo.

[44] clavelinas MP.

[45] *octavario*: período de ocho días. Seguramente, coincidía con los días de la fiesta.

[46] «*Vid. Anales* de Montesinos y el *Lazarillo* de Bustamante Concolorcorvo. El culto de la Virgen de Cocharcas fue pronto popular en Lima, donde el indio Sebastián Alonso, del barrio del Cercado, le dedicó en 1681 una capilla pública, que tenía anexo un colegio para hijas de curacas pobres. A fines del siglo XVIII,

que no se abrían sino en la época de la feria. Concurrían a ella en gran número huamanguinos, cuzqueños y otros naturales y mestizos, venidos aun de provincias muy remotas. Dividíanse los traficantes en dos campos bien separados: el de españoles y el de indios, sin que se entremezclaran los comercios y contratos del uno con los del otro. El socarrón Bustamante Concolorcorvo observa que el más indudable milagro de la Virgen era que sus romeros acudiesen a pie y volvieran siempre montados,[47] por dedicarse a sus anchas los huamanguinos, cuatreros[48] famosos, al robo de cabalgaduras en el tropel y alborotos de la feria y la festividad.

Del llano de Cocharcas al río Pampas, se baja por una larga cuesta de dos leguas, tallada toda en escalones, que acostumbraba el muy recordado obispo benedictino de Huamanga, a principios del siglo XVIII, D. Alfonso López Roldán, subir anualmente, con su clerecía y servidores, arrodillándose y entonando las letanías.

No pude satisfacer mi vivo deseo de visitar el histórico santuario, por quedar demasiado lejos del itinerario convenido. Me aseguran que todo el año está casi abandonado y que apenas se reanima en septiembre, pues, por la profunda decadencia industrial de las sierras del sur, desde 1850, la feria no es ni sombra de lo que fue antes.

La quebrada del Pampas, albergue de la suave leyenda cristiana de los indios, se me apareció, al atravesarla desde Casabambilla y Cachi a Carhuanca, devastada y pavorosa sobre toda ponderación. Sin duda, avanzando al norte, por Cocharcas, el paisaje mejora, a lo que dicen, vistiéndose y engalanándose con la vegetación tropical y la proximidad de los grandes bosques; pero el trozo que yo he recorrido es el más adecuado lugar para servir de mansión y reino al espanto. La poesía que de él emana es desesperada y diabólica, de aquelarre[49] genuino.

Apenas, en algunas faldas y exiguas cañadas afluyentes[50], vi sarmientos de parras secas, manchas de cañaverales mezquinos, e hileras de maíz que ascendían penosamente los declives y se detenían vencidas

---

trasladaron la iglesia limeña de Cocharcas al lugar que hoy ocupa, y la reedificaron tal como está, los canónigos D. Fernando Román de Aulestia y D. Francisco de Santiago Concha»*, Montesinos, *Anales*, 1598, pp. 140 ss.; Concolorcorvo, *El lazarillo de ciegos caminantes*, capítulo XXI, p. 404.

[47] Concolorcorvo, *El lazarillo de ciegos caminantes*, capítulo XXI, p. 405.

[48] *cuatreros*: ladrones de ganado.

[49] *aquelarre*: reunión nocturna de brujos y brujas.

[50] *afluyente*: participio activo de *afluir* 'coincidir en un punto'.

por la esterilidad del terreno. Las peñas, de un gris enfermizo, no consienten sino magueyes enhiestos, semejantes a enormes y furiosas serpientes verdes que se irguieran en son de ataque; y amarillas retamas, cuyas matas, calcinadas por el sol, despiden un acre y concentrado aroma que hace pensar en las estancias funerarias. El río torrentoso invade casi todo el valle. Su cauce irregular, en este tiempo lleva poca agua, y esa, muy salobre[51]. Entre las márgenes e islotes de cascajo, brotan rudos tunales y huarangos[52] también espinosos, de color opaco, de tronco retorcido y de pobre follaje, verdaderos árboles del desierto. Unos retazos de tierra, salvados en ambas bandas de la caprichosa furia de las inundaciones, forman míseras chacarillas de ajíes, yucas y camotales. Para su defensa, amontonan mancarrones[53] y jabas[54] repletas de piedras. El aire, que en tan angosto bolsón no se remuda, es de irrespirable pesadez y bochorno, como el de una fragua o el fondo de una cantera. Zumban los mosquitos en densos enjambres; y de noche los murciélagos hacen presa en el ganado. El crujir de las malezas en el monte y de los guijarros al paso de la cabalgata semeja, en la ardiente sequedad meridiana, el crepitar de un incendio. A veces, subiendo los peñascales de las vertientes por veredas molestísimas, da tregua la sofocación, y se divisan en lontananza, entre las sinuosidades que van a la Montaña[55], campos de cañas pálidas y anchos brazos del río, cuya[56] caudal finge por espejismo, dilatándose en medio de las sierras, azules abras marítimas o diáfanos lagos alpestres. Mas al descender de nuevo a la quebrada y disiparse aquellas frescas perspectivas, recrece el insoportable tormento del ambiente ígneo. El Pampas, conocido en la

[51] *salobre*: que sabe a sal.

[52] *huarangos*: «Acacia de hojas finas, copa extendida, tallo flexible y espinoso, flor amarilla y vainas anchas. N.c.: *Acacia macracantha*» (*DiPerú*).

[53] *chacarillas*: chacaritas o chacritas 'terrenos de cultivo'; *ajíes*: «Planta de tallo leñoso, con ramas arborescentes, de flor blanca en la mayoría de las variedades y fruto picante, en baya hueca. N.c.: *Capiscum*» (*DiPerú*); *yucas*: «Arbusto de tallo arborescente, hojas blancas y raíz gruesa de color marrón [que es comestible]. N.c. *Manihot esculenta*» (*DiPerú*); *camotales*: plantaciones de camotes; «*camote*: Tubérculo redondeado o alargado, de color pardo por fuera y anaranjado o morado por dentro. N.c.: *Ipomoea batata*» (*DiPerú*); batata, boniato; *mancarrones*: «*mancarrón*: Empalizada o seto que rodea una superficie» (*DiPerú*).

[54] *jabas*: cajones.

[55] *Montaña*: los geógrafos han dividido tradicionalmente el espacio del Perú en tres regiones naturales: Costa, Sierra y Selva o Montaña.

[56] *cuya caudal*: ¿'cuya [agua] caudal ['caudalosa']'?

antigua geografía del Perú por río de Vilcas o Cocharcas, y más a menudo Uramarca[57], se ha reputado siempre funesto, a causa de la insalubridad de sus orillas. Dominan en esta maldita zona la fiebre malaria, el tifus, la overía, la uta[58] y el cretinismo[59], que diezman o degeneran a sus escasos moradores. Con razón han dado a una de las fincas ribereñas el nombre lúgubre de Ayapa, que viene de *aya* (el muerto).

Cuando, de la tétrica angostura, miramos resplandecer arriba, en la gloria implacable del cielo, las pirámides de nieves eternas, o concentrarse en las cumbres las masas compactas y purísimas de nubes, como inmaculados bloques marmóreos, se nos presentan a la imaginación cual si fuesen misteriosas apariciones angélicas, entrevistas desde profundidades comparables a las del Infierno[60] del Dante. ¡Cuán bien se explica que los habitantes de estos parajes de maleficio proyectaran, en alas de la plegaria ingenua, sus anhelos y adoraciones al andén[61] apacible de Cocharcas, como un altar florido en la ladera abrupta; y colocaran junto a una clara fuente el numen tutelar de la región, demandándole, en la angustia de la tierra y de las almas, la salud y la dicha que niega este ingrato y mortífero suelo! Las fábulas populares son la inconsciente pero fidelísima expresión del escenario físico en que nacen.

Pasé el Pampas por el fácil vado frontero a Viraco y Carhuanca; y paré a tomar alimento y refrigerio en un morro lleno de cardos[62]. En esa mediana altura se templa ya el insufrible ardor de la quebrada, y corre alguna brisa bienhechora. Me parece recordar que enfrente, entre juncos y huarangales[63], se levanta una iglesita en rústico abandono; pero quizá confundo este punto con uno que corresponde a diversa sección del viaje. Reanudando la marcha, llegué a poco rato al pueblo de Carhuanca.

---

[57] «Estrictamente Uraymarca, que significa *cantón bajo* u *hondo*, como *hurin* y *pacha*»★.

[58] *uta* MP.

[59] *overía*: mal de Pinto, pinta, caracha, tiña, especie de dermatosis; *uta*: (*Leishmaniasis* cutánea), enfermedad producida por un insecto flebótomo, caracterizada por la aparición en los pacientes de úlceras cutáneas indoloras; *cretinismo*: «Enfermedad caracterizada por un peculiar retraso de la inteligencia, acompañado, por lo común, de defectos del desarrollo orgánico» (DRAE).

[60] *Infierno* MP.

[61] *andén*: terraza ubicada en las laderas de los cerros de los Andes.

[62] *cardos*: planta de la familia de la alcachofa (*Asteraceae*).

[63] *huarangales*: conjunto de huarangos.

Capital del distrito de su nombre, Carhuanca[64] se halla en una pequeña altiplanicie formada por la extremidad de las sierras de Huampalpa y los Morochucos, circundada por[65] el río Pampas a izquierda y derecha a manera de península[66]. La denominación de Carhuanca debe venir de *carhua* (color gris o pajizo obscuro). Curato de cerca de 1 000 habitantes, en él se detuvo el virrey La Serna[67] cuando las maniobras preliminares de Ayacucho. Es ejemplar típico del pueblo serrano, con antigua y pobrísima iglesia, plaza de pocos y centenarios árboles, pilón público de agua, casuchas que más son cabañas y cruces de madera verde con los símbolos de la Pasión, banderolas[68], lamparilla y calavera, en el atrio parroquial y las encrucijadas[69].

En un cobertizo de paja, hallamos sentado al gobernador del lugar; y tras largo parlamento, arreglamos el hospedaje. Por no haber expedito alojamiento más presentable, nos instalamos a pasar la noche en el local de la escuela primaria, especie de galpón[70] que me pareció lóbrego (tal vez porque ya atardecía), con piso de tierra dura, tabique de quincha[71, 72] endeble, paredes enlucidas, y en derredor poyos de adobe por asientos. El párroco me invitó a comer. Su hija, presentada como tal, servía la cena, mientras él y yo charlábamos de la condición y rentas de los curatos o doctrinas del obispado. No pude acabar de

---

[64] *Carhuanca*: se encuentra en la provincia de Cangallo, Ayacucho.

[65] que circunda MP.

[66] «A más de los antiguos nombres, rememorados antes, del río Pampas, al este de Carhuanca se le conoce con el de *Calcamayo* (río del cascajo), que pierde definitivamente cuando recibe poco después el tributario de los Soras o *Pampachiri* (llanura que tirita)»*.

[67] *La Serna*: José de La Serna y Martínez de Hinojosa (Jerez de la Frontera, 1770-Cádiz, 1832), conde de los Andes, virrey del Perú (1821-1824). Luego de ser derrotado el ejército realista por las fuerzas patriotas en Ayacucho el 9 de diciembre de 1824, el general Canterac firmó la capitulación que selló el fin del poderío español en Sudamérica. La Serna y su Estado Mayor regresaron a España (DB-e).

[68] *banderolas*: «Bandera pequeña que se pone en las efigies de Cristo resucitado, san Juan Bautista y otros santos» (DRAE).

[69] *las encrucijadas*: las encrucijadas de los caminos (de ahí la denominación de «cruz del camino»).

[70] *galpón*: «Departamento que se destinaba a los esclavos en las haciendas de América» (DRAE).

[71] *quincha*: «Pared hecha de cañas, varillas u otra materia semejante, que suele recubrirse de barro» (DRAE).

[72] *quincha* MP.

informarme: tuve que interrumpir la conversación y la comida. Creí ser presa de uno de los ataques de perniciosa palúdica[73] tan frecuentes en la quebrada que ese día había recorrido. Un fortísimo dolor de cabeza, con escalofríos y fiebre, me obligó a recogerme, muy desazonado y molido; y arropado con ponchos y capotes[74] en mi breve catre de campaña, delante de los mapas del Perú, de hule lustroso, que colgaban en la quincha divisoria de la escuela, e irónicamente me advertían las considerables distancias que me separaban aún de Ayacucho y Lima, renegué largo rato de los miasmas[75] del Pampas, de mi excursión andina y del desvalimiento de los caminos interiores de mi patria. Puede que mi indisposición, por el inevitable subjetivismo del viajero, me haga injusto con el valle del Pampas y el pueblecito de Carhuanca.

[73] *palúdica*: fiebre palúdica; fiebre producto del paludismo, malaria o terciana.

[74] *ponchos*: prendas de abrigo cuadradas o rectangulares con una abertura central para la cabeza; normalmente, cuelgan hacia la cintura o más abajo; *capote*: capa con menor vuelo que la capa común.

[75] *miasmas*: «Efluvio maligno que, según se creía, despedían cuerpos enfermos, materias corruptas o aguas estancadas» (DRAE).

VII

LAS RUINAS DE VILCAS[1]

Al otro día, la luz radiosa y el fresco de la mañana curaron mi malestar. Ascendí a las punas situadas al este de Huancapiy Cangallo[2] por caminos que orillan los cerros como las cornisas estrechas de un edificio. Sobre los lomazos y pajonales amarillentos, el cielo tendía su matutina suavidad deslumbrante, como una espléndida sedería azul. Un viento vivo y seco, efluvio de las gélidas cimas, saturado con el delicioso perfume de los pastos marchitos, bañaba los páramos; y las escasas y adelgazadas nubes se disipaban como transparentes cendales[3]. Eran cerca de las tres de la tarde cuando, vencida la jornada de ocho leguas, llegué al antiquísimo pueblo de Vilcas[4].

Su verdadero nombre quechua es Huillca Huaman (castellanizado en Vilcashuaman), que viene a significar *halcón sagrado*, ave adorada como *tótem* o dios gentilicio por la confederación de las tribus pocras y chancas[5]. Curacazgo muy principal, y metrópoli religiosa de ellas y

---

[1] Antes del título del capítulo, un título general: Paisajes andinos; y debajo de este: Capítulo VII MP.

[2] *punas*: tierras altas, yermas y extensas de los Andes; *Huancapi*: capital de la provincia de Víctor Fajardo, en Ayacucho. «Dista 3 leguas de Cangallo, 12 de Ayacucho» (Stiglich); *Cangallo*: capital de la provincia de Cangallo, en Ayacucho. «Está a 2 900 m. Dista 14 leguas de Ayacucho» (Stiglich).

[3] *cendales*: «Tela de seda o lino muy delgada y transparente» (DRAE).

[4] *Vilcas*: «*Vilcashuamán* o *Vilcas*: pueblo de la provincia de Cangallo [Ayacucho], distrito de Huambalpa. Es el antiguo Vilcashuamán, que daba nombre a esta provincia, que después se llamó Cangallo. Dista 5 leguas de Huambalpa y solo una del Pampas» (Stiglich).

[5] *pocras*: pobladores de la zona de Ayacucho anteriores a la conquista incaica; *chancas*: «*chankakuna*: Estado y pueblo antiguo y belicoso que ocupaba un amplio

todas sus congéneres y vasallas (que ocuparon las regiones de Huancavelica, Huamanga, Uramarca, Soras, Lucanas[6] y Andahuaylas)[7], Vilcas
fue conquistada por inca Rocja, se rebeló enseguida, y probablemente
la recuperaron los incas en los reinados de Huiracocha y Pachacútej[8].
Este último, según Cieza, que como siempre lo llama meramente Yupanqui[9], fue quien, junto al adoratorio del halcón aborigen, edificó un
famoso templo del Sol, servido por numerosísimos sacerdotes, y una
nueva fortaleza, con guarnición o presidio considerable. El yamqui[10]
Juan Santa Cruz enumera los siete ídolos locales, en figura de curacas[11]
«muy grandes, negros y feos», que el inca Pachacútej[12] cogió en Vilcashuaman y envió como despojo al Cuzco[13]. Las *Relaciones geográficas*[14]
atribuyen a Túpaj[15] Yupanqui los sagrarios del Sol y[16] la Luna, erigidos,
sobre las arrasadas huacas autóctonas, con piedras traídas, para mayor
santidad, desde el Cuzco y Quito; el torreón con escaleras y tronos
reales; los depósitos y cuarteles para los 30 000 soldados que guarne-
cían el lugar; y la nivelación de la gran plaza, cegando un pantano mediante el acueducto cuyos vestigios existen todavía[17]. Agrega Cieza[18]

territorio al NO del Cuzco (Apurímac, Ayacucho), con su propia cultura y civilización (1300-1400 D.C.)» (Rosat).

[6] Rucanas MP.

[7] Se nombran localidades de tres departamentos andinos contiguos: Huancavelica, Ayacucho y Apurímac.

[8] Pachacútec MP.

[9] «*Crónica del Perú*, cap. LXXXIX»★, Cieza de León, *Crónica del Perú. Primera
parte*, capítulo LXXXIX, p. 252.

[10] *yamqui*: «*yamki*: Noble. Tratamiento a los más nobles en tiempos preincaicos» (Rosat). Juan Santa Cruz Pachacuti es el autor de la *Relación de antigüedades
deste reino del Pirú* (después de 1613).

[11] *curacas*: caciques.

[12] Pachacutec MP.

[13] «Al fin llega con cincuenta mil hombres de guerra hasta Vilcashuaman en
donde topa con siete guacas <y demonios> en figuras de curacas muy grandes,
negros y muy feos», Pachacuti, *Relación de antigüedades deste reino del Pirú*, p. 221.

[14] *Relaciones geográficas de Indias-Perú,* tomo I, p. 218.

[15] Tupac MP.

[16] Añadido: de MP.

[17] existen todavía: orden sintáctico invertido en MP.

[18] «*Señorío de los incas*»★ «[…] muchos vinieron a le ver haciéndole grandes servicios y formaron con él amistad y por su mandado comenzaron a hacer aposentos y edificios grandes en lo que agora llamamos Vilcas, quedando maestros del
Cuzco para dar la traza y mostrar con la manera que habían de poner las piedras

que Huayna Cjápaj[19] acabó la obra del templo y construyó otro palacio inmediato. Está fuera de toda duda que Vilcas bajo la dominación incaica adquirió importancia extraordinaria. La población nativa de su distrito se calculaba en más de 40 000 habitantes. Cieza contó en la ciudad setecientos almacenes o cuartos de provisiones para el ejército y los empleados imperiales. Pasaban por ella tres o cuatro grandes vías (*Cjápaj Ñan*[20])[21] que comunicaban con los más apartados territorios del Tahuantinsuyu. En tiempo de los últimos incas, se le juzgaba el centro geográfico del imperio, más exactamente que el mismo Cuzco (cuya significación parece ser *ombligo del mundo*), por reputarse iguales las distancias entre los confines septentrionales de Caranque y Pasto[22] a Vilcas, y la de Vilcas a las fronteras meridionales de Chile y Tucumán[23]. Cincuenta porteros guardaban de continuo las entradas y muros del gran templo. La *acjllahuasi*[24, 25] vecina a él y al convento de los sacerdotes del Sol, contenía quinientas vírgenes sagradas; y en otro recogimiento próximo, se encerraban quinientas mujeres del inca. En sus viajes solemnes, el soberano se detenía siempre en Vilcas a visitar el santuario del Inti[26], y revistar las tropas del fuerte y los súbditos comarcanos; y el texto de la relación del siglo XVI, fundada en los recuerdos de los indios viejos, trae la descripción del brillante espectáculo que ofrecían el inca y su corte en casos tales. Era residencia del virrey o *tucuiricuj* que gobernaba desde el río Uramarca (Pampas) al Angoyacu (Mantaro)[27] y al mar; o sean los actuales departamentos de

y losas en el edificio» (Cieza de León, *Crónica del Perú. Segunda parte*, capítulo XLVIII, p. 140).

[19] Cápac MP.

[20] *Cjapaj Ñan*: camino real incaico.

[21] *cápac ñam* MP.

[22] *Caranque*: Caranqui (en el actual Ecuador); *Pasto*: ciudad del departamento de Nariño, en el S de Colombia.

[23] *Tucumán*: ciudad ubicada al NO de Argentina, capital de la provincia homónima. Caranque y Pasto, y Tucumán y Chile son, respectivamente, las fronteras septentrional y meridional del Tahuantinsuyo.

[24] *acjllahuasi*: que. 'casa de las escogidas', uno de los principales edificios construidos por los incas en la plaza mayor del Cuzco, donde se recogían las vírgenes destinadas al culto del Sol (Tauro).

[25] *acllahuasi* MP.

[26] *Inti*: el dios Sol de los incas.

[27] *Pampas*: «Río, provincia de Cangallo [departamento de Ayacucho], distrito de Carhuanca» (Stiglich); *Mantaro*: «Río de Junín. Nace a 3 946 m de elevación

Ayacucho y Huancavelica y también Ica, porque bajo los incas los valles de la Costa estuvieron subordinados a los centros administrativos de la Sierra. La cuesta y la fortaleza de Vilcas presenciaron, cuando la guerra entre Huáscar y Atahualpa[28], una nueva derrota de Huanca Auqui[29]; y cuando la Conquista, la dispersión de un ejército incaico por la caballería de Hernando de Soto[30].

Con los primeros años de la Colonia, se inició la decadencia de Vilcas, acelerada por la fundación de Huamanga, que vino a heredarla y reemplazarla como cabeza del Perú medio. Así vemos que en las primeras guerras civiles se deshabitó un tiempo, y tuvo que mandar repoblarla Vaca de Castro[31]. Conservó, no obstante, hasta el siglo XVII, alguna nombradía, en calidad de posta y tambo muy frecuentado; y era corregimiento[32] rico. En el régimen de intendencias, pasó a simple subdelegación, cuyo gobernador residía allí pocas veces, por preferir lugares mejor acondicionados; y continuando en la República el descenso, mientras el cercano pueblo de Cangallo crecía a sus expensas y la substituía como capital de la provincia, y el comercio del sur se desviaba primero hacia Chincheros y Ocros[33], y luego tomaba la ruta marítima, la postrada Vilcas, olvidada en todos los mapas, se reducía a la caduca y miserable aldea que contemplé afligido en la luminosa tristeza de una tarde de junio.

en la laguna de Junín, y después de ir al S se desvía en Tayacaja, al N, formando una península. Cae al Apurímac después de seguir por una muy honda quebrada y de precipitarse por fuerte declive, rematando a 450 m de elevación, que es la altura sobre el nivel del mar, donde desemboca» (Stiglich).

[28] «Cobo, libro XII, cap. XVIII»⋆, Cobo, *Historia del Nuevo Mundo*, libro XII, capítulo XVIII, pp. 195-196.

[29] *Huanca Auqui*: hermano y general de Huáscar inca.

[30] «Pedro Pizarro»⋆. Pizarro, *Relación del descubrimiento y conquista de los reinos del Perú,* cap. 14, pp. 79-80.

[31] «*Ordenanzas de tambos* en la *Revista Histórica*, tomo III»⋆, *Ordenanzas de tambos,* pp. 444-445. *Vaca de Castro*: Cristóbal Vaca de Castro (Izagre, León, 1492-Valladolid, 1566), gobernador del Perú de 1542 a 1544 (DB-e).

[32] *tambo*: «Albergue en los caminos, a la distancia justa para descanso tras una jornada de viaje» (*DiPerú*); *corregimiento*: territorio en que ejercía jurisdicción un corregidor. *Corregidor*: «Magistrado que en su territorio ejercía la jurisdicción real con mero y mixto imperio y conocía las causas contenciosas y gubernativas y del castigo de los delitos» (DRAE).

[33] Hacia los departamentos de Ayacucho (Ocros) y el Cuzco (Chincheros).

Conserva poco de sus célebres monumentos. Los pobladores, vecinos y afines de los pastores morochucos (afamados por sus robos y braveza), han acabado de arruinar los antiguos edificios, sacando los sillares para utilizarlos en la construcción de sus viviendas y *canchas*[34]. La iglesia, dedicada por los conquistadores a san Juan Bautista, se eleva en el sitio del templo del Sol, sobre graderías y terraplenes de grandes piedras. Cuando mi visita, refeccionaban la parroquia, y revestían los muros incaicos con una cegadora capa de cal. Pude distinguir en la portada algunos relieves pequeños de sapos y *amarus*[35], y una especie de fragmento de cornisa en forma de greca[36] o serrucho. Delante del terrado[37] de la iglesia, se extiende lo que fue plaza de armas. En sus rincones y junto a las murallas que la ceñían, se ven trozos de acequias muy bien labradas, en las que hubo pozas de baños para el inca y sus grandes. Me ha parecido siempre singular el número de estas tinas de piedra, que se hallan[38] en todas las residencias de los incas, y que en la frigidez de las serranías atestiguan hábitos de limpieza e instintos de higiene indudables en la aristocracia del Perú prehispano, y sorprendentes cuando se comparan con la espantosa inmundicia de los indios y cholos de hoy. ¿Ocurrió acaso con los peruanos indígenas, aun con los de mediana esfera y condición acomodada, lo que sucedió en Europa con los mediterráneos que, destruida su civilización latina y subyugados por la invasión germánica, abandonaron las termas, olvidaron las frecuentes abluciones de sus abuelos y se sumieron en la fétida sordidez en la Edad Media? Es posible que la degradación, aquí como allá, deshabituara de todo aseo, porque a ningún alcalde ni principal indio se le ocurre ahora de seguro seguir el ejemplo de los incas construyendo en sus casas piscinas de baño.

En la misma plaza, y creo que a las puertas del concejo y la cárcel, yace un doble asiento esculpido, sin duda uno de aquellos tronos incaicos de que habla la *Relación geográfica*[39]. Símbolo conmovedor del abandono y el abatimiento. ¿Qué les importa a estos infelices aldeanos el recuerdo de los divinizados reyes de sus progenitores, ni qué saben

---

[34] *canchas*: «Sitio llano y despejado» (*DiPerú*).

[35] *amarus*: serpientes, dragones mitológicos andinos.

[36] *greca*: «Faja decorada a base de ángulos rectos enlazados por sus extremos, que forman a manera de meandros rectilíneos» (Fatás-Borrás).

[37] *terrado*: terraza.

[38] encuentran MP.

[39] *Relaciones geográficas de Indias-Perú*, tomo I, p. 218.

de ellos? Nunca he sentido más punzante y desgarradora la sensación de la decadencia. El silencio del caserío era profundo, porque casi todos sus habitadores se hallaban[40] aún en los campos. Algún trino de pájaros, los humildes ruidos de corral, el cacarear[41] de las gallinas, el paso de una recua[42] turbaban la soledad que oyó un tiempo los cantos de adoración al Sol y las frenéticas aclamaciones al inca.

Avanzaba la tarde; y aproveché los momentos que me quedaban en ver las ruinas de la atalaya y el palacio. Están[43] a la izquierda del pueblo. En la callejuela que atravesé, los cerdos hozaban[44] el fango delante de las cabañas. Otro doble asiento de piedra se ve[45] caído al pie de la torre que debió de coronar. Subí los destrozados escalones de enormes bloques. Al occidente, en un corto llano tapizado de hierba, se alzan los muros de los aposentos y almacenes. Admiré[46] hermosas puertas de puro estilo incaico, en forma de trapecio, más angosto el dintel que el umbral[47], a manera de las egipcias. En las formidables paredes de granito[48] que todavía resisten la acción destructora del tiempo y los hombres, hay los consabidos *tocjos*[49], hornacinas rectangulares, nichos de adorno que algunos imaginaron garitas de centinelas. Entre los agrietados pedrones han nacido algunas plantas, cuyas hojas ondean al aire leve. El cielo era azul de ultramar. Un resplandor de oro líquido inundaba la llanura del oeste y sus despedazados palacios; y ese haz de exacerbados rayos sobre el pálido verde del suelo y los tonos obscuros de las murallas ciclópeas, nimbo[50] de nostalgia indefinible, semejaba un llanto solar de agonía.

---

[40] encontraban MP.

[41] cacareo MP.

[42] *recua*: grupo de animales de carga.

[43] Se hallan MP.

[44] *hozaban*: «Mover y levantar la tierra con el hocico» (DRAE).

[45] se ve: está MP.

[46] Admiré: Vi MP.

[47] *dintel*: «Elemento horizontal que soporta una carga, apoyando sus extremos en las jambas o pies derechos de un vano ('hueco')» (Fatás-Borrás); *umbral*: «Parte inferior o escalón en la puerta o entrada en una casa, por oposición a la superior o dintel» (Fatás-Borrás).

[48] de granito: omitido en MP.

[49] *tocos* MP.

[50] *ciclópeas*: como si hubieran sido construidas por los cíclopes ('gigantes de un solo ojo'). «Dicho de ciertas construcciones antiquísimas que se distinguen por

Restos de un gran naufragio histórico bajo la luz del poniente, dijérase que las ruinas de Vilcas entonaban un cantar desesperado, más desvalido y angustioso que la música de las quenas[51]. Opulencia extinta y plañidera tristeza leyendaria[52], dos notas que resumen el alma de la Sierra en el Perú.

En este ambiente melancólico, propicio a las evocaciones, la imaginación reconstruye sin dificultad el cuadro que la *Relación geográfica* y los cronistas sugieren:[53] la calzada limpia de guijarros y regada de flores; el ejército de los 30 000 guerreros indios, con lanzas, hachas, *macanas*[54], patenas[55] y armaduras de metal; los escuadrones de honderos y arqueros, con gorros, llautos, tocados y divisas[56] diferentes; los lujosos vestidos de *cumpi*[57] y los penachos de los capitanes en magnífico tremolar; los *champis* de cobre, las adargas[58] y las camisetas de hilo de oro de la privilegiada milicia incaica, «que relucían extrañamente»,

el enorme tamaño de sus piedras, unidas por lo común sin argamasa» (DRAE); *nimbo*: aureola.

[51] *quenas*: flautas que los artesanos andinos fabrican con caña o con hueso.

[52] legendaria MP.

[53] «Consúltense Cieza de León, Pedro Pizarro, Jerez, Garcilaso, Cobo, Santa Cruz Pachacuti y la antigua descripción de Vilcas que publicó Jiménez de la Espada»*, Cieza de León, *Crónica del Perú. Primera parte*, capítulo LXXXIX, pp. 252-253; Inca Garcilaso de la Vega, *Comentarios reales de los incas*, tomo I, libro cuarto, capítulo XV, pp. 207-208; Cobo, *Historia del Nuevo Mundo*, libro XII, capítulo IX, pp. 145-146; Pachacuti, *Relación de antigüedades deste reino del Pirú*, pp. 245, 248, 259; [Jiménez de la Espada], *Relaciones geográficas de Indias-Perú*, tomo I, pp. 218-219.

[54] *macanas*: «Arma antigua, de madera, tan larga como un bastón, que desde la empuñadura iba ensanchando y en el extremo presentaba filos agudos [de piedra]» (Tauro).

[55] «*Purapuras* se llamaban en quechua»*. *Patena*: «Lámina o medalla grande con una imagen esculpida que se pone al pecho» (DRAE).

[56] *llautos*: «*Llawtu, llawt'u, llawthu*: trenza o cordón de hilos de varios colores, como de 1 cm de ancho que, a modo de tocado, ceñía la cabeza del inca, cuatro o cinco veces, quedando a manera de guirnalda» (Rosat); *divisas*: «Señal exterior para distinguir personas, grados u otras cosas» (DRAE).

[57] *cumpi*: «*qompi, q'ompi*: Tejido fino, ropa fina, lujosa, especie de tapiz hecho con hilo fino y con muchos ornamentos, solo usada por los incas, los nobles, capitanes etc.» (Rosat).

[58] *champis*: «*champi, ch'ampi*: Metal que resulta de la aleación de bronce y oro, del temple de acero» (Rosat); *adargas*: escudos.

según frase de Pedro Pizarro[59]; las andas de los ídolos; las hamacas de los mayores caciques; y en el hoy desmoronado torreón, el inca con los collares de perlas y esmeraldas y la recamada *yacolla* o manto regio, ceñida la frente por la suelta y sangrienta *mascapaycha*[60], dorada y bermeja, y el listado turbante (*Cjápaj llautu*)[61], y la coya, con la *huincha* (diadema femenil) y constelada con los largos prendedores de redondelas llamados *tupus*; asentados ambos, como dioses coruscantes, en la *tiana*[62] de piedra, bajo la *achigua*, palio de plumería de mil colores, sostenido por varas de oro que llevaban doce príncipes ancianos; delantero y en alto, el cetro (*túpaj yauri*); a los lados, la sacra insignia del *súntur páucar*[63], hecha de plumas y con tres puntas erguidas, y el estandarte real, orlado en rojo, con las figuras del arco iris, las serpientes enlazadas y el cóndor explayante[64]; y en derredor del trono, la turba de los dignatarios, los sacerdotes y amautas, las concubinas y ñustas[65], los bufones (*yactujruna*)[66], juglares y enanos contrahechos (*cjumillu*)[67], los músicos y[68] los polícromos danzantes de Chumbivilcas; los cargadores y litereros de Lucanas[69], vestidos de túnicas azules; y los jefes vencidos, postrados en tierra, a quienes el inca pisaba, caminando —al fin— sobre la viviente alfombra de sus cuerpos, en señal de triunfo.

[59] «Pues era tanta la patenería que traían de oro y plata, que era cosa estraña lo que relucía con el sol» (Pizarro, *Relación del descubrimiento y conquista de los reinos del Perú,* capítulo 9, p. 37).

[60] *mascapaycha*: «*mask'apaycha, mask'aypacha*: Borla, remate del *llawt'u* (trenza o cordón de hilos de varios colores que, a modo de tocado, ceñía la cabeza del inca) que caía sobre la frente» (Rosat).

[61] *cápac llautu* MP.

[62] *coruscantes*: participio activo de *coruscar* 'brillar'; *tiana*: «Asiento de cualquier clase» (Rosat).

[63] *súntur páucar*: «*suntur pawqar*: Lanza o pica revestida de plumas cortas y multicolores, rematada en tres plumas grandes. Era una insignia imperial, a modo de cetro, que se llevaba ante el inca al salir este de casa» (Rosat).

[64] *explayante*: que se explaya, extendido.

[65] *amautas*: «(que.: 'sabio prudente'): Funcionario de la nobleza incaica o beneficiario de sus privilegios; cronista cortesano, filósofo y observador de los astros» (Tauro); *ñustas*: vírgenes de sangre real.

[66] *yactucruna* MP.

[67] *cumillu* MP.

[68] Omitida la conjunción en MP.

[69] *Chumbivilcas*: provincia del departamento del Cuzco; *litereros*: los portadores de las literas donde viajaban el inca o los curacas principales; *Lucanas*: provincia del departamento de Ayacucho.

Insuperable debió de ser la magnificencia de estos desfiles, a juzgar por los relatos españoles; y Vilcas parece haber sido, como *tambo*[70] central, lugar predilecto para tales ceremonias.

Me dicen que a distancia de media legua hay otras ruinas curiosas, y en ellas una ara[71] de sacrificios humanos. Me faltó tiempo para ir a verlas. Siendo en la actualidad Vilcas pueblo tan desproveído, decidimos pernoctar en la quebrada y hacienda de Pomacocha, una legua más abajo.

Los indios de toda esta región, apellidados *morochucos*[72] (o sean *los de bonetes multicolores*) por sus sombreros tradicionales, han heredado la belicosidad de sus abuelos chancas. Son pastores dados al merodeo[73], muy atrevidos y crueles. Jinetes eximios, en caballejos peludos e infatigables, manejan con singular destreza el lazo y las bolas de plomo. Son los gauchos y los cosacos[74] del Perú. Buenas pruebas de bravura dieron en la guerra de la Independencia. Furiosos patriotas, al paso que los huantinos[75], sus émulos, combatían por la causa realista, los morochucos se mantuvieron en perpetua insurrección contra los ejércitos del Virreinato desde 1815; y aun se recuerdan las atroces campañas de los brigadieres Ricafort y Carratalá[76] que, en 1821 y 1822, para escarmentarlos, asolaron la provincia, y quemaron y arrasaron Cangallo, su principal población, declarándola «borrada del catálogo de los pueblos, sin que nadie pudiera reedificarla». Después de la batalla de Ayacucho, Cangallo se reconstruyó con cholos[77] y mestizos; y atrajo casi todo el vecindario de Vilcas. Los morochucos, en las revoluciones de la República, no desperdiciaron las oportunidades para dar pábulo a sus atávicos instintos. Hasta fines del siglo XIX, han conservado intactas

---

[70] *tambo*: albergue.

[71] *ara:* altar.

[72] Morochucos MP.

[73] *merodeo*: «Vagar por el campo viviendo de lo que se coge o se roba» (DRAE).

[74] *bolas de plomo*: especie de boleadoras; *los gauchos y los cosacos*: por su habilidad para manejarse en el caballo, como los gauchos de las pampas argentinas o los cosacos de las estepas rusas.

[75] *huantinos*: gentilicio de los habitantes de Huanta (Ayacucho).

[76] *Ricafort: Mariano Ricafort Palacín* (Huesca, 1776-Madrid, 1846), militar español que luchó contra los patriotas en la guerra de la Independencia; *Carratalá*: «*José Carratalá* (Alicante, 1781-Madrid, 1854): general realista. Dispuso el incendio de Cangallo y otros pueblos, para castigar su adhesión a la independencia» (Tauro).

[77] *cholos*: «Mestizo de ascendencia europea e indígena» (*DiPerú*).

sus costumbres peculiares. Ahora, la civilización los ha aquietado y ha comenzado a transformarlos. Su comarca, al este y oeste de Vilcas Huaman, abraza, más o menos, de las sierras de Ocros y Vischongos a las de Sancos y Paras[78].

De Vilcas se sale por un camino ancho, que baja a la quebrada entre sembríos cercados de setos y árboles. Como ya doblaba la tarde, las reses se recogían y pasaban las indias cargadas de chala. Al oriente, sobre el grisáceo escorzo[79] de la cordillera, las nubes se extendían como olas de rompientes[80] gigantescos y quiméricos golfos de espuma. Luego el camino tuerce, apegándose a los cerros de la derecha y descendiendo por revueltas espantables, que parecen balcones sobre el abismo. Abajo, en medio de carrizos, chachacomas[81] y nogales, la luz del sol muriente ondulaba en el río como las escamas de un gran pez dorado.

Tal es la cuesta de Vilcas, nombrada tan a menudo en las crónicas de los conquistadores. Me acuerdo de la supersticiosa escena que en ella coloca Montesinos[82], quien en sus *Anales* copió el relato de un *Fragmento historial* contemporáneo del suceso. Corría el año de 1540; y regresaba D. Francisco Pizarro a Lima de su último viaje al Cuzco y las Charcas[83]. Se hallaba en la cumbre de su prosperidad. Vencido y decapitado el adelantado Almagro[84], dominaba sin rival desde Popayán[85] a Chile, y solía decir que su gobernación no tenía límites y

[78] Del SE al S del actual departamento de Ayacucho.

[79] *chala*: «Tallo seco del maíz, ligero de peso respecto a su volumen» (*DiPerú*); *escorzo*: «Figura o parte de la figura escorzada; *escorzar*: representar, acortándolas, según las leyes de la perspectiva, las cosas que se extienden en sentido perpendicular u oblicuo al plano del papel o lienzo sobre el que se pinta» (DRAE).

[80] *rompientes*: escollos donde rompe y se levanta el agua.

[81] *chachacomas*: «*chachacomo*: Árbol de tronco tortuoso, madera rojiza, con corteza amarillenta y escamosa, hojas pequeñas apiñadas en ramillete y flores blancas en racimo. N.c.: *Escallonia resinosa*» (*DiPerú*).

[82] Montesinos, *Anales,* 1540, p. 113: «como dice el *Fragmento historial,* capítulo 141».

[83] *Charcas*: territorio que ocupa, aproximadamente, la actual Bolivia.

[84] *el adelantado Almagro*: Diego de Almagro (Almagro, 1475-Cuzco, 1538); con Francisco Pizarro (Trujillo, 1478?-Lima, 1541) y Hernando de Luque (Olvera, ¿?-Panamá, 1533), uno de los tres socios de la conquista del Perú. Fue derrotado por las tropas pizarristas en la batalla de las Salinas (6 de abril de 1538), al S del Cuzco. El título de adelantado era conferido por la Corona española en América a quienes estaban autorizados por ella para conquistar nuevos territorios.

[85] *Popayán*: ciudad ubicada en el O de Colombia.

que iba hasta Flandes. Su teniente Valdivia y su hermano Gonzalo[86] marchaban a conquistarle dilatadas regiones. El hermano mayor, Hernando, navegaba a España para exculpar la guerra civil y obtener, si era posible, mayores mercedes. Los almagristas andaban fugitivos entre los indios o escondiendo su miseria en las recién fundadas poblaciones castellanas. El marqués, en la ufanía de la victoria, no se privaba del placer de despreciarlos públicamente. Absorto en su obra colonizadora, dedicado a establecer las nuevas ciudades y villas, y a repartir el sometido imperio entre sus compañeros y servidores, realizaba al fin el ensueño de su vida. Rodeado de caballeros y pajes, camareros y capellanes, volvía tranquilo y triunfante a su querida Lima. El tiempo era de aguas; y al salir de Vilcas amagaba un cerradísimo nublado tempestuoso. ¿Recordó tal vez el duro Pizarro que en aquel mismo lugar su desdichado amigo y contendor Almagro adoleció y estuvo cerca de un mes a punto de muerte, dos años antes, con la enfermedad que, al principiar la campaña de las Salinas, le postró el ánimo, le quitó los bríos y tanto contribuyó a su derrota?[87] En las largas horas de la marcha, ¿atravesó un instante por su memoria la reciente imagen de la esposa del inca Manco[88], a quien acababa de hacer asaetear y quemar viva en el valle de Yucay?[89] Su áspera y fría voluntad, sin duda, rechazaba tales remordimientos.

[86] *hasta Flandes*: «el cual [Diego de Alvarado], con gran mansedumbre y mucha crianza, pareció delante del gobernador [Francisco Pizarro] e dijo que pues sabía que su majestad había hecho merced de la gobernación de Nuevo Toledo al adelantado [Diego de Almagro el Viejo], que dejando aparte la ciudad del Cuzco desembarazase la provincia, pues el adelantado, con poder del rey, la dejaba a su hijo [Diego de Almagro el Mozo] y a él para que la gobernase hasta que fuese de edad. El gobernador le respondió desabridamente, e le dijo que su gobernación no tenía término, e que llegaba hasta Flandes» (Cieza de León, *Crónica del Perú. Cuarta parte, vol. I, Guerra de Las Salinas*, cap. LXXXVII, p. 373); *Su teniente Valdivia*: Pedro de Valdivia (Castuera, Badajoz, c. 1500-Tucapel, Chile, 1553), conquistador de Chile (DB-e); *su hermano Gonzalo*: Gonzalo Pizarro (Trujillo, ¿1511?-Cuzco, 1548), hermanastro menor de Francisco Pizarro (Tauro).

[87] «Carta del tesorero Espinar al rey»⋆

[88] *la esposa del inca Manco*: Cura Ocllo, hija de Huayna Cápac.

[89] «Esta *palla*, violada antes del suplicio por Gonzalo Pizarro y Antonio Picado, repartió todas sus joyas a las criadas que la asistían, encargándoles que después de muerta, arrojaran su cadáver en un serón al Urubamba, para que la corriente del río se lo llevara al monarca cuya favorita era (Cieza, *Guerra de Chupas*)»⋆, Cieza de León, *Crónica del Perú. Cuarta parte, vol. II, Guerra de Chupas*, capítulo I, pp. 6-7.

Una crecida tropa de indios llevaba a cuestas la recámara[90], con la ropa, la rica vajilla, y los papeles y despachos de la gobernación[91]. Estalló la tempestad, de extraordinaria granizada y muchos rayos; y fue tal el ímpetu del aguacero, que en los malos pasos del camino, maltratado por las guerras de Atahualpa y la Conquista, se despeñaron los cargadores con los bultos, y rodaron las petacas de los papeles, por más de una legua, hacia la orilla del río. En la obscuridad y confusión de este diluvio, un cóndor, de los muy grandes que por allí abundan, bajó a la hondura del precipicio y fue a posarse en el baúl de los títulos y las cartas, que debía de guardar las de Bachicao y el factor Carbajal, anunciadoras de conspiraciones y asechanzas[92]. El pájaro enorme, con el fiero perfil de rapiña, el negro plumaje y la blanca golilla, hubo de ofrecer semejanza con la fisonomía y el vestido habitual del marqués[93]. Erguido e inmóvil, parecía un presagio fúnebre. Los indios, como tan agoreros, se lo dijeron así al gobernador su amo; y le suplicaron que no pasase adelante, porque en Lima le había de ocurrir alguna gran desgracia. Pizarro se rio del augurio, con su taciturna indiferencia. Mas cuando, tras las semanas de viaje, entraba la comitiva en la naciente capital costeña, al acercarse a la plaza por la recta después llamada de los Judíos, oyó que la iglesia matriz tocaba solemnemente a muerto. Algún vecino o soldado de reputación había fallecido de la *chapetonada*, que era como nombraban[94] a las malignas cuartanas[95] del valle. Entonces el marqués, rememorando lo de Vilcas y al cabo supersticioso como todo aventurero, le dijo a su secretario Picado: «Si hubiéramos

---

[90] *recámara*: cosas de servicio que lleva un señor de camino (Moliner).

[91] Montesinos, *Anales,* 1540, p. 113.

[92] *factor*: oficial real que recaudaba rentas y tributos; la carta de Bachicao: Cieza de León, *Crónica del Perú. Cuarta parte, vol. I, Guerra de Las Salinas,* capítulo XCIII, p. 397; la carta del factor Carbajal: Cieza de León, *Crónica del Perú. Cuarta parte, vol. II, Guerra de Chupas,* capítulo XVII, p. 62.

[93] «Vistió de ordinario un sayo de paño negro y unas tobajas al cuello (Agustín de Zárate)»*. «[…] nunca se vistió de ordinario sino un sayo de paño negro con los faldamentos hasta el tobillo y unos zapatos de venado blancos y un sombrero blanco, y su espada y puñal al antigua […] Y trayendo de ordinario unas tobajas al cuello, porque lo más del día, en tiempo de paz, empleaba en jugar a la bola y a la pelota, y para limpiarse el sudor de la cara». Zárate, *Historia del descubrimiento y conquista del Perú,* libro IV, capítulo IX, pp. 153-154.

[94] designaban MP.

[95] *cuartanas*: «Calentura, casi siempre de origen palúdico, que entra con frío, de cuatro en cuatro días» (DRAE).

de creer en arfiles[96], mala señal es la entrada con doble de campanas». Y el secretario le respondió, con la necia o fingida seguridad de los paniaguados del poderoso: «No crea vuestra señoría en abusiones[97], que aunque se topen, no se ha de hacer remanso en ellas»[98]. En la esquina de esa calle se alojaba con sus amigos el mancebo hijo de Almagro.

Un año más tarde, D. Francisco Pizarro moría en su palacio del frente, bajo las dagas de los conjurados de Chile[99]; y arrastraban a Antonio Picado, el insultante valido, desde la cama del tesorero Riquelme en cuyos cortinajes[100] se ocultaba, para degollarlo, tras bravos tormentos, en la misma plaza mayor[101]. El Perú ha sido siempre el país de las vicisitudes trágicas.

[96] *arfiles*: alfiles 'agüeros'.

[97] *paniaguados*: sirvientes pagados con habitación, comida y salario; *abusiones*: «Superstición, agüero» (DRAE).

[98] Montesinos, *Anales,* 1540, pp. 113-114.

[99] *los conjurados de Chile*: los almagristas, llamados también «los de Chile» por haber formado parte del grupo de soldados que, dirigidos por Diego de Almagro, intentaron la conquista de Chile.

[100] *valido*: «Hombre que, por tener la confianza de un alto personaje, ejercía el poder de este» (DRAE); *en cuyos cortinajes*: seguramente se trataba de una cama cubierta por un dosel y rodeada de cortinas, como se usaba en los dormitorios señoriales de la época.

[101] Cieza de León, *Crónica del Perú. Cuarta parte, vol. II, Guerra de Chupas,* 1994, cap. LXIII, pp. 153-155.

VIII[1]

POMACOCHA. LA PUNA DE TOCTO.
BAJADA A ANTUHUANA

Pomacocha es una quebrada cálida, a la que riega uno de los componentes del Pampas[2]. Procede su nombre (*laguna del puma*) de haber consagrado antaño en ella los naturales un estanque al leoncillo indígena, divinidad de la comarca, a quien dedicaron igualmente la sierra oriental (Pumacahuanca[3], *mirador del león* según Carranza)[4]. Tuvieron los incas en este valle una casa de placer, palacio pequeño en que asegura el yamqui[5] Santa Cruz Pachacuti haber nacido el bondadoso príncipe Amaru Yupanqui, del que hice mención al nombrar las ruinas de Tambomachay: el soberano desposeído, cuyas huellas he rastreado en tantos cronistas, y de quien dice el mismo yamqui Santa Cruz que era por inclinación «demasiado humilde con todos y bien hablado»; que, huyendo los trabajos del gobierno y de la guerra, «se aplicaba a las chácaras[6] y los edificios»; que por su caridad y mansedumbre obtuvo del cielo, en una hambruna y sequía general, ya destronado, la particular protección de sus campos, defendidos de los hielos por un toldo

---

[1] Sobre el título del capítulo, un título general, Paisajes andinos, y debajo de este: Capítulo VIII MP.

[2] *Pampas*: «Río [de Ayacucho], provincia de Cangallo, distrito de Carhuanca» (Stiglich).

[3] Pumahuanca MP

[4] «Pumacahuanca, *mirador del león*, según Carranza»★, «*Puma-k'ahuank'a*: Del quechua *puma*, león, y *k'ahuanca,* verá; o sea el *mirador* del león. Es este el nombre de la cadena que separa la hoya del Pampas de las regiones de Ayacucho» (Carranza, «Etimologías de algunos nombres de la zona del Centro», p. XII)

[5] *yamqui*: «Tratamiento a los más nobles en tiempos preincaicos» (Rosat).

[6] *chácaras*: chacras, campos de cultivo.

de nubes, con cuyos frutos alimentó a los pobres del imperio; y que debía de parecerse a su abuelo el monarca Huiracocha, conforme al citado narrador, en preferir a todas las conquistas y tareas de mando el construir casas y plantar en los prados arboledas «de alisos, quishuares, chachacomas y molles»[7, 8].

Cuentan las tradiciones locales que en la Colonia los jesuitas se establecieron junto al mismo palacio, cuna del más benigno e idílico de los incas. El dato, no obstante, es incierto; porque Pomacocha no figura tampoco[9] en la relación de bienes de la Compañía, escrupulosamente formada cuando su expulsión, y el vulgo, que siempre exagera, no vacila en atribuir a los antiguos jesuitas la propiedad de todas las mejores haciendas del territorio.

Actualmente, Pomacocha, finca desmesurada, que en su área comprende varios pueblos y por sus diversas alturas los más opuestos climas, pertenece a un convento de monjas, el de Santa Clara de Ayacucho. La casa del fundo es grande, pero muy vieja y destartalada. Tras breve trecho, hacia los cerros del occidente, hay una espaciosa capilla, que es casi una iglesia. La fachada tiene labrados y adornos barrocos, y el interior es aún más netamente churrigueresco[10]. Amenaza desplomarse, sin que ni las monjas ni el arrendatario se decidan a ponerle mano. En el atrio se eleva sobre alto peldaño una gran cruz de piedra. En el contorno crecen hermosos magueyes[11] de abundante miel.

---

[7] *quishuares*: «Árbol de copa redondeada, tronco con ramificaciones desde el suelo, ramas tortuosas, hojas blanquecinas y flor en racimo que varía de blanco a rojizo según la especie y crece en la puna. N.c.: *Buddleja* sp.» (*DiPerú*); *chachacomas*: «*chachacomo*: Arbusto de tronco tortuoso, madera rojiza, con corteza amarillenta y escamosa, hojas pequeñas apiñadas en ramillete y flores blancas en racimo. N.c.: *Escallonia resinosa*» (*DiPerú*); *molles*: «Árbol mediano, de ramas colgantes, corteza exterior café o gris, muy áspera y exfoliante, flores pequeñas blanco-amarillentas y frutos redondos de color rojo púrpura cuando están maduros. N.c.: *Schinus molle*, también *Haplorhus peruviana*» (*DiPerú*).

[8] «Vid. *Tres relaciones de antigüedades peruanas* (Madrid, 1879), págs. 276, 281, 283 y 269»*. Pachacuti, *Relación de antigüedades deste reino del Pirú*, p. 230.

[9] tampoco: omitido en MP.

[10] *churrigueresco*: «(de Churriguera). Relativo al Barroco español, en arquitectura. Recibe el nombre de José de Churriguera (1665-1723). Es extraordinariamente fastuoso y muy abundante en Hispanoamérica» (Fatás-Borrás).

[11] *magueyes*: «*cabuya*: Hierba de hojas o pencas radicales, carnosas, en forma de pirámide triangular, con espinas en el margen y en la punta, de flores amarillentas que crecen sobre un alto bohordo central. N.c.: *Agave americana*» (*DiPerú*).

Nos sirvieron en Pomacocha[12] y trajeron forraje para las caballerías, un alcalde indio y varios mitayos con varas, ni más ni menos que en los tambos[13] virreinales de hace siglos. Dormí en un cuarto que de ordinario se usa para guardar las papas[14] y el maíz. La techumbre tenía goteras; y por un boquete del muro que daba al patio, zumbaba el viento y oía yo todos los rústicos ruidos del amanecer. Primero fue el batir del follaje y el crujido de los árboles por las agitadas ráfagas del aire, el clarinear[15] de los gallos, el mugir de los bueyes, un lejano ladrido, el trémulo balar de los rebaños distantes. Enseguida el trajín de la ordeña matinal, hecha a la luz de lamparillas de latón; un rápido altercado, el manoteo de las recuas[16]. Después, a la incierta y gris claridad de la aurora, el remover los aperos de labranza, la salida de las yuntas[17], el gorjeo de los pájaros; entre pausas de silencio, la tonada de un *triste*, gritos intermitentes de arrieros[18], el chasquido de los látigos; y ya bien abierto y brillante el sol, el seco y apretado galopar de las puntas[19] de ovejas, que pasaban delante a remudar[20] de pastos.

---

[12] Pamacocha MP.

[13] *mitayos*: «Trabajador indígena sometido a la mita; *mita*: "Trabajo público, obligatorio y por turnos, que tenían que realizar los indígenas en labores comunales o centros de explotación"» (*DiPerú*); *varas*: ¿Las varas del *varayoc*: «(que. 'el que tiene la vara'): Envarado o alcalde de las comunidades y pueblos de indígenas» (*DiPerú*)?; *tambos*: «Albergue en los caminos, a la distancia justa para descanso tras una jornada de viaje» (*DiPerú*).

[14] *papas*: patatas.

[15] *clarinear*: infinitivo formado a partir de *clarín* 'trompeta pequeña que emite un sonido agudo'. Seguramente, porque, a semejanza de lo que ocurre en el ejército, el quiquiriquí del gallo es «la trompeta, el clarín» que despierta al resto de «la tropa»: animales y personas; técnicamente, el toque de diana.

[16] *manoteo*: «Acción de los caballos, y más aún de las mulas, de golpear con las manos» (Luna de la Fuente, *El caballo peruano*, p. 333); *recuas*: grupo de animales de carga.

[17] *aperos*: «Conjunto de instrumentos y demás cosas necesarias para la labranza» (DRAE); *yuntas*: «*yunto*: Par de bueyes, mulas u otros animales que sirven en la labor del campo o en los acarreos» (DRAE).

[18] *triste*: «Canción melancólica, muy parecida al yaraví (canción mestiza de tema dulce y a la vez triste, procedente del *harawi* incaico, que se combina con elementos españoles), que tiene giros melódicos de procedencia andina y se acompaña con guitarra» (*DiPerú*); *arrieros*: «(De *arre*). Persona que trajina con bestias de carga» (DRAE).

[19] *puntas*: «Pequeña porción de ganado que se separa del hato» (DRAE).

[20] *remudar*: cambiar.

A mi salida, el cielo lucía como un espejo bruñido. La antigua capilla reverberaba alegremente con tonos de tierno rubio; y en la magnífica limpidez, los ágaves[21] y tunales semejaban caprichosas alhajas de esmeralda y malaquita[22]. Por la cuesta de la derecha, entre las matas y los arbustos del monte, nos precedía una larga caravana de mulas cargadas con barricas de alcohol. Llevan esquilas[23] al cuello, necesarias para advertir su proximidad en los desfiladeros y angosturas[24] de los caminos. Los indios conductores van a pie, mascando coca[25] y corriendo con agilidad incansable. En contraria dirección, venía de viaje una familia de cholos[26] ricos; y eran de ver las chapeadas[27] monturas. Las mujeres, adornadas con largos aretes, se amarraban los grandes sombreros de paja con pañuelos de seda roja, a manera de barboquejos[28]. Ellas y sus compañeros enarbolaban quitasoles[29] enormes; y algunos sirvientes, en las ancas de las bestias, iban sobre las albardas sentados a mujeriegas[30].

---

[21] *ágaves*: «pita. Planta vivaz, de la familia de las Amarilidáceas, con hojas o pencas radicales, carnosas, en pirámide triangular, con espinas en el margen y en la punta» (DRAE).

[22] *tunales*: plantas de tuna o higueras de tuna; *malaquita*: «Mineral de carbonato de cobre, de color verde, susceptible de pulimiento, que suele emplearse para chapear objetos de ornamento» (DRAE).

[23] *barricas*: toneles medianos; *esquilas*: «Cencerro pequeño, en forma de campana» (DRAE).

[24] *angosturas*: pasos estrechos.

[25] *mascando coca*: técnicamente, *chacchar* «Mascar repetidamente, y durante un tiempo, las hojas de coca, bien solas o con una bola de *llipta* (pasta de cal obtenida de kiwicha, quinua o papa, que acompaña en forma de bola la masticación de la coca)» (*DiPerú*). Chacchar coca ayuda a soportar la fatiga en trabajos esforzados.

[26] *cholos*: «Mestizo de ascendencia europea e indígena» (*DiPerú*).

[27] *chapeadas*: participio pasivo de *chapear* 'cubrir con chapa'. *Chapa*: «Hoja o lámina de metal, madera u otra materia» (DRAE). Probablemente se refiera a las aplicaciones de plata u otro metal en las monturas, obras finas de talabartería.

[28] *barboquejos*: «Cinta o correa que sujeta una prenda de cabeza por debajo de la barbilla» (DRAE).

[29] *quitasoles*: sombrillas.

[30] *ancas*: parte posterior de las caballerías; *albardas*: «Pieza principal del aparejo de las caballerías de carga, que se compone de dos a manera de almohadas rellenas, generalmente de paja y unidas por la parte que cae sobre el lomo del animal» (DRAE); *a mujeriegas*: sentarse de lado sobre la cabalgadura, como usualmente se sentaban las mujeres, y no a horcajadas, como usaban hacer los hombres.

Caminamos casi todo el día por la extensa puna de[31] Tocto[32]. Su nombre significa *páramo de la lechuza*. El viento sequísimo levantaba en la inmensa meseta cegadores remolinos de polvo. Como a la mitad de ella, y torciendo un poco a la diestra, existen chozas pajizas de techo esférico, mísera pascana[33] en que los caminantes suelen pernoctar al recorrer estas soledades. Pero era temprano; y sobrándonos horas para adelantar la jornada, no nos detuvimos allí sino minutos. Continuamos a tomar la bajada de la puna, por repliegues en que hay canchones y rediles de pircas[34].

Volteando más a la derecha, se entra en un callejón verde, encañada[35] húmeda de puquios[36], en la que se ven reses vacunas, muchos llamas, y *carpas* o cobertizos de pastores. De allí se sigue por la inclinada ladera que conduce al llano y a la hacienda de Antuhuana, en que decidimos hacer noche. En la travesía presencié el crepúsculo más bello de mi viaje, el que me ha dejado más viva impresión.

El valle se dilata al oriente y al norte, cercado por las graves sierras de Matará[37] y Pumacahuanca[38]. Los tintes de los declives, opalinos[39] y azulados, se armonizaban con el hondo esmalte[40] del cielo en

[31] del MP.

[32] *puna*: tierras altas, yermas y extensas de los Andes; *Tocto*: puna y «aldea, departamento de Huancavelica, provincia de Angaraes, distrito de Caja» (Paz Soldán).

[33] *pascana*: «Parada en un viaje» (*DiPerú*).

[34] *repliegues*: vueltas, recodos; *canchones*: terrenos amplios; *rediles*: «Aprisco (paraje donde los pastores recogen el ganado para resguardarlo de la intemperie) cercado» (DRAE); *pircas*: cercas de piedra.

[35] *encañada*: «Cañada, garganta o paso entre dos montes» (DRAE).

[36] *puquios*: «Manantial, fuente natural que brota de la tierra o de la roca» (*DiPerú*).

[37] *Matará y Pumacahuanca*: Matará está en el distrito de Acosvinchos, provincia de Huamanga, departamento de Ayacucho; Pumacahuana o Pomacahuana, en el distrito de Vishcongo, provincia de Cangallo, departamento de Ayacucho.

[38] «Los altos de Matará (*espadaña*) fueron testigos de dos combates favorables para los realistas: en 1815 contra Béjar y sus cuzqueños; y en 1824, contra Sucre, seis días antes de la batalla de Ayacucho. Los cerros de Pumacahuanca han sido tan famosos y proverbiales para el antiguo bandolerismo huamanguino como la Tablada de Lurín y Piedras Gordas lo fueron para el limeño»*.

[39] *opalinos*: del color del ópalo, piedra fina de lustre resinoso, aquí probablemente opaco.

[40] *esmalte*: «Barniz vítreo que por medio de la fusión se adhiere a la porcelana, loza, metales y otras sustancias elaboradas» (DRAE).

gradaciones suaves. El sol guiaba sosegadamente su rebaño de blancas nubes, y proyectaba reflejos áureos sobre los diversos cultivos y los pastos en que se movían los ganados. Su meditativa claridad tenía la dulce majestad con que imaginamos la augusta vejez de los héroes. Soplaba fresco el viento; y apenas, en algunas hoyadas[41] y faldas, se adensaban las sombras. Cuando, casi de improviso, se incendiaron las cumbres, flameó el anfiteatro de los montes, y las nubes, ebrias de luz, se bordaron de franjas carmesíes y gualdas[42]: pareció una vida serena que de pronto acabara en el fragor de una tragedia orgullosa. En el cruel esplendor del crepúsculo, los Andes, abruptos y violáceos, descubrieron nuevas alturas sucesivas, se superpusieron hacia todos los puntos del horizonte, fingieron arremolinarse y crecer todavía más, en estupenda proporción, como inmensas olas de amatista[43]. Los ardientes arreboles semejaban unos, castillos desmesurados; otros, dragones y carabelas fantásticas; y los de enfrente refulgían como armaduras de pedrerías y bronce. El tramonto[44] hizo alarde de su pompa, suntuosa y fúnebre como la de una reina viuda. Entre estos fulgores del celeste mosaico, vibró como una gota de plata el lucero de la tarde, el *Arányaj Huara Chhascja*[45], doncel[46] favorito del Sol según la mitología peruana, que sacude en la penumbra los rizos de su cabellera centelleante. Las tinieblas se agolparon en el valle y extendieron sus sinuosos pliegues, bajo las nubes que se descoloraban rápidamente como en una lluvia de rosas y de cenizas moradas. El cielo en unos trozos era color de perla, en otros presentaba manchas lilas y verdes, o profundizaba en largas ensenadas el añil[47] de su azul; y en esta gama cambiante, florecían inquietas las estrellas. No se oía más rumor que el paso de nuestras cabalgaduras y el correr de los arroyos. Una cima, al occidente, brillaba solitaria, en exasperado y moribundo ardor; y sobre los negros

---

[41] *hoyadas*: «Terreno bajo que no se descubre hasta estar cerca de él» (DRAE).

[42] *gualdas*: amarillo.

[43] *estupenda*: admirable; *amatista*: piedra fina de color violeta.

[44] *pedrerías*: «Conjunto de piedras preciosas» (DRAE); *tramonto*: poniente, crepúsculo.

[45] *Aranyac Huara Chasca* MP.

[46] *Arányaj Huara Chhascja*: «*Aranyaj-Warachasqa*: Lucero de la mañana» (Rosat); *doncel*: «Joven noble aún no armado caballero» (DRAE).

[47] *ensenadas*: la parte del mar que entra en la costa; *añil*: color azul oscuro, con visos cobrizos.

cerros de la derecha, ascendía la luna, curva y dorada, como una caricia apaciguadora tras el tumulto deslumbrante del ocaso.

Nos instalamos a pasar la noche en el abierto corredorcillo de la
casa de Antuhuana. ¿Será este nombre corrupción de Hatunhuana, *escarmiento grande*, rememorador, como el de Ayacucho, de una de aquellas extraordinarias matanzas con que los incas, olvidados de su habitual misericordia, lograron domeñar a los bravíos pocras? Antuhuana
se menciona en los partes militares de la época de Abascal[48], por haber
aniquilado allí las fuerzas realistas a los indios insurgentes de Chiara[49]
en 1815.

Durante la noche, para evitar las heladas, los pastores prenden fuego en los pajonales[50]; y al despertarme en altas horas, veía yo correr
las llamaradas por las lejanas punas[51], y encresparse en las cumbres,
enrojeciendo el cielo como un océano de sangre.

[48] *pocras*: pobladores de Huamanga, anteriores a la conquista incaica; *Abascal*:
José Fernando de Abascal y Sousa (Oviedo, 1743-Madrid, 1821), trigesimoctavo
virrey del Perú. Gobernó de 1806 a 1816 (Tauro; Del Busto, *Conquista y Virreinato*).

[49] *Chiara*: «Distrito de la provincia de Huamanga [Ayacucho], capital Chiara.
Dista 4 leguas de Ayacucho, de Sachabamba y de Tambillo y 15 de Carhuanca»
(Stiglich).

[50] *pajonales*: «Terrenos cubiertos de pajón (caña alta y gruesa de las rastrojeras)»
(DRAE).

[51] *punas*: tierras altas, yermas y extensas de los Andes.

IX

EL LLANO DE CHUPAS.
ENTRADA EN AYACUCHO[1]

Salimos de Antuhuana al amanecer, el 16 de junio. Sobre los cerros y los cultivos, brillaban los tonos anaranjados de una mañana de sol, tan resplandeciente como las anteriores. A poco rato, por lomadas[2] de trigales y cebadales, llegamos al campo histórico de Chupas. Es una estrecha pampa[3], alta y verde, rodeada de colinas, y a cuya izquierda hay un pantano. En ella se empeñó el porfiado combate de 1542, entre Vaca de Castro[4] y Diego de Almagro el Mozo[5].

Acababa yo de releer en el Cuzco algunas crónicas de la Conquista, que llevé conmigo para ilustración de mi itinerario y entretenimiento de los ocios del viaje; y en Lima había consultado, meses antes, el estudio de topografía histórica de D. Luis Carranza sobre la restauración del campo de Chupas[6]; así es que, en mi rápida travesía, pude, con los recuerdos de las recientes lecturas, evocar aquel famoso encuentro en

[1] Sobre el título del capítulo, un título general: Paisajes andinos MP.

[2] *lomada*: loma.

[3] *Chupas*: «Llanura, [departamento de Ayacucho], provincia de Huamanga, distritos de Mayoc y Chiara. Dista 3 leguas de Ayacucho» (Stiglich); *pampa*: llanura extensa sin árboles.

[4] *porfiado*: participio de *porfiar*: «Disputar y altercar obstinadamente y con tenacidad» (DRAE); *Vaca de Castro*: Cristóbal Vaca de Castro (Izagre, c. 1492-Valladolid, 1566), gobernador del Perú (1542-1544).

[5] *Diego de Almagro el Mozo*: (Panamá, 1522-Cuzco, 1542), hijo de Diego de Almagro el Viejo. Líder de la facción almagrista que, luego del asesinato de Francisco Pizarro, buscó hacerse del poder en el Perú.

[6] *la restauración del campo de Chupas*: Carranza, «Una excursión al campo de Chupas», pp. 26-36.

que la flor de los conquistadores del Perú vengó la muerte del marqués Pizarro.

Las minúsculas batallas de nuestro siglo XVI eran mucho más épicas que las gigantescas guerras de la Europa moderna; porque el predominio de las nobles armas blancas y de la caballería, y la misma pequeñez de los contingentes, daban a la lucha el carácter de individualidad poética, que desaparece del todo en las confusas acciones contemporáneas. La exigüidad del número se rescataba con creces por lo reñido y mortífero de la pelea. En Chupas quedaron muertos o malheridos más de la mitad de los combatientes. Por eso, los coetáneos compararon en ferocidad esta batalla con la célebre de Rávena, dada en Italia treinta años antes[7], y en la que habían intervenido por raro caso[8] los verdaderos directores de la de Chupas, que fueron, por los pizarristas, Francisco de Carbajal, antiguo paje del cardenal Bernardino[9] de Santa Cruz y alférez[10] de Gonzalo de Córdoba, de Pedro Navarro, y de Próspero Colonna[11]; y por los almagristas, Pedro Suárez, soldado veterano de

[7] *años antes*: el 11 de abril de 1512. En la rota de Ravena, donde lucharon los ejércitos franco-ferrarés y castellano-aragonés-papal, este último liderado por Ramón de Cardona.

[8] *caso*: azar, casualidad.

[9] Bernardino: omitido en D, MP.

[10] *Francisco de Carbajal*: Francisco de Carbajal (Rágama de Arévalo, 1466-Jaquijahuana, 1548). Su verdadero nombre fue Francisco López Gascón (Carbajal fue el apellido que tomó de su señor, el cardenal Bernardino de Carbajal). Apoyó a los fidelistas contra los almagristas y luego a los gonzalistas contra las fuerzas del rey. Fue sargento mayor del ejército de Vaca de Castro y maestre de campo del de Gonzalo Pizarro. Soldado diestro y hábil político, por su crueldad y su venalidad fue conocido como «el Demonio de los Andes» (Del Busto); *Bernardino de Santa Cruz*: Bernardino López de Carbajal y Sande (Plasencia, 1456-Roma, 1523), cardenal titular de la basílica de Santa Cruz de Jerusalén en Roma, letrado, eclesiástico y político (DB-e); *alférez*: soldado que porta el estandarte.

[11] *Gonzalo de Córdoba*: Gonzalo Fernández de Córdoba y Enríquez de Aguilar (Montilla, 1453-Granada, 1515), llamado por su excelencia como soldado «el Gran Capitán», apoyó primero la causa isabelina y luego el proyecto político y militar de los Reyes Católicos; *Pedro Navarro*: Pedro Navarro (también llamado Roncal, el Salteador), conde de Oliveto, en el reino de Nápoles (Garde, Navarra, 1460-Castello Nuovo [Maschio Angioino], Nápoles, 1528), marino, militar e ingeniero. Destacó en las guerras italianas y en el N de África. Fue mercenario y corsario (DB-e); *Próspero Colonna*: Próspero Colonna, duque de Trageto y conde de Forlì (Civita Lavinia, 1452-Milán, 1523), *condottiero* al servicio de varios

Cardona y de Antonio de Leiva[12]. Dispuesta de ambos lados por los capitanes dichos, *hombres pláticos en la milicia*[13], que era como denominaban entonces a los formados en la escuela de las guerras italianas, la contienda se trabó, cruda y dudosa, en la tarde del sábado 16 de septiembre[14] de 1542.

Iba ya el día muy caído y no quedaban sino dos horas de luz, cuando los de la hueste real, desfilando a la izquierda de la ciénaga, hicieron alto en la pampa[15] de Chupas, y vieron, en las lomas del frente, las lanzas, los pendones, coseletes[16] de plata y divisas[17] blancas de los almagristas, que habían bajado por el camino de Vilcas. A su derecha, como una sombra moviente, se extendía, por los cerros de Lambrashuayco,

poderes en las guerras italianas de principios del siglo XVI. Fue general de las tropas imperiales de Carlos V (DB-e).

[12] *Cardona*: Ramón Folch de Cardona y Anglesola, barón de Bellpuig (Bellpuig, Lérida ¿?, 1467-Nápoles, 1522). Probablemente se formó en la corte de los Reyes Católicos. Participó en la conquista de Nápoles con el Gran Capitán (1502-1503). Fue virrey de Sicilia y luego de Nápoles. En tal condición, guio las tropas imperiales en la batalla de Ravena (11 de abril de 1512), una de las más cruentas de la Edad Moderna. Murió sirviendo a Carlos V en la campaña contra Francisco I, rey de Francia (DB-e); *Antonio de Leiva*: Antonio de Leiva (Leiva, 1480-Aix-en-Provence, 1536), príncipe de Ascoli, marqués de Stela, grande de España; militar de origen navarro que se destacó en las guerras italianas. Fue capitán de los tercios de Carlos V y gobernador del Milanesado. Participó en la batalla de Ravena, el 11 de abril de 1512, y fue herido en ella. En aquella acción, las tropas de la Liga, comandadas por Ramón de Cardona, fueron derrotadas por el ejército francés, comandado por el duque de Namours (DB-e).

[13] *hombres pláticos en la milicia*: «Su sargento mayor, Pedro Suárez, que había sido soldado plático en Italia, y sabía bien de milicia [...]» Inca Garcilaso de la Vega, *Historia general del Perú. Segunda parte de los Comentarios reales de los incas*, t. I, p. 290.

[14] setiembre D, MP

[15] *la hueste real*: el ejército realista o fidelista, liderado por Vaca de Castro, que se enfrentó a la hueste rebelde o almagrista, encabezada por Diego de Almagro el Mozo; *ciénaga*: pantano; *pampa*: llanura extensa sin árboles.

[16] *pendones*: «Insignia militar que consistía en una bandera más larga que ancha y que se usaba para distinguir los regimientos, batallones, etc.» (DRAE); *coseletes*: corazas ligeras.

[17] *divisas*: «Señal exterior para distinguir personas, grados u otras cosas» (DRAE). En un ejército con soldados que no estaban uniformados, la divisa servía para distinguir a un bando de otro en el momento del combate.

el enjambre de los indios auxiliares del inca Paullu[18], fiel a la memoria de su difunto amigo el adelantado[19].

Un coplero anónimo, que militaba en el bando realista, cantó en arcaicos metros[20] el combate[21]:

> Al primer tirano en Pirú potente
> de quien los tiranos tomaron su rastro,
> el buen caballero de Vaca de Castro
> lo venció en batalla a él y a su gente;
> que en Chupas lo vide al buen presidente,
> magüera letrado, vestido un arnés,
> vengando la muerte de aquel buen marqués.
> A César sirviendo se mostró valiente.

Olvidada, en efecto, la pacífica toga de oidor[22], D. Cristóbal Vaca de Castro montaba un bridón morcillo rabicano, y sobre la cota de malla[23]

---

[18] *Paullu*: Paullu inca (Cuzco, 1518-1549), hijo del inca Huayna Cápac y hermano de Manco inca (Cuzco, c. 1515-Vilcabamba, 1545); fue aliado de los Almagro.

[19] *el adelantado*: el adelantado —pues se le autorizó a conquistar territorios doscientas leguas al sur de Nueva Castilla [las tierras de las que era gobernador Francisco Pizarro]— Diego de Almagro el Viejo (Almagro, 1480?-Cuzco, 1538), que murió ejecutado por orden de Hernando Pizarro luego de caer derrotado en la batalla de las Salinas el 6 de abril de 1538 (Del Busto).

[20] *arcaicos metros*: coplas de arte mayor castellano o versos de Juan de Mena (dodecasílabos con cesura luego de la sexta sílaba y acentos en segunda, quinta, octava y undécima sílaba). Riva-Agüero debe de estar pensando que se trataba de versos añejos para la época, pues ya se estaba asentando en el mundo literario español el endecasílabo italianizante de Juan Boscán (Barcelona, 1487-1542) y Garcilaso de la Vega (Toledo, 1498-Niza, 1536) .El primer verso de la estrofa citada se recita así: «Al prímer tiráno // en Píru poténte».

[21] «Véase *El Ateneo*, tomo VI, número 38, año de 1905, artículo intitulado *Un poema inédito* por Carlos A. Romero»★. Romero, "Un poema inédito", pp. 2052-2066.

[22] *toga*: traje principal exterior y de ceremonia que usan los magistrados, catedráticos, etc., sobre el ordinario; *oidor*: «Ministro togado que en las audiencias del reino oía y sentenciaba las causas y pleitos» (DRAE).

[23] *Vaca de Castro*: Cristóbal Vaca de Castro, gobernador del Perú (1542-1544); *bridón morcillo rabicano*: caballo brioso de color negro con visos rojizos y cola blanca ('rabo cano o canoso'); *cota de malla*: prenda defensiva del torso, guarnecida de mallas compuestas por anillas de hierro entrelazadas.

lucía una galana ropa de brocado con la cruz de Santiago[24] al pecho. Quería ir en la delantera, y solo a vivas instancias de sus tenientes, consistió en quedarse a la reserva, escoltado por treinta caballeros, entre los que se contaban los principales encomenderos y fundadores de Lima. No fue el gobernador el único letrado que hizo armas aquel día, porque el licenciado Benito Suárez de Carbajal, hermano del factor Illén[25] y primo del obispo de Lugo, dio muestras de su habitual denuedo[26]; y el bachiller Juan Vélez de Guevara, muy bizarramente[27] vestido y compuesto, según su costumbre, con calzas y jubón de varios colores, recamado[28] de oro y con muchas plumas en el sombrero, marchaba, a las órdenes de Francisco de Carbajal, como uno de los dos capitanes de la nueva arma de arcabuces[29].

[24] *brocado*: «Tela de seda entretejida con oro o plata, de modo que el metal forme en la parte superior flores o dibujos briscados» (DRAE); *cruz de Santiago*: cruz roja, en forma de espada, símbolo de la orden militar de Santiago.

[25] *Benito Suárez de Carvajal*: nació en Talavera de la Reina. Hermano del factor Illén y de D. Juan, obispo de Lugo (según Mendiburu). Malherido el virrey Núñez Vela luego de la batalla de Iñaquito o Añaquito, Benito ordenó a uno de sus esclavos que le cortara la cabeza, en venganza por la muerte que Núñez Vela le había dado a su hermano Illén. Murió en 1549, asesinado por un marido engañado (Mendiburu); *el factor Illén*: Illén (o Illán) Suárez de Carvajal, hidalgo de Talavera de la Reina y hermano (según Mendiburu) del obispo de Lugo. En 1544, acusado de traición luego de que huyeron de Lima su hermano Benito y otros parientes suyos, fue asesinado por el iracundo virrey Blasco Núñez Vela, quien primero lo hirió con su daga y luego ordenó a un criado que lo acabase de matar (Mendiburu).

[26] *denuedo*: brío, valor.

[27] *Juan Vélez de Guevara*: natural de Málaga, apoyó la causa de los Pizarro y luchó, primero contra Almagro y luego contra el gobernador La Gasca. Fue derrotado con Gonzalo Pizarro en Jaquijahuana (9 de abril de 1548) y a pesar de ser hidalgo, sufrió la pena de horca (Mendiburu); *bizarramente*: con *bizarría*, o sea atildamiento, cuidado extremo en el vestir.

[28] *calzas*: «Prenda de vestir que cubría, ciñéndolos, el muslo y la pierna» (DRAE); *jubón*: «Vestidura que cubría desde los hombros hasta la cintura, ceñida y ajustada al cuerpo» (DRAE); *recamado*: bordado de realce.

[29] «*Vid.* Garcilaso, *Comentarios Reales*, segunda parte, libro III, caps. XII a XVIII; Montesinos, *Anales*, tomo primero, págs. 131 a 135; Prescott, *Conquista del Perú*, libro IV, cap. VI y apéndice XIII»*. Garcilaso, *Historia general del Perú. Segunda parte de los Comentarios reales de los incas*, libro III, capítulos XII al XVIII, pp. 275-298; Montesinos, *Anales del Perú*, tomo I, 1542, pp. 131-133; Prescott, *History of the Conquest of Peru*, libro IV, cap. VI, pp. 304-320; y apéndice XIII, p. 439; *arcabuces*: «Arma antigua de fuego, con cañón de hierro y caja de madera,

Formaban el centro las compañías de arcabuceros y piqueros[30]; y los flancos[31], los pequeños escuadrones de jinetes y hombres de armas en caballos reciamente caparazonados[32], divididos así en dos *mangas* o trozos. Gobernaba el de la derecha D. Alonso de Alvarado[33], el conquistador de los grandes bosques de Chachapoyas, y guardaba el estandarte real, cuyo alférez[34] era el hidalgo leonés Cristóbal de Barrientos, encomendero en la Nueva Trujillo[35]. En las primeras filas de la izquierda, ondeaban los cuatro guiones correspondientes a Gómez de Alvarado[36], el fundador de Huánuco, hermano del compañero de Cortés y conquistador de Guatemala[37]; a Garcilaso de la Vega, padre del historiador, deudo del inmortal

semejante al fusil, que se disparaba prendiendo la pólvora del tiro mediante una mecha móvil colocada en la misma arma» (DRAE).

[30] *piqueros*: soldados de infantería que luchaban con la pica (especie de lanza larga, compuesta de un asta con hierro pequeño y agudo en el extremo superior).

[31] *flancos*: lados de una fuerza militar.

[32] *caparazonados*: de *caparazón* «Cubierta que se pone encima de algunas cosas para su defensa» (DRAE).

[33] *Alonso de Alvarado* (Secadura de Trasmiera, 1508-Lima, 1555). Llegó al Perú desde Guatemala en la expedición de Pedro de Alvarado (1534). Francisco Pizarro le encargó la conquista de la provincia de los Chachapoyas (1535), comisión que cumplió efectiva, aunque intermitentemente. Participó de manera destacada en las guerras civiles de los conquistadores, en los bandos pizarrista primero y realista después. A pesar de su superioridad numérica, su ejército perdió contra el de Hernández Girón en la batalla de Chuquinga (1554). Poco tiempo después, murió consumido por la melancolía (Del Busto).

[34] *Chachapoyas*: región del nororiente peruano, en el actual departamento de Amazonas; *alférez*: «Oficial que llevaba la bandera en la infantería, y el estandarte en la caballería» (DRAE).

[35] *encomendero:* que está a cargo de una *encomienda* , o sea la institución del imperio español en América mediante la cual se asignaban indígenas, para el trabajo o el servicio, a un señor, con el encargo de que este los instruyera en la doctrina cristiana; *Nueva Trujillo*: Trujillo del Perú, en el N de la Costa peruana.

[36] *guiones*: «Estandarte del rey o de cualquier otro jefe de lustre» (DRAE); *Gómez de Alvarado*: Hermano del adelantado D. Pedro de Alvarado, vino con este de Guatemala en 1534. Partidario de Almagro, fue derrotado con él en la batalla de las Salinas (26 de abril de 1538). Como había colaborado para impedir la muerte de Hernando Pizarro cuando lo apresaron los almagristas, Francisco Pizarro lo perdonó y lo envió a poblar Huánuco. Alvarado fundó la ciudad en 1539 y la llamó León de los Caballeros. Estuvo al lado del gobernador Cristóbal Vaca de Castro. Murió de una enfermedad poco tiempo luego de la batalla de Chupas (Mendiburu).

[37] *Huánuco*: capital del departamento y la provincia homónimos, en la Sierra centro oriental del Perú; *el amigo de Cortés y conquistador de Guatemala*: D. Pedro de Alvarado (Badajoz, 1485-Guadalajara, México, 1541).

poeta homónimo[38] y de las casas de Infantado y Feria; al sagaz y sutil Per Anzúrez del Campo Redondo[39], descubridor de las selvas de Carabaya y el Beni, y fundador de la ciudad de Chuquisaca[40]; y al inquieto Per Álvarez Holguín[41], que mandaba toda esta ala, y de quien decían que en Méjico prendió al emperador Guatimocín en la laguna[42]. Hacía de maestre de campo otro camarada de Cortés y de Pedro de Alvarado, D. Gómez Tordoya de Vargas[43], que fue el mejor amigo de D. Francisco Pizarro. Tanto Gómez de Tordoya como Per Álvarez Holguín se habían

[38] *Garcilaso de la Vega*: Garci o García Laso de la Vega (Badajoz, 1507-Cuzco, 1559). Descendiente de los condes de Feria y marqueses de Santillana, se casó con una coya, hija de Huallpa Túpac, doña Isabel. Tuvieron un solo hijo, el famoso autor de los *Comentarios reales*. Llegó al Perú en 1534 y participó en todos los acontecimientos importantes de las guerras civiles de los conquistadores, ya fiel al rey, ya a los Pizarro. En la batalla de Jaquijahuana, se pasó al bando real y así precipitó la derrota de Gonzalo Pizarro. Se opuso a Hernández Girón. Murió de enfermedad en 1559 (Mendiburu); *deudo*: pariente; *el inmortal poeta homónimo*: Garcilaso de la Vega (Toledo, 1498-Niza, 1536).

[39] *Per Anzúrez del Campo Redondo*: Pero Anzúrez de Camporredondo. Nació en Sahagún. Pasó al Perú en 1535. Con trescientos españoles y ocho mil indios emprendió la conquista de Carabaya y Sama. La expedición fue desastrosa. Luego del asesinato de Francisco Pizarro, juntó sus hombres con los de Perálvarez Holguín para ponerse a órdenes del gobernador Vaca de Castro. Luego de la batalla de Chupas, intentó regresar a España, pero murió a causa de un arcabuzazo propinado por un corsario francés que atacó el barco donde viajaba cerca de la isla La Española [Cuba] (Del Busto).

[40] *las selvas de Carabaya y del Beni*: Carabaya, en el Perú (departamento de Puno) y Beni, uno de los departamentos de la actual Bolivia; *Chuquisaca*: la actual ciudad de Sucre, en el sur de Bolivia.

[41] *Per Álvarez Holguín*: Nació en Cáceres. Pasó al Perú con Hernando Pizarro en 1535. Se halló en el cerco de Lima al año siguiente y casi muere, pues los indígenas lo derribaron del caballo y lo engancharon con unos garfios, de los que se libró gracias al auxilio de sus compañeros. Aunque fue prisionero de Almagro en el Cuzco, luchó en el bando almagrista en la batalla de las Salinas. Luego, apoyó al gobernador Vaca de Castro (Del Busto).

[42] *Guatimocín*: o Cuauhtémoc (1502-1525), último emperador azteca; *la laguna*: Texcoco, en el NE del valle de Méjico, donde se asienta la capital del país norteamericano.

[43] «Consúltense los *Comentarios* de Garcilaso y la carta de Vaca de Castro a Carlos V, fechada en el Cuzco a 24 de noviembre del mismo año»*, «Gómez de Tordoya, maese de campo de aquel ejército» (Garcilaso, *Historia general del Perú. Segunda parte de los Comentarios reales de los incas*, libro tercero, cap. XVII, p. 293); *Carta del licenciado Cristóbal Vaca de Castro al emperador don Carlos dándole cuenta de la sublevación y castigo de don Diego de Almagro el Mozo, y de otros importantes asuntos.*

ataviado como para un torneo, con chaperías[44] de oro sobre las armaduras y encima ropillas acuchilladas de damasco[45] blanco, lo cual fue
causa de la muerte de ambos, pues quedaron muy señalados a los tiros
del enemigo. Entre los caballeros leales de mayor calidad estaban Pedro
de Quiñones, también antiguo soldado de Italia, y sus primos Antonio
y Suero de Quiñones[46], todos tres parientes próximos del gobernador
Vaca de Castro; los hermanos cordobeses Pedro y Diego de los Ríos[47];
Juan de Salas, hermano del inquisidor general y arzobispo de Sevilla
Valdés de Salas[48]; y Alonso de Loaysa[49], hermano del de Lima, de

> Loaysa arzobispo que fue de los Reyes[50]

como dicen las añejas coplas mencionadas[51]. Según ellas, la artillería
real nada aprovechó, por haberse quedado a la zaga. Era además muy

Cuzco, 24 de noviembre de 1542, Levillier, *Gobernantes del Perú. Cartas y papeles.
Siglo XVI. Documentos del Archivo de Indias,* p. 62.

[44] *chaperías*: «Adorno hecho de muchas chapas» (DRAE). La *chapa* es una aplicación de metal (en este caso, oro) sobre otro metal o tela (recuérdense las «ropas
chapadas» de la *Copla* XVII de Jorge Manrique).

[45] *ropillas*: «Vestidura corta con mangas y brahones (rosca o doblez que ceñía la
parte superior del brazo), de los cuales pendían regularmente otras mangas suel-
tas o perdidas, y se vestía ajustada al medio cuerpo sobre el jubón (vestidura que
cubría desde los hombros hasta la cintura, ceñida y ajustada al cuerpo)» (DRAE);
acuchilladas: «Dicho de un vestido o de un calzado antiguos: Con aberturas semejantes a cuchilladas, bajo las cuales se ve otra tela distinta» (DRAE); *damasco*:
«Tela fuerte de seda o lana y con dibujos formados con el tejido» (DRAE).

[46] *Antonio y Suero de Quiñones*: Riva-Agüero pudo haber tomado la referencia
a estos tres Quiñones de Mendiburu, *Diccionario histórico-biográfico del Perú*, tomo
IX, pp. 276-277 (s.v. Quiñones, Antonio de).

[47] *Pedro y Diego de los Ríos*: Mencionados en Mendiburu, *Diccionario histórico-biográfico del Perú*, tomo IX, p. 357 (s.v. Ríos).

[48] *Juan de Salas, hermano del inquisidor general y arzobispo de Sevilla Valdés de
Salas*: Riva-Agüero, *Estudios de genealogía peruana*, 1983b, p. 200.

[49] *Alonso de Loaysa*: Alonso de Loayza [Loaysa] sirvió en la campaña contra
Diego de Almagro y fue herido en la batalla de las Salinas (6 de abril de 1538).
Apoyó al virrey Núñez Vela contra Gonzalo Pizarro en 1544. En 1553, en oca-
sión de la fiesta de sus bodas en el Cuzco con Dª. María de Castilla, Francisco
Hernández Girón se levantó contra el rey (Mendiburu).

[50] *Loaysa arzobispo que fue de los Reyes*: fray Jerónimo de Loayza [Loaysa], primer arzobispo de Lima, de 1543 a 1575 (Mendiburu).

[51] *las coplas mencionadas*: se trata del segundo verso de la novena estrofa del
poema (Romero, «Un poema inédito», p. 2056).

escasa y débil. En cambio, la almagrista, compuesta por seis medias culebrinas[52] de diez a doce pies y otros seis tiros medianos de fruslera[53], constituía indudable ventaja para los rebeldes; y dice un documento oficial contemporáneo que «se hallaba tan bien aderezada y con tanta munición que más parecía artillería de Italia que no de Indias»[54]. La dirigía Pedro de Candia, con sus griegos y levantinos. Los peones[55] almagristas no eran sino doscientos arcabuceros y ciento cincuenta piqueros[56], pero todos «tan lucidos e bien armados que de Milán no pudieran salir mejor». Los morriones y coseletes[57] se trabajaron en el Cuzco, mezclando plata y cobre. La caballería iba a los flancos, como en el campo realista. El joven Almagro mandaba la izquierda con su fidelísimo capitán general Juan Balsa. Mandaba la derecha Pedro de Oñate[58], que tenía el título de maestre de campo.

[52] *culebrinas*: «Antigua pieza de artillería, larga y de poco calibre» (DRAE).

[53] *tiros de fruslera*: piezas de artillería de metal feble; «Díjose fuslera [fruslera] a *fusile* porque es materia que se hunde en el fuego» (Covarrubias).

[54] *que no de Indias*: citado de la *Carta del Cabildo de Arequipa al emperador, desde San Juan de la Frontera, a 24 de septiembre de 1542*, que recoge Prescott en el apéndice N° XIII de su *History* (Prescott, *History of the Conquest of Peru*, p. 439).

[55] *Pedro de Candia*: Nació en Creta, hacia 1492. Luchó en Orán y en Pavía. Pasó a Indias en 1526. Fue recomendado a Almagro «como a uno que tenía mañas en cosas de guerra y cosas de artillería». En la isla del Gallo, fue uno de los Trece de la Fama que no quisieron regresar a Panamá. Fue uno de los primeros que pisó tierra peruana, en Tumbes, y su relación escrita fue clave para que los miembros del Consejo de Indias firmasen la Capitulación de Toledo. Tuvo a su cargo la artillería en la captura del inca en Cajamarca y le correspondió un botín especial. En 1534, fue nombrado primer alcalde ordinario del Cuzco. Cuando Almagro tomó esa ciudad y apresó a Hernando y a Gonzalo Pizarro, los bienes de ambos presos fueron custodiados por él. Este hecho lo alejó de los Pizarro. Posteriores maltratos de Gonzalo, lo acercaron a los Almagro, aunque en los momentos anteriores a la batalla de Chupas hubo sospechas de su lealtad a la causa almagrista (Del Busto); *peones*: soldados de a pie, no caballeros.

[56] *arcabuceros*: soldados que disparan los arcabuces; *piqueros*: soldados que manejan las picas (astas largas con punta de hierro pequeña).

[57] *que de Milán no pudieran salir mejor*: citado de la *Carta del licenciado Cristóbal Vaca de Castro al emperador don Carlos dándole cuenta de la sublevación y castigo de don Diego de Almagro, el Mozo, y de otros importantes asuntos. Cuzco, 24 de noviembre de 1542* (Levillier, *Gobernantes del Perú. Cartas y papeles. Siglo XVI. Documentos del Archivo de Indias*, tomo I, p. 60); *morriones*: cascos. Suelen tener un adorno de plumas en la parte superior; *coseletes*: corazas de los soldados de infantería.

[58] *Juan Balsa*: criado y contador de Almagro el Viejo, a quien acompañó en el descubrimiento de Chile y lo siguió hasta la rota de las Salinas (26 de abril de

Custodiaban el estandarte real —que también los insurrectos se pre-
ciaban de enarbolarlo— Juan Fernández de Angulo[59], Juan Ortiz
de Zárate, D. Baltasar de Castilla[60], hijo del conde de la Gomera,
y otros de menos nombre. En medio de los furiosos capitanes Diego Méndez, Diego de Hoces y Martín de Bilbao[61]; de Arbolancha,

1538). Integró el grupo que asesinó a Francisco Pizarro y destacó en tal crimen
como uno de los tres hombres más prominentes, al punto de no saberse con cer-
teza si fue su estocada, la de Juan de Rada o la de Martín de Bilbao la que quitó
la vida al fundador de Lima. Fue capitán general de Diego de Almagro el Mozo
(Del Busto); *Pedro de Oñate*: es el Oñate mencionado por el Inca Garcilaso: «Otro
día [el día siguiente al de la batalla] fue el gobernador [La Gasca] a Huamanga,
donde halló que el capitán Diego de Rojas había degollado al capitán Juan Tello
de Guzmán y a Pedro de Oñate, maese de campo de don Diego» (Inca Garcilaso
de la Vega, *Historia general del Perú. Segunda parte de los Comentarios reales* de los
incas, libro tercero, capítulo XVIII, p. 297).

[59] *Juan Fernández de Angulo*: soldado que pasó al Perú en 1533. Estuvo, probablemente en la toma del Cuzco por Almagro, a quien también acompañó a
Chile (Del Busto).

[60] *Baltasar de Castilla*: nació en Sevilla, hacia 1520. Fue hijo de Guillén Peraza
de Ayala y Rojas, conde de la Gomera, y hermano de Sebastián de Castilla, el
rebelde de las Charcas. Se hallaba en Lima cuando los almagristas asesinaron
a Francisco Pizarro. A partir de esa fecha, Castilla se vinculó con Almagro el
Mozo. Luego de la batalla de Chupas, regresó a Lima. Se asoció entonces a
Gonzalo Pizarro. Viajó a Panamá y se puso al servicio del presidente La Gasca,
quien lo hizo su capitán de infantería, condición que mantuvo en la batalla de
Jaquijahuana. En noviembre de 1553, luego de desavenencias con Francisco Hernández Girón, le fue aplicada la pena del garrote. Su cuerpo fue colocado en el
rollo junto con el del contador Juan de Cáceres (Del Busto).

[61] *Diego Méndez*: hermano de madre de Rodrigo Orgóñez. Fiel a los Almagro, fue maestre de campo de D. Diego de Almagro el Viejo. Luego de la derrota de este, fue uno de los más resueltos y tenaces conspiradores y el principal
cómplice de Juan de Rada en el ataque contra Francisco Pizarro. Luego de la
derrota de Chupas (16 de septiembre de 1542), huyó con D. Diego el Mozo al
Cuzco. Méndez se escapó a la Montaña, buscando la protección de Manco inca.
Luego de la muerte de Manco, acaecida por la traición de Gómez Pérez, Méndez
y todos los españoles que estaban con él murieron a manos de los seguidores del
inca (Mendiburu); *Diego de Hoces*: posible descubridor de Chile con Almagro el
Viejo y fiel seguidor de la causa almagrista en Mala y las Salinas. Con Juan de
Rada, planeó el asesinato de Francisco Pizarro y participó luego directamente
en él (Del Busto); *Martín de Bilbao*: soldado de infantería que llegó al Perú en
1534, con Pedro de Alvarado. Vinculado con Almagro el Viejo, es probable que
lo acompañara en el descubrimiento de Chile y en la batalla de las Salinas (16
de abril de 1538). Fue uno de los que, el domingo 26 de junio de 1541, cruzó la

Hinojeros y Martín Carrillo[62], todos personales asesinos de Pizarro; de Juan Diente[63], *el gran trotador*[64], Malavez y otros forajidos; y entre la feroz soldadesca aventurera que entraba en la lucha por repartirse los bienes y las mujeres del bando contrario, brillaba como dechado y vivo emblema de hidalguía el noble y rico sevillano Juan Tello de Guzmán[65], primer alcalde de Lima, siempre fiel a los desgraciados Almagros, por cuya amistad iba a perder la vida en el patíbulo. Las indias principales, que los jefes y guerreros de ambos campos llevaban como mancebas[66], atronaban con alaridos de pavor las vecinas alturas y se mesaban[67] desesperadas los cabellos, presintiendo la matanza de sus amos; y para ellas, el desvalimiento y las violencias posteriores. Al contrario, los indios de carga, que los dos ejércitos traían para conducir la artillería, bagajes y bastimentos, y hasta los de guerra[68], cuzqueños que con Paullu ayudaban a Almagro y chachapoyanos que servían a Alonso de Alvarado y Vaca de Castro,

plaza de armas de Lima para asesinar a Francisco Pizarro. Los pizarristas nunca tuvieron claro si fue Bilbao, Juan de Rada o Juan Balsa quien mató al marqués. Hoy se cree que correspondió a Martín de Bilbao el triste privilegio (Del Busto).

[62] *Arbolancha*: «Soldado almagrista de los confabulados para asesinar a Francisco Pizarro, crimen en el que participó habiendo matado antes, por su mano en la escalera, al capitán Francisco de Chaves. Ambas muertes le merecieron que el capitán Perálvarez Holguín lo pregonara por traidor en la plaza mayor del Cuzco el 30 de agosto de 1541» (Del Busto); *Hinojeros*: «Soldado escogido por Juan de Rada para integrar el grupo de almagristas que el 26 de junio de 1541 asesinaron al gobernador Francisco Pizarro» (Del Busto); *Martín Carrillo*: nació en Ciudad Real y probablemente era de los soldados vencidos en la batalla de las Salinas (6 de abril de 1538) por Gonzalo Pizarro. Almagro el Mozo lo hizo su maestre de campo. Distanciados, ambos lucharon juntos en Chupas. Carrillo logró escapar del campo y sobrevivir a la batalla. El gobernador Vaca de Castro logró encontrarlo y lo hizo hacer cuartos y poner los trozos de su cuerpo en un palo. Se creía que había sido uno de los directos asesinos de Francisco Pizarro, aunque su papel en la conspiración fue más bien modesto (Del Busto).

[63] *Juan Diente*: «Soldado de Almagro el Mozo, nacido en Gibraltar, que se halló en Lima secundando a los almagristas que salían a matar al gobernador Francisco Pizarro, guardándoles las espaldas y alertas a toda reacción» (Del Busto).

[64] el gran trotador D, MP.

[65] *Juan Tello de Guzmán*: citado en Montesinos, *Anales del Perú*, tomo I, 1542, p. 133.

[66] *mancebas*: concubinas.

[67] *se mesaban*: se arrancaban los cabellos con las manos.

[68] *bastimentos*: provisiones para el sustento del ejército; *los de guerra*: los indios de guerra, los auxiliares guerreros indígenas.

aullaban de gozo y daban gracias al Sol[69], que les permitía presenciar la mutua destrucción de sus vencedores[70].

Resonaban los atambores[71] y las trompetas, y los soldados delanteros del capitán realista Nuño de Castro[72] escaramuzaban ya con los del almagrista Martín Cote[73], cuando rompió sus fuegos la artillería de Candia; mas, por impericia o traición, los tiros no daban en el blanco, yendo muy por arriba, mientras los arcabuceros de Francisco de Carbajal, traspuestas las lomas, avanzaban por terreno raso. Indignado el joven Almagro y convencido de la felonía[74] de Candia, corrió hacia él gritándole: «¡Traidor!, ¿por qué me has vendido?», y lo cosió a lanzadas, dejándolo expirante sobre sus mismas piezas. Subióse luego de pies en una culebrina[75], e inclinándola con el peso del cuerpo, rectificó el punto[76]. Salió el tiro y rompió los escuadrones de infantería de Vaca, destroncando cabezas y brazos, y matando diecisiete hombres[77]. Al mismo tiempo, los indios de Paullu, enardecidos, atacaban por la

[69] *daban gracias al Sol*: daban gracias al dios Inti.

[70] «Cieza de León, *Guerra de Chupas*, cap. LXXVII»★, Cieza de León, *Crónica del Perú. Cuarta parte. Vol. II, Guerra de Chupas*, capítulo LXXVII, p. 282.

[71] *atambores*: tambores. Es uso arcaico.

[72] *Nuño de Castro*: según Del Busto, Pedro de Castro: «Era portugués y algunos cronistas lo llaman Nuño de Castro». Capitán de arcabuceros, era hombre de confianza de Francisco Pizarro. Siguió a su hermano Gonzalo, quien le encargó cuidar a Almagro ya preso en el Cuzco. Luego de la muerte del mayor de los Pizarro, Perálvarez Holguín lo hizo su capitán de infantería, cargo que le confirmó en Lima el gobernador Vaca de Castro. Fue herido en Chupas. Murió en el Cuzco, a manos de Peranzúrez y Gaspar Rodríguez de Camporredondo, en un altercado ocurrido durante un día de fiesta (Del Busto).

[73] *Martín Cote*: vizcaíno, fue a Chile con Diego de Almagro el Viejo. Luego, este le confió la custodia de Paullo inca. Participó en la toma del Cuzco y en la batalla de las Salinas (1538). Llegado al Perú, el gobernador Vaca de Castro declaró que entre los principales almagristas que solicitaba para sancionar antes de cualquier conciliación estaba Martín Cote, porque se entendía que había estado muy cerca del asesinato de Francisco Pizarro. De este modo concurrió a la batalla de Chupas (Del Busto).

[74] *felonía*: deslealtad, traición.

[75] *culebrina*: pieza de artillería, cañón primitivo.

[76] *rectificó el punto*: seguramente, el *punto en blanco* 'punto de intersección entre la trayectoria y la línea de mira'. Al inclinar con su peso la culebrina, Almagro baja el cañón de esta de tal manera que los tiros no salgan tan elevados; así, rectifica el punto en blanco para dañar efectivamente a la infantería real.

[77] «*Vid.* Cieza y Garcilaso»★. Cieza, *Crónica del Perú. Cuarta parte, Vol. II Guerra de Chupas,* capítulo LXXVIII, pp. 286-293; Garcilaso, *Historia general del Perú.*

izquierda, con una lluvia de piedras y varas. Fue el momento crítico para los realistas. Insuficientes para los de Paullu los auxiliares de Chachapoyas, hubo que destacar contra aquellos un grupo de arcabuceros, que los deshicieron con sus descargas. Los capitanes de infantería, amenazando de muerte a sus soldados, lograron con esfuerzo que se reformara el abierto[78] escuadrón. El obeso Francisco de Carbajal, para animar a su gente, arrojó la cota de malla y la celada[79], y quedándose en cuerpo, vestido con un jubón de lienzo, y con una partesana[80] en la mano, se puso a la cabeza de la columna, gritando: «Adelante, caballeros. Miradme cuán grueso soy, y voy sin tenerles miedo». Acortadas las distancias, rompieron ambas arcabucerías; y los almagristas, viendo que los del rey se adelantaban, decían alborotados: «Que ganan honra con nosotros; que por estarnos quedos, entienden que los tememos, y nos acometen como a cobardes. A ellos, que no se puede sufrir tanta afrenta». Sugestionado Almagro con el desasosiego y los clamores de los suyos, movió su ejército; y vino a quedar delante de su propia artillería, que ya no pudo tirar sin ofenderlo[81]. Su sargento mayor Pedro Suárez[82], considerando que este ciego ímpetu de caballerosidad medioeval inutilizaba la mayor fuerza del bando rebelde, se fue a su

Segunda parte de los Comentarios reales de los incas, tomo I, libro tercero, capítulo XVIII, pp. 289-295.

[78] *abierto*: el escuadrón se abrió luego del tiro de la culebrina que mató a diecisiete hombres.

[79] *cota de malla*: prenda defensiva del torso hecha de mallas de hierro entrelazadas; *celada*: «Pieza de la armadura que servía para cubrir y defender la cabeza» (DRAE).

[80] *jubón*: vestidura que cubría desde los hombros hasta la cintura; *partesana*: «Arma ofensiva, a modo de alabarda (arma compuesta de un asta de madera de dos metros aproximadamente de largo, y de una moharra con cuchillo transversal, aguda por un lado y en forma de media luna por el otro), con el hierro muy grande, ancho, cortante por ambos lados, adornado en la base con dos aletas puntiagudas o en forma de media luna, y encajado en un asta de madera fuerte y regatón (casquillo, cuento o virola que se pone en el extremo inferior de las lanzas, bastones, etc. para mayor firmeza) de hierro» (DRAE).

[81] *ofenderlo*: causarle daño, perjudicarlo.

[82] *Pedro Suárez*: «[...] sargento mayor Pedro Juárez. Este dijo que no movieran la artillería y dio otros buenos avisos, que no se siguieron; y considerando que por ello se habían de perder, dijo a don Diego que quería servir de soldado obediente que de sargento mayor mal obedecido; y poniendo piernas al caballo, se pasa al campo de Vaca de Castro [...]» Montesinos, *Anales del Perú,* tomo I, 1542, p. 133.

jefe D. Diego, y con desenvoltura y frialdad de genuino *condottiero*[83] le dijo en alta voz: «Si vuesa señoría guardara mi orden y siguiera mi consejo, hubiera hoy la victoria de esta batalla; y por seguir el ajeno, la ha de perder. Yo no he de ser hoy vencido; y pues vuesa señoría no quiere que yo sea vencedor en su campo, lo he de ser en el contrario». Y picando espuelas al caballo, se pasó a Vaca de Castro.

Entretanto, los arcabuceros almagristas continuaban desordenando a los infantes enemigos que, salidos hacía buen rato del abrigo de las lomas, marchaban en lo descampado como puestos en un terrero[84]. Esperaron primeramente el auxilio de su escasa artillería; mas, según ya hemos dicho, hubo que dejar esta, empantanada, atrás. Ahora aguardaban ansiosos el avance de la caballería; y el capitán Pedro de Vergara[85], malherido, clamaba que todos sus arcabuceros iban a perecer si no acudían los de a caballo. Per Álvarez Holguín, jefe de la izquierda, se demoraba en cargar[86], con viva impaciencia de Vaca de Castro. Estaba muy meditabundo desde la mañana, sin su ardor acostumbrado, y presentía su muerte. Dieron al fin las trompas[87] la señal acordada; y arremetieron lanzas en ristre[88] los caballeros leales, a los gritos de *¡Santiago, el rey y Pachacámac!*, a que los de Almagro respondían con los de *¡Santiago, el rey, Almagro y Chile!*[89] Traían aquellos en los brazos atadas cintas rojas, y estos blancas, respectivas divisas[90] de sus bandos. Antes

[83] *condottiero*: mercenario.

[84] *terrero*: terraza.

[85] *Pedro de Vergara*: llegó al Perú de Santo Domingo con una compañía de arcabuceros recién venidos de Flandes para apoyar al gobernador Francisco Pizarro, que defendía una Lima rodeada de fuerzas indígenas. Lucha a favor de los pizarristas en las Salinas (1538) y de los fidelistas en Chupas. Coloniza la región nororiental del Perú (Jaén de Bracamoros, actual Jaén, departamento de Amazonas). Fue gobernador de Trujillo del Perú (DB-e).

[86] *cargar*: «Embestida o ataque resuelto al enemigo» (DRAE).

[87] *trompas*: trompetas.

[88] *ristre*: «Hierro ingerido en el peto de la armadura antigua, donde encajaba el cabo de la manija de la lanza para afianzarlo en él» (DRAE).

[89] *Pachacámac y Chile*: «[…] aunque el sol era ya puesto y la noche cerrada, no dejaban de pelear, sin conocerse los unos a los otros más de por el apellido, que los unos decían «Chili!" y los otros "¡Pachacámac!", en lugar de Pizarros y Almagros, que también alcanzaron aquellos renombres aquellos bandos», Inca Garcilaso de la Vega, *Historia general del Perú. Segunda parte de los Comentarios reales de los incas,* libro tercero, capítulo XVII, p. 294.

[90] *divisas*: señales con las que se distinguían los soldados de ambos ejércitos.

de llegar a encuentro de lanza, Holguín, reconocido por sus armas doradas y su lujosa sobrevesta[91], fue atravesado por dos pelotas de arcabuz y cayó del caballo con las bascas[92] de la agonía. El poeta anónimo, abandonando las coplas de arte mayor por las décimas[93], lo celebra así:

> Pirú, de tu libertad
> este fue inventor primero;
> no su muerte, su bondad
> llora por tu soledad
> en perder tal caballero;
> que él murió como quien era
> delante de su bandera
> según la militar ley
> peleando por su rey:
> ¿qué mejor muerte se espera?

Allí cayeron también, heridos mortalmente, el maestre de campo D. Gómez de Tordoya[94] y el capitán de delanteros Nuño de Castro; perdió el brazo García de Melo[95]; y otra pelota de arcabuz derribó, con

---

[91] *sobrevesta*: «*sobreveste*: prenda de vestir, especie de túnica que se usaba sobre la armadura o el traje» (DRAE).

[92] *bascas*: «Ansia, desazón e inquietud que se experimenta en el estómago cuando se quiere vomitar» (DRAE). «Guiado siempre por su fuerte temperamento, se presentó a la batalla de Chupas todo vestido de blanco —por habérselo así anunciado a sus enemigos— y gritando "Yo soy Pero Álvarez Holguín". Los soldados lo vieron, empuñando su lanza, pasearse nervioso sobre su caballo mientras miraba al enemigo. Sonaron las trompetas, también los tambores, por último los disparos de arcabuz. Entonces, al tiempo de esto último, sin que hubiera siquiera aguijado a su corcel para embestir al adversario, lo vieron erguirse sobre su cabalgadura y llevarse las manos al pecho, manos que en breve quedaron tintas en sangre: dos pelotas de arcabuz le habían hendido el tórax, perforándole las coracinas. Perálvarez cayó al suelo, haciendo solo una señal a los suyos para que arremetieran» (Del Busto).

[93] *décimas*: estrofa compuesta por diez octosílabos rimados.

[94] *Gómez de Tordoya*: Juan Gómez Tordoya de Vargas (Villanueva de Barcarrota, Badajoz, f.s. xv-Chupas, 1542). Pasó al Perú en 1534 con Pedro de Alvarado. Fue prisionero de los almagristas en el Cuzco. Su hijo, Juan de Vargas, paje de Francisco Pizarro, fue asesinado con este en 1541. Ello lo hizo dejar su retiro cuzqueño y pelear en las filas del ejército realista (DB-e).

[95] *García de Melo*: se sabe que negoció, en 1565, por encargo del gobernador Lope García de Castro, con Titu Cusi Yupanqui, hijo de Manco inca Yupanqui y sobrino de Atahualpa, la ratificación del tratado de Acobamba, por el cual el

todas las muelas rotas, a Alonso de Loaysa, el hermano del arzobispo. El generoso Diego de Agüero[96], que con los otros señores limeños se hallaba[97] en la aún inmóvil escolta del gobernador, no pudiendo permanecer quieto cuando tantos amigos suyos peleaban, picó su caballo, y dejando la reserva, se metió en lo más reñido del combate. Pronto se quebraron casi todas las lanzas, con muchos muertos y caídos de ambas partes; y entonces echaron mano a las espadas, porras[98] y hachas, empleando algunos las de partir leña, «que donde alcanzaban, no bastaba defensa ninguna»[99]. Revueltos ya todos, arreció la lucha con las acometidas de los piqueros. Las celadas[100] se rompían o se abollaban con los golpes, y las cotas se desmallaban. En el ala derecha, Alonso de Alvarado cargaba contra el grupo de los asesinos de Pizarro:

> Allí vieras los galanes
> mostrarse valientes hombres

inca rebelde se comprometía a mantener la paz; a cambio, se le concedían vivir en Vilcabamba y otros beneficios (DB-e). Está mencionado en la relación del Inca Garcilaso (Inca Garcilaso de la Vega, *Historia general del Perú. Segunda parte de los Comentarios reales de los incas,* libro tercero, capítulo XVIII, p. 296).

[96] *Diego de Agüero*: nació en Deleitosa, Extremadura, hacia 1511. Pasó a Indias con Francisco Pizarro en 1530. Participó en todos los acontecimientos del tercer viaje al Perú que culminaron con la captura del inca Atahualpa en Cajamarca (16 de noviembre de 1532). Asistió a la toma del Cuzco. Con Pero Martín de Moguer, exploró el Collao y descubrió el lago Titicaca y sus santuarios. Viajó a Quito y redactó la primera relación de esa provincia. Asistió a la fundación de Lima, ciudad que, según pública fama, debió a Agüero su trazo ajedrezado. En 1536 fue capitán de caballos en el cerco de la capital por Tito Cusi Yupanqui. Amigo tanto de Almagro como de Pizarro, permaneció fiel a este en la guerra de las Salinas (1537-1538). Luego del asesinato de Pizarro, los almagristas saquearon su casa y vaciaron su caballeriza. Almagro el Mozo lo obligó a acompañarlo al Cuzco, pero Agüero se le escapó en Jauja. Junto a Vaca de Castro, luchó en Chupas. Luego, recibió al virrey Núñez Vela en San Miguel de Piura (marzo de 1544). Secretos agravios de este causaron que los oidores de la Audiencia de Lima eligieran a Agüero para detener al virrey, llevarlo al Callao y meterlo en un navío. Murió de enfermedad en Lima, el 3 de octubre de 1544 (Del Busto).

[97] encontraba D, MP.

[98] *porras*: «Instrumento o arma alargada, usada como maza» (DRAE).

[99] «Zárate»* «[…] y aun algunos peleaban con hachas de partir leña, dando a dos manos tantos golpes que donde alcanzaban no bastaba defensa alguna» (Zárate, *Historia del descubrimiento y conquista del Perú*, libro cuarto, capítulo XIX, p. 175).

[100] *celadas*: «Pieza de la armadura que servía para cubrir la cabeza» (DRAE).

> y esforzados capitanes
> que pueden llamar roldanes[101]
> sin añadir en sus nombres.
> Vide Alonso de Alvarado
> dar esfuerzo y esforzado
> peleando hasta el fin...

Al licenciado Suárez de Carbajal, el deudo del obispo de Lugo, le mataron el caballo; y lidió muy bien como infante. Cedían algo los almagristas y Francisco de Carbajal daba prisa a los encomenderos cuzqueños de la izquierda para que acabaran de desbaratarlos. Entre los lances de heroísmo, no faltaron casos de flaqueza y cobardía, como el de aquel caballero, ilustre en sangre y menguado de bríos, de que trata Garcilaso[102], el cual, dando por razón haber sido buen amigo del adelantado Almagro el Viejo, se apartó de la batalla y se cobijó a un lado, entre un hidalgo enfermo y el clérigo Luque, pariente del que fue maestrescuela de Panamá y socio de los dos antiguos conquistadores[103]; y como el mancebo de que hablan Cieza y Zárate[104], que, oculto entre unas peñas, murió miserablemente de una bala de arcabuz que en ellas rebotó.

El joven Almagro arremetía en persona contra el estandarte real y el escuadrón de Alonso de Alvarado; y como hizo un instante cejar a sus defensores, exclamaba ufano y clemente: «La victoria es nuestra. Prender y no matar». Cerraba la noche; y en tan dudoso trance, cargó Vaca de Castro seguido por Lorenzo de Aldana, Jerónimo

---

[101] «Alusión a algún conquistador de apellido Roldán. No pudo este ser el conocido encomendero y alcalde de Trujillo la Nueva, Juan Roldán Dávila, hijo del enemigo de Colón, porque consta que falleció en 1538, dejando en muy menor edad tres hijos varones»*. ¿No podría referirse a Roldán, el par de Francia caído en Roncesvalles? La materia de Francia formaba parte de lo consabido en la cultura popular española, como lo muestra la abundancia de romances que se nutren de ella.

[102] Inca Garcilaso de la Vega, *Historia general del Perú. Segunda parte de los Comentarios reales de los incas,* libro tercero, capítulo XVII, p. 293.

[103] *socio de los dos antiguos conquistadores*: Hernando de Luque (Olvera, ¿?–Panamá, 1532); con Francisco Pizarro y Diego de Almagro, uno de los tres socios de la conquista del Perú.

[104] Cieza de León, *Crónica del Perú. Cuarta parte. Vol. II. Guerra de Chupas,* capítulo LXXVIII, p. 291; Zárate, *Historia del descubrimiento y conquista del Perú,* libro cuarto, capítulo XX, pp. 177-178.

de Aliaga[105], los dos Riberas, Melchor Verdugo, Diego Maldonado y los demás encomenderos[106] de su escolta de honor. Su intervención

[105] *Lorenzo de Aldana*: nació en Cáceres, hacia 1508. Pasó al Perú en 1535. Participó en el descubrimiento de Chile por Almagro bajo las órdenes de Juan de Rada, con quien llegó hasta Copiapó. A pesar de sospecharse en él inclinaciones pizarristas, estuvo con Almagro en la toma del Cuzco y la prisión de Hernando y Gonzalo Pizarro (mayo de 1537). Participó en la excarcelación de Gonzalo Pizarro. Luego de ella, Aldana huyó a todo galope hacia Lima, donde encontró favor del marqués gobernador Francisco Pizarro. Este lo envió a Quito y a Popayán, donde pacificó a indígenas sublevados y fundó nuevas ciudades. Fue reconocido como teniente general de Quito, Pasto, Popayán, Timaná, Cali, Ancerma y Cartago. En 1540, ayudó a Gonzalo Pizarro en su expedición al País de la Canela. Muerto Francisco Pizarro, sirvió bajo Vaca de Castro, quien lo distinguió como teniente de gobernador y capitán general. No se avino con el virrey Núñez Vela, quien lo tomó preso, aunque luego lo soltó. Malas relaciones con Francisco de Carbajal no impidieron que Gonzalo Pizarro lo dejara como su teniente de gobernador y justicia mayor en Lima cuando este viajó a Iñaquito, cerca de Quito, donde Pizarro derrotó a Núñez Vela (18 de enero de 1546). Fue enviado por Gonzalo a España para que pidiera para este último la gobernación del Perú y el regreso del presidente La Gasca a la península, pero en Panamá, Aldana se sometió a este último, quien le dio una armadilla y le otorgó la potestad de conceder perdones, con el propósito de fomentar las deserciones en el bando gonzalista, lo que Aldana hizo de manera muy efectiva. No luchó en Jaquijahuana (9 de abril de 1548) por habérsele encomendado guardar la ciudad de Lima para el rey de España. En la derrota de Chuquinga (21 de mayo de 1554), salvó al mariscal Alonso de Alvarado con su consejo y ambos huyeron a Lima. Terminada la rebelión de Hernández Girón, se retiró, primero a las Charcas y luego, a Arequipa, donde murió a fines de 1568 o inicios de 1569 (Del Busto); *Jerónimo de Aliaga*: nació en Segovia, en 1508. Llegó con Pizarro y participó en los acontecimientos del tercer viaje al Perú que culminaron con la captura de Atahualpa en Cajamarca (16 de noviembre de 1532). Fue escribano de la hueste, luego veedor en el reparto del segundo tesoro y finalmente escribano mayor del Perú, cargo que desempeñaba en 1541 cuando el asesinato de Francisco Pizarro. Fundador del Cuzco, de Jauja y de Lima, se avecindó en esta última, donde le fue entregado un solar que hasta hoy conservan sus descendientes y que sirvió de breve refugio a vecinos limeños que al final se rindieron a los almagristas. Vinculado en secreto a Vaca de Castro, los pizarristas le confiaron el mando de la ciudad cuando la abandonaron los de Chile. Durante la Gran Rebelión de Gonzalo Pizarro, tomó partido por el rey y peleó en Jaquijahuana (9 de abril de 1548). Regresó a España y, con fray Tomás de San Martín, viajó a Augsburgo a entrevistarse con el emperador Carlos V, a quien besaron la mano en nombre de los conquistadores peruleros. Ambos consiguieron —no sin largas gestiones— un privilegio para que Lima pudiera contar con puente de piedra y el Perú, con una nueva tasación de tributos y una reglamentación para el trabajo en las minas. Posteriormente, en

acabó de decidir la derrota de los rebeldes, pero todavía siguió muy cruel la contienda. Junto a Vaca de Castro, murieron el buen Nuño de Montalvo y Mercado, naturales de Medina del Campo[107], y el capitán Jiménez; y a Cristóbal de Burgos[108], opulento morisco[109] vecino

Valladolid, el 12 de mayo de 1551, consiguieron que Lima tuviera universidad al modo de Salamanca. Imposibilitado de regresar al Perú por estar enfermo, Aliaga murió en Villapalacios, el 21 de abril de 1569 (Del Busto).

[106] *los dos Riberas:* Nicolás de Ribera el Viejo y Nicolás de Ribera el Mozo. «El capitán andaluz Nicolás de Ribera y Laredo, uno de los principales compañeros de Pizarro y fundadores de Lima y primer alcalde de esta ciudad, fue llamado *el Viejo* porque contaba con más de cuarenta años cuando el descubrimiento y conquista del Perú, y también para distinguirlo de otro famoso capitán homónimo suyo, regidor perpetuo de Lima, encomendero de Maranga y Huática y natural de Vitigudino en Salamanca, que fue su camarada, y que si no le era menor en edad, le fue posterior en la venida al Perú» (Riva-Agüero, «El primer alcalde de Lima Nicolás de Ribera el Viejo y su posteridad», 1983b, p. 165.); *Melchor Verdugo:* está incluido en la relación de caballeros que consigna el Inca Garcilaso (Inca Garcilaso de la Vega, *Historia general del Perú. Segunda parte de los Comentarios reales de los incas*, libro tercero, capítulo XVIII, p. 296). Mendiburu no registra que Melchor Verdugo haya peleado en Chupas; *Diego Maldonado:* nació en Salamanca. Vino al Perú con Francisco Pizarro en 1532. Estuvo en la prisión de Atahualpa. Fundador del Cuzco, fue apresado por Diego de Almagro cuando este lo tomó en 1537. Militó sin convicción en el partido gonzalista contra el virrey Núñez Vela. A causa de intrigas y envidias por su riqueza, se libró por poco de ser asesinado por Francisco de Carbajal. Peleó contra Hernández Girón. Murió en el Cuzco, en 1564 o 1565; *encomenderos:* señores a los que se les había otorgado encomiendas de indios.

[107] *Nuño de Montalvo y Mercado:* «[…] aunque le mataron diez o doce de los suyos, entre ellos al capitán Jiménez y a Mercado de Medina y a Nuño de Montalvo» (Inca Garcilaso de la Vega, *Historia general del Perú. Segunda parte de los Comentarios reales de los incas,* libro tercero, capítulo XVII, p. 294); *Medina del Campo:* ciudad de la provincia de Valladolid.

[108] *Cristóbal de Burgos:* nació en Burgos, hacia 1500. Era morisco. Pasó a Indias con Pedrarias Dávila en 1514. Participó en el primer y el segundo viajes al descubrimiento del Perú, pero fue uno de los que desertaron desde la isla del Gallo. Aunque hay noticia vaga de un viaje anterior, llega al Perú con Pedro de Alvarado, con un navío y doscientos caballos propios. En Lima, el cabildo le dio un solar y Burgos ocupó varios cargos de autoridad (1534-1536). Viajó a España, donde obtuvo un escudo de armas por sus servicios. Fue hostigado por los almagristas luego del asesinato del marqués Pizarro (26 de junio de 1541). Juntado a Vaca de Castro en Lima, luchó en Chupas. Allí recibió una lanzada en un muslo y varias cuchilladas de Diego Méndez, y el propio Almagro el Mozo le dio tres cuchilladas en la cabeza. Perdió, finalmente, un brazo por un arcabuzazo. Se halló en el recibimiento que Lima le hizo a Gonzalo Pizarro (28 de octubre

de Lima, le cortaron un brazo a cercén[110]. Conociendo el desastre, muchos almagristas se daban a la fuga; pero los matadores de Pizarro, determinados a perecer en el combate, se metían desesperados en las filas enemigas, gritando: «¡Ea, a mí, que maté al marqués!» Los soldados vencidos trataban de cambiar sus divisas[111] con las de los muertos y heridos realistas. D. Diego de Almagro huyó al Cuzco, seguido de Diego Méndez[112], hermano de Orgóñez[113], el antiguo maestre de campo de su padre, y de cuatro o seis amigos más. En las tinieblas seguían oyéndose el trotar de los caballos, el estampido de las armas de fuego y las lamentaciones de los moribundos. Los indios y negros esclavos, y también los mismos soldados españoles, se dieron a robar el campamento almagrista, a recoger los corceles de guerra y las indias mozas que vagaban sin dueño, y a ultimar y degollar a los rendidos. Los heridos gemían por el mucho frío de la noche, y porque los esclavos africanos y los indios merodeadores los desnudaban de sus ropas, dejándolos en cueros. Vaca de Castro hizo, al cabo, tocar las trompetas a llamada; y el ejército veló[114] sobre las armas, temeroso de que los vencidos se rehicieran e intentaran alguna sorpresa. En la misma noche dio orden el gobernador que los clérigos y frailes salieran a absolver a los agonizantes, y que, de entre los prisioneros, fueran luego[115] ajusticiados los asesinos de Pizarro; mas el desconcierto era tanto,

de 1544) y se quedó en ella guardándola por encargo de este. Aparentemente, se pasó a tiempo al bando del presidente Gasca, pues nunca fue sancionado por gonzalista. Poseía esclavos de Nicaragua y de Guinea, mucho ganado vacuno, casa de morada en la calle Pescadería y una fortuna que oscilaba entre los 40 000 y los 50 000 pesos castellanos. Testó en Lima, en agosto de 1550 (Del Busto).

[109] opulento morisco: omitido en D, MP.

[110] a cercén: «Enteramente y en redondo» (DRAE).

[111] divisas: señas para distinguir al soldado de un ejército del otro.

[112] Diego Méndez: «Hermano de madre de Rodrigo de Orgónez, el valeroso capitán que fue maestre de campo de don Diego de Almagro el Viejo. Contábase a Méndez entre los vecinos principales del Cuzco; abrigaba mucha adhesión a Almagro, y voluntad opuesta a los Pizarros. Cuando don Diego llegó de la campaña de Chile, y Hernando Pizarro, que mandaba en el Cuzco, se proponía inutilizar los designios de aquel, abandonó Méndez la ciudad y pasó a incorporarse en las filas de Almagro y permaneció unido a él hasta que fue vencido y muerto» (Mendiburu).

[113] Ordóñez MP.

[114] veló: «Hacer centinela o guardia por la noche» (DRAE).

[115] luego: «Después, más tarde»; pero también «prontamente, sin dilación» (DRAE).

que para todo hubo que esperar la mañana siguiente. Solo armaron mal dos toldos para los heridos graves de más calidad, que fueron D. Gómez de Tordoya, D. Gómez de Alvarado, Per Anzúrez, Garcilaso de la Vega y otros pocos más. Las horas de obscuridad se pasaron en animados coloquios y alabanzas a los capitanes y combatientes que más se habían distinguido. El otro día, que fue domingo 17, después de misa, Vaca de Castro visitó las tiendas, mandó traer y descuartizar en el campo los cadáveres de Martín de Bilbao, Arbolancha, Hinojeros y Carrillo, asesinos del marqués; hizo ajusticiar a otros; y en cinco grandes zanjas, se enterraron mezclados los vencidos y los vencedores. Salieron en camillas para Huamanga los malheridos jefes Gómez de Tordoya, Gómez de Alvarado[116] y Per Anzúrez del Campo Redondo; y el cuerpo del difunto Per Álvarez Holguín. En la tarde hubo un momento de zozobra: apareció a lo lejos gran golpe[117] de gente entre densa polvareda, y se creyó que volvía a atacar Almagro. Mas pronto los corredores[118] regresaron advirtiendo que era un tropel de realistas cargados de botín y prisioneros. Con eso se sosegaron los ánimos. Los rebeldes, muy lejos de intentar reconstituirse, huían desparramados en todas direcciones: los indios los asaltaban en los caminos; los justicias[119] de las ciudades los prendían y degollaban; y los que salvaban de tantos peligros y no podían alcanzar el perdón real, no lograban más asilo que la fugitiva corte del inca Manco, en las montañas de Vilcabamba[120]. Dos días después del combate, mientras el pobre mozo Almagro, *el mejor mestizo que ha nacido en Indias*, según Garcilaso; *muy virtuoso, entendido e valiente*, según Cieza[121], huía a todo correr al Cuzco, camino

---

[116] «Este curó, y vino a morir años después en la batalla de Chuquinga.[Chuquinca D, MP]»* *Chuquinga:* «lugar situado en el distrito de Chalhuanca, provincia de Aymaraes [departamento de Apurímac]. El 21 de mayo de 1554 efectuóse a su vista una batalla, entre las fuerzas del rebelde Francisco Hernández Girón y las del mariscal Alonso de Alvarado» (Tauro).

[117] *golpe:* multitud.

[118] *corredores:* «Soldado que se enviaba para descubrir y observar al enemigo, y para descubrir el campo» (DRAE).

[119] *justicias:* alguaciles; «Llamamos *justicia* a los ministros de ella» (Covarrubias).

[120] *Vilcabamba:* en la provincia de La Convención, departamento del Cuzco. En ella se refugiaron los últimos incas.

[121] «Así acabó don Diego de Almagro el Mozo, el mejor mestizo que ha nacido en todo el Nuevo Mundo si obedeciera al ministro de su rey» (Inca Garcilaso de la Vega, *Historia general del Perú. Segunda parte de los Comentarios reales de los*

de su perdición, el gobernador Vaca de Castro marchó a Huamanga con toda su hueste, a proseguir las ejecuciones, «muy contento en ver que el rollo[122] estuviese lleno de cuerpos e que la magnífica sangre de los españoles fuese derramada por aquella plaza, que no era poca alegría para los bárbaros», como agrega el mismo Cieza[123].

Los indios venidos de Chachapoyas para ayudar al ejército real, con su encomendero Alonso de Alvarado, se establecieron en las cercanías del campo de Chupas y fundaron allí el pueblo de Chiara[124], que fue exento de tributo en memoria de su lealtad y servicios.

En el propio campo de Chupas, sepulcro de tantos conquistadores y guerreros, no se construyó iglesia como en el de las Salinas del Cuzco; sino un vulgar tambo[125], que era la primera jornada entre Huamanga y Vilcas[126]. Andando los tiempos, esos llanos y collados se sembraron de trigo y formaron una extensa hacienda de panllevar[127]. Carranza asegura que a fines del siglo XVIII pertenecía a un D. Basilio Guillén[128]; pero documentos que tenemos a la vista no permiten duda que en todo aquel siglo correspondió a los Romaní y Carrillo, y a los Vega y Cruzat, marqueses de Feria, magnates de la Huamanga colonial.

★ ★ ★

incas, libro tercero, capítulo XVIII, p. 298); «Era don Diego de mediano cuerpo, de edad de veinte e cuatro años, poco más, muy virtuoso y entendido e valiente e buen hombre de a caballo, liberal y amigo de hacer bien» (Cieza de León, *Crónica del Perú. Cuarta parte. Vol. II. Guerra de Chupas*, p. 309).

[122] *rollo:* picota, columna sobre la que se exponía la cabeza del ajusticiado, aunque aquí significa 'foso'.

[123] *«Guerra de Chupas,* Cap. LXXX»★, Cieza de León, *Crónica del Perú. Cuarta parte. Vol. II. Guerra de Chupas*, capítulo LXXX, p. 297.

[124] *Chiara:* capital del distrito homónimo de la provincia de Huamanga (departamento de Ayacucho). «Dista 4 leguas de Ayacucho, de Sachabamba y de Tambillo y 15 de Carhuanca» (Stiglich).

[125] *tambo:* «Albergue en los caminos, a la distancia justa para descanso tras una jornada de viaje» (*DiPerú*).

[126] *Huamanga:* antiguo nombre de la ciudad de Ayacucho, capital del departamento del mismo nombre; *Vilcas:* «*Vilcashuamán* o *Vilcas:* Pueblo, provincia de Cangallo [departamento de Ayacucho], distrito de Huambalpa. Dista 5 leguas de Huambalpa y solo una del Pampas» (Stiglich).

[127] *panllevar:* «Conjunto de productos agrícolas de primera necesidad» (*DiPerú*).

[128] *D. Basilio Guillén:* «[…] habiendo pertenecido a fines del siglo pasado [el s. XVIII] a don Basilio Guillén, acaudalado propietario» (Carranza, «Una excursión al campo de Chupas», p. 36).

De la llanura de Chupas a la ciudad de Ayacucho (antigua Huamanga) hay tres leguas cortas de camino. Se traspone la quebrada de Lambrashuayco; y en medio de sembríos cercados de tunales[129], dejando a la derecha el río de las Huatatas, se cruza el acueducto por un puente construido en el gobierno del general Cáceres[130] y la prefectura del coronel Ruiz, conforme reza la inscripción. Hacia el oeste, se hallan los vestigios de la calzada real de los incas. Luego, por una alameda y la cuesta y el barrio llamados de Carmenca, como en el Cuzco, entre el obscuro cerro Acuchimay, de vegetación rala, y el arroyo de la Tartaria, penetramos en la población. El declive es fuerte. La cuesta está muy mal empedrada. El arrabal[131] parece despoblado. Hay muchas casas derruidas, con puertas y ventanas tapiadas, de ceguedad desolada y enemiga. Delante de una capilla, los indios, con bebidas y danzas, celebraban la fiesta del Carmen[132]. El baile de enmascarados que preparaban se llama *araycasca*. En la banda de la izquierda, tras el riachuelo seco, vi la alameda con sus quintas y el arco blanco[133] de su mirador. Torcimos junto a él, por un antiguo puente de piedra, tres veces secular; y nos hallamos en una plazoleta comprendida entre las iglesias de Santa Teresa y San Cristóbal. La primera, monasterio de monjas carmelitas, fundado muy a principios del siglo XVIII por el obispo D. Diego Ladrón de Guevara[134], que fue catedrático de Alcalá y virrey del Perú. La segunda es una capilla antiquísima, contemporánea de la Conquista y atribuida a Vaca de Castro, que dicen haberla mandado edificar en conmemoración de la batalla de Chupas y para enterramiento de los principales capitanes que en ella perecieron.

[129] *tunales*: conjunto de plantas de tuna (higuera de tuna).

[130] *general Cáceres*: Andrés A. Cáceres (Ayacucho, 1833-Lima, 1923), organizador de la resistencia a la ocupación chilena en la Guerra del Pacífico, entre 1881 y 1883; presidente del Perú durante dos períodos: 1886-1890 y 1894-1895.

[131] *arrabal*: «Barrio fuera del recinto de la población a la que pertenece» (DRAE).

[132] *fiesta del Carmen*: fiesta de la Virgen del Carmen (el día central de la fiesta es el 16 de julio).

[133] *arco blanco*: Riva-Agüero no se refiere aquí al célebre arco del Triunfo o de San Francisco, sino al arco grande que cierra la alameda de Valdelirios y que, en efecto, como lo señala Riva-Agüero, tiene un mirador desde donde se divisa parte de la ciudad.

[134] *Ladrón de Guevara*: Diego Ladrón de Guevara Orozco y Calderón (Sigüenza, 1644-México, 1717), vigesimoquinto virrey del Perú (1710-1716), arzobispo de Quito (Del Busto, *Conquista y Virreinato*).

Al occidente se yergue la calcárea[135] mole del cerro de las Campanas (*Campanayoj*[136] *orcjo*).

Seguimos la calle que va a dar en la plaza mayor. Me llamaron la atención las caladas celosías[137] moras que vi en el trayecto. A un lado quedan los muros del hospital de San Juan de Dios; al otro, junto al cuartel de donde salían toques de corneta mezclados con el bullicio del mercado delantero, las largas paredes del rehabilitado convento de San Francisco. Más allá, tiendas pequeñas de sastres, botoneros, talabarteros[138] y plateros criollos, de bayetas de colores violentos, de comestibles y chalonas[139]; la iglesia de la Compañía y el seminario; y por fin la enorme plaza, con sus portales blancos y sus arcaicas barandas.

Esta es una vieja ciudad eclesiástica y devota, tierra de añoranzas y soleado silencio, de profundísimo sello español; llena de templos ruinosos, de claustros supresos[140], y de caserones degradados y carcomidos.

[135] *calcárea*: de roca calcárea ('que tiene cal').

[136] *Campanayoc Orco* D, MP.

[137] *caladas*: de *calar* «Ornamentación a base de agujeros» (Fatás-Borrás); *celosías*: «Tablado calado para cerrar vanos (huecos) que impide ser visto pero no impide ver» (Fatás-Borrás).

[138] *talabarteros*: «Guarnicionero (operario que hace trabajos de cuero como maletas, bolsos, correas, etc.) que hace talabartes (pretina o cinturón que lleva pendientes los tiros de que cuelga el sable)» (DRAE). Fabrican bridas y monturas para caballos, mulos y asnos.

[139] *bayetas*: «Tela de lana, floja y poco tupida» (DRAE); *chalonas*: cecina de oveja o alpaca.

[140] *supreso*: participio pasado irregular de *suprimir* ('suprimido'). En este caso, *supreso* porque el claustro ya no funciona para los usos eclesiásticos a los que originalmente se destinó.

X

IGLESIAS Y CASAS DE AYACUCHO.
ASPECTO GENERAL DE LA CIUDAD[1]

La facilidad con que Ayacucho ha dejado, por su denominación republicana, el tradicional nombre de Huamanga es una nueva semejanza con Sucre, la antigua Chuquisaca del Alto Perú[2]. Los viajeros la han comparado siempre con esta, desde Bustamante Concolorcorvo[3] hasta los contemporáneos; pero tiene clima mucho más suave que la ciudad gemela suya en Bolivia. El ambiente es tibio y seco, de constante primavera; la altura, moderada (menos de 2 800 metros) y el cielo, despejadísimo, es el de mayor fama en el Perú y uno de los más hermosos del mundo. Su inalterable atmósfera azulada; la reverberación de la luz en los cerros desnudos y calizos[4] que la circundan; la prodigiosa cantidad de ágaves[5] y tunales[6] que crecen en sus alrededores, como una fantástica floresta de lanzas de bronce; la excepcional abundancia de ciegos; el caserío encalado[7]; las torres y cúpulas pequeñas

---

[1] Sobre el título del capítulo, un título general: Paisajes andinos y debajo de este: Capítulo X MP.

[2] *la antigua Chuquisaca del Alto Perú:* Sucre, ciudad del S boliviano. El Alto Perú corresponde a la antigua Audiencia de Charcas, la actual Bolivia.

[3] *Bustamante Concolorcorvo:* Alonso Carrió de la Vandera (Gijón, ¿1714, 1715, 1716?-Lima, 1783), quien adoptó seudónimo («D. Calixto Bustamante Carlos inca») y alias («Concolorcorvo») para escribir el libro *El lazarillo de ciegos caminantes desde Buenos Aires hasta Lima* (Gijón, 1773 [Lima, 1775 o 1776]).

[4] *calizos:* cerros de piedra caliza, piedra que contiene calcio.

[5] agaves MP.

[6] *ágaves:* pita, planta suculenta; *tunales:* lugar donde se concentran plantas de tuna (higuera de tuna).

[7] *encalado:* revestido de cal.

de sus numerosas iglesias; las higueras y los duraznos, los granados y los naranjos que aparecen por encima de las tapias de las quintas; y las recuas[8] de borricos[9], que recorren sus calles de acequias desbordadas, le dan una típica fisonomía musulmana, del norte de África o del Oriente clásico. Los ponchos[10] y vestidos de los indios ponen sus notas de colores exaltantes[11]. Entre los blanqueados muros, bajo los caducos balcones, y sobre el pavimento sonoro y desigual, discurren cabras, ovejas y llamas. Durante la quietud meridiana de la siesta, se oye de pronto el grito de un chiquillo o de un frutero, que se alarga en la soledad de las callejuelas luminosas y desiertas.

La costumbre de dejar por muchos meses, en los vidrios de las casas en duelo, grandes bandas cruzadas de crespones[12] de luto, infunde una tristeza funeral en los principales barrios. El agua potable es pésima; y la mortalidad, muy crecida. Cuando mi viaje, quejábanse los vecinos de epidemias de tifus, viruelas[13] y paludismo pernicioso[14]. Pocas son las comodidades modernas de la vida que allí pueden encontrarse; pero son tales la belleza y transparencia del aire, la gracia ardiente y exótica del paisaje, y la clara y soledosa melancolía de la ciudad, que todos los inconvenientes materiales se olvidan, y el alma se aduerme en una languidez de encanto. De noche, no es raro ver a la luz de la luna, en los portales[15] y las esquinas, ancianos envueltos en nobles capas castellanas[16]; y junto a la fragancia de las huertas, frente a los

---

[8] *recuas*: conjunto de animales de carga.

[9] *borricos*: burros, asnos.

[10] *ponchos*: manta cuadrada o rectangular con una abertura al centro para pasar la cabeza; la prenda cuelga de los hombros generalmente hasta debajo de la cintura.

[11] resaltantes MP.

[12] *crespones*: «Tela negra que se usa en señal de luto» (DRAE).

[13] *tifus*: enfermedad infecciosa producida por la picadura de un artrópodo y que se manifiesta con fiebre alta recurrente, escalofríos y dolor de cabeza; *viruelas*: «Enfermedad aguda, febril, esporádica o epidémica, contagiosa, caracterizada por la erupción de gran número de pústulas» (DRAE).

[14] *paludismo pernicioso*: el paludismo o malaria se transmite por la picadura de un mosquito infectado que produce fiebre elevada y escalofríos; el pernicioso se caracteriza por una elevada concentración de parásitos.

[15] *portales*: «Zaguán o primera pieza de la casa, por donde se entra a las demás, y en la cual está la puerta principal» (DRAE).

[16] *capas castellanas*: «La de hombre, de paño, de amplio vuelo, usualmente con los bordes delanteros forrados de terciopelo» (DRAE).

torneados balconcitos y a las ventanas enrejadas, arrullan en la sombra los yaravíes[17] y bordonean las vihuelas. Esto es todavía de un intenso criollismo[18] colonial. Es un remanso de la naturaleza y el tiempo, un oasis abrigado y blando, oculto —muy peruano contraste— entre la aspereza de las punas, la fragosidad[19] de las sierras, y el misterioso prestigio de campos de combates célebres y de históricas matanzas.

La etimología de sus dos nombres es fiera. Ayacucho, denominación de la quebrada inmediata a Quinua y al lugar de la batalla de la Independencia[20], significa *rincón de muertos*, por la carnicería que a fines del siglo XIII hizo el inca Rocja[21] en los pocras[22] rebeldes. Huamanga, designación de la aldea prehispana que existió en las cercanías de la población actual, quiere decir *hártate halcón*; y la tradición refiere que se le impuso porque el inca Huiracocha, largos años más tarde, tras de domeñar nuevamente a los pocras, dio de comer en el llano de la contienda carne fresca por su propia mano al ave predilecta de cetrería[23] que llevaba consigo, y que se le posó en la cabeza como augurio de victoria y de absoluta dominación. El marqués Pizarro encomendó, primero a Alonso de Alvarado[24] y después a Francisco de Cárdenas[25]

---

[17] *torneados*: labrados, con redondeces, en un torno; *yaravíes*: «Canción mestiza de tema dulce y a la vez triste, procedente del *harawi* incaico, que se combina con elementos españoles» (*DiPerú*).

[18] *bordonean*: «Pulsar el bordón (en los instrumentos musicales de cuerda, cualquiera de las más gruesas que hacen el bajo) de la guitarra» (DRAE); *vihuelas*: antiguo instrumento musical de cuerdas que se toca con los dedos o con una púa; es de la familia de la guitarra; *criollismo*: conjunto de rasgos propios y específicos de la cultura hispánica desarrollada en América, por oposición a lo puramente indígena o a lo puramente español.

[19] *fragosidad*: áspero, intrincado.

[20] *Quinua*: ciudad a 34 km de Huamanga (actual Ayacucho); a un km de Quinua se encuentra el campo de batalla de Ayacucho. Riva-Agüero explica que *Ayacucho* designa tanto la quebrada vecina a Quinua como la pampa o explanada donde se libró la batalla; *batalla de la Independencia*: la batalla de Ayacucho, el 9 de diciembre de 1824, entre el ejército patriota y las fuerzas realistas.

[21] Rocca MP.

[22] *pocras*: antiguos pobladores de la zona de Huamanga, anteriores a los incas.

[23] *cetrería*: arte de cazar con aves rapaces.

[24] «Cieza»* «En el valle de él, [Alvarado] levantó, fundó e pobló la ciudad de la Frontera, en nombre del general e gobernador Pizarro», Cieza, *Crónica del Perú. Cuarta parte, volumen I, Guerra de Las Salinas*, capítulo LXXXIV, p. 364.

[25] *Francisco de Cárdenas*: nació hacia 1508 y murió con anterioridad a 1572. Estaba reconocido como el principal vecino de Huamanga. Se halló con Francisco

en 1539, el establecimiento de una villa de españoles en la mitad del camino de Lima al Cuzco, para defensa contra las incursiones que desde la Montaña hacían los indios alzados del inca Manco[26]. Se le llamó por esto San Juan de la Frontera. Fue asentada en Huamanguilla, junto a Quinua; mas al siguiente año de 1540 resolvieron mudarla al sitio donde hoy está, que se llamaba entonces el Pucaray o la Pocera. Fue Vasco de Guevara, reconciliado almagrista[27], teniente y sucesor de Cárdenas, quien hizo la nueva fundación. Adoptó por armas, en conformidad con su patrón celeste[28], el cordero sobre el libro de los siete sellos, y entre las manos, la bandera de gules[29] de dos puntas. Se contaron entre sus más notables vecinos, Rodrigo Tinoco; el cronista Miguel de Astete[30], que en Cajamarca le arrebató la borla imperial a Atahualpa; Per Álvarez Holguín[31], que, como ya recordamos, capturó a Guatimocín en Méjico, y que fue el segundo corregidor[32] de la ciudad; y su primo Lorenzo de Aldana, que le sucedió, posterior

Pizarro el 9 de enero de 1539 en la fundación de San Juan de la Frontera de Huamanga. Quedó en esa ciudad como teniente de gobernador (Del Busto).

[26] *Montaña*: con la Costa y la Sierra, una de las tres regiones geográficas que componen el territorio peruano. Se ubica al E de la cordillera de los Andes; *inca Manco*: Manco inca (Cuzco, 1516-Vilcabamba, 1544), primero de los «incas de Vilcabamba», que resistieron en esa localidad del NO del Cuzco cuando los españoles ya ocupaban la capital del Tahuantinsuyo.

[27] *reconciliado almagrista*: porque luego de haber luchado en la batalla de Las Salinas del lado de los almagristas, aceptó el cargo que le ofreció Francisco Pizarro y no apoyó a Diego de Almagro el Mozo.

[28] *su patrón celeste*: san Juan Evangelista, a quien se atribuye la redacción del *Apocalipsis*, libro de la Biblia donde se encuentra la imagen del cordero sobre el libro de los siete sellos.

[29] *gules*: «Color heráldico rojo» (Fatás-Borrás).

[30] *Miguel de Astete*: Miguel de Estete de Santo Domingo (Santo Domingo de la Calzada, hacia 1507-Huamanga, después de 1561). Soldado de a pie; según Cieza, fue el primer español que le puso la mano encima a Atahualpa en Cajamarca (Lockhart, pp. 320-321). Se le confunde con el veedor Miguel de Estete, también de Santo Domingo de la Calzada, quien escribió una crónica sobre el ingreso a Pachacámac, el espacio oracular ubicado al S de Lima, de Hernando Pizarro, incluida en las crónicas de Jerez y de Oviedo. Regresó a España en 1534. En 1550 todavía vivía en Valladolid (Lockhart, pp. 265-267). Véase también Porras, *Los cronistas del Perú*, I, pp. 240-245.

[31] *la borla imperial*: la *mascapaycha* o *mascaypacha*; *Per Álvarez Holguín*: o Pero Álvarez Holguín o Perálvarez Holguín (Cáceres, ¿?-Chupas, 1542).

[32] *Guatimocín*: Cuauhtémoc (1502-1525), último emperador de los aztecas; *corregidor*: «Magistrado que en su territorio ejercía la jurisdicción real con mero

almirante de Gasca[33]. Después de la batalla de Chupas[34], tomó el nombre de San Juan de la Victoria. Muy mentada en las guerras civiles de los conquistadores, prosperó luego grandemente por su posición en la vía comercial de Quito al Alto Perú, y su proximidad a las minas de Huancavelica[35] y Castrovirreina[36]. En la primera mitad del siglo XVI, Cieza de León decía que las casas de Huamanga eran las mayores y mejores del Perú, hechas de piedra, ladrillo, cal y tejas, y muy adornadas de torres[37]. Los españoles eran encomenderos, y de los ricos[38]; y los indios, casi todos *mitimaes*[39], y entre ellos, algunos *orejones*[40] del Cuzco, si bien no de los más principales. En la segunda mitad de aquel siglo, escribía el dominico Lizárraga: «La ciudad de Guamanga es de buenos edificios, y son los mejores del reino, particularmente las portadas de las casas. El temple es el mejor de los que yo he visto de Quito a Chile»[41]. A principios de la centuria decimaséptima, el anónimo judío portugués la apreciaba «rica y de buen trato de mercaderes, con muy

y mixto imperio, y conocía las causas contenciosas y gubernativas, y del castigo de los delitos» (DRAE).

[33] *almirante de Gasca*: almirante de Pedro de La Gasca, presidente de la Real Audiencia de Lima y gobernador del Perú de 1547 a 1550 (Del Busto), pues Gasca le encargó una armadilla con la que Aldana recorrió las costas del Perú repartiendo perdones a quienes renegaran de la causa gonzalista y se pasaran a la del rey.

[34] *batalla de Chupas*: la sangrienta batalla entre los ejércitos realista, comandado por Cristóbal Vaca de Castro, y almagrista, liderado por Diego de Almagro el Mozo, el 16 de setiembre de 1542 en el llano de Chupas, a 16 km al S de la ciudad de Huamanga (actual Ayacucho).

[35] *Alto Perú*: el territorio de la Audiencia de Charcas, o sea la actual Bolivia; *Huancavelica*: ciudad capital, provincia y departamento homónimos, en la Sierra centro sur del Perú.

[36] *Castrovirreina*: ciudad capital de provincia y provincia del departamento de Huancavelica, en la Sierra centro sur del Perú.

[37] Cieza de León, *Crónica del Perú. Primera parte*, capítulo LXXXVII, p. 249.

[38] y de los ricos: opulentos MP.

[39] mitimaes MP.

[40] *mitimaes*: «*mitma*: <En tiempo de los incas> Pueblo trasladado obligatoriamente a un lugar distante» (*DiPerú*); *orejones*: nobles incaicos, nombrados así por los españoles por los grandes aretes que colgaban de sus orejas.

[41] «Pedro Cieza de León, *Crónica del Perú*, Caps. LXXXVII y LXXXVIII. — Fray Reginaldo de Lizárraga, *Descripción breve de toda la tierra del Perú*, Cap. LXXVIII»*, Cieza de León, *Crónica del Perú. Primera parte*, capítulos LXXXVII y LXXXVIII, pp. 249-251; Lizárraga, *Descripción del Perú, Tucumán, Río de la Plata y Chile*, libro primero, capítulo LXXVIII, pp. 164-165.

lindas huertas de recreo y muchas casas de caballeros»[42]. Por entonces la gobernó como corregidor en dos ocasiones (1603 y 1607) el ilustre hidalgo andaluz D. Diego de Aguilar y Córdoba, vecino de la ciudad de León de los Caballeros de Huánuco[43], distinguido poeta, autor de varias obras inéditas, que se citan entre las mejores de la primitiva literatura peruana, como el poema histórico *El Marañón* y el libro de diálogos en prosa *La soledad entretenida*[44]; personaje tan celebrado por la incógnita poetisa[45] en el *Prólogo* del *Parnaso* de Diego Mejía de Fernangil[46]:

> Tú Diego de Aguilar eres maestro
> en la escuela cirrea graduado,
> por ser tu metro honor del siglo nuestro.
> El renombre de Córdoba ilustrado
> quedará por tu lira; justa paga
> del amor que a las musas has mostrado;

y a quien no menos que Miguel de Cervantes ensalza magníficamente en el *Canto de Calíope*:

> Una águila real en vuelo veo
> alzarse a do llegar ninguno aspira.

[42] León Portocarrero, *Descripción del Virreinato del Perú,* p. 199.

[43] *D. Diego de Aguilar y de Córdoba:* (Córdoba, ¿1550?-Lima, ¿1614?), poeta de la Academia Antártica, corregidor de Huamanga en 1603 y en 1607 (Tauro); *León de los Caballeros de Huánuco*: la Huánuco actual, capital de la provincia y del departamento de Huánuco, que se ubica al centro norte de la Sierra del Perú.

[44] «Menéndez Pelayo, *Antología de poetas hispanoamericanos*, tomo 3°; pág. 157 y siguientes. — Calancha, *Corónica moralizada de San Agustín*, Primera Parte, Libro IV, Cap. XVIII»★. Calancha, *Crónica moralizada,* libro cuarto, capítulo XVIII, p. 2023.

[45] *la incógnita poetisa*: la poetisa anónima autora del *Discurso en loor de la poesía* (1608).Una hipótesis reciente apunta a la dama milanesa Catalina María Doria (Milán, c. 1565-Lima, 1643) como autora del *Discurso* (Vinatea, «Catalina María Doria y las escritoras del siglo XVI», pp. 91-97).

[46] *Primera parte del Parnaso antártico de obras amatorias,* Sevilla, 1608, p. 22 r; *Diego Mejía de Fernangil*: poeta sevillano afincado en Lima (finales del s. XVI-principios del s. XVII), poeta de la Academia Antártica. Tradujo las *Heroidas* de Ovidio y escribió la *Segunda parte del Parnaso antártico* en Potosí, en 1617 (Tauro).

> Su pluma entre cien mil gana trofeo,
> que ante ella la más alta se retira[47].

La disminución de las encomiendas de indios se compensó con el incremento de la agricultura, los cocales de Huanta, y los obrajes de paños y tocuyos[48] de toda la región. Fue erigida Huamanga en sede episcopal el año de 1609. Corregimiento[49] de primera clase, lo proveía el rey en las personas más calificadas y a menudo en vástagos de conquistadores limeños, como fueron Jusepe de Ribera[50] y Sancho de Córdoba. Siglo y medio más tarde, a mediados del XVIII, Juan y Ulloa pintaban Huamanga como «muy agradable a la vista»; y hallaban en ella «cerca de veinte familias nobles, que ocupan el centro de la ciudad y cuyas casas son por lo regular altas, construidas de piedra, bien labradas y cubiertas de tejas»[51]. Figuraban entre esas familias los marqueses de Feria y los de[52] Mozobamba, que ya hemos citado varias veces; los Tellos de Espinosa, marqueses de Valdelirios, parientes[53] del almagrista Juan Tello de Guzmán y descendientes del encomendero de Chinchaycocha[54, 55] Juan Tello de Sotomayor, el que prendió a Hernández Girón, por lo cual conservaban en vínculo[56] la espada de ese

[47] «un águila real que en vuelo veo/ alzarse a do llegar ninguno aspira./ Su pluma entre cien mil gana trofeo,/ que, ante ella, la más alta se retira», Cervantes, «Canto de Calíope», octava 73, p. 580.

[48] *cocales*: plantaciones de coca; *Huanta*: ciudad capital de la provincia de Huanta, en el departamento de Ayacucho, al N de la ciudad de Ayacucho; *obrajes*: «Oficina o lugar donde se labran paños y otras cosas para el uso común» (DRAE); *paños*: «Tela de lana muy tupida y con pelo tanto más corto cuanto más fino es el tejido» (DRAE); *tocuyos*: tela ordinaria de algodón.

[49] *Corregimiento*: territorio en el que tenía jurisdicción el corregidor.

[50] *Jusepe de Ribera*: hijo de Nicolás de Ribera el Viejo, fundador y primer alcalde de Lima (Riva-Agüero, «El primer alcalde de Lima Nicolás de Ribera el Viejo y su posteridad», 1983b, p. 241).

[51] «*Viaje al Perú*, Libro I, Cap. XII»*. Ulloa, «Segunda parte del viaje al reino del Perú», *Viaje a la América Meridional,* capítulo XII, p. 144.

[52] los de: pronombre y preposición omitidos en MP.

[53] descendientes MP.

[54] *Chinchaycocha*: pueblo del departamento de Ayacucho, provincia de Parinacochas, distrito de Coracora.

[55] descendientes del encomendero de Chinchaycocha: de su hijo MP.

[56] *Hernández Girón*: Organizador de la última rebelión de los encomenderos del Perú (1553-1554), en rechazo de las Leyes Nuevas (Del Busto, *Conquista y Virreinato*); *en vínculo*: en herencia, pero sin posibilidad de enajenar el bien.

último caudillo rebelde; los La Fuente, marqueses de San Miguel de Híjar, descendientes del calderoniano[57] D. García Cristóbal de Híjar, que mató públicamente en Lima el año de 1659 por celos a su mujer y prima Dª María Hurtado de Mendoza[58]; una rama de los Carrillos de Albornoz de Montemar; los Oblitas, los Maysondos, los Romanís, los Orés; y durante largos períodos de mando, como corregidores o intendentes[59], los Bozas y Solís, de los marqueses de Casa Boza; los Vásquez de Acuña, de los condes de la Vega del Ren; el vizconde de Miraflores; y los Manriques de Lara, marqueses de Lara y señores de Amusgo y Redecilla en España, de la alcurnia y tronco de los antiguos duques de Nájera, como procedentes de D. Rodrigo Manrique, el que por su honra asesinó a su pariente el virrey conde de Nieva[60], y entonces en la época del mayor lustre de su casa en el Perú por el enlace con los duques de San Carlos.

Esta sociedad aristocrática y la del obispo y su coro mantenían el brillo y la animación de Huamanga, ciudad alegre, regalona y sensual, de indulgencia eclesiástica, en la que cuenta Bustamante que compraban mucho a los mercachifles[61] y comerciantes pegujaleros[62], «los señores canónigos y curas, para su uso y el de sus familias»[63]. Lo último es malicia del picaresco Bustamante[64], para zaherir la proverbial

---

[57] *calderoniano*: alusión a *El mayor monstruo, los celos,* tragedia de Calderón de la Barca.

[58] «Diario de Mugaburu»* Joseph de Mugaburu y Francisco de Mugaburu, *Diario de Lima,* 1659, p. 54.

[59] *corregidores*: «Magistrado que en su territorio ejercía la jurisdicción real con mero y mixto imperio, y conocía de las causas contenciosas y gubernativas, y del castigo de los delitos» (DRAE); *intendentes*: cargo de mayor jerarquía en las intendencias (una de ellas, la de Huamanga), instancias político-administrativas creadas por las reformas borbónicas del siglo XVIII.

[60] *virrey conde de Nieva*: Diego López de Zúñiga y Velasco (Burgos, 1500-Lima, 1564), cuarto virrey del Perú (1561-1564). Cfr. *Anales* de Montesinos.

[61] *mercachifles*: «Mercader de poca importancia» (DRAE).

[62] *pegujaleros*: aquellos que vendían lo poco que les producía su campo o su ganado; *pegujal*: «Pequeña porción de siembra o de ganado» (DRAE).

[63] «Prólogo del *Lazarillo de ciegos caminantes*»*. «[…] a Huamanga, a donde compran algunas cosas los señores canónigos para su uso y el de sus familias» (Concolorcorvo, *El lazarillo de ciegos caminantes,* «Prólogo y dedicatoria a los contenidos en él», p. 112).

[64] *Bustamante*: Calixto Bustamante Carlos Inca, alias Concolorcorvo, «autor» del *Lazarillo de ciegos caminantes.*

incontinencia del clero huamanguino. Las canonjías y curatos[65] daban crecidas rentas. La plebe mestiza, ingeniosa y bien parecida, trabajaba en los oficios de adobar[66] cueros y pintar baquetas para asientos y baúles, en obras de platería y filigrana, en pellones[67] y monturas, en tejidos de lana y algodón, en famosas conservas de dulces, y en esculpir imágenes utilizando el blando alabastro de yeso llamado *piedra de Huamanga*[68]. Tenían los habitantes renombre de belicosos y ladinos; y aun hoy sirven de graciosos[69] o bufones para las fiestas populares de enmascarados en todo el sur del Perú. La decadencia se inició a mediados del siglo XVIII, cuando algunos títulos y mayorazgos[70] pasaron a residir en Lima, y se adeudaron y obscurecieron[71] otras familias nobles de la localidad. Aún se ven muchas señales de la difunta vida hidalga: antiguas cocheras, convertidas en pulperías y tendejones[72]; grandes patios, que se han trocado en corrales; y escaleras de suaves y espaciosos peldaños, a veces inútiles porque se han arruinado los altos a que conducían. El área de la población resulta demasiado holgada para el vecindario actual. Hay calles medio desiertas. Hace cien años, Bauzá (o

---

[65] *canonjías*: «Prebenda ['tipo de renta'] por la que se pertenece al cabildo de iglesia catedral o colegial» (DRAE); *curatos*: parroquias.

[66] *adobar*: «Curtir las pieles y componerlas para varios usos» (DRAE).

[67] *baquetas*: «*vaqueta*: Baqueta. El cuero de la vaca aderezado, que comúnmente suele ser de las vaquillas o terneras, porque de las grandes se hacen las suelas de los zapatos» (Covarrubias); *filigrana*: «Técnica de joyería antiquísima que trabaja soldando a la base metálica hilos o gránulos de oro o plata» (Fatás-Borrás); *pellones*: «Pelleja curtida que se usa sobre la silla de montar» (DRAE).

[68] *piedra de Huamanga*: tipo de alabastro (sulfato de cal) que se extrae de canteras ubicadas en las cercanías de la ciudad de Huamanga (Ayacucho). Puede ser de color blanco, gris, amarillo miel, rojo, pardo y a veces negro. Se utiliza como sustituto de la porcelana y el mármol para esculturas, retablos, etc. (Lucy Núñez, «La piedra de Huamanga»).

[69] *ladinos*: taimados; *graciosos*: «En la comedia clásica española, personaje típico, generalmente un criado, que se caracteriza por su ingenio y socarronería» (DRAE).

[70] *títulos*: «Persona que posee dignidad nobiliaria» (DRAE); *mayorazgos*: «Hijo mayor de una persona que goza y posee mayorazgo (institución legal que tiene por objeto perpetuar en la familia la propiedad de ciertos bienes)» (DRAE).

[71] *obscurecieron*: «*oscuridad*: Humildad, bajeza en la condición social» (DRAE).

[72] *pulperías*: «Tienda donde se venden diferentes géneros para el abasto» (DRAE); *tendejones*: tienda pequeña.

Haenke)[73] le daba 30 000 almas; no parece ahora contar efectivamente
con más de 16 000. Y la despoblación lleva camino de continuar si no
se apresuran a construir el ferrocarril, a irrigar la campiña, a proteger
alguna industria y a combatir la insalubridad.

La plaza de armas, rodeada en sus cuatro lados por los portales[74]
revestidos de cal, es tan extensa como la del Cuzco. Tenía en el centro
una pila, un jardincito estrecho, estatuas y bancas de mármol agrupa-
das; lo demás, simplemente empedrado, era imponente por su severa
desnudez y soledad. Me dicen que un prefecto progresista la acaba de
plantar toda de arbolillos, convirtiéndola en mediocre parque municipal, a imitación del Cuzco. De seguro que con esto le han quitado
su único atractivo, que era su rancio aspecto de la Colonia. Nuestra
modernidad es mezquina, trivial o grotesca; y no lo era, por cierto, la
desolada vetustez de la desierta plaza, cuando en las horas de sol, entre
la fuente del medio y las arcadas y barandales[75] del contorno, apenas
transitaba una recua con esquilas, o un indio solitario con poncho[76]
escarlata; o cuando en el crepúsculo desciende, de la catedral y las vecinas iglesias, el grave concierto del toque de la oración.

[73] *Bauzá:* Felipe Bauzá y Cañas (Palma de Mallorca, 1764-Londres, 1834),
cartógrafo jefe de la expedición científica y política de Alessandro Malaspina,
que circunnavegó el globo (1789-1794); para evitarse, por enfermedad, navegar
por el cabo de Hornos, viajó por tierra, de noviembre de 1793 a marzo de 1794,
del Callao a Montevideo; aprovechó el viaje para registrar sus observaciones
(DB-e); *Haenke:* Tadeo o Thaddäus Haenke (Kreibits, Bohemia, 1761-Cocha-
bamba, Bolivia, 1816). Naturalista, participó en la expedición científica de Malaspina. Desembarcó en el Callao en julio de 1793. Allí se separó de la expedición. Exploró la región amazónica peruana y pasó luego a La Paz y Cochabamba,
en Bolivia, donde se estableció a partir de 1794 (DB-e).
[74] *portales:* «soportal: Pórtico, a manera de claustro, que tienen algunos edificios o manzanas de casas en sus fachadas, y delante de las puertas y tiendas que
hay en ellas» (DRAE).
[75] *arcadas:* sucesión de arcos; *barandales:* listón que une los balaustres o barras
verticales de una barandilla por las partes superïor e inferior.
[76] *recua:* conjunto de acémilas o bestias de carga; *esquilas:* cencerro pequeño, acampanado; *poncho:* manta, cuadrada o rectangular, con una abertura en el
centro para hacer pasar la cabeza; cuelga de los hombros hasta más abajo de la
cintura.

Esta plaza presenció, después de la batalla de Chupas[77], la ejecución de Juan Tello de Guzmán y numerosos almagristas. En 1601 fue degollado en ella, con gran lástima, el noble D. García de Solís y Portocarrero, caballero de la orden de Cristo[78] en Portugal, y muy largos años corregidor[79] de Huancavelica y Huamanga. Algunos señores feudatarios[80], a quienes compelía para el servicio militar contra los piratas holandeses, lo acusaron de que en su orgullo hablaba mal de los oidores[81], y de que pretendía alzarse y mantenía tratos con los indios rebeldes de la Montaña[82]. Enviaron desde Lima como juez pesquisidor al licenciado Coello, alcalde de corte[83], enemigo antiguo de D. García. Sentenció a este a ser decapitado, como se hizo. Colocaron la cabeza en la picota[84] y en una jaula, hasta que unos frailes la hurtaron y la sepultaron secretamente. En la misma plaza, el mes de agosto de 1833, Gamarra y Bermúdez[85], vencedores en el combate de Pultunchara[86],

---

[77] *batalla de Chupas*: en las guerras civiles de los conquistadores, la batalla que enfrentó a almagristas y realistas en Chupas, cerca de Ayacucho (la antigua Huamanga), el 16 de setiembre de 1542.

[78] *orden de Cristo*: o de los caballeros de Cristo, orden militar portuguesa.

[79] *corregidor*: «Magistrado que en su territorio ejercía la jurisdicción real con mero y mixto imperio, y conocía de las causas contenciosas y gubernativas, y del castigo de los delitos» (DRAE).

[80] *feudatarios*: «Sujeto obligado a pagar feudo (tributo)» (DRAE).

[81] *piratas holandeses*: seguramente, la flotilla de Van Noort, que asoló las costas de Chile, el Perú y el Ecuador en abril y mayo de 1600. La escuadra del pirata holandés intentaba saquear los puertos de Arica, Quilca, Paita, Guayaquil y el cabo de San Francisco, y luego continuar a las costas de Centroamérica (Lohmann, *Historia marítima del Perú*, pp. 377 ss.); *oidores*: «Ministro togado que en las audiencias del reino oía y sentenciaba las causas y pleitos» (DRAE).

[82] *Montaña*: con la Costa y con la Sierra, la tercera región natural del territorio peruano. Actualmente, es más frecuente designarla como *Selva*.

[83] *juez pesquisidor*: 'el que pesquisa'. *Pesquisa*: «Información o indagación que se hace de algo para averiguar la realidad de ello o sus circunstancias» (DRAE); *alcalde de corte*: «*alcalde de casa y corte*: Juez togado de los que en la corte componían la sala llamada de *alcaldes*, que juntos formaban la quinta sala del Consejo de Castilla» (DRAE).

[84] *picota*: «Rollo o columna de piedra o de fábrica que había a la entrada de algunos lugares, donde se exponían públicamente las cabezas de los ajusticiados, o los reos» (DRAE).

[85] *Gamarra*: Agustín Gamarra (Cuzco, 1785-Ingavi, 1841). Militar, presidente del Perú en dos períodos: 1829-1833 y 1839-1841. «Durante su gobierno hubo de afrontar catorce revoluciones» (Tauro); *Bermúdez*: Pedro Bermúdez (Tarma, 1793-Lima, 1852). Militar, ejerció brevemente la presidencia del Perú en 1834.

fusilaron a crecida cantidad de revolucionarios, militares del batallón *Callao* y vecinos de Ayacucho, a pesar de las encarecidas súplicas de las señoras y notables de la ciudad.

En la fachada del cabildo, esquina oriental de la plaza, está empotrada la piedra sepulcral del conquistador Per Álvarez Holguín, descubierta en 1887 en el templo de La Merced. Es una estatua yacente, con armadura y gran espada, de curiosa labor. Junto al cabildo, se levanta la catedral, de exterior insignificante y vulgar; pero sus adornos interiores jesuíticos y sus altares churriguerescos[87] tienen sello histórico y están bien conservados. Acababa la misa mayor; y los canónigos, en la tallada sillería[88], entonaban sus rezos. Por las ventanas de las naves penetraban rayos de sol, que hacían danzar torbellinos de moléculas doradas en el piso y en los obscuros rincones de las capillas. La iglesia posee buenas alhajas[89], traídas de Roma en el siglo XVIII. A la derecha, en la sacristía, existe la serie de retratos de los obispos. Allí se ven al émulo en virtudes de santo Toribio de Mogrovejo[90], D. Francisco Verdugo, que comenzó a edificar la catedral en 1630; y al que la concluyó, D. Cristóbal de Castilla y Zamora, el rumboso bastardo regio[91], hermano de Carlos II y de D. Juan José de Austria, y por muchos años inquisidor de Lima[92]. Fue este obispo quien fundó el Colegio Real y

---

Fue desterrado a Centroamérica (1829). «Regresó en 1832, y colaboró con el gobierno del mariscal Gamarra, quien le confió el Ministerio de Guerra y lo ascendió a la alta clase de general» (Tauro).

[86] *Pultunchara*: «Caserío del distrito de Huanta [Ayacucho]. Fuerzas sublevadas en Ayacucho (24 de julio de 1833), bajo la dirección de los capitanes Deustua y Flores, sostuvieron allí una acción de armas (15 de agosto) contra las fuerzas destacadas desde Lima por el gobierno del general Agustín Gamarra, a órdenes del ministro de Guerra, general Pedro Bermúdez» (Tauro).

[87] *churriguerescos*: «(de Churriguera). Relativo al Barroco español, en arquitectura. Recibe el nombre de José de Churriguera (1665-1723). Es extraordinariamente fastuoso y muy abundante en Hispanoamérica» (Fatás-Borrás).

[88] *misa mayor*: misa solemne, cantada; *canónigos*: «Eclesiástico que tiene una canonjía (prebenda por la que se pertenece al cabildo [cuerpo o comunidad de eclesiásticos]) de iglesia colegial o catedral» (DRAE); *sillería*: «Conjunto de los asientos de un coro, salón de sesiones, etc., trabajados según un mismo estilo o criterio estético» (Fatás-Borrás).

[89] *alhajas*: «Adorno o mueble precioso» (DRAE).

[90] *santo Toribio de Mogrovejo*: Toribio Alfonso de Mogrovejo (Mayorga, 1538-Zaña, 1606), segundo arzobispo de Lima (1581-1606).

[91] *bastardo regio*: al ser hijo del rey Felipe IV.

[92] *y por muchos años inquisidor de Lima*: omitido en MP.

la Universidad de San Cristóbal[93] con los mismos privilegios de las de Lima, Valladolid y Salamanca. Funcionaba en los claustros contiguos a la catedral, que hoy ocupa la Corte Superior de Justicia. Tras de haber alcanzado cierto lustre a fines del siglo XVII, vivió esta universidad menor vida intermitente y pobre en el XVIII y el XIX, hasta que se suprimió después de la guerra con Chile. Detrás de la catedral, hay varios solares[94] en ruinas, como en el Cuzco. Uno de ellos, espacioso, con fuertes cimientos y pilastras[95] de piedra, debe de haber sido el antiguo palacio episcopal. Ahora el obispo vive en una modesta casa particular.

En el ángulo noreste de la plaza, está la iglesia de San Agustín, con los restos de su demolido convento. Las tunas[96] brotan en el tejado y las cornisas; y las pencas[97] pequeñas y duras, de verde metálico, resaltan sobre el barniz luminoso del cielo. Se construyó esta iglesia en 1637, pero fue reedificada en 1767. En ella, cuando el desastre patrio[98], se reunió la Asamblea Nacional de 1881, ante la que D. Nicolás de Piérola dimitió la dictadura[99]. Sirve hoy de parroquia. El interior, descolorido y semivacío, nada ofrece digno de mención. En la calle que se abre al extremo opuesto de la plaza, al suroeste, se halla la iglesia de la Compañía, una de las mejores de Ayacucho. A la derecha del altar mayor, se conservan el retablo y la efigie del crucifijo de Huayllán, obra indígena muy venerada porque a principios del siglo XVII se le descubrió entre los indios papris, que lo

---

[93] *Universidad de San Cristóbal*: Universidad de San Cristóbal de Huamanga, fundada en 1677. Desde 1959 funciona regularmente.

[94] *guerra con Chile*: o guerra del Pacífico o guerra del Salitre (1879-1884), entre los aliados Perú y Bolivia, por un lado, y Chile, por el otro; *solares*: edificaciones.

[95] *pilastras*: «Pilar adosado, con basa y capitel» (Fatás-Borrás).

[96] *tunas*: «(Bot.: *Opuntia ficus-indica*). Planta oriunda de América. Crece en tierras secas. Los frutos, de color verde o amarillo rojizo, son largos, ahusados, y presentan una depresión en su nacimiento; bajo una cáscara gruesa [y espinosa], pero fácil de remover, ofrecen una pulpa arenosa y azucarada, muy grata al paladar» (Tauro).

[97] *pencas*: «Hoja, o tallo en forma de hoja, craso o carnoso, de algunas plantas, como el nopal o la pita» (DRAE).

[98] *el desastre patrio*: la guerra con Chile (1879-1884).

[99] *dictadura*: Nicolás de Piérola Villena (Arequipa, 1839-Lima, 1913), en 1879, en plena guerra del Pacífico y ausente el presidente Manuel Ignacio Prado, se alzó con el poder como jefe supremo de la República.

profanaban en sus conventículos[100] idólatras. El coro alto tiene fama, por la audaz tensión de su arco. Cuando la insurrección de Pumacahua[101], en 1814, los cuzqueños de Béjar y Angulo y los morochucos de Cangallo[102] sacaron arrastrando de ese templo al militar español D. Vicente Moya, junto con el subdelegado de Vilcas, Echevarría, y el coronel realista[103] indio D. Francisco Tincopa; y los descuartizaron en el atrio. El antiguo colegio de los jesuitas es actualmente local del seminario diocesano.

A los dos días de mi llegada a Ayacucho, me dirigí una mañana a la huerta de la Glorieta que fue quinta de recreo de los marqueses de Feria de Navarra. Por calles sucias, anegadas con el agua blanquizca[104] e inmunda de las acequias, entre tapias altas y montones de basura, di en la capillita de San Agustín de la Pampa, cuya fachada adornan retorcidas columnas salomónicas[105] de piedra. A la derecha, tras cercas derruidas, corre pedregoso y casi seco el arroyo de la Tartaria en que las indias lavan ropa y juguetean chicos desarrapados. En el fondo, se alza una portada con el orgulloso escudo de armas de los Ferias. De la

---

[100] *papris*: indios pertenecientes a uno de los repartimientos del corregimiento de los Hananchilques, provincia de Huamanga (Maúrtua, *Juicio de límites entre Perú y Bolivia*, 1906, p. 226); *conventículos*: «Junta ilícita y clandestina de algunas personas» (DRAE).

[101] *insurrección de Pumacahua*: en 1814, a raíz de las disposiciones de las cortes de Cádiz. Mateo García Pumacahua (Chincheros, 1738-Sicuani, 1815) se enfrentó a las fuerzas realistas, quienes finalmente derrotaron a sus huestes poco organizadas. Fue decapitado en Sicuani (Cuzco), en marzo de 1815 (Tauro).

[102] *Béjar*: José Gabriel Béjar (Cuzco, ¿?-Cuzco, 1815). Clérigo, párroco de la iglesia de la Compañía del Cuzco. Con los hermanos Angulo, Juan Carbajal y otros patriotas inició un levantamiento en 1814. Sus fuerzas ocuparon Huamanga, pero fueron finalmente derrotadas en la batalla de Umachiri, el 11 de marzo de 1815 (Tauro); *Angulo*: Mariano (Cuzco, ¿?-Cuzco, 1815) Vicente (Cuzco, ¿?-Cuzco, 1815) y José Angulo (Cuzco, ¿?-Cuzco, 1815). Precursores de la independencia del Perú, líderes del movimiento que, con Pumacahua, buscaba emanciparse de España. Las fuerzas rebeldes fueron derrotadas en la batalla de Umachiri (11 de marzo de 1815). Los tres hermanos fueron ejecutados en el Cuzco, el 29 de mayo de 1815 (Tauro); *morochucos*: «Individuo con rasgos blancoides y costumbres indígenas, que habita en la pampa ayacuchana, famoso por su destreza como jinete» (*DiPerú*); *Cangallo*: capital de provincia y provincia del departamento de Ayacucho.

[103] *realista:* (por oposición a *patriota,*) fiel al rey de España.

[104] *blanquizca*: blanquecina.

[105] *columnas salomónicas:* «La de desarrollo helicoidal» (Fatás-Borrás).

casa de placer no quedan sino unos paredones con huecos en el suelo y los zócalos, que fueron alizares de azulejos. Al pozo, de brocal[106] roto, acuden las vecinas. Hay algunos árboles añosos. Los chanchos[107] se revuelcan en lo que fue jardín. La primera marquesa, Dª Josefa de Cruzat y Munive, nacida en Huamanga, mujer del marqués D. Francisco Félix de la Vega, maestre de campo[108] de los ejércitos de Felipe V en Nápoles, era literata latina, francesa y toscana; y reunía en esta quinta una escogida tertulia. Poseyó una galería de pinturas, que decoraban las salas y la cuadra[109] de la Glorieta, y que consta del inventario de su hijo D. Gregorio. Heredó, con el palacete, sus cultas aficiones, su bisnieto D. Gaspar Carrillo de Albornoz y Vega, quinto marqués de Feria de Navarra y de Valdelirios, gentilhombre de su majestad[110], presidente de la Audiencia de Charcas, quien tuvo sus ribetes enciclopedistas[111] y fue denunciado a la Inquisición por lector de obras prohibidas, junto con otro noble huamanguino, el marqués de Mozobamba del Pozo[112].

La casa urbana de los Ferias[113] se hallaba en el centro de la ciudad, en la esquina de la Merced. Este monasterio, el más antiguo de Huamanga, se estableció en 1541. La iglesia, estrecha y obscura, privada de sus frailes, agoniza en el más completo abandono. De aquí, por callejones irregulares y misérrimos, llenos de chicherías[114], y por

---

[106] *alizares*: «Cinta o friso de azulejos de diferentes labores en la parte inferior de un aposento» (Fatás-Borrás); *azulejos*: «Baldosa o pieza vidriada para revestir superficies» (Fatás-Borrás); *brocal*: «Antepecho alrededor de la boca de un pozo, para evitar el peligro de caer en él» (DRAE).

[107] *chanchos*: cerdos.

[108] *maestre de campo*: «Antiguamente, oficial de grado superior que ejercía el mando de varios tercios (regimiento de infantería española de los siglos XVI y XVII)» (DRAE).

[109] *cuadra*: pieza espaciosa.

[110] *gentilhombre de su majestad*: servidor que acompañaba al rey.

[111] *enciclopedistas*: «Que profesa el enciclopedismo (conjunto de doctrinas profesadas por los autores de la Enciclopedia publicada en Francia a mediados del siglo XVIII y por los escritores que siguieron sus enseñanzas en la misma centuria)» (DRAE).

[112] «Ricardo Palma, *Anales de la Inquisición de Lima, La segunda Inquisición*, pág. 509, en el tomo *Apéndice a mis últimas tradiciones peruanas*»*, Palma, «La segunda Inquisición», p. 1258.

[113] Feria MP.

[114] *chicherías*: establecimientos donde se vende chicha. Probablemente se trate de la *chicha de jora*: «Bebida alcohólica a base de maíz germinado o jora que se fermenta con azúcar o chancaca» (*DiPerú*).

alcantarillas[115] maltratadas, pasé otra vez el riachuelo de la Tartaria, y recorrí el arrabal[116] de Capillapata, así denominado porque hay en él una ermita caduca, de las que abundan tanto en Ayacucho, dedicada a san Juan Bautista. Existía ya a mediados del siglo XVI. Continuando entre escombros y apretados tunales[117], bajé por San Sebastián hasta la pampa[118] del Llano y el arroyo de Ñahuimpuquiu, que significa *los ojos del manantial*. A la derecha se levanta, sobre escasa arboleda, algunos andenes de cultivos y canteras antiguas, el cerro de Acuchimay, que fue teatro del combate entre Cáceres y Panizo[119] el año de 1882.

Un pariente mío, D. Antonio de la Riva-Agüero[120], gobernó Huamanga de 1709 a 1711; y me dicen que hacia su tiempo se construyeron las piletas del barrio de Santa Clara. Por piedad familiar al remoto y olvidado tío, voy a verlas. El aspecto de las calles es más y más mahometano. Al pie de un muro encalado y liso, con ventanas escasas y angostas, sobre los guijarros del suelo, almorzaba[121] una hilera de mendigos de ambos sexos, cubiertos con los más pintorescos harapos. Había entre ellos músicos ciegos, que amontonaban en un rincón sus flautas y quenas,[122] y llevaban en la cabeza *chucos* (birretes)[123] colorados. A breve trecho aparece Santa Clara, rico monasterio de monjas, que fundaron en 1568 para sus cinco hijas el encomendero D. Antonio de Oré y su mujer Dª. Luisa Díaz[124] de Rojas, padres del obispo

---

[115] *alcantarillas*: pequeños puentes.

[116] *arrabal*: barrios exteriores o periféricos de una ciudad.

[117] *tunales*: plantas de tuna (higuera de tuna).

[118] *pampa*: terreno extenso y llano.

[119] *combate entre Cáceres y Panizo*: la batalla de Acuchimay, el 22 de febrero de 1882, entre dos fuerzas del ejército peruano, una liderada por el general Andrés A. Cáceres y otra por el coronel Arnaldo Panizo, en un contexto de lealtades encontradas a causa de los vaivenes políticos mientras el ejército chileno ocupaba el país (Tauro).

[120] *D. Antonio de la Riva-Agüero*: hijo del maestre de campo don Fernando de la Riva-Agüero y Setién, fue corregidor de Huamanga desde 1709 hasta 1711 y antes lo fue de su patria, Piura (Riva-Agüero, «Algunas biografías familiares», 1983a, pp. 149-150).

[121] *almorzaba*: comía.

[122] *quenas*: flautas andinas, de caña o de hueso.

[123] *chucos*: «*ch'uku, chuku*: Bonete, gorro de los indígenas (especie de papalina)» (Rosat).

[124] Días MP

de la villa imperial de Chile[125], fray Luis Jerónimo de Oré, autor del *Símbolo católico indiano*[126] y otros libros. En este convento se refugió, reconocida ya en su condición femenil, Dª. Catalina de Erauso[127], la famosa *Monja alférez*, que con el ruido de sus aventuras, pendencias y desafíos, maravilló las Indias y España en la primera mitad del siglo XVII. Parece de la misma época la fronteriza iglesia de San Francisco de Asís, de tres altas naves[128]. Prosiguiendo más al norte, encuentro la prefectura, antiguo local de las cajas reales, y que fue primitivamente lujosa casa particular, con arquerías y humos[129] de palacio, de D. Nicolás de Boza y Solís, oriundo de las Canarias y hermano del primer marqués limeño de Casa-Boza. Me detuve junto a la elevada iglesia de San Francisco de Paula, en la sugestiva plazoleta, mirando cabrillear el agua del pilón orlado de azulejos,[130] que me trajeron reminiscencias de la Lima colonial. Agraciadas muchachas mestizas y típicos aguadores[131] llenaban por turno alcarrazas, porongos y pipas[132], con alegre vocerío muy apartado de la general melancolía serrana.

[125] *la villa imperial de Chile*: la ciudad de Concepción en el momento en que esta se ubicaba en la actual comuna de Penco.

[126] *Oré*: Luis Jerónimo de Oré (Huamanga, 1554-Concepción, 1629); de la orden de san Francisco, quechuista (Tauro); *Símbolo católico indiano*: *Símbolo católico indiano, en el que se declaran los misterios de la fe contenidos en los tres símbolos católico, apostólico, niceno y de san Atanasio*, Lima, Antonio Ricardo, 1598.

[127] *Catalina de Erauso*: la *Monja alférez* (San Sebastián, ¿1585?, ¿1592?-Cuitlaxtla, ¿1650?), protagonista de una vida aventurera y picaresca. Recorrió buena parte de la América española (DB-e).

[128] *naves*: «Cada uno de los espacios que, delimitados por muros o columnas en fila, se extienden a lo largo de un edificio» (Fatás-Borrás).

[129] *humos*: pretensiones, aires.

[130] *cabrillear*: «Rielar (brillar con luz trémula)» (DRAE); *pilón*: «Receptáculo de piedra que se construye en las fuentes para que, cayendo agua en él, sirva de abrevadero, de lavadero o para otros usos» (DRAE); *orlado*: adjetivo formado a partir del primitivo *orla*: «Motivo ornamental que enmarca o circunda algo» (Fatás-Borrás); *azulejos*: «Baldosa o pieza vidriada para revestir superficies» (Fatás-Borrás).

[131] *aguadores*: el que carga o vende agua.

[132] *alcarrazas*: «Vasija de arcilla porosa y poco cocida, que tiene la propiedad de dejar rezumarse cierta porción de agua, cuya evaporación enfría la mayor cantidad del mismo líquido, que queda dentro» (DRAE); *porongos*: «Vasija de arcilla para guardar agua o chicha» (*DiPerú*); *pipas*: «Tonel o candiota (barril) como de un metro de alto y medio de ancho para transportar o guardar vino u otros licores [o agua]» (DRAE).

A la mañana siguiente, por la recta que de la plaza mayor sale al norte, fui a conocer la iglesia de Santo Domingo, patronato[133] de muchos conquistadores, construida de 1548 a 1561. La fachada es baja pero característica, con escudos labrados, pórtico de tres arcos, galería alta abierta y rotonda tejadas[134], de fisonomía levemente bizantina[135]. Lleva por coronación una fila de piñones[136]. Los tonos dominantes en el conjunto, sobre el encalado, son el plomizo de la piedra y el bermejo obscuro de las tejas y los ladrillos. A más de sus dos torres delanteras, tiene al norte un campanario aislado. El otro se desplomó en la célebre tempestad del 9 de octubre de 1640, que estuvo a punto de arruinar Huamanga. A la misma ocasión, se remonta la grieta que todavía se ve a un lado de la portada. En el atrio que mira al sur, junto a la puerta lateral, una cruz, sobre una elevada columna corintia[137], recuerda aquel cataclismo. Esta plazuela, con la amarillenta verdura que la alfombra y un pino melancólico, interesa y es de aspecto leyendario[138]. Los claustros del convento, supreso[139] en el siglo XIX, se demolieron con el propósito de hacer un nuevo paseo público, que naturalmente quedó en proyecto. En una casa de ese jirón, dos cuadras más adelante, oí toque de cajón y rasguear[140] de guitarras; y fue grande mi asombro

---

[133] *patronato*: fundación de una obra pía.

[134] *galería*: «Corredor amplio, generalmente en un piso alto, con pared en un solo lado» (Fatás-Borrás); *rotonda*: «Edificio u obra de planta circular, y especialmente si tiene cúpula» (Fatás-Borrás); *tejadas*: con tejas, tanto la galería como la rotonda.

[135] fisonomía levemente bizantina: aspecto bizantino MP.

[136] *coronación*: adorno en la parte superior de un edificio; *piñones*: No son, propiamente, los gabletes o hastiales (parte superior triangular de un muro o de un edificio) llamados antiguamente *piñones*, sino, más bien, los elementos decorativos en forma de piñón que se alinean a lo largo del coronamiento triangular (este sí, un hastial) de la fachada superior de la iglesia. El elemento decorativo al que se refiere Riva-Agüero hace pensar en la *pigna* tal como se usa en el léxico arquitectónico italiano: «Ogetto fatto a forma di pigna utilizzato come ornamento architettonico: *le pigne di una cornice, di un pilastro*» (DISC).

[137] *corintia*: la que remata en *capitel corintio*: «El formado por hojas de acanto superpuestas, caulículos y volutas de ángulo» (DRAE).

[138] legendario MP.

[139] *supreso*: suprimido, que no se usa para el culto o la vida consagrada.

[140] *jirón*: «Vía urbana compuesta por calles cortas empalmadas, donde el tránsito vehicular es generalmente de un solo sentido» (*DiPerú*); *cuadras*: «Espacio de una calle comprendido entre dos esquinas; lado de una manzana» (DRAE); *cajón*: «Instrumento musical de percusión compuesto de una caja rectangular de

cuando me certifiqué de que tan genuinos ecos de jarana[141] salían de una capillita u oratorio situado en el zaguán de un vasto solar[142]. Ante una imagen de la Virgen de Chiquinquirá[143], antigua advocación popular procedente de la Nueva Granada, colgaban cadenetas de papel de varios colores, fanales[144],farolillos y adornos de cristal. A los lados, en bancas y tarimas[145] con colchones, algunos indios completamente ebrios entonaban cantares tristes pero nada devotos. La calle remata en un campo rodeado de chozas, tapias y tunales[146]. En la otra orilla de un escaso arrollo, llamado de los Pericos, se alzan magueyes[147] de especie más fina y bastante elevados, traídos, según cuentan, de Méjico por un obispo. Es la pampa[148] del Arco, lugar polvoroso, ingrato y hosco. En su margen derecha, junto a las últimas casas de la ciudad, fue el suplicio de Dª. Andrea Vellido[149], ajusticiada en 1822 por los españoles, a causa de mantener correspondencia con el ejército patriota. Allí se ven los cimientos para la estatua decretada. ¿Se habrá erigido ya, desde

madera, con un orificio circular en la cara posterior, que se ejecuta con las manos y sentado sobre él» (*DiPerú*); *rasguear*: tocar la guitarra u otro instrumento rozando las cuerdas con las puntas de los dedos.

[141] *jarana*: «Diversión bulliciosa y alborotada» (DRAE). Riva-Agüero parece referirse a la *jarana criolla* 'reunión donde se bebe licor, se come, se canta, se baila y se toca música criolla, con guitarra, cajón y otros instrumentos de percusión, como castañuelas o cucharas'.

[142] *zaguán*: «Espacio cubierto situado dentro de una casa, que sirve de entrada a ella y está inmediato a la puerta de la calle» (DRAE); *solar*: casa, casona.

[143] *Virgen de Chiquinquirá*: Nuestra Señora del Rosario de Chiquinquirá, devoción original de Chiquinquirá (Colombia), extendida en los países que se formaron a partir del Virreinato de Nueva Granada y aun en otros, como el Perú.

[144] *Nueva Granada*: Virreinato de Nueva Granada o del Nuevo Reino de Granada, creado por la administración borbónica en el s. XVIII. Abarcaba el territorio que actualmente está bajo la jurisdicción de Colombia, Venezuela, Ecuador, Panamá y Guayana; *cadenetas*: «Labor que se forma con tiras de papel de varios colores y se suele usar como adorno en verbenas y otras funciones populares» (DRAE); *fanales*: faroles.

[145] *tarimas*: estrado de madera; «También llaman [a la *tarima*] *estrado* en el que se asientan las damas, cubierto de tapetes y cojines o almohadas» (Covarrubias).

[146] *tunales*: conjunto de plantas de tuna (higuera de tuna).

[147] *magueyes*: pitas, agaves.

[148] *pampa*: terreno extenso y llano.

[149] *Andrea Vellido*: María Andrea Parado de Bellido (Ayacucho, 1761-1822); fue encontrada con una carta en la que se informaba de los movimientos de las tropas realistas; el general Carratalá ordenó su fusilamiento por no delatar esta a sus corresponsales (Tauro).

mi viaje; o cuántos años pasarán, en la somnolencia nacional, antes que se inaugure?

La víspera de mi partida, paseé la alameda. La hizo el general Frías[150], en los primeros años de la República. Tiene un arco regular de cal y piedra. Subí a él, y el espectáculo es curioso. A las doce del día, dijérase Ayacucho un pueblo muerto. Solo algunos cholos se agrupan en las puertas de las picanterías[151]; por el viejo puente desfila una punta de llamas[152]; y en los lejanos recovecos de las calles, pasa una india cubierta la cabeza con un manto doblado en cuadro, o flota el encendido poncho[153] de un vendedor ambulante de *cancha*[154] o de un curandero boliviano. Relumbra el sol en las aceras de la alameda vacía; y de las blancas tapias de las quintas de la Tartaria y el Caballito, sube un capitoso[155] aroma de jazmines y de enredaderas fragantes. En el cielo, pálido a fuerza de luz, asoman nubes pequeñas, como copos de algodón. En este aire tan seco, en esta completa calma, cualquier sonido se destaca con inusitada claridad cristalina. El lento paso de las mulas repercute extrañamente rítmico. Es fascinadora la asociación de colores fundamentales: el azul sobre la blancura de las casas, y muchos toques rojos y verdes. La lástima es que, por baratura o necia moda, van reemplazando las tejas coloradas, tan hermosas y alegres, con la prosaica, gris y vilísima calamina[156], tan antipática.

Una calle de Ayacucho se designa aún con el nombre deliciosamente arcaico de la *Tenería*[157]. ¡Quiera Dios conservárselo, contra el

---

[150] *la alameda*: la alameda de Valdelirios; *el general Frías*: el general José María de los Santos Frías Lastra (Paita, 1797-Huaylacucho, 1834), prefecto de Ayacucho en 1833 (Correa, *Historia de Piura*).

[151] *cholos*: «Mestizo de ascendencia europea e indígena» (*DiPerú*); *picanterías*: «Restaurante donde se sirve y vende comida, especialmente picante, y bebida tradicional» (*DiPerú*).

[152] *punta*: «Pequeña porción de ganado que se separa del hato» (DRAE); *llamas*: auquénido andino.

[153] *en cuadro*: en forma de cuadrado; *poncho*: manta cuadrada o rectangular con una abertura en su centro para pasar la cabeza; cuelga de los hombros generalmente hasta más abajo de la cintura.

[154] *cancha*: maíz tostado.

[155] *capitoso*: «Caprichoso, terco o tenaz en su dictamen u opinión» (DRAE). Aquí, probablemente, con el significado de 'fuertemente, insistentemente oloroso'.

[156] *vilísima*: poco noble, baja; *calamina*: plancha ondulada o corrugada de cinc.

[157] *Tenería*: curtiduría, taller donde se curten las pieles.

desastroso afán innovador de ediles antitradicionales! En la puerta de las fondas ponen banderitas y choclos[158], para anunciar la venta de pan y chicha[159]. Gran parte del vecindario es mestizo; y como muy considerable número de los oficiales y clases capitulados en la batalla de Ayacucho se establecieron en la ciudad, resulta que es, sin duda, entre las de la Sierra, aquella que cuenta con mayor cantidad de descendientes de *godos* o realistas[160]. Las iglesias ayacuchanas, en general, son menores que las del Cuzco; pero de decorado igualmente característico y castizo: con dorados y columnas salomónicas, altares de cariátides[161] y de ángeles rollizos, lámparas parpadeantes ante los disformes retablos tallados y estofados[162], sangrientos Santocristos de cabelleras naturales entremezcladas de flores, Vírgenes con mantos de seda y tisú, Dolorosas[163] con cuellos de encaje y puñales de plata, cuadros ennegrecidos, marcos de espejos, urnas con ramos de briscado[164] y nacimientos de piedra de Huamanga[165], enternecedoramente pueriles.

En las casas, el mobiliario es a menudo correspondiente: piso de ladrillo o petates, cómodas de madera obscura, asientos de esterilla, canapés de cerda[166] con patas de esfinges, paredes con chillones zócalos

---

[158] *ediles*: funcionarios ediles, de un municipio o ayuntamiento; *fondas*: «Puesto o cantina en que se despachan comidas y bebidas» (DRAE); *banderitas*: en los pueblos andinos, la bandera blanca anuncia que en el local que la luce se ofrece chicha; *choclos*: «Fruto tierno del maíz, en forma de espiga gruesa envuelta en hojas, con granos en hilera pegados a la mazorca» (*DiPerú*).

[159] *chicha*: probablemente, *chicha de jora*: «Bebida alcohólica a base de maíz germinado o jora que se fermenta con azúcar o chancaca» (*DiPerú*).

[160] *realistas*: por oposición a *patriotas*; en la época de la Independencia, partidarios del rey de España.

[161] *columnas salomónicas*: «La de desarrollo helicoidal» (Fatás-Borrás); *cariátides*: «Escultura femenina que ejerce papel de soporte en lugar de una columna, pilar, etc.» (Fatás-Borrás).

[162] *estofados*: «Paño que cae en pliegues abundantes y complejos» (Fatás-Borrás).

[163] *tisú*: «Tela de seda entretejida con hilos de oro o plata que pasan desde el haz al envés» (DRAE); *Dolorosas*: Vírgenes de los Dolores, las que tienen los cuchillos que les atraviesan el corazón, luego de la muerte de su hijo, Jesús.

[164] *briscado*: «Dicho del hilo de oro o de plata: rizado, escarchado o retorcido, y a propósito para emplearse entre seda, en el tejido de ciertas telas» (DRAE).

[165] *piedra de Huamanga*: tipo de alabastro.

[166] *petates*: esteras de palma; *esterilla*: «Rejilla hecha de paja o de otra fibra vegetal que se utiliza para asientos o respaldos de ciertos muebles» (DRAE); *canapés*: soporte acolchado; *cerda*: pelo recio de ciertos animales.

azules de añil o negros de alquitrán[167], o por mucha gala, grecas[168] multicolores e ingenuos ramilletes. Hay techos de cedro, con gruesas vigas de sencillos artesones[169]; ventanas de madera torneada, o de barrotes de hierro entrecruzado que recuerdan los locutorios[170] de las monjas, y, a veces, otras salientes, con recios poyos para asiento de las clásicas tinajeras; mamparas[171] con labraduras acanaladas y redondeadas, del siglo XVIII; postigos con tabiques[172, 173] y molduras[174] en forma de cruces, que corresponden a la época de los Austrias; zapatas con volutas jónicas[175]; patios con cortinas de madreselvas, jaulas de cañas, pajareras de alambre y macetas de barro; arcadas claustrales[176], zaguanes sombríos,

[167] *esfinges*: «Ser monstruoso, con cabeza y pechos de mujer, alado y con cuerpo y extremidades de león» (Fatás-Borrás); *añil*: color azul oscuro, con visos cobrizos; *alquitrán*: producto obtenido de maderas resinosas, petróleo, etc.; es líquido, viscoso, de color oscuro y de fuerte olor.

[168] *grecas*: «Faja decorada a base de ángulos rectos enlazados por sus extremos, que forman a manera de meandros rectilíneos» (Fatás-Borrás).

[169] *artesones*: «Elemento constructivo poligonal, cóncavo, moldurado y con adornos, que dispuesto en serie constituye el artesonado (techo, armadura o bóveda formado con artesones)» (DRAE).

[170] *locutorios*: «Habitación o departamento de los conventos de clausura y de las cárceles, por lo común dividido por una reja, en el que los visitantes pueden hablar con las monjas o con los presos» (DRAE).

[171] *salientes*: ventanas salientes, ventana mirador o ventana voladizo; *poyos*: «Banco de piedra, yeso u otra materia, que ordinariamente se fabrica arrimado a las paredes, junto a las puertas de las casas de campo, en los zaguanes y otras partes» (DRAE); *tinajeras*: «Piedra porosa que servía para filtrar el agua» (DRAE); *mamparas*: «Especie de biombo o panel, cancel ligero» (Fatás-Borrás)

[172] *labraduras*: diseños como de labor; *acanaladas*: estriadas (en mediacañas, molduras cóncavas cuyo perfil es una medialuna); *postigos*: puertas pequeñas de las ventanas o de las puertaventanas; *tabiques*: división plana y delgada.

[173] tabicas MP

[174] *molduras*: «Parte saliente de perfil uniforme que sirve para adornar o reforzar obras de arquitectura, carpintería y otras artes» (DRAE).

[175] *zapatas*: «Pieza puesta horizontalmente sobre la cabeza de un pie derecho para sostener la carrera (viga horizontal) que va encima y aminorar su vano» (DRAE); *volutas*: «Adorno en forma de espiral o caracol que se coloca en los capiteles de los órdenes jónico y compuesto» (DRAE); *jónicas*: de voluta doble ancha, de tal forma que su circunferencia rebasa el ábaco (lo que corona el capitel).

[176] *arcadas claustrales*: galerías formadas por una sucesión de arcos, como es usual en los claustros conventuales.

portones claveteados y con broncíneas aldabas[177] de cabeza de león; y en algunos balconcitos moriscos, la celosía volada[178] de rejillas, ya en Lima tan escasa. Bajo las capas de cal o de la pintura al temple, descubren las paredes a trechos la recia entraña de sus sillares. Como no estaba instalada todavía la luz eléctrica, era un placer artístico vagar de noche por las calles casi apagadas, sorprendiendo los contrastes de las tinieblas y los lienzos de los[179] muros bañados por la luna, y las rendijas de las grandes casas lóbregas, de los tenduchos y los tambos[180], por donde se filtraba el rojizo y mortecino fulgor de un quinqué[181].

Pero mi más viva sensación de Ayacucho fue el paso del viático[182] una tarde en la plaza principal. Moría de fiebres una niña conocida y buena porción de las mujeres de la sociedad ayacuchana acompañaban la salida del Santísimo. Anochecía cuando las vi regresar. Se extinguían las brasas del crepúsculo y los cerros sumergían sus crestas de ópalo[183] en una menguante marea de metal en fusión. Entre el tañido de la campanilla y el resplandor de numerosos cirios[184], la procesión desfiló, rezando en alta voz, con rumor ferviente, las preces[185] de bien morir. Pocas entre las devotas llevaban mantilla; las más se rebujaban[186] con mantas y pañolones. Iba muy crecida cantidad de hombres, con la cabeza descubierta. Muchos se arrodillaban al pasar *Nuestro Amo*. El acompañamiento cruzó la plaza inmensa, en hileras centelleantes y temblorosas bajo la penumbra del ocaso, y penetró en la iglesia de San Agustín. Su tránsito dejaba en la vetusta ciudad una estela de religiosidad ardorosa y tétrica, de catolicismo español y medioeval. En

---

[177] *claveteados*: guarnecido o adornado con clavos de metal; *aldabas*: «Pieza de hierro o bronce que se pone a las puertas para llamar golpeando con ella» (DRAE).

[178] *celosía volada:* tablero calado voladizo.

[179] Omitido el artículo en MP.

[180] *lóbregas*: oscuras; *tambos*: posadas.

[181] *quinqué*: «Lámpara de mesa alimentada con petróleo y provista de un tubo de cristal que resguarda la llama» (DRAE); 'lamparín'.

[182] *viático*: sacramento de la eucaristía que se administra a enfermos y moribundos.

[183] *ópalo*: por el color opaco y de lustre resinoso que caracteriza a esta piedra fina.

[184] *cirios*: velas.

[185] *preces*: oraciones.

[186] *rebujaban*: envolvían o cubrían.

la negrura de los portales, principiaban a titilar humildes los reverberos[187] de las tiendas, y caminaban unos pocos paseantes embozados[188] en capas. Sobre las torres de la catedral y la baranda del cabildo, nacía la luna, abultada y amarilla, semejante a una esfera de oro. Subió lentamente en la diafanidad del cielo, adelgazándose y palideciendo, entre cortas nubes de nácar; y flotó leve, como una flor cerúlea[189].

Si La Paz y Arequipa son las mestizas modernas, que procuran ataviarse a la europea; y el Cuzco, la noble *palla*[190] incaica, empobrecida y desamparada, que entre sus andrajos guarda algunos retales[191] agujereados y preciosos de su antigua túnica imperial, Ayacucho es la rancia mestiza españolizada de la Colonia, que mantiene inmutables entre sus cerros las creencias y las costumbres que le enseñaron sus padres, los conquistadores. Viviendo su tradición y consciente de su melancólica decadencia, no exenta de altivez, sueña y quizás espera, como sus hermanas, las otras viejas ciudades andinas del histórico Perú. Sucre, Potosí y Cochabamba en Bolivia, el Cuzco, Ayacucho, Huánuco y Cajamarca en el Perú Bajo[192], tierras quechuas benignas y tristes, coro patético de viudas fieles y desoladas, que ocultan entre los Andes sus memorias de pasadas grandezas y dormitan abrigándose al radiante sol serrano, hasta que su raza, sacudiendo el apocamiento y la desconfianza, despierte del letargo, vuelva a creer en sí misma, a vibrar y a restaurar dentro de la historia americana el privativo ideal que va ingénito en su peculiar mestizaje.

---

[187] *reverberos*: «Farol que hace reverberar la luz» (DRAE).

[188] *embozados*: cubierto el rostro por la parte inferior hasta la nariz o los ojos.

[189] *cerúlea*: «Dicho del color azul. Propio del cielo despejado» (DRAE).

[190] *palla*: princesa incaica.

[191] *retales*: pedazo sobrante de una tela.

[192] *Perú Bajo*: el Perú, propiamente; por oposición al Alto Perú, o sea Bolivia.

XI[1]

EXCURSIÓN A QUINUA Y AL CAMPO DE BATALLA[2]

Uno de los días de mi permanencia en Ayacucho, fui con el prefecto, teniente coronel Pablo Salmón[3], a visitar el campo de la batalla[4] de 1824. Pasamos a la salida junto a la parroquia de la Magdalena, fundada en el siglo XVI, pero cuya actual fábrica[5] parece de fines del siglo XVIII. Por la pampa del Arco y la encañadita que forman La Totora[6] y el arroyo de La Tartaria, desembocamos en la campiña de Las Huatatas. Se atraviesa por un túnel la cuchilla que las divide. El camino, en toda esta excursión, me pareció muy bueno relativamente a los anteriores, cuidado con esmero notable. Lo sostienen con la alcabala de la coca de Huanta[7].

[1] En nota: «En la serie *Paisajes peruanos* le corresponde el número XI al artículo *Excursión a Quinua y al campo de batalla*» BIRA.

[2] Sobre el título: Fragmentos de un libro inédito sobre paisajes y recuerdos del Perú; debajo del título: (Reflexiones acerca de la Independencia) LC.

[3] teniente coronel Pablo Salmón: tachado en D, F; teniente coronel D. Pablo Salmón BIRA.

[4] *batalla:* la batalla de Ayacucho, el 9 de diciembre de 1824, entre las fuerzas realistas comandadas por el virrey José de La Serna y el ejército patriota, liderado por Francisco José de Sucre. El triunfo patriota supuso el fin del dominio español en Sudamérica.

[5] *fábrica*: construcción.

[6] *pampa*: terreno extenso y llano; *encañadita*: «encañada: Cañada, garganta o paso entre dos montes» (DRAE); *Totora*: pueblo de la provincia de Huamanga, en Ayacucho, a poco más de tres km al NE de la ciudad de Ayacucho.

[7] *alcabala*: tipo de impuesto; *Huanta*: ciudad y provincia de Ayacucho, al NE del departamento. La ciudad queda a aproximadamente 25 km de la ciudad de Ayacucho.

La quebrada que seguimos, rumbo al noreste, angosta pero muy agradable y lozana, viene de Ñahuimpuquiu y baja hacia Huanta, formando la de Viñaca o Azángaro, tan celebrada por los geógrafos coloniales. El río, ya crecido, recibe aquí el nombre de La Pongora. Su cuenca inferior es rica en vinos y vegetación tropical. La parte alta que recorrí ofrece amenas sementeras[8], lindos trozos de alfalfa y de *alcacer* (como llaman a la cebada todavía algunos, a la manera andaluza)[9], saucerías[10] y arboledas frutales de manzanos, pacaes, guayabos[11], limoneros, albaricoqueros y granados. Hay varios molinos de trigo. En ella tienen sus más preciadas chacras[12] y huertas de veraneo los vecinos de la ciudad. El temple es muy suave. El bullicioso riachuelo de Las Huatatas corre entre cañas bravas[13] e irregulares márgenes de arena. Al lado de las parras, las higueras y los lúcumos, se yerguen los inevitables y broncíneos tunales[14], y los grandes molles; amarillean violentamente las perpetuas flores de la *chilca*[15, 16]; y las faldas de los cerros descubren

[8] *sementeras*: campos sembrados.

[9] de *alcacer* (como llaman a la cebada todavía algunos, a la manera andaluza): de alfalfa (de *alcacer*, como todavía dicen algunos, a la andaluza) LC.

[10] *saucerías*: de saucera (salceda o sauceda). Conjunto de sauces.

[11] *pacaes*: «pacay: Árbol mediano, de tronco delgado, hojas con vello sedoso y fruto en vainas grandes de color verde que encierran una sustancia algodonosa. N.c.: *Inga feulleei*» (*DiPerú*); *guayabos*: «Árbol de América, de la familia de las Mirtáceas, que crece hasta cinco o seis metros de altura, con tronco torcido y ramoso, hojas elípticas, puntiagudas, ásperas y gruesas, flores blancas, olorosas, axilares, de muchos pétalos redondeados, y cuyo fruto es la guayaba» (DRAE).

[12] *chacras*: «Alquería o granja» (DRAE).

[13] *cañas bravas*: «Gramínea silvestre muy dura, con cuyos tallos se hacen tabiques y se emplean en los tejados para sostener las tejas» (DRAE). Crece al borde de ríos o lagunas.

[14] *lúcumos*: «Árbol de abundantes ramas que forman una copa esférica o cilíndrica, de hoja ancha en la punta, membranosa, de flor axilar y fruto de color verde amarillento. N.c.: *Pouteria lucuma*» (*DiPerú*); *tunales*: lugar donde abundan tunas (higueras de tuna).

[15] *molles*: «Árbol mediano, de ramas colgantes, corteza exterior café o gris, muy áspera y exfoliante, flores pequeñas blanco-amarillentas y frutos redondos de color rojo púrpura cuando están maduros. N.c.: *Schinus molle*; también *Haplorhus peruviana*» (*DiPerú*); *chilca*: «Cadillo, hierba de tallo angulado, de hojas verdes amargas y pegajosas y flor en cabezuela, que se pega a la ropa. N.c.: *Baccharis latifolia*» (*DiPerú*).

[16] chilca LC, BIRA

su blanquecina esterilidad cretácea[17]. En las chozas del tránsito, venden chicha de molle y de jora[18]. Íbamos a detenernos en una de estas pobres ventas, situada en un recodo, entre juncales; pero nos hizo huir a toda prisa la noticia de que había un enfermo sospechoso de tifus[19]. Torcimos a la derecha, y tomamos la subida a Quinua, cruzando un puente en la quebrada de Los Yucaes. El paisaje cambia de pronto. Volvemos a ver los típicos aspectos de la tierra fría, los cebadales y trigales orlados de alisos[20], los maíces bajos, y las casitas blancas, de tejas purpúreas, diseminadas en los andenes[21] y declives. Los campos de trigo mostraban la reciente devastación de las langostas. Más arriba, la llanura se ensancha. Algunas humaredas se deshacían quietamente en la pacífica pureza del cielo. A la hora del mediodía entramos en el pueblo de Quinua, que es uno de los más decaídos y lastimosos que he visto. Las casuchas son de adobes y *pircas*[22, 23]. En la plaza, unos cuartos abandonados, sin techo ni puertas, se señalan por la tradición como la casa en que estuvo prisionero el virrey La Serna[24] y principió a formalizarse la capitulación de los realistas[25]. La incuria en que se derrumba habitación tan histórica habla bien alto, con amargura insondable. Su ultrajada caducidad parece la fisonomía del desaliento republicano, la

---

[17] *cretácea*: «*cretácico*: Se dice del tercer y último período de la era mesozoica, que abarca desde hace 144 millones de años hasta 65 millones de años, caracterizado por el levantamiento de las grandes cordilleras del Himalaya y los Andes, la aparición de las plantas con flores y la extinción de los dinosaurios» (DRAE).

[18] *tránsito*: paso; *chicha de molle*: chicha de jora a la que se le agregan los pequeños frutos del molle o bebida alcohólica que se prepara fermentando las bayas de ese árbol; *chicha de jora*: «Bebida alcohólica a base de maíz germinado o jora que se fermenta con azúcar y chancaca» (*DiPerú*).

[19] *tifus*: enfermedad infecciosa producida por ácaros. Son síntomas característicos de ella el dolor de cabeza, la fiebre alta recurrente y los escalofríos.

[20] *orlados*: bordeados; *alisos*: «Árbol de la familia de las Betuláceas, de unos diez metros de altura, copa redonda, hojas alternas, trasovadas y algo viscosas, flores blancas en corimbos y frutos comprimidos, redondos y rojizos» (DRAE).

[21] *andenes*: terrazas escalonadas para sembrar en ellas.

[22] «La *pirca* peruana, pared o cerca de piedra suelta, corresponde a la *albarrada* de Castilla»*. No en F.

[23] pircas F, LC.

[24] *La Serna*: José de La Serna (Jerez de la Frontera, 1770-Cádiz, 1832), cuadragésimo y último virrey del Perú (Tauro).

[25] *capitulación*: pacto; *realistas*: los que, en la época de la Independencia, apoyaban la causa del rey de España, por oposición a los patriotas, que buscaban desvincularse de la Corona.

remisa[26] postración en que termina este primer siglo de vida independiente[27]. Visité la desmantelada iglesia, que fue hospital de sangre después del combate. Las indias, encabezadas por una vieja muy ladina[28], nos trajeron flores y frutas de regalo, supervivencia de la costumbre incaica de presentarse a los superiores con un don, por insignificante que sea, como símbolo de homenaje.

De Quinua se asciende a la pequeña pampa[29] de Ayacucho. Es un árido llano, cortado por zanjas profundas. Al este lo cierran las prietas[30] y abruptas vertientes del Condorcunca[31] (*voz o garganta del cóndor*)[32], surcadas por sendas en zigzag. A un costado se abre el seco barranco del Jatunhuayco[33] (*gran torrentera*)[34]. Al norte, el estrecho valle de Ventamayu, con un riachuelo sombreado de molles[35], y una capillita, destruida o inconclusa, bajo la advocación de san Cristóbal. En la misma pampa, hay un mísero rancho, que sirve de apeadero[36]; y en el centro de ella, está el paupérrimo y enfático[37] monumento, que parece de yeso. La falta de gusto, llevada a tales extremos, supone ya una grave deficiencia moral. ¡Cuánto más significativa y decorosa habría sido una sencilla pirámide de piedras severas!

---

[26] *remisa*: «Flojo, dejado o detenido en la resolución o determinación de algo» (DRAE).

[27] *primer siglo de vida independiente:* si el viaje de Riva-Agüero es de 1912 y el escritor redacta este capítulo en 1916 o antes (su primera versión se publicó el día de la fiesta nacional —el 28 de julio— de 1916 en el diario *La Crónica*), entonces estaba a cinco años de la fecha oficial del primer centenario de la república del Perú (28 de julio de 1921).

[28] *hospital de sangre*: «Sitio o lugar que, estando en campaña, se destina a la primera cura de los heridos» (DRAE); *ladina*: sagaz, que habla con facilidad el español.

[29] *pampa*: terreno llano y extenso, sin árboles.

[30] *prietas*: estrechas.

[31] *Condorcunca* F, BIRA, LC

[32] voz o garganta del cóndor F, BIRA, LC

[33] *Jatunhuayco*, F, BIRA, LC

[34] gran torrentera F, BIRA, LC

[35] *molles*: árbol mediano, típico de los valles interandinos de los Andes centrales del Perú, de cuyo fruto se prepara un tipo de chicha; también se usa como pimienta.

[36] *apeadero*: punto en el camino en que los viajeros pueden apearse.

[37] *enfático*: con fuerza, decidido hasta el extremo de la afectación. Debe entenderse como ironía.

Recogimos en el campo algunas balas, de las muchas que allí quedan. Los pobladores de Quinua las venden a los viajeros. Me detuve en las lomadas[38] de la izquierda, desde las cuales la división peruana de La Mar[39] rechazó los ataques del realista Valdés[40]. Hacia el centro y la derecha de la línea, se ven los que fueron emplazamientos de las tropas colombianas.

El relato de mi peregrinación sería ineficaz e inútil si no fuera sincero; y debo a mis lectores y a mí mismo la confesión de mis impresiones exactas. Mi sentimiento patrio, que se exaltó con las visiones del Cuzco y las orillas del Apurímac, no sacó del campo de Ayacucho, tan celebrado en la literatura americana, sino una perplejidad inquieta y triste. En este rincón famoso, un ejército realista, compuesto en su totalidad de soldados naturales del Alto y del Bajo Perú[41] —indios, mestizos y criollos blancos— y cuyos jefes y oficiales peninsulares no llegaban a la decimaoctava parte del efectivo, luchó con un ejército independiente, del que los colombianos constituían las tres cuartas partes; los peruanos, menos de una cuarta; y los chilenos y porteños, una escasa fracción. De ambos lados corrió sangre peruana. No hay por qué desfigurar la historia: Ayacucho, en nuestra conciencia nacional, es un combate civil entre dos bandos, asistido cada uno por auxiliares forasteros. Entre los aliados sudamericanos reunidos aquí, bullían ya, aun antes de obtenida la emancipación, los odios capitales[42], como riñeron los gemelos bíblicos[43] desde el seno materno. El americanismo ha sido siempre una hueca declamación o un sarcasmo y yo, que cada día me siento más viva y ardientemente peruano, me quedo frío con la fraternidad falaz de nuestros inmediatos enemigos, con la hinchada

---

[38] *lomada*: loma.

[39] *La Mar*: José de La Mar (Cuenca, 1778-San José de Costa Rica, 1830), presidente del Perú (1827-1829). «A órdenes de Bolívar, asumió el mando de la división peruana del ejército libertador; y tras la batalla de Junín, decidió en los campos de Ayacucho el momento de infligir la derrota a las huestes realistas» (Tauro).

[40] *Valdés*: Jerónimo Valdés (Veigas, Asturias, 1784-Oviedo, 1855) militar español, mariscal de campo. Tuvo la responsabilidad de liderar una división del ejército realista en la batalla de Ayacucho (DB-e).

[41] *del Alto y del Bajo Perú*: del Perú y de Bolivia.

[42] *capitales*: «Principal, o muy grande» (DRAE).

[43] *los gemelos bíblicos*: Jacob y Esaú, hijos de Isaac y Rebeca (Gn 25, 22).

retumbancia[44] e irónica vaciedad del *común espíritu latinoamericano* en esas vecinas *repúblicas hermanas,* que no han atendido más que a injuriarnos y atacarnos. ¿Por qué hemos de continuar derrochando los tesoros[45] de nuestro entusiasmo ingenuo en los émulos rabiosos que a diario nos denuestan[46] y que acechan el instante propicio para el asalto?

Gran necedad o inicua[47] pasión arguye zaherir al Perú por haber seguido una considerable porción de él[48], hasta el fin, la causa española en la contienda separatista. Entonces se operó en el alma peruana un desgarramiento de indecible angustia: mientras la mitad, juvenil y briosa, se lanzaba[49] anhelante, con los demás americanos, en la ignota corriente de lo porvenir, ansiando vida nueva, la otra mitad, fiel a las tradiciones seculares, perseveró abrazada a la madre anciana e invadida[50], con la pía y generosa adhesión a la desgracia, que es nota inconfundible de nuestro carácter. ¡Leal conflicto y doliente caso[51]de la eterna y necesaria lucha entre el respeto a lo pasado y el impulso de la acción renovadora!

La Colonia[52] es también nuestra historia y nuestro patrimonio moral. Su recuerdo reclama simpatía y reconciliación, y no anatema[53]. Si queremos de veras que el peruanismo sea una fuerza eficiente y poderosa, no rompamos la tradicional continuidad de afectos que lo integran; no reneguemos, con ceguera impía[54], de los progenitores; no cometamos la insania de proscribir y amputar de nuestro concepto

---

[44] *retumbancia*: sustantivo postverbal creado a partir de *retumbar*: «Resonar mucho o hacer gran ruido o estruendo» (DRAE).

[45] *tesoros*: lo más valioso.

[46] *émulos*: «Competidor de alguien o de algo, que procura excederlo o aventajarlo» (DRAE); *denuestan*: «Injuriar gravemente, infamar de palabra» (DRAE).

[47] *inicua*: opuesto a la equidad.

[48] Con otro orden sintáctico: por haber una considerable porción de él seguido BIRA.

[49] lanza BIRA.

[50] inválida BIRA.

[51] *caso*: situación, real o ficticia, elevada a ejemplo.

[52] *La Colonia*: Tauro, s.v. *coloniaje*, se refiere con este último término a las tres centurias (del primer tercio del s. XVI a aproximadamente el primer tercio del s. XIX) del período de dominación española.

[53] *anatema*: excomunión.

[54] *impía*: falto, contrario u hostil a la religión; en este caso, en relación al respeto —religioso en el sentido de 'volver a ligar', 'vincular'— debido a la progenitora, «la Colonia», por su hija, «la República».

de patria los tres siglos civilizadores por excelencia; y no incurramos jamás en el envejecido error liberal, digno de mentes inferiores y primarias, de considerar el antiguo régimen español como la antítesis y la negación del Perú. Para animar y robustecer el nacionalismo, hay sobrados y perdurables contrarios, rivalidades profundas, positivas y esenciales. La dura experiencia nos lo ha enseñado; y mi generación[55], más que las anteriores, lo sabe y lo medita.

La Colonia, a pesar de sus abusos, —¡tan poco remediados aún!— no pudo reputarse en países mestizos como servidumbre extranjera. Para el Perú fue especialmente una minoridad filial privilegiada[56], a cuyo amparo, y reteniendo nuestra primacía histórica en la América del Sur, iban nuestras diversas razas entremezclándose y fundiéndose, y creando así, día a día, la futura nacionalidad. Aleación[57] trabajosa y lenta, dificultada por la propia perfección relativa del sistema incaico, que se resistía, muda pero tenaz y organizadamente, a ser plasmado[58] por una cultura superior. Regiones de menor multiplicidad étnica o desprovistas de reales civilizaciones indígenas se acercaron más rápidamente a la unidad moral[59], en tanto que el Perú se retrasaba por la arduidad de la tarea correspondiente a su excesiva complicación. En medio de ella nos sorprendió la guerra de la Independencia; y no cabe negar que fue en momento singularmente inoportuno para nuestros peculiares intereses. Más temprano, anticipándose cincuenta años, sobreviniendo antes de la creación del Virreinato de Buenos Aires[60], las deficiencias mayores habrían quedado compensadas por el beneficio inestimable de retener la Audiencia de Charcas, de mantener la suprema unidad territorial y de la raza predominante, conservando las provincias del Alto Perú, cuya segregación arrancó

[55] *mi generación*: la generación del Novecientos, que vivió la inmediata postguerra luego del conflicto con Chile. Riva-Agüero nació en 1885; el ejército chileno de ocupación se retiró del Perú en 1884.

[56] *minoridad filial privilegiada*: condición legal de hijo o hija menor con privilegios.

[57] *aleación*: compuesto de, por lo menos, dos metales, fusión. Como en un crisol.

[58] *plasmado*: moldeado.

[59] *moral*: ánimo colectivo.

[60] *Virreinato de Buenos Aires*: creado en 1776, bajo el reinado de Carlos III.

tan hondas y proféticas quejas al virrey Guirior[61]. Más tarde, si la emancipación sudamericana hubiera ocurrido, por ejemplo, cursando el segundo tercio del siglo XIX, habría encontrado bastante adelantada la interna fusión social de las castas y clases del Perú; menos ineptos y desapercibidos[62] los núcleos directores, que apenas iniciaron su modernización a medias con el *Mercurio Peruano*[63]; y tal vez completamente reparado el desacierto de la desmembración del virreinato, como lógica consecuencia de aquel movimiento consciente de reintegración administrativa[64] que en 1796 nos devolvía la Intendencia de Puno; en 1802, las Grandes Comandancias de Quijos y Maynas; y de modo imperfecto y transitorio luego, Guayaquil y el mismo Alto Perú[65].

Pero como de nuestro país no dependió ejecutar en el siglo XVIII el plan de los reinos autónomos propuesto por el conde de Aranda[66], ni podíamos precipitar o retardar a nuestro sabor la hora de la general insurrección americana, determinada inevitablemente por el ataque

---

[61] *virrey Guirior*: José Manuel de Guirior (Aoiz, Navarra, 1708–Madrid, 1788), trigésimo segundo virrey del Perú. Ejecutó lo dispuesto en la real cédula de 8 de abril de 1776 que creaba el Virreinato de Buenos Aires y comprobó, como lo había advertido, el empobrecimiento sufrido por los pueblos del Perú a raíz de afluir hacia el puerto atlántico los minerales de Potosí, ciudad ubicada en la Audiencia de Charcas, actual Bolivia (Tauro).

[62] *desapercibidos*: desprevenidos, faltos de aprestos necesarios para actuar o reaccionar.

[63] *Mercurio Peruano*: «Bisemanario de la Sociedad Académica de Amantes del País (1791-1794), en cuyas páginas se mencionó por primera vez al Perú con el nombre de patria y que tuvo por colaboradores a Hipólito Unanue, José Baquíjano y Carrillo, Toribio Rodríguez de Mendoza y otros próceres» (Tauro).

[64] *reintegración administrativa*: Puno en el S del Perú; Quijos, en la Amazonía ecuatoriana; Maynas en el NO del Perú; Guayaquil, en la costa del Ecuador actual; y la Audiencia de Charcas (el Alto Perú, la actual Bolivia) fueron restituidos al virreinato peruano en distintos momentos desde fines del s. XVIII hasta principios del s. XIX.

[65] *Alto Perú*: Bolivia.

[66] *conde de Aranda*: Pedro Pablo Abarca de Bolea y Ximénez de Urrea, décimo conde de Aranda (Siétamo, Huesca, 1719–Épila, Zaragoza, 1798), presidente del Consejo de Castilla durante el reinado de Carlos III. Propuso crear en América tres reinos independientes a cargo de infantes de la casa real y restaurar el título de emperador para el rey de España (DB-e).

de Napoleón a la metrópoli[67], y como era absurdo el empeño realista de guardar unido el Perú a España cuando todo el continente había ya roto sus vínculos de vasallaje, desde 1812 o 1814 los genuinos intereses peruanos demandaban, a cuantos sabían y querían entenderlos, nuestra emancipación inmediata y espontánea, para no quedarnos a la zaga de los otros pueblos de Sudamérica en la crisis ineludible, y para evitar o reducir grandemente la funesta inminencia de su intervención. Por eso, mucho más que por cualesquier otras razones, debemos proclamar heroicos servidores del Perú a todos los patriotas nuestros que en abierta rebelión o conjuraciones subterráneas, desafiando fuerzas harto mayores que en los países vecinos, con sino[68] adverso pero con ánimo invicto, lucharon contra los fanáticos realistas peruanos, obcecados en resistencia tan formidable como estéril y petrificados en la añoranza de un pasado irreversible. Y por ello también, dentro de la comprensiva equidad de la Historia, si a estos va la cortesía reverente y melancólica que merecen siempre las víctimas de la lealtad equivocada, a aquellos consagramos toda la efusión de nuestra gratitud. Desde Zela[69] y Pumacahua hasta los conspiradores de Lima[70], fue cimentándose, entre sacrificios y catástrofes, un partido peruano

[67] *el ataque de Napoleón a la metrópoli*: las tropas napoleónicas invadieron la Península en febrero de 1808; la resistencia española se manifestó violentamente el 2 de mayo de 1808 y continuó hasta 1814.

[68] *sino*: destino.

[69] *Zela*: Francisco Antonio de Zela (Lima, 1769-Chagres, 1821). Inició la primera insurrección armada contra la dominación española en Tacna, en la costa sur del Perú. El levantamiento fracasó y Zela fue condenado a prisión, donde murió (Tauro).

[70] *Pumacahua*: Mateo García Pumacahua (Chincheros, 1738-Sicuani, 1815), cacique de Chincheros. Fue requerido para integrar, con el coronel Domingo Luis Astete y el teniente general Juan Tomás Moscoso, la junta constituida por José Angulo según los términos prescritos por la Constitución de Cádiz (3 de agosto de 1814). Luego, luchó victoriosamente contra las fuerzas del virrey en Arequipa. Fue vencido en la batalla de Umachiri (11 de marzo de 1815). Sometido a proceso sumario, fue decapitado el 17 de marzo de 1815 (Tauro); *los conspiradores de Lima*: seguramente, los que participaron en las conspiraciones que inquietaron la capital virreinal desde 1808 hasta 1820: la de los fernandinos (Escuela de San Fernando, médicos), la de los oratorianos (tertulianos del Oratorio de San Felipe Neri), la de los carolinos (alumnos del Real Convictorio de San Carlos), la de los abogados limeños, y las promovidas por José de la Riva-Agüero y Sánchez Boquete, primer presidente del Perú, antepasado de José de la Riva-Agüero y Osma (Tauro).

separatista, que asumió nuestra representación al frente de los hermanos ya emancipados, y colaboró después con San Martín[71]. Enseguida
los valerosos vencidos de la Legión peruana en Torata y Moquegua[72],
los vencedores de Zepita y Pichincha, los húsares que decidieron la
batalla de Junín, y la bizarra[73] división de La Mar[74] en este campo de
Ayacucho demostraron el esfuerzo de los peruanos independientes y
rubricaron con gloria en nombre de nuestra patria el advenimiento de
la nueva edad. Sí[75]: la razón y el verdadero espíritu nacional estuvieron
sin duda con los *patriotas* y en oposición a los pertinaces tradiciona-
listas; pero, tras el cruento y largo cisma, tuvo que venir y vino la
íntima compenetración entre los de ambos bandos, hijos de un mismo
suelo, que combatieron obedeciendo a apreciaciones diversas sobre las

[71] *San Martín*: José de San Martín (Yapeyú, 1777-Boulogne-sur-Mer, 1850),
libertador de Chile y el Perú, protector del Perú (1820-1822).

[72] *Legión peruana*: *Legión peruana de la guardia*, creada el 18 de agosto de 1821
por José de San Martín, estuvo conformada por patriotas que decidieron tomar
las armas por la causa libertaria. Su primer comandante fue José Bernardo de
Tagle y Portocarrero, marqués de Torre Tagle, uno de los primeros presidentes
del Perú; *Torata*: batalla que se libró el 19 de enero de 1823, en esa localidad del
departamento de Moquegua, entre las fuerzas patriotas de Rudecindo Alvarado
y las realistas de Jerónimo Valdés y José Canterac, que resultaron vencedoras
(Tauro); *Moquegua*: lugar de la batalla que se libró el 21 de enero de 1823 entre
las fuerzas patriotas de Rudecindo Alvarado y las realistas comandadas por José
Canterac. Fue el remate de la acción de Torata del 19 de enero (Tauro).

[73] *Zepita*: capital de la provincia puneña homónima y localidad cerca de la
cual se libró una batalla el 25 de agosto de 1823 entre el ejército patriota comandado por el general Andrés de Santa Cruz y el ejército realista a cuyo mando
estaba el general Jerónimo Valdés. Ambos jefes se atribuyeron la victoria, aunque
puede afirmarse que esta fue de Santa Cruz (Tauro); *Pichincha*: batalla que se libró
en las faldas del volcán homónimo, en Quito, el 24 de mayo de 1822. La división
peruana estuvo al mando de Andrés de Santa Cruz. Luego de ella se produjo
la capitulación realista; *húsares*: «Soldado de la caballería vestido a la húngara»
(DRAE); *batalla de Junín*: la que se libró a 5 km de la ciudad y a 10 km del lago
de Junín, en el departamento homónimo, entre las caballerías de los ejércitos
realista, a cargo del general José de Canterac y patriota, específicamente los Húsares del Perú, liderados por el general Guillermo Miller y el comandante Isidoro
Suárez (Tauro); *bizarra*: valiente, esforzada.

[74] *división de La Mar*: en la batalla de Ayacucho, el 9 de diciembre de 1824,
entre los ejércitos patriota y realista, la división peruana del mariscal La Mar
contribuyó decisivamente a la victoria de los patriotas.

[75] Sí: omitido en BIRA.

conveniencias del Perú. Las posteriores guerras civiles vieron militar indistintamente en las mismas filas *capitulados*[76] y *libertadores*[77].

Mas para que la definitiva nacionalidad ganada en Ayacucho se adecuara a sus destinos y obtuviera su completa verdad moral[78], no bastaba la mera conciliación de las personas, fácil siempre en nuestra tierra. Era y es aún necesaria una concordia de distinta y más alta especie: la adunación[79] y armonía de las dos herencias mentales, y la viva síntesis del sentimiento y la conciencia de las dos razas históricas, la española y la incaica. Al cabo de noventa años[80], ¿hemos logrado acaso, en su plenitud indispensable, esta condición esencialísima de nuestra personalidad adulta?

En los días siguientes a la independencia, en el iluminado rapto que da todo triunfo, hubo percepción clara de tan imprescindible[81] requisito. Entre las afectaciones[82] e ingenuidades de la época, se descubre el grave y justo deseo de incorporar los más insignes recuerdos indígenas en el viviente acervo de la nueva patria. El buen Vidaurre[83] llevaba su celo hasta el extremo candoroso de invocar al dios Pachacámac[84, 85] en una arenga solemne; y Olmedo[86] el inspirado, de corazón

---

[76] *capitulados*: los realistas, en tanto debieron atenerse a la capitulación de Ayacucho, pacto de paz que firmó el general José de Canterac, pues el virrey La Serna, herido, había caído prisionero. Este documento puso fin al dominio español en Sudamérica.

[77] capitulados y libertadores LC.

[78] *verdad moral*: identidad de ánimo.

[79] *adunación*: unificación.

[80] *noventa años*: el centenario de la independencia del Perú se celebró en 1921; Riva-Agüero no se refiere estrictamente a los diez años anteriores (ello haría que el viaje se hubiera realizado en 1911, cuando se sabe que se realizó en 1912), sino que se ubica gruesamente en la década anterior a la del centenario.

[81] indispensable BIRA.

[82] *afectaciones*: «Falta de sencillez y naturalidad» (DRAE).

[83] *Vidaurre*: Manuel Lorenzo de Vidaurre y Encalada, Lima, 1773-1841. Bolívar lo distinguió con varios cargos. Fue plenipotenciario en la Asamblea de Panamá (Mendiburu).

[84] *Pachacámac*: «*Pacha-kamaj, Yaya Pacha-kamaj*: El dios o ser supremo de los incas, espiritual, invisible, hacedor, creador, gobernador, conservador del mundo» (Rosat).

[85] Pachacamac F.

[86] *Olmedo*: en la oda *La victoria de Junín* (1826), José Joaquín Olmedo (Guayaquil, 1780-1847) hace vaticinar al inca Huayna Cápac (padre de Huáscar y Atahualpa) la victoria de Ayacucho: «¡Oh valle de Ayacucho bienhadado/ Campo

profundamente peruano, hacía vaticinar la victoria de Ayacucho al gran monarca Huayna Cápac[87] y bendecir el estado naciente por el coro de las vírgenes del Sol.

Menéndez Pelayo[88], en su cerrado españolismo, juzgó esto como *inoportuna ilusión local americana*; y yo mismo, en mi primer escrito[89], sostuve con fervor la opinión de mi maestro[90], llevado por mi excesiva hispanofilia juvenil y por mis tendencias europeizantes de criollo costeño. A medida que he ahondado en la historia y el alma de mi patria, he apreciado la magnitud de mi yerro. El Perú es obra de los incas, tanto o más que de los conquistadores; y así lo inculcan, de manera tácita pero irrefragable[91], sus tradiciones y sus gentes, sus ruinas y su territorio. No ilusión, por cierto, sino legítimo ideal y perfecto símbolo representa la evocación que Olmedo hizo en su imperecedero canto. El Perú moderno ha vivido y vive de dos patrimonios: del castellano y del incaico; y si en los instantes posteriores a la guerra separatista, el poeta no pudo acatar con serenidad los ilustres títulos del primero, atinó en rememorar la nobleza del segundo, que aun cuando subalterno en ideas, instituciones y lengua, es el primordial en sangre, instintos y tiempo. En él se contienen los timbres más brillantes de lo pasado, la clave secreta de orgullo rehabilitador para nuestra mayoría de mestizos e indios, y los precedentes más alentadores para el porvenir común.

serás de gloria y de venganza…/ Mas no sin sangre…Yo me estremeciera, / Si mi ser inmortal no lo impidiera!» (Olmedo, *La victoria de Junín,* p. 38); y a las vírgenes del Sol pedir por el nuevo estado: «¡Oh padre, oh claro Sol! No desampares/ Este suelo jamás ni estos altares. / Tu vivífico ardor todos los seres/ Anima y reproduce; por ti viven/ Y acción, salud, placer, beldad reciben» (Olmedo, *La victoria de Junín,* p. 53).

[87] Cjápaj BIRA.

[88] Menéndez Pelayo: inicia oración, no párrafo BIRA.

[89] *inoportuna ilusión local americana*: la aparición del inca Huayna Cápac al ejército patriota (Menéndez Pelayo, *Historia de la poesía hispanoamericana,* tomo II, pp. 121-122); *mi primer escrito*: se refiere a *Carácter de la literatura del Perú independiente* (Lima, 1905).

[90] *la opinión de mi maestro*: «Al hacer intervenir a Huaina Cápac y a las vírgenes del Sol, al evocar recuerdos incaicos, Olmedo, no sin deliberado propósito, quiso embellecer y elevar el asunto a expensas de la fidelidad histórica y de la verosimilitud estética. Demás es decir que esta inexactitud constituye uno de los principales lunares del *Canto a Junín*» (Riva-Agüero, *Carácter de la literatura del Perú independiente,* p. 91).

[91] *irrefragable*: «Que no se puede contrarrestar» (DRAE).

En la quieta y larga gestación de la Colonia, el proceso de nuestra unidad fue el callado efecto de la convivencia y el cruce de razas; pero, realizada la emancipación, se imponía, como deber imperiosísimo, acelerar aquel ritmo, apresurar la amalgama de costumbres y sentimientos, extenderla de lo mecánico e irreflexivo a lo mental y consciente, y darle intensidad, relieve y resonancia en el seno de una clase directiva compuesta por amplia y juiciosa selección. Sin esto, el Perú había de carecer infaliblemente de idealidad salvadora; y desprovisto de rumbos, flotar a merced de caprichos efímeros, de minúsculas intrigas personales, y al azar de contingencias e impulsiones extranjeras. Y aun más se advirtió la urgente necesidad de aquella clase directiva, centro y sostén de todo pueblo, con el establecimiento de la república democrática, que la supone y reclama, porque privada de la guía y disciplina de los mejores, tiende a degenerar por grados en anarquía bárbara, en mediocridad grisácea y burda y en inerme y emasculada[92] abyección. Nuestra mayor desgracia fue que el núcleo superior jamás se constituyera debidamente.

¿Quiénes, en efecto, se aprestaban a gobernar la república recién nacida? ¡Pobre aristocracia colonial, pobre boba nobleza limeña, incapaz de toda idea y de todo esfuerzo! En el vacío que su ineptitud dejó, se levantaron los caudillos militares. Pretorianos[93] auténticos, nunca supieron fijar sostenidamente la mirada y la atención en las fronteras. Héroes de rebeliones y golpes de estado, de pronunciamientos y cuarteladas, el ejército en sus manos fue, no la augusta imagen de la unión patria, la garantía contra los extraños, el eficaz instrumento de prestigio e influencia sobre los países vecinos, sino la palpitante y desgarrada presa de las facciones, la manchada arma fratricida de las discordias internas. La vana apariencia de las palabras y los ademanes quijotescos no oculta en esos jefes el fondo de vulgares apetitos. Absortos en sus enredos personalistas, ávidos de oro y de mando, sus ofuscadas[94] inteligencias no pudieron reconocer ni sus estragados[95] corazones presentir

---

[92] *emasculada*: capada, extirpada de órganos sexuales.

[93] *Pretorianos*: «Se dice de los soldados de la guardia de los emperadores romanos» (DRAE). Probablemente Riva-Agüero se refiera a la condición palaciega, circunscrita a lo pequeño de las intrigas domésticas, de esos militares que, como los soldados de la guardia pretoriana, no se medían en batallas, sino que se complacían en la cómoda vida de la residencia imperial.

[94] *ofuscadas*: confusas, oscuras.

[95] *estragados*: viciados, corrompidos, que causan estragos.

los fines supremos de la nacionalidad; y cuando por excepción alguno acertó a servirlos, todos los émulos[96] se conjuraron para derribarlo, y lo ofrecieron maniatado al enemigo extranjero. Así se frustraron miserablemente las dos altas empresas nacionales: la de La Mar el 28 y la de Santa Cruz el 36[97].

Por bajo de la ignara[98] y revoltosa[99] oligarquía militar, alimentándose de sus concupiscencias y dispendios, y junto a la menguada turba abogadil de sus cómplices y acólitos, fue creciendo una nueva clase directora[100], que correspondió y pretendió reproducir a la gran burguesía europea. ¡Cuán endeble y relajado se mostró el sentimiento patriótico en la mayoría de estos burgueses criollos! En el alma de tales negociantes enriquecidos, ¡que incomprensión de las seculares tradiciones peruanas, qué estúpido y suicida desdén por todo lo coterráneo, qué sórdido y fenicio[101] egoísmo! Para ellos nuestro país fue, más que nación, factoría productiva; e incapaces de apreciar la majestad de la idea de patria, se avergonzaban luego en Europa, con el más vil rastacuerismo[102], de su condición de peruanos, a la que debieron cuanto eran y tenían. Con semejantes clases superiores, nos halló la guerra de Chile[103]; y en la confusión de la derrota, acabó el festín de Baltasar[104]. Después, el negro silencio, la convalescencia pálida, el anodinismo[105]

[96] *émulos*: «Competidor de alguien o de algo, que procura excederlo o aventajarlo» (DRAE).

[97] *La Mar el 28*: la guerra contra la Gran Colombia (1828-1829); *Santa Cruz el 36*: la Confederación Perú-Boliviana (1836-1839).

[98] *ignara*: «Que no tiene noticia de las cosas» (DRAE).

[99] *revoltosa* LC.

[100] directiva LC.

[101] *fenicio*: como los comerciantes fenicios, que no tenían arraigo en las localidades donde instalaban sus factorías, y que buscaban obtener de sus colonias solo el máximo beneficio crematístico.

[102] *rastacuerismo*: «*rastacuero*: Vividor, advenedizo. Persona inculta, adinerada y jactanciosa» (DRAE).

[103] *guerra de Chile*: guerra con Chile o guerra del Pacífico o guerra del Salitre (1879-1884), entre Chile, y los aliados Perú y Bolivia.

[104] *el festín de Baltasar*: alusión al asesinato del rey Baltasar de Babilonia luego de un banquete ofrecido por el soberano y donde, en medio del jolgorio general, se escriben en el aire las letras de una misteriosa profecía que solo pudo interpretar Daniel (Dn 5, 1-30). Probablemente, Riva-Agüero se refiere a la época de bonanza debida a la comercialización del guano de las islas, fertilizante muy apreciado, época que Jorge Basadre denominó como de la falaz prosperidad.

[105] *anodinismo*: ineficacia, insustancialidad, insignificancia.

escéptico, las ínfimas rencillas, el marasmo, la triste procesión de las larvas grises…

Ante este agobiador resumen, que sintetiza nuestro absoluto fracaso en la centuria corrida desde la independencia, recordamos, con amargura punzante, los felices horóscopos que el cantor de Junín y Ayacucho ofrendó en la cuna del Perú nuevo. ¡Cruel desmentido hasta ahora el de la desolada realidad a los deslumbrantes pronósticos de continua ascensión, de las venturas y glorias, que creyeron todos iniciar entonces! Las sombras de los sueños desvanecidos fueron mis melancólicas compañeras en la visita a la llanura célebre; y se me representó la terrosa extensión del campo regada con las cenizas de una fulgente[106] aspiración extinta.

Las nacionalidades históricas destronadas que Olmedo enumeró para augurar su compensación con las nacientes americanas se han regenerado en el curso del siglo, se han purificado y rehecho en la fragua del destino. Los altares de Grecia, que imaginaba el poeta reemplazar con los de Sudamérica, se elevaron de entre las ruinas; y a pesar de las tormentas, brillan hoy reavivados por las esperanzas del vigilante helenismo. Razas diversas, en su derredor, luchan sin descanso por afirmar sus respectivas personalidades; y en los más arduos trances no desesperan de lo futuro. *El Capitolio de la humillada Roma*[107], que Olmedo contrapuso en sus versos triunfalmente a los redimidos monumentos incaicos, se encumbra renovado y soberbio. Todos los pueblos, desde los más famosos hasta los más remotos y olvidados, reclaman puesto y voz en el coro fluctuante de la humanidad. Y el Perú, que en la América Meridional es la tierra clásica y primogénita, desconoce su misión, abdica de sus designios esenciales, rechaza cualquiera ambición como un desvarío, y se sienta postrado y lacio[108] en las piedras del camino, a mirar cómo lo aventajan sus competidores, satisfecho en su poquedad cuando obtiene las bases mínimas de existencia.

No eran ciertamente alegres los pensamientos que me asaltaban, cuando al caer la tarde, entre el oro desfallecido de los trigos y del

---

[106] *fulgente*: resplandeciente.

[107] *Roma*: «Tiempo vendrá, mi oráculo no miente, / En que darás a pueblos destronados/ Su majestad ingénita y su solio, / Animarás las ruinas de Cartago,/ Relevarás en Grecia el Areopago/ Y en la humillada Roma el Capitolio» (Olmedo, *La victoria de Junín* , p. 47).

[108] *lacio*: «Flojo, débil, sin vigor» (DRAE).

cielo, volvía de Quinua a la ciudad de Ayacucho. Mas, al releer después la conmemoración de la batalla en la oda de Olmedo, para mí tan familiar, hallé un consuelo inefable en la sublime estancia que todos los peruanos deberíamos saber de memoria: aquella en que compara el vate —¿acaso no significa esta palabra *profeta*?— las virtudes de súbita reacción[109] que guarda siempre nuestra patria, con el arranque memorable de Aquiles, que del indigno sopor de Sciros pasó, de improviso, a las hazañas victoriosas de Troya[110].

[109] con orden invertido: reacción súbita BIRA.

[110] *Troya*: «Tal el joven Aquiles/ Que en infame disfraz y ocio blando/ De lánguidos suspiros/ Los destinos de Grecia dilatando/ Vive cautivo en la beldad de Sciros [...] El itacense astuto le presenta: / Pásmase…se recobra, y con violenta/ Mano el templado acero arrebatando/ Rasga y arroja las indignas tocas, / Parte, traspasa el mar y en la troyana/ Arena, muerte, asolación y espanto/ difunde por doquier: todo le cede…» (Olmedo, *La victoria de Junín*, pp. 26-27).

XII

SALIDA DE AYACUCHO. LAS SALINAS DE ATOCOCHA. JULCAMARCA. ACOBAMBA. LA FIESTA DE SAN JUAN

Los suburbios de Ayacucho están cubiertos de crecidos tunales[1]; pero después, cuando se sale hacia el noroeste, comienza la aridez a poco trecho. Sube el camino por una pampa[2] seca y pedregosa. Algunos cactos manchan las desiertas laderas. En un collado[3] próximo a la eminencia de La Picota, nos detuvimos a mirar el panorama de la ciudad. Bajo la pureza magnífica del cielo, entre los cerros claros y desnudos, y la breve campiña, de arbolado escaso y vegetación espinosa, aparece nítida, alucinante de blancura, como una imagen del Oriente islámico, luminoso y estéril.

La comarca ayacuchana es agrícolamente pobre, por falta de agua. El proyectado canal de riego duplicaría los cultivos inmediatos a la población, y remediaría así la decadencia de sus habitantes. La regularización de las lluvias, tan esencial aquí como en Piura y las cabeceras[4] de la Costa, demanda replantar los terrenos con los algarrobos, chachacomas y pisonayes, eucaliptos, cedros y molles que medran[5] en

---

[1] *tunales*: lugares donde se concentran plantas de tuna (higueras de tuna).

[2] *pampa*: terreno llano y extenso.

[3] *collado*: cerro bajo.

[4] *Piura*: departamento del N del Perú, fundamentalmente costeño, aunque también se encuentran en él zonas elevadas, sierras; *cabeceras*: cabeceras de río, lugar en la Sierra donde nacen los ríos de la Costa.

[5] *chachacomas*: «Arbusto de tronco tortuoso, madera rojiza, con corteza amarillenta y escamosa, hojas pequeñas apiñadas en ramillete y flores blancas en racimo. N.c.: *Escallonia resinosa*» (*DiPerú*); *pisonayes*: «Árbol de hasta 15 m de altura, con espinas en tronco y rama, de flores rojas en racimo y fruto en rama con semillas marrones lustrosas. N.c.: *Erythrina edulis*» (*DiPerú*); *molles*: «Árbol mediano,

la provincia muy fácilmente. La naturaleza del suelo es apropiadísima para los viñedos, cuyos productos hay que esforzarse en substituir al mortífero aguardiente de caña, según lo reclamaba ya Carranza en sus estudios sobre esta región. Podrían obtenerse ágaves[6] tan variados y preciosos como los mejicanos, que junto con el algodón de los valles hondos y las lanas de los rebaños de ovejas y alpacas de las punas[7], ofrecerían nuevos elementos para restaurar la antigua industria textil huamanguina. Con una aceptable vía de comunicación y un coherente y duradero sistema proteccionista, que alentara las posibles manufacturas nacionales, recuperaría su importancia de antaño la ciudad que obtuvo un tiempo el tercer lugar entre las del Perú Bajo[8].

Mi primera jornada solamente fue hasta Atococha[9]. De Ayacucho el camino toma la subida de La Picota, y va muy alto, por los despoblados y recuestos[10] de Cónoc y Chillico. A la derecha, en lontananza, se distinguen, bajo un velo de oro y luz fluida, los campos de Huanta, extensos y fértiles, que componen el valle denominado de Azángaro en los cronistas primitivos. Disminuyen algo los gigantones[11] y los nopales. A ratos perfuman con violencia la soledad las retamas[12] silvestres. Torcimos por las encañadas[13] de Santiago de Picha y Cayarpachi, con maizales tupidos y chozas humeantes; y tras una apacheta y los

de ramas colgantes, corteza exterior café o gris, muy áspera y exfoliante, flores pequeñas blanco-amarillentas y frutos redondos de color rojo púrpura cuando están maduros. N.c.: *Schinus molle*; también *Haplorhus peruviana»* (*DiPerú*); *medran*: crecen.

[6] Carranza, «Consideraciones generales sobre los departamentos del Centro», pp. 83-84; *ágaves*: pitas, magueyes.

[7] *punas*: tierras extensas, frías y de vegetación pobre en las alturas de los Andes.

[8] La jerarquía propuesta por Riva-Agüero sería la siguiente: primero, Lima, la capital; luego, el Cuzco; y en tercer lugar, Huamanga o Ayacucho; *Perú Bajo*: el Perú, propiamente; por oposición al Alto Perú, o sea Bolivia.

[9] *Atococha*: localidad de la provincia de Santa Ana, provincia de Castrovirreina, departamento de Huancavelica. Riva-Agüero sostiene que la divisoria entre Ayacucho y Huancavelica está por Anyana.

[10] *recuestos*: sitio en declive.

[11] *gigantones*: «Planta compuesta, especie de dalia, de flores moradas» (DRAE).

[12] *retamas*: «Mata de la familia de las Papilonáceas, de dos a cuatro metros de altura, con muchas verdascas o ramas delgadas, largas, flexibles, de color verde ceniciento y algo angulosas, hojas muy escasas y flores amarillas en racimos laterales» (DRAE).

[13] *encañadas*: cañada, paso entre montes.

oteros de grama[14] llamados de Huancas, llegamos al pueblo y las salinas de Atococha (*laguna de la zorra*).

La bocamina se abre en un abrupto morro[15], sobre la profunda quebrada del Cachimayu (*río de la sal*). De este bastión[16], circundado por las hendiduras del gran huayco[17], se siguen viendo al oriente, entre las ondulaciones de unos cerros, los verdes pálidos de los sembríos de Huanta[18] y el telón azul de la cordillera, que cierra la perspectiva.

A poca distancia de Atococha y de la aldea de Anyana (*la reprensión o la riña*), pasamos la raya divisoria de los departamentos de Ayacucho y Huancavelica. Cruzamos el valle de Cachi, llamado también de Huanchuy; la agria subida de Antaparaco[19] (quizá corrupción de *torbellino lluvioso*), llena de peñascos y guijarros y unas alturas con sembrados y caseríos; y, bajando laderas pintorescas, de cerros áridos en lo bajo y cultivados en las cumbres, pernoctamos en Julcamarca[20], que por este lado es el primer pueblo de la provincia de Angaraes.

En el distrito de Julcamarca dicen haber vetas de plata y baños termales. La población está situada en la margen derecha de un riachuelo y a la falda de un monte calvo, a 3 383 metros sobre el nivel del mar según el mapa de Raimondi. Es villa de más de 1 500 habitantes, casi todos arrieros y labradores, con sembríos de trigo, maíz y papas[21]. Su denominación puede venir de Sullamarca, que sería, por

---

[14] *apacheta*: «Cumbre de las cuestas altas [de los Andes], donde en tiempos antiguos ejecutaban los indios demostraciones de adoración y hacían ofrendas» (Tauro); *oteros*: «Cerro aislado que domina un llano» (DRAE); *grama*: especie de hierba.

[15] *bocamina*: «Boca de la galería o pozo que sirve de entrada a la mina» (DRAE); *morro*: monte pequeño.

[16] *bastión*: baluarte, fortificación; se refiere al *morro* considerado como eminencia defensiva.

[17] *huayco*: «*huaico*: Quebrada o barranco donde se producen aluviones» (*DiPerú*).

[18] *Huanta*: ciudad capital del distrito de Huanta, provincia de Huanta, departamento de Ayacucho. Queda a 25 km al N de Ayacucho, la capital, a 2 600 m sobre el nivel del mar.

[19] *Antaparaco*: «*Antaparco*: Población, provincia de Angaraes, distrito de Julcamarca» (Stiglich).

[20] *Julcamarca*: capital del distrito homónimo, provincia de Angaraes, departamento de Huancavelica.

[21] *papas*: patatas.

lo que asevera Garcilaso[22], *castillo claro, despejado*; o de Sullca, tocante al *menor*, al *último*, al *hijo postrero*. Parece que fue curacazgo particular de Hancohuayllu, el soberano chanca cuyo verdadero nombre para Betanzos y Sarmiento de Gamboa, es Uscuhuillca[23], el adversario del inca Huiracocha, el que vencido transmigró al Huallaga y al Marañón. Garcilaso, que la llama Suramarca, cuenta que en su antigua fortaleza y en la vecina de Challcumarca, se detuvo Hancohuayllu con mucha lástima, los días anteriores a su partida, como despidiéndose de sus antepasados que las habían construido, y que decían sus indios que sintió más dejarlas que todo su estado[24]. Probablemente fue Páhuaj Mayta[25], hermano y delegado del inca Huiracocha, quien repobló el lugar, poco después de aquella emigración, en el siglo XIV, con mitimaes[26] traídos de Andahuaylas[27]. En Julcamarca murió, el año de 1636, el obispo de Huamanga, electo para el Arzobispado de Méjico, D. Francisco Verdugo[28], que a pesar de su siniestro apellido, fue uno de los más caritativos y virtuosos prelados coloniales, y a quien se ha intentado beatificar en varias ocasiones.

El vecindario indígena de Julcamarca se compone de dos ayllos[29] o parcialidades chancas, ambas originarias del Pampas y el Pachachaca[30],

---

[22] «*Comentarios Reales*, Primera Parte, Libro V, Cap. XXVII»*, «[…] y Suramarca. *Marca*, en la lengua de aquellas provincias, quiere decir fortaleza» (Inca Garcilaso de la Vega, *Comentarios reales de los incas*, tomo I, libro quinto, capítulo XXVII, p. 283).

[23] Uscuhuyllca G, BIRA.

[24] «Ídem ibídem»*. (Inca Garcilaso de la Vega, *Comentarios reales de los incas*, tomo I, libro quinto, capítulo XXVII, p. 283).

[25] Pahuaj Mayta G, BIRA.

[26] *mitimaes*: pueblos desplazados (en la época de los incas).

[27] «*Relaciones Geográficas de Indias*, Madrid, 1881, tomo I, págs. 140 y sgts»*, [Jiménez de la Espada], «Descripción de la provincia de los Angaraes», *Relaciones geográficas de Indias-Perú*, tomo I, pp. 202-203.

[28] *D. Francisco Verdugo*: (Carmona, Sevilla, 1561-1636). Comenzó la construcción de la catedral de Huamanga y erigió el seminario diocesano. Protestó ante el rey por la explotación indígena en las minas de mercurio de Huancavelica. Según el DB-e, murió en Méjico (DB-e).

[29] *ayllos*: «*ayllu*: Célula social de los pueblos andinos, formada por el conjunto de descendientes de un antepasado común, real o imaginado (tótem). Linaje, parcialidad, ascendencia, descendencia, casta, genealogía» (Rosat)

[30] *chancas*: etnia preínca que ocupaba aproximadamente el territorio de Ayacucho y Huancavelica; *Pachachaca*: afluente del río Apurímac; corre de N a S del departamento de Apurímac.

y bastante diferenciadas todavía. Vi algunos indios con el sombrero de picos[31] del siglo XVIII. La iglesia, al este de la plaza, es pobre y tiene dos torres desiguales. Las casas son encaladas, con tejas granates. Me alojé en una pequeña y limpia, recién construida; pero tuve que salir a comer en una mísera chingana, atestada de quesos, charquis[32] y botellas de aguardiente. Era el sábado 22 de junio; y, por disposición eclesiástica, en aquel año cayó al día siguiente, domingo 23, la fiesta de san Juan, tan celebrada en la Sierra desde las vísperas al octavario[33]. Para esta ferviente devoción hay un motivo tradicional: conforme al calendario incaico, el mes de *Aucjay Cuxqui*[34, 35] o *Cahuay* principiaba en el solsticio de invierno, que precisamente corresponde en nuestras tierras al 22 de junio, cuando ya habían recogido y *encolcado* el maíz[36], y se solemnizaba[37] con los regocijos del Intip Raymi. Los indios y los mismos cholos[38] han transladado inconscientemente la festividad gentílica a la movible de Corpus[39], y también a la conmemoración de san Juan Bautista[40], que es más cercana; y han doblado así los pretextos de sus jolgorios y borracheras.

Coincidiendo con los usos casi universales, los labriegos del interior encienden las noches de san Juan hogueras multiplicadas. Es la

---

[31] *sombrero de picos:* «*sombrero de tres picos:* El que está armado en forma de triángulo» (DRAE).

[32] *chingana*: «Establecimiento de baja categoría, donde se venden y consumen bebidas alcohólicas y algunas veces alimentos» (*DiPerú*); *charquis*: carne salada, normalmente de llama o alpaca.

[33] *desde las vísperas al octavario*: desde el día anterior hasta el octavario (o sea, ocho días después) de una fiesta.

[34] *Aucjay Cuxqui*: «*Awqay-kusi-killa*: Mes de junio» (Rosat).

[35] *Cjuxqui* BIRA.

[36] «*Encolcar* llaman en el Perú a lo que en el español castizo se le dice *entrojar*»★. *Colca*: depósito de alimentos, troj, troje.

[37] *se solemnizaba*: «Festejar o celebrar de manera solemne un suceso» (DRAE).

[38] *Intip Raymi*: «*Intej-Raymin, Qhapaj Inti Raymi:* Fiesta del Sol. Era la fiesta principal del año en el Tawantinsuyu. La celebraban con gran solemnidad y pompa en el solsticio de invierno; pero se habla de otra también en diciembre, por el equinoccio» (Rosat); *cholos*: «Mestizo de ascendencia europea e indígena» (*DiPerú*).

[39] *gentílica*: propia de gentiles, de no cristianos; *Corpus*: «*Corpus:* Jueves, sexagésimo día después del domingo de Pascua de Resurrección, en el cual celebra la Iglesia católica la festividad de la institución de la eucaristía» (DRAE).

[40] *conmemoración de san Juan Bautista*: la fiesta de san Juan Bautista se celebra el 24 de junio.

fiesta del fuego. Movibles guirnaldas de luces chispean y se propagan alegremente en la obscuridad nocturna de las serranías. Las fogatas, agitadas por el viento, parecen responderse de cerro en cerro. En las poblaciones medianas no faltan los castillos de cohetes[41], a que son muy aficionados los habitantes; y en Julcamarca esa vez hubo además lidia de un toro con candela en los cuernos. Cuando se apagaron las raudas *palomas*[42] incandescentes y las irisadas lluvias de Bengala, y se extinguió el eco de los camaretazos[43], penetró en la plaza un novillo con una estopa ardiendo en el testuz[44]. Los indios ebrios le arremetieron a porfía[45], y los chicos arreciaron la grita; pero el infeliz animal, desesperado con su infernal tormento, después de unas pocas embestidas al corro de toreros improvisados y de haber derribado a algunos, rompió el cerco de los espectadores y salió huyendo al campo, seguido a la carrera por la muchedumbre con algazara enorme. La función se frustró con esto, o cambió a lo menos de escenario. El tropel se alejó hacia las afueras; poco a poco los clamores se perdieron; y la plaza se fue vaciando de los que en ella quedaron. La luna pavonaba[46] las rocas y los muros de adobe, y opacaba el centelleo estelar. Una nube blanquísima veló de pronto el argentado[47] resplandor. En las callejuelas y los campos cercanos, las hogueras llameaban titubeantes, combatidas por las ráfagas del aire; y entre los ruidos de la fiesta aldeana, resaltaba,

---

[41] *castillos de cohetes*: «*castillo de fuego*: En algunos regocijos públicos, armazón vestida de varios fuegos artificiales» (DRAE).

[42] Una tradición tauromáquica parecida es la del toro de fuego de diversos pueblos españoles extremeños, castellanos y de otras regiones; *palomas*: «Figura de pirotecnia, que se incendia al final» (*DiPerú*).

[43] *lluvias de Bengala*: «*luz de Bengala*: Fuego artificial compuesto de varios ingredientes y que despide claridad muy viva de diversos colores» (DRAE); *camaretazos*: «Estruendo que produce la camareta (mortero usado para disparar bombas de estruendo en las fiestas populares y religiosas) o un artefacto similar» (*DiPerú*).

[44] *estopa*: tela gruesa; *testuz*: frente (parte superior de la cara) del toro.

[45] «Los naturales de estas provincias conservan, en sus grotescas lidias de toros, la suerte o lance de rejones, que se llamaba en la época colonial el *choque de moharras*, peculiar forma de toreo de los indios peruanos, antiguamente introducida por ellos en nuestra plaza de Acho»★. La moharra es la punta de la lanza, incluidas la cuchilla y el cubo. La plaza de Acho es la plaza de toros de Lima.

[46] *pavonaba*: «Dar pavón (capa superficial de óxido abrillantado con que se cubren las piezas de acero para mejorar su aspecto) al hierro o al acero» (DRAE). La luz de la luna sobre las rocas y los muros creaba un efecto como de pavonado.

[47] *argentado*: plateado.

tras la delgada queja de los cantos y el sollozo de las *antaras*, el contraste del crepitante[48] y convulsivo redoble de las danzas zapateadas.

De Julcamarca a Acobamba hay cosa de nueve leguas de fragoso[49] camino. En este trayecto fue donde el diminuto ejército del general Cáceres, en su difícil retirada de Jauja a Ayacucho, después de haber contenido a los chilenos en Pucará de Huancayo[50], acabó de deshacerse con la horrible tempestad del 17 de febrero de 1882, en que sucumbieron casi todos los enfermos y heridos de la división, y arrastrados por una *lloclla*[51, 52] (alud), rodaron a los abismos más de 400 soldados.

Salimos muy temprano de Julcamarca, al amanecer del domingo, entre las clarinadas[53] de los gallos y el balido de las ovejas. Bajamos una larguísima cuesta, pasamos el puente de piedra de Huaranjayllo; y por varias quebradas llegamos al río de Lircay, que recibe igualmente el nombre de Urubamba, como el Vilcamayo del Cuzco. Quedan al oeste de las alturas de Lircay, y al este las de Cajas y la pampa de las Vizcachas, afamada por sus antiguas minas. El paisaje es muy parecido al de la víspera. A nuestra derecha, en el soberbio anfiteatro[54] de la cordillera oriental, lucían los nevados. Tres de ellos tienen los títulos más poéticos. A uno, el primero comenzando del norte, le llaman los indios *Santiago*, por el resplandeciente patrón de los españoles, a quien identificaron con las armas de fuego y el relámpago[55]; al último hacia el sur, lo denominan Rasuhuillca[56], que en el dialecto quechua-

[48] *antaras*: «Especie de zampoña compuesta de varias flautillas juntas, de diferente tamaño, hechas de caña; a veces de algunos huesos de la llama» (Rosat); *crepitante*: «Producir sonidos repetidos, rápidos y secos, como el de la sal en el fuego» (DRAE).

[49] *fragoso*: áspero, intrincado, con malezas y breñas.

[50] *Pucará de Huancayo*: localidad del departamento de Junín. Riva-Agüero especifica la determinación toponímica para distinguirla de otras, como Pucará de Puno o Pucará de Apurímac. Se refiere al combate del 5 de febrero de 1882 contra las tropas chilenas de ocupación dentro del contexto de la guerra del Pacífico (1879-1884).

[51] *lloclla*: «Aluvión, avenida de agua y lodo que produce inundaciones» (*DiPerú*).

[52] *llocjlla* BIRA.

[53] *clarinadas*: porque como en el ejército, el quiquiriquí del gallo es el toque de diana, la clarinada, que despierta a todos los demás.

[54] *anfiteatro*: por la disposición oval o circular de los cerros.

[55] *el relámpago*: en el mundo andino, el apóstol Santiago se identifica con Illapa, el dios del trueno, el rayo, el relámpago y la lluvia.

[56] *Rasuhuillca* G, BIRA.

aimara[57] de la región, significa, según Carranza[58], la *montaña santa*; y al del centro le dicen *Corihuillca*[59], que equivale a *santo* y *dorado*.

De toda mi travesía desde Atococha a Acobamba, retengo con viveza las sensaciones de los puentes tembladores, de los arroyos cascajosos; de un prado pequeño y gramoso, cercado de sauces, donde paramos a almorzar, y por cuyos setos y tranqueras del frente apareció una india joven a ofrecernos la blanca chicha de molle[60]; de unas laderas con manantiales, chorrillos y carrizos; de un torrente, sonoro de guijas[61], que las mulas se resistían a vadear; y de unos cerros anaranjados y morados, en cuyas faldas crecen los áloes[62] y los cactos gigantes, como candelabros monumentales. Otros cardos semejan cirios verdes; y hay magueyes híspidos[63], de tono mohoso, que parecen espadas rotas. A veces, en el azul purísimo, a inconmensurable elevación, giraba el punto negro de un cóndor.

Después de haber seguido largo tiempo la misma quebrada de Julcamarca, volteamos, a mano izquierda, a la estrecha y honda de Lircay. Pasamos un puente de sogas, muy roto y combado en el centro. Es caluroso este valle de Urubamba de Lircay. Produce caña de azúcar, maíz, trigo, linaza y bastantes vides; y adornan sus tierras algunos cedros, y gran cantidad de higueras y otros árboles frutales.

Tomamos una muy parada[64] cuesta al norte. Una cuadrilla de indios, del ayllo próximo de Huancayacu, componía cantando[65] el pendiente y maltratado camino. Bajaba un rebaño de ovejas y cabras,

---

[57] quechua-aymara G, BIRA.

[58] Carranza, «Etimologías de algunos nombres de la zona del Centro», p. XXIV.

[59] *Cjorihuillca* G, BIRA.

[60] *chicha de molle*: chicha de jora a la que se le ha agregado molle; también puede referirse a la chicha preparada con molle fermentado.

[61] *guijas*: «Piedra lisa y pequeña que se encuentra en las orillas y cauces de los ríos y arroyos» (DRAE).

[62] *áloes*: magueyes, pitas.

[63] *cardos*: nombre de varias especies de plantas, como la alcachofa o el cardo María; Riva-Agüero parece referirse genéricamente a varias plantas crasas como la puya o el candelabro, planta de la familia de las Cactáceas; *híspidos*: «Hirsuto (cubierto de pelo disperso y duro)» (DRAE).

[64] *parada*: derecha.

[65] *ayllo*: ayllu, célula social de los pueblos andinos; el trabajo comunal solía acompañarse de canciones: «*Arawi (yarawi, jarawi)*: Canción. Se cantaba en siembras y otros trabajos agrícolas» (Rosat).

precedido de negros perros lanudos, y guardado por una indiecita y un pastor viejísimo, abuelo de ella sin duda, y cuyas blancas greñas se escapaban del chuco[66] de lana.

En la planicie superior hay un caserío, Choclococha, con iglesia y media docena de chozas de paja. Al aire libre se amontonaban las corontas de maíz y las papas[67] para el *chuño*[68]. Luego descendimos por lomas anchas y descampadas, de yerbas amarillentas. El cielo tenía el profundo color zafíreo[69] de un mar. En el horizonte se perdía una leve recua[70] de llamas. A la izquierda, en un declive, aparece la extensa y verde vega de Acobamba. Sus pastos rodean una gran laguna coronada de totoras[71]. El ganado matiza las orillas; y por las laderas del contorno trepan las segadas suertes[72] de los trigales y cebadales. El cuadro es virgiliano[73], bajo la paz esplendorosa del sol. Al noroeste se ven las dos villas unidas de Acobamba y Anta. Oblicuamos[74] entre los cerros y el risueño llano de la laguna. De trecho en trecho, un maguey levanta su rígida alabarda[75], como para vigorizar la suavidad campesina. En la entrada del pueblo, en un recodo[76] y al borde izquierdo de la senda principal, hay una roca tallada, con asientos y escalones. Debió de ser

---

[66] *chuco*: «Gorro o sombrero que se ajusta a la cabeza» (*DiPerú*).

[67] *coronta*: «Mazorca de maíz desprovista de granos» (*DiPerú*); *papas*: patatas.

[68] *chuño*: «Papa [patata] deshidratada, secada al sol, al frío y al aire» (*DiPerú*).

[69] *zafíreo*: zafirino, del color azul típico del zafiro, la piedra preciosa.

[70] *recua*: conjunto de animales de carga.

[71] *totoras*: «Hierba acuática, perenne, de escaso porte, con raíces fibrosas, de tallo erecto, hojas en forma de vaina envolvente y flores en espiguilla. N.c.: *Schoenoplectus* spp.» (*DiPerú*)

[72] *matiza*: «Juntar, casar con diversa proporción diversos colores, de suerte que sean agradables a la vista» (DRAE). Riva-Agüero trata al paisaje pictóricamente y aprecia cómo los colores del ganado se integran o contrastan de manera grata con los de las orillas de la laguna; *segadas*: cortadas; *suertes*: «Parte de tierra de labor, separada de otra u otras por sus lindes» (DRAE).

[73] *virgiliano*: alusión a las *Geórgicas* (29 a.C.) de Publio Virgilio Marón (Andes, ahora Virgilio, 70 a.C.-Brindisi, 19 a.C.), poema de exaltación de la agricultura.

[74] *oblicuamos*: «Dar a una cosa dirección oblicua con relación a otra» (DRAE).

[75] *maguey*: áloe, pita; *alabarda*: arma ofensiva compuesta por un asta de madera que termina en una cuchilla. Riva-Agüero se refiere a lo erguido del tallo del maguey, que parece una lanza o un asta.

[76] *recodo*: «Ángulo o revuelta que forman las calles, caminos, ríos, etc. torciendo notablemente la dirección que traían» (DRAE).

ara de sacrificios, de las que D. Cosme Bueno[77] señala en esta comarca. Algunas mujeres, con sombreros de fieltro y vivísimos trajes, cantaban yaravíes[78], sentadas en el antiguo altar idólatra.

El nombre de Acobamba proviene de dos palabras quechuas, que quieren decir *llanura de arena*. Efectivamente, está construida en una corta meseta arenisca y arcillosa, que se eleva al norte de la campiña y en la que desembocan huaycos[79] secos de color rojizo y ocre. Se halla a 3 540 metros de altura[80]. La fundó el inca Pachacútec[81], hacia la mitad del siglo XIV, con indios mitimaes de Huarochirí[82], como colonia militar para que consolidara la sumisión de los chancas y huancas[83]. Fue cabeza de toda la región antes de la prosperidad de Huancavelica a mediados del siglo XVI; corregimiento[84] español importante; capital de la provincia de Angaraes, hasta los últimos tiempos. Aunque decaída y postergada ahora, por la competencia de su moderna rival Lircay[85] y la pérdida de su tradicional industria alfarera, tiene Acobamba[86] cerca de 3 000 vecinos, incluyendo los de la contigua villa de Anta, que pegada a ella viene a constituir un arrabal suyo.

[77] *ara*: altar; *D. Cosme Bueno*: Bueno, «Descripción de las provincias pertenecientes al obispado de Huamanga», *Geografía del Perú virreinal,* p. 72.

[78] *yaravíes*: «Canción mestiza de tema dulce y a la vez triste, procedente del *harawi* incaico, que se combina con elementos españoles» (*DiPerú*).

[79] *huaycos*: «*huaico:* Quebrada o barranco donde se producen aluviones» (*DiPerú*).

[80] «Melitón Carbajal»★, Carbajal, «Estudios hipsométricos», p. 114.

[81] Pachacútej BIRA.

[82] *mitimaes*: «*mitma:* <En tiempo de los incas> Pueblo trasladado obligatoriamente a un lugar distante» (*DiPerú*); *Huarochirí*: provincia del departamento de Lima, ubicada en la zona central de este; limita con el departamento de Junín.

[83] «*Relaciones geográficas de Indias*, tomo I, págs. 140 y sgts.»★, [Jiménez de la Espada], «Descripción de la provincia de los Angaraes», *Relaciones geográficas de Indias-Perú,* tomo I, p. 203.

[84] *Huancavelica*: nombre del departamento, el distrito y la ciudad capital. «Está a 3 780 m. Dista 6 leguas de Izcuchaca y Acoria, 13 de Huando, 14 ½ de Vilca, 13 de Moya[…] y 73 de Lima» (Stiglich); *corregimiento*: territorio donde tiene jurisdicción un corregidor. *Corregidor*: «Magistrado que en su territorio ejercía la jurisdicción real con mero y mixto imperio, y conocía las causas contenciosas y gubernativas, y del castigo de los delitos» (DRAE).

[85] *Lircay*: capital de la provincia de Angaraes, en el departamento de Huancavelica. «Está a 2 714 m de elevación. Dista 8 leguas de Acobamba» (Stiglich).

[86] *Acobamba*: capital del distrito de Acobamba, provincia de Angaraes, departamento de Huancavelica.

Cada una de las dos poblaciones reunidas conserva su iglesia parroquial. La de Anta, que es el barrio bajo y ocupa el pie de la ladera, me pareció la mejor. Es grande, churrigueresca[87] y con muchos dorados. Celebraban, en la tarde del domingo, el trisagio[88] de la fiesta de san Juan; y el cura, ante la apiñada concurrencia, predicó un largo sermón en quechua. La fachada, de piedra bermeja, se engalanaba con quitasueños[89] y cadenetas de papel, que remecía el viento. Los indios se agolpaban en el techo y el campanario, y se alineaban en las cornisas[90]. En el atrio y la ancha plaza delantera, efectuaban la elección de mayordomos[91], y hacían los últimos preparativos para la corrida de toros y la pelea de gallos. Los grupos, en continuo vaivén, semejaban la caja de colores de un pintor. Los ponchos masculinos y los *anacos*[92] y las *llicllas*[93] femeniles eran como un arco iris movible. Rojos furiosos, rojos sombríos, granates con fajas violetas, celestes tiernos, amarillos de oro y naranja, azules profundos y verdes de mil matices se agitaban y revolvían. Todas estas violencias yuxtapuestas no disonaban, sin embargo. Formaban una harmonía[94] bárbara[95], pero muy rica y justa. En la luz rutilante, entre los áureos remolinos de polvo y junto a los hoscos barrancos salpicados de tunas, la fulguración de los vestidos

[87] *churrigueresca*: «(De Churriguera). Relativo al Barroco español, en Arquitectura. Recibe el nombre de José de Churriguera (1665-1723). Es extraordinariamente fastuoso y muy abundante en Hispanoamérica» (Fatás-Borrás).

[88] *trisagio*: oración en honor a la Trinidad.

[89] *quitasueños*: aro del cual cuelgan tirillas de papel de cometa que llevan adheridas a sus extremidades fragmentos de vidrio, que, al ser movidos por el viento, producen un ruido muy particular. Se usan con las cadenetas de papel de colores en fiestas o procesiones (Benvenutto).

[90] *cornisas*: «Parte sobresaliente superior de un entablamento (conjunto de elementos horizontales que forman el remate de algo)» (Fatás-Borrás). En este caso, las partes superiores del edificio de la iglesia.

[91] *mayordomos*: encargados por los pueblos de organizar la fiesta patronal.

[92] anacos BIRA.

[93] *ponchos*: prenda de abrigo rectangular o cuadrada, con hueco para que pase la cabeza, que cae hasta más debajo de la cintura; *anacos*: «*anaku*: Saya larga, sin mangas —desde las axilas hasta los tobillos— de mujeres indígenas del Perú y Ecuador» (Rosat); *llicllas*: «*llijlla*: Manta de mujeres y envoltorio para cargar wawas [niños], bultos o artículos varios; es rectangular o cuadrada, tejida con esmero y decorada con muchos y vistosos colores; sirve para cubrir la cabeza, los hombros y la espalda» (Rosat)

[94] armonía BIRA.

[95] *bárbara*: que no sigue los cánones de la armonía clásica.

representaba la verdadera sugestión del ambiente y como el complemento indispensable del paisaje.

Acabadas al anochecer las lidias de toros y de gallos, encendieron las fogatas y comenzaron las danzas. Un indio ciego recorría las calles, entonando al son de una harpa[96, 97]esos lánguidos *tristes* mestizos de Ayacucho, que se dirían bañados en llanto. Unas máscaras, rezagadas tal vez desde el Corpus, animaban el *taqui*[98], baile genérico del pueblo y el bufo *huamanguino*, de chupa y calzón[99] corto, dirigía la ruda comparsa. Bronceadas muchachas, más morenas que el trigo y el maíz recién cosechados, adornadas con cintas, abalorios y zarcillos[100] de oro y plata, brincaban acompasadamente en honor del glorioso san Juan, que murió víctima de una bailarina de mayores[101] refinamientos. En torno de las hogueras, se movían las rondas de la grave *cachua*[102]. *El*[103] *huáncar* tamborileaba infatigable, zumbaban los *pututus* y las *quepas*; y gemían las quenas[104], las flautas y las zampoñas (*ayaríchic*[105]).[106]

La nochebuena de san Juan se limitó al barrio bajo. A mi alojamiento llegaban amortiguados los ecos de las endechas y de los

[96] *harpa*: arpa.

[97] arpa BIRA.

[98] *taqui*: «*taki*: Danza o baile con canto» (Rosat).

[99] *chupa*: especie de gorro; *calzón*: «Prenda de vestir con dos perneras, que cubre el cuerpo desde la cintura hasta una altura variable de los muslos» (DRAE).

[100] *abalorios*: collar de cuentas; *zarcillos*: aretes, pendientes.

[101] *una bailarina de mayores refinamientos*: Salomé, hija de Herodías, a quien Herodes premió luego de danzar para sus invitados con la cabeza de Juan el Bautista (Mc 6 17-29).

[102] cachua BIRA.

[103] *cachua*: «*cashua*: Danza en círculo, de bailarines con aire triste, que cogidos de las manos de dos en dos, se ejecuta con leves zapateos y se acompaña generalmente con pincullo [tipo de flauta], tinya [tambor], quena [flauta] y diversos cantos» (*DiPerú*); *huáncar*: «*wankar, wankara*: Tambor, atambor; tamboril, pandero» (Rosat).

[104] *pututus*: «*pututu*: Trompeta para llamar a la distancia, hecha de cierta concha marina de un molusco gasterópodo o de las volutas: caracol grande o caracola; trompeta de cuerno de ganado vacuno para llamar a distancia» (Rosat); *quepas*: «*qepa*: Trompeta hecha de cierto caracol marino de gran tamaño» (Rosat); *quenas*: «Flauta de caña o de otros materiales, con un corte en forma de U en la embocadura, con varios orificios equidistantes en la cara anterior y uno en la posterior» (*DiPerú*).

[105] *ayaríchic*: «*ayarichi*: Especie de zampoña de doble fila de fístulas» (Rosat).

[106] *ayarichij* BIRA.

instrumentos pastoriles. Era una melodía lastimera y monótona, entrecortada de pronto por un estallido bullicioso. La tenue frase musical se alarga, se repite interminablemente, suave, nostálgica y grácil, como aquellos senderos que serpentean en la uniforme y aterida desolación de las punas. Tañen las quenas su arisca y vulnerada quejumbre; y es su voz flébil[107] una infinita imploración de piedad. Acentos de la raza montaraz, melancólica hasta en sus rústicos alborozos, a la vez cansada e ingenua, primitiva y antiquísima, oprimida por seculares servidumbres, que cantan la tristeza de sus páramos y la miseria de su vida. ¡Con qué duelo se elevaban y se quebraban las notas en el aire frío, como un lloro tembloroso, entre los espirales de los fuegos de fiesta, bajo el lustror[108] de la noche lunada y la radiante palpitación de las estrellas!

[107] *flébil*: «Digno de ser llorado. Lamentable, triste, lacrimoso» (DRAE).
[108] *lustror*: brillo, esplendor.

XIII

PAUCARAY.
SUS OBELISCOS NATURALES
Y SUS RECUERDOS HISTÓRICOS

Estaba cubierta y neblinosa la tarde cuando partimos de Acobamba. De aquí a Paucaray la distancia es de menos de cuatro leguas. A la salida de la población, pasamos por un arco pequeño, semejante al de la Alcabala[1] del Cuzco. Luego vienen muchos trigales, una corta ciénega[2] a la izquierda, y el torrente casi seco de Quillahuayco (*arroyo de la luna*). Más allá comienzan los oteros de icho[3], y se aparta hacia el este el camino que va al antiguo tambo[4] de Parcos. En ese lugar, y precisamente en la cuesta que del cerro encumbrado baja a las lomas, refiere Cieza de León[5] que Gonzalo Pizarro asentó su campo, viniendo del Cuzco sobre Lima contra el virrey Núñez Vela, e hizo matar al

---

[1] *Alcabala*: arco en el Cuzco debajo del cual se cobraban los impuestos o alcabalas en la época del Virreinato.

[2] *ciénega*: ciénaga.

[3] *oteros*: «Cerro aislado que domina un llano» (DRAE); *icho*: «*ichu*: Planta gramínea, con tallos herbáceos que nacen del suelo, con entrenudos pilosos y hojas rígidas y erectas de color amarillento, que crece silvestre en la puna y sirve de pasto a los camélidos. N.c.: *Stipa ichu*» (*DiPerú*).

[4] *tambo*: «Albergue en los caminos, a la distancia justa para descanso tras una jornada de viaje» (*DiPerú*).

[5] «*Tercera parte de las guerras civiles, Guerra de Quito*»★, «De aquí caminó Gonzalo Pizarro hasta que habiendo subido el incumbrado cerro bajó por la loma hasta que llegado su campo a unas laderas donde fueron las tiendas puestas, y allí se mandó prender a Gaspar Rodríguez e Alonso de Mendoza e Diego Centeno, para darles la muerte [...]» (Cieza de León, *Crónica del Perú. Cuarta parte, Volumen III, Guerra de Quito*, tomo I, capítulo LXX, p. 209.)

capitán conquistador Gaspar Rodríguez del Campo Redondo, natural de Sahagún, vecino de Huamanga y hermano del fundador de Chuquisaca[6], por sospechas de avenimiento con el virrey, de quien había sido hasta entonces muy contrario. «Era liberal y hombre de buena manera, aunque muy indeterminable en sus cosas e falto de prudencia. Creíase de todos hombres. Deseaba la venganza de sus enemigos; y al fin su muerte hobo de ser en Parcos, adonde se acabaron sus galas e fiestas, a que era muy dado. Murió como generalmente mueren los hombres en este Perú, con grande ánimo»[7].

Al mismo lado oriental, queda la ancha pampa[8] de las Mulas. Por ondulaciones y laderas, entre rocas que simulan castillos ruinosos, y atravesando algunos arroyos escasos, llegamos a la quebrada de Pucacruz o sea de la *Cruz colorada*. Mugía el viento en estas gargantas; una india vieja reunía afanosamente su mísero rebaño lanar; el sol lucía pálido sobre los desnudos pastos amarillos, en la extensión eremítica[9]; y los nevados, entre sus nubes, parecían canos y torvos[10] pastores, maléficos hechiceros de la altura. Descendimos al riscoso llano en que se yerguen las pirámides de Paucaray. En punas tan glaciales, a más de 4 000 metros, dominando los contrafuertes[11] andinos, la naturaleza ha erigido fantásticas y sorprendentes arquitecturas. Enormes peñas, labradas por las lluvias milenarias, ofrecen el aspecto de alcázares derruidos, fortalezas feudales, iglesias y complicados campanarios. Algunas figuran escarpadas atalayas[12]; otras, arcos rotos, columnatas truncas, solitarios obeliscos y almenadas[13] habitaciones de una ciudad

[6] *Huamanga*: antigua ciudad virreinal del centro del Perú, actual Ayacucho; *el fundador*: Pedro Ansúrez de Campo Redondo; *Chuquisaca*: Antigua ciudad virreinal del S de Bolivia, actual Sucre.

[7] «Cieza de León, obra citada, cap. LXX»★, Cieza de León, *Crónica del Perú. Cuarta parte, Volumen III, Guerra de Quito*, tomo I, capítulo LXX, pp. 210-211.

[8] *pampa*: terreno llano y extenso, sin árboles.

[9] *eremítica*: propia de los eremitas o ermitaños, monjes que se retiraban a los desiertos y se aislaban para poder orar y ayunar en soledad.

[10] *canos y torvos*: una geografía que causa espanto, 'con canas (las nieves y las nubes) y de mirar torvo o fiero'.

[11] *punas*: terrenos extensos y yermos de las alturas andinas; *contrafuertes*: línea secundaria de montañas.

[12] *atalayas*: «Torre hecha comúnmente en lugar alto, para registrar desde ella el campo o el mar y dar aviso de lo que se descubre» (DRAE).

[13] *obeliscos*: «Pilar muy alto, de cuatro caras iguales un poco convergentes y terminado por una punta piramidal muy achatada, que sirve de adorno en

de gigantes. En las paredes roquizas[14], hay grandes huecos, a manera de monstruosas alacenas; y entre innumerables simulacros[15] y extravagantes dibujos, se destacan severos perfiles que remedan monjes con las capuchas caladas[16]. Sin duda por eso, el anónimo judío portugués[17], que viajó a principios del siglo XVII, apellidó el lugar, en su jerga semilusitana *Los picos de los Frades*[18]. Estas rojas y plomizas siluetas monumentales se prolongan a ambos lados de Paucaray, desde las cercanías de los Molinos al occidente hasta Urumyosi al oriente. Aquí se explica muy bien el antropomorfismo idólatra de los indios y su especial adoración de los cerros. Raimondi ha comparado el espectáculo con la gran toldería de un campamento militar[19]. Cieza de León, en el siglo XVI, lo describió en los términos siguientes: «Hay tanta cantidad de piedras hechas y nacidas de tal manera, que desde lejos parece verdaderamente ser alguna ciudad o castillo muy torreado [...] Entre estos riscos está una peña junto a un pequeño río, tan grande cuanto admirable de ver, contemplando su grosor y grandor, la más fuerte que se puede pensar. Yo la vi y dormí una noche en ella, y me parece que terná de altura más de doscientos codos[20] y en contorno más de doscientos pasos, en lo más alto della [...]. Y tiene otra cosa que notar esta gran peña, que por su contorno hay tantas concavidades, que pueden estar debajo della más de cien hombres y algunos caballos»[21].

Próximo a la cueva que albergó a Cieza de León y sobre el riachuelo que menciona, hay un puente natural formado por los peñascos caídos. A la hora en que atravesé el paraje, el enfermizo sol de la puna,

lugares públicos» (DRAE); *almenadas*: «Guarnecido o coronado de adornos o cosas en forma de almenas (*almena*: cada uno de los prismas que coronan los muros de las antiguas fortalezas para resguardarse en ellas los defensores)» (DRAE).

[14] *roquizas*: rocosas.

[15] *simulacros*: objetos fantásticos que semejan otros reales.

[16] *caladas*: «Ponerse una gorra, un sombrero, etc., haciéndolos entrar mucho en la cabeza» (DRAE).

[17] *el anónimo judío portugués*: Pedro de León Portocarrero, según Guillermo Lohmann Villena.

[18] *semilusitana*: con interferencias lingüísticas de la lengua portuguesa; *Los picos de los Frades*: «uns penhascos que chamam Os Frades» (León Portocarrero, *Descripción del Virreinato del Perú*, p. 198).

[19] Raimondi, *El Perú*, libro II, capítulo IX, pp. 469-470.

[20] Doscientos codos equivalen aproximadamente a noventa metros.

[21] «*Crónica del Perú*, cap. LXXXV»*, Cieza de León, *Crónica del Perú. Primera parte*, capítulo LXXXV, p. 246.

al menguar, iluminaba tristemente las cúspides y aristas de los desmesurados caprichos geológicos; y extendía sus sombras de apariciones temerosas sobre los vagos surcos y el tapiz marchito de las gramas agostadas.

Paucaray significa literalmente en quechua *mi vergel, mi prado lozano*; y a no ser por antífrasis[22], creo imposible que los indios, exactísimos siempre en sus denominaciones topográficas, aplicaran tan ameno calificativo a esta yerma y tétrica planicie, en que al pie de las peñolerías[23] granates y obscuras —socavadas y devastadas por las aguas y las nieves, como rostros disformes quemados por ardientes lágrimas; coro de trágicos espectros que custodian la aspereza del fatídico páramo—, apenas brotan unos pobres cebadales y unos pocos sembrados de papas, arrecidos[24] por el helado soplo de la cordillera. Lo más probable parece que el verdadero nombre haya sido Pucaray, *mi fortaleza, mi castillo* (forma posesiva de Pucara, que es como pone Cieza de León), a causa de las fantasmagóricas rocas circundantes o de la antiquísima ciudadela que allí construyeron los chancas. Porque esta aldea, hoy tan desolada y miserable, fue capital de la confederación de los chancas, huancas y pocras[25], en la época de su mayor preponderancia. Betanzos, en la *Suma y narración de los incas*[26], refiere que el príncipe Uscuhuillca congregó allí a sus aliados y vasallos; y que acordadas en la gran asamblea las hostilidades contra los quechuas, revistó en los llanos inmediatos los tres ejércitos que respetivamente se dirigieron hasta el Cuzco, las Charcas[27] y la región de los chiriguanos[28]. Rechazadas al cabo las expediciones de los chancas, cuenta Sarmiento de Gamboa[29] que su

---

[22] *antífrasis*: «Figura que consiste en designar personas o cosas con voces que signifiquen lo contrario de lo que se debiera decir» (DRAE).

[23] *peñolerías*: conjunto de montes peñascosos.

[24] *papas*: patatas; *arrecidos*: entumecidos por el frío.

[25] *chancas, huancas y pocras*: etnias prehispánicas que habitaron los territorios de los actuales departamentos de Huancavelica, Ayacucho, Apurímac y parte del Cuzco.

[26] «Cap. VI»* Betanzos, *Juan de Betanzos y el Tahuantinsuyo. Nueva edición de la «Suma y narración de los incas»*, capítulo VI, p. 136.

[27] *las Charcas*: zona de la Audiencia de Charcas, al SE del Cuzco, que abarcaba el territorio de la actual Bolivia.

[28] *chiriguanos*: pobladores del Gran Chaco, en territorios argentinos, bolivianos y paraguayos.

[29] «*Historia general índica, Segunda parte*, cap. 38»*, «Y llegando a una fortaleza llamada Urcocollac, cerca de Parcos, términos de Guamanga, los naturales de

última y furiosa resistencia fue en esta comarca, en unas fortificaciones que intitula Urcocóllac, cercanas a Parcos. Los incas triunfantes edificaron, según Cieza[30], en Pucaray, aposentos, depósitos y un templo del Sol; y manteniéndole al pueblo su calidad de cabeza de toda la provincia, colocaron en él al perceptor de tributos. Su posición en la vía imperial de la Sierra, hizo a Pucaray teatro de acontecimientos importantes en los últimos reinados incaicos y en los tiempos de la Conquista. Cuando el gran inca Pachacútec se decidió a domeñar a los huancas de Tayacaja y Jauja, dice Juan Santacruz Salcamayhua que el soberano sentó sus reales entre Paucaray y Rumihuasi (*casa de piedra*, probablemente las vecinas pirámides de conglomerado); y dividió las huestes en escuadrones, «para que con una buena orden, en el día señalado, entraran de tres partes a ganar el valle de Hatun Huanca Saussa»[31]. Amedrentados con este aparato y tantos preparativos, los huancas resolvieron rendirse; y el citado analista indio narra cómo «hecho su concierto general, salen para Paucaray, llevando mucha bebida y comida, y presentes y doncellas, y entregan las armas que tenían, de que el inca se queda contento y agradece la obediencia por bien y paz, y les promete a los curacas premio y galardón, confirmándoles su curacazgo natural y añadiéndoles el título de *apu* (general o señor); y aun lo hace caballero y le manda calzar con ojotas de oro»[32] (al reyezuelo principal, sin duda).

Un siglo después de la típica escena de homenaje al inca irresistible, presenció Pucaray otro cuadro militar muy distinto, cuando Huanca Auqui, hermano y general de Huáscar, derrotado en Yanamarca de Jauja por Challcuchima[33], se refugió en las alturas y fue severamente reprendido, a causa de sus descalabros, por Mayta Yupanqui, venido del Cuzco, y los orgullosos *orejones*[34] que acompañaban a este, los cuales, con orden del atribulado monarca, suspendieron del mando al infante Huanca Auqui e intentaron un nuevo avance al río Ancoyacu,

aquella comarca se le resistieron valerosamente. Y al cabo los venció [...]» (Sarmiento de Gamboa, *Historia índica,* capítulo 38, p. 243).

[30] Cieza de León, *Crónica del Perú. Primera parte,* capítulo LXXXV, p. 246.

[31] Pachacuti, *Relación de antigüedades deste reino del Pirú,* pp. 221-222.

[32] Pachacuti, *Relación de antigüedades deste reino del Pirú,* p. 222.

[33] *Challcuchima*: general de Atahualpa.

[34] *orejones*: nobles.

actual Mantaro[35]. Cuando D. Francisco Pizarro en la campaña de la conquista, subió de Cajamarca al Cuzco, halló el pueblo de Paucaray *muy grande y bueno, y lleno de muchos aposentos*[36].

En la agria sierra de Parcos, que se levanta al este de Paucaray, ocurrieron los sucesivos desastres de Diego Pizarro, Gonzalo de Tapia y Juan Mogrovejo de Quiñones, cuando el famoso alzamiento del inca Manco. El conquistador D. Francisco, sabido el cerco del Cuzco y el aprieto de sus hermanos y compañeros, despachó desde Lima en su auxilio al primero de los nombrados arriba, deudo suyo, con setenta de a caballo, número que se suponía entonces formidable contra las tropas indígenas. Estas los dejaron llegar sin resistencia hasta la cuesta y la gran quebrada de Parcos, y cerrándoles allí todos los pasos, los aplastaron con tremendas galgas[37] de piedras, sin que se salvara ninguno. A los pocos días, destruyeron en el mismo sitio la columna de ochenta jinetes que conducía el capitán Gonzalo de Tapia, cuñado del anterior; y la expedición de ciento cuarenta soldados que en su refuerzo llevaba Juan Mogrovejo de Quiñones y Guzmán[38], de los que solo escaparon cinco. Los indios cortaron las cabezas de los caudillos, y se las enviaron como presente al inca, quien ordenó arrojarlas a los castellanos sitiados en el Cuzco para que desesperaran del socorro.

[35] «Sarmiento de Gamboa, op. cit., cap. 64»* Sarmiento de Gamboa, *Historia índica,* capítulo 63, p. 267.

[36] «Relación de Pero Sancho»*, Pedro Sancho, *Relación,* capítulo VI, p. 150.

[37] *galgas*: «Piedra grande que, desprendida de lo alto de una cuesta, baja rodando y dando saltos» (DRAE).

[38] «Alcalde ordinario de Lima, caballero del linaje de las casas de Herrenzuelo y Villahamete en León, antiguo cautivo en Constantinopla, conquistador de los del botín de Cajamarca, tío del futuro arzobispo santo Toribio; y hermano de D. Antonio de Mogrovejo, comendador en Malta, y de Francisco de Quiñones, el que fue veterano de Italia y los Gelves, corregidor de Lima, maestre del campo general del Perú en el virreinato del conde de Villar Don Pardo y gobernador de Chile. Sobre este incidente militar de la Conquista, véanse Zárate, *Historia,* libro III, cap. V; Garcilaso, *Comentarios,* parte segunda, libro II, cap. XXVIII; Montesinos, *Anales,* tomo I, año de 1536, pág. 90; y los *Libros de Cabildo de Lima,* Parte primera, en que constan el verdadero nombre y el cargo de Mogrovejo»*, Zárate, *Historia del descubrimiento y conquista del Perú,* libro tercero, capítulo V, pp. 112-113; Inca Garcilaso de la Vega, *Historia general del Perú. Segunda parte de los Comentarios reales,* libro segundo, cap. XXVIII, p. 190; «salieron los indios y con piedras arrojadizas los mataron», Montesinos, *Anales,* tomo I, 1536, p. 90; *Libros de Cabildo de Lima,* p. 43.

Hallé deshabitada la posta de Paucaray, que fue pascana del camino real[39] de Lima a Huamanga[40] y el Cuzco. Hoy prefieren las vías de Huarpa y Huanta al oriente, o de Lircay al occidente. Algunas cuadras[41] más adelante de la antigua pascana, está el misérrimo pueblecillo. Lo componen unas diseminadas casuchas, con paredes de guijarros sueltos y techos de paja. En el centro se abre una plaza extensa, cercada igualmente de pircas[42]. Al lado sur de ella, tras un cobertizo, hay unos galpones[43] abandonados y tenebrosos, sin más luz que la de sus puertas: son la municipalidad y la cárcel. Al lado norte, se halla la iglesita, sombreada por un arbusto, un quishuar[44] aterido en la inclemencia de la puna. En las esquinas, hay capillas minúsculas, con nichos, para las rogativas y procesiones, semejantes a las de Surco[45] cerca de Lima, aunque mucho más pequeñas. Si no fuera por estas señales de cristianismo, podría tomarse a Paucaray por una población anterior a la Conquista. Conserva fielmente la disposición y la traza aborígenes, con su caserío desparramado, y la plazuela o *pata*[46] rectangular, murada de tapias, que sirve para las fiestas de los ayllos[47].

Junto a la iglesia, al oriente, nos indicaron los arrieros[48] una cabaña, algo más espaciosa que las otras, y que desempeña el oficio de casa parroquial cuando el cura de la doctrina[49] próxima visita este anexo. Es

[39] *pascana*: «Lugar donde los viajeros descansan o comen» (*DiPerú*); *camino real*: «El construido a expensas del Estado, más ancho que los otros, capaz para carruajes y que ponía en comunicación entre sí poblaciones de cierta importancia» (DRAE). Riva-Agüero se refiere al *Qhapaq Ñan,* el gran camino inca.

[40] *Huamanga*: nombre virreinal de Ayacucho, ciudad capital del departamento homónimo.

[41] *Lircay al occidente*: Huarpa es río de Ayacucho, en la provincia de Huanta; Huanta es localidad de Ayacucho; Lircay, de Huancavelica; *cuadras*: «Cuarta parte de una milla» (DRAE).

[42] *pircas*: muro bajo hecho de piedras unidas con barro para la separación de terrenos.

[43] *galpones*: cobertizo grande.

[44] *quishuar*: «Árbol de copa redondeada, tronco con ramificaciones desde el suelo, ramas tortuosas, hojas blanquecinas y flor en racimo que varía de blanco a rojizo según la especie; crece en la puna» (*DiPerú*) N.c.: *Buddleja incana.*

[45] *Surco:* valle al SE de Lima. El río (o canal) Surco sale del río Rímac.

[46] *pata*: plaza.

[47] *ayllos*: «*ayllu:* Célula social de los pueblos andinos, formada por el conjunto de descendientes de un antepasado común, real o imaginario (tótem)» (*DiPerú*).

[48] *arrieros*: «Persona que trajina con bestias de carga» (DRAE).

[49] *doctrina*: distrito eclesiástico para adoctrinar a la población indígena.

un cuarto con una puertecita sin cerradura, muy ahumado el interior por el rústico fogón, que carece de respiradero. Allí nos hospedamos al caer la tarde; y un alcalde o *varayo*[50] nos trajo, no sin dificultad y animadas discusiones en quechua con nuestros guías, un carnero y unas papas blancas, que sus auxiliares o *pongos*[51] se dispusieron a aderezar. La rudeza y el desaseo de estos eran tales, que los criados rechazaron toda colaboración.

En la última hora de luz, un viento seco y huracanado había barrido el cielo, empujando las nubes hacia las quebradas lejanas. La temperatura era frigidísima. En la atmósfera clara y rasa, brillaban las constelaciones con fulgor casi metálico; y cuando salió la luna, apenas las atenuó su irradiación callada y láctea. Un perro aullaba tristemente en la plaza silenciosa; y su movible bulto se retrataba en la hierba seca y menuda del suelo. Poco a poco la lumbre de plata inundó el hemiciclo de las cimas, realzó los contornos de las quiméricas pirámides; y diluyó en el paisaje una vaga semblanza marina, en que fingían las rocas bravíos acantilados[52], y una magia fúnebre en que todo sentimiento humano se extinguía, y la puna[53] con sus llanuras se abismaba, quieta, irreal, pasiva, más yerta e inanimada que nunca.

La misma impresión de infinito aterimiento[54] y de extraordinaria resignación fatalista fue la del alba siguiente. Las estrellas parecían tiritar también en la claridad indecisa, gris de perla. Había helado toda la noche. Los campos se mostraban cubiertos como por un riego de cristales pulverizados. Se veían mustias y abrazadas las tristes sementeras de los confines. En el desvalido amanecer andino, eran de indecible melancolía el balar de los apriscos y el campanilleo de las bestias del equipaje, que se adelantaban por las lomas del oeste.

El sol fue desentumeciendo la tierra y deshaciendo la fina escarcha. Aromaban los ichales[55] humedecidos. Relucían los mayores nevados, ceñidos guardianes de su blanca grey. Dejamos a la izquierda el

---

[50] *varayo*: «*varayoc*: Autoridad comunal indígena que se caracteriza por poseer una vara como distintivo de mando» (*DiPerú*).

[51] *pongos*: «Criado indígena obligado a servir, por turnos, a un patrón» (*DiPerú*).

[52] *acantilados*: «Dicho de una costa: cortada verticalmente o a plomo» (DRAE).

[53] *puna*: terreno extenso, frío y yermo de las alturas de los Andes.

[54] *aterimiento*: «*aterir*: Pasmar de frío» (DRAE).

[55] *ichales*: concentración de ichus o ichos, planta gramínea de hojas rígidas y erectas que crece silvestre en las punas.

viejísimo tambo[56] de Picoy, muy nombrado en las crónicas de la Conquista[57], y en que, según Garcilaso, comenzaba el acueducto de Lucanas, construido por el inca Huiracocha[58]. Más allá quedan los altos de Los Molinos. En esas paramerasa campó Canterac después de la batalla de Junín[59]; y no lejos sostuvo Cáceres[60] un combate contra los chilenos.

La elevada abra[61] que da paso a la cuenca del Mantaro se conoce con el nombre mestizo de Alto Pongo[62] (de *puncu*, que significa *puerta* en quechua). El camino es gredoso, con algunas charcas y atolladeros, pastales de icho[63] y musgos plomizos. A un lado, en la lejanía de las colinas verdes, una manada de avizoras vicuñas[64] trepaba ligerísima hacia los picachos remotos. En el cielo diáfano, muy arriba, a vertiginosa distancia, dos aves, cóndores[65] quizá, revolaban con sosiego solemne. Se había desvanecido por entero el angustioso encogimiento de la madrugada; y la luz envolvía todas las cosas, desde las indefinidas praderas hasta las cumbres intactas, en una serenidad dorada y vibrante.

[56] *tambo*: «Albergue en los caminos, a la distancia justa para descanso tras una jornada de viaje» (*DiPerú*).

[57] «Principalmente en las de Cieza de León y Pedro Sancho»★, Cieza de León, *Crónica del Perú. Cuarta parte, volumen II, Guerra de Chupas*, capítulo LXXII, p. 266.

[58] «*Comentarios*, Parte primera, Libro V, cap. XXIV»★, Inca Garcilaso de la Vega, *Comentarios reales de los incas*, libro V, capítulo XXIV, p. 276.

[59] *parameras*: páramos; *Canterac*: José de Canterac d' Ornesan y d'Orlic, barón de Ornezan (Casteljaloux, 1786-Madrid, 1835), general del ejército realista en la guerra de la Independencia americana (DB-e); *batalla de Junín*: batalla entre las unidades de caballería de las fuerzas realistas y patriotas en la guerra de la Independencia (6 de agosto de 1824). Resultó vencedor el ejército patriota.

[60] *Cáceres*: Andrés A. Cáceres (Ayacucho, 1833-Lima, 1923), mariscal del ejército peruano, líder de la resistencia contra el ejército chileno de ocupación (1881-1884) durante la guerra del Pacífico.

[61] *abra*: abertura ancha entre montañas.

[62] *Alto Pongo*: «*pongo*: Cañón, paso estrecho y abrupto entre dos altas montañas, por donde suele discurrir un río» (*DiPerú*).

[63] *gredoso*: tipo de tierra arcillosa y arenosa; *icho*: ichu, planta silvestre de la puna.

[64] *vicuñas*: (N.c.: *Auchenia vicuna*) auquénido americano, de la familia de las llamas y las alpacas; no alcanza más de 90 cm de altura; su cuerpo es de 80 a 90 cm de largo; su peso no excede los 50 kg; posee un temperamento tímido; su lana es muy valorada (Tauro).

[65] *cóndores*: (N.c.: *Vultur gryphus*) ave oriunda de la región andina y la mayor del continente. El «cóndor real» alcanza 1,30 m, desde el pico hasta la cola; y a 4,50 m de envergadura. Su cuerpo está cubierto por plumas negras; sobre su garganta luce una gola blanca; y su cabeza, desnuda, está coronada por una cresta (Tauro).

XIV

RIBERAS DEL MANTARO. TABLACHACA. IZCUCHACA. CASMA

De las mesetas y el abra de Alto Pongo[1], se desemboca en la florida
quebrada del Mantaro[2]. A gran profundidad, en el seno de ella, se distingue apegado a lomas amarillas y a unas rocas negruzcas, el caserío
de Conchán[3] (*cocina* o *fogón* en quechua). Tomamos a la izquierda, por
una ladera empinada, y seguimos largo trecho los destrozados restos
del camino de los incas. Subsisten las anchas y recias losas, hoy con-
movidas por los derrumbes, que formaban el pavimento de la calzada[4]
incaica; y pueden reconocerse las tres veredas en que se compartía para

[1] *abra*: abertura ancha entre dos montañas; *Alto Pongo*: «*pongo*: Cañón, paso
estrecho y abrupto entre dos altas montañas, por donde suele discurrir un río»
(*DiPerú*).

[2] *Mantaro*: «Río de Junín, cuyas aguas dan concesiones mineras en la provincia de Yauli. Pertenece a Llocllapampa, entre los cerros Huacras y Chuaibamba,
en una extensión de 18 km. Ha sido río favorito de los misioneros de Ocopa
desde 1677, por cuya quebrada han entrado siempre a la Montaña. En ella [en
la quebrada, se entiende] están las prósperas provincias de Pasco, Tarma, Yauli,
Jauja, Huancayo y Tayacaja. Nace en la laguna de Junín, y después de ir al S se
desvía en Tayacaja, al N, formando una península. En Yauli y Tarma se le llama
río de La Oroya. En Tayacaja cambia el nombre de Jauja, que ha tomado por el
de Angoyaco. Recibe como afluente poderoso al Huarpa. Cae al Apurímac después de seguir por una muy honda quebrada y de precipitarse por fuerte declive,
rematando a 450 m de elevación, que es la altura sobre el nivel del mar, donde
desemboca. Nace a 3 946 m de elevación. Tiene un puente colgante en cada una
de sus mayores estrechuras» (Stiglich).

[3] *Conchán*: «*Conchán Mayor y Menor*: Haciendas, provincia de Huancavelica,
distrito de Acoria. Están casi ocultas en una profunda hondonada» (Stiglich).

[4] *calzada*: «Camino pavimentado y ancho» (DRAE).

la diversa calidad de los viajeros. Va este camino llano y parejo, mediando entre el valle hondísimo de la derecha y las sierras enriscadas[5] que miran al sur. Es una inconfundible nota indígena, triunfadora y excelsa, la franja de la antigua vía imperial[6] que corre inflexible señoreando los precipicios. A la diestra, muy hacia el sudeste, desaparecían unos picos de nieve. Desde los confines extremos, sobre el tajo inverosímil del Mantaro y sobre el dorso atormentado[7] de los Andes, ya amarillentos, ya de violeta pálido, flotaba una translúcida gasa plateada, con centelleos de oro y refulgencias minerales.

Por un atajo en zigzag y atestado de pedrones, descendimos a la orilla del río. Los indios lo llamaron Agua Azul, río de la Turquesa (*Ancash-yacu*, de donde *Angoyacu*, nombre que retuvo mucho tiempo); y los conquistadores lo bautizaron *Nuevo Guadiana*. Su corriente es aquí mansa y lenta; y podría navegarse en botes pequeños si no fuera por los peñascos que en toda esta parte lo obstruyen y las angostas hoces[8] en que antes y después se desgalga, al salir de Huancayo y al penetrar en la Montaña[9].

La vega[10] es estrecha, pero muy fértil, amena y benigna, casi calurosa. Los cerros que la encajonan, plomizos con tonos blanquecinos y bermejos, y enormes cantos rodados, no tienen andenes[11] ni cultivos, y presentan solo pobres manchas de arbustos y hierbas; pero las riberas, junto a descomunales lajas y acantilados[12], se visten con matorrales,

---

[5] *enriscadas*: llenas de riscos.

[6] *la antigua vía imperial*: el *Qhapaq Ñan* o camino real incaico, que iba desde el río Angasmayo, al S de Colombia, hasta Tucumán, en el NO de Argentina, y el río Maule, en Chile.

[7] *atormentado*: disparejo, con altibajos, poco sereno.

[8] *hoces*: «Angostura que forma un río entre dos sierras» (DRAE).

[9] *se desgalga*: precipitarse desde lo alto, despeñarse; *Huancayo*: capital del departamento de Junín. «Está a 3 340 m. Dista 22 leguas de Acobamba, 13 de Pariahuanca, 2 ½ de Huayucachi, Chupaca y Chongos Bajo, 6 de Colca y 2 de Sapallanga y Sicaya. Está a 124 km de La Oroya» (Stiglich); *Montaña*: con la Costa y la Sierra, una de las tres regiones naturales en que suele dividirse la geografía del Perú. Actualmente, es más usual decirle *Selva*.

[10] *vega*: tierra baja, llana y fértil.

[11] *cantos rodados*: «Piedra alisada y redondeada a fuerza de rodar impulsada por las aguas» (DRAE); *andenes*: «Terraza escalonada, rellena con tierra, ubicada en la ladera de los cerros andinos para sembrar en ella» (DiPerú).

[12] *acantilados*: «Escarpa (declive áspero) casi vertical en un terreno» (DRAE).

huarangos, magueyes enhiestos, sauces que sombrean los potreros[13] de alfalfa, muchos molles de hoja tan menuda y estremecida[14], alcanfores fragantes, higueras silvestres, y algunos majestuosos cedros, vestigios de las tupidas arboledas, gala hasta hace un siglo de estos campos. Recordamos las descripciones de Siria y Palestina[15].

En este paraje cruza el Mantaro un puente colgante, con piso de madera, mestizamente denominado por tal razón *Tablachaca*[16] (lo mismo que el grande sobre el Apurímac) o también *puente de la Mejorada*. En sus márgenes peñascosas, hay chozas y livianas casitas de altos, con balaustradas y techos saledizos[17], que se asemejan a las de los paisajes chinescos. Nos alojamos en una a la banda del norte, entre la falda[18] y el río, cercada de árboles.

La noche fue de luna llena. Su calor amoroso tendió, sobre la crestería[19] y las rugosidades de los cerros, un velo de ilusión, de suavidad y de silencio. El cielo, de violeta obscuro, semejaba una profunda amatista[20]; las laderas, de un morado de terciopelo, recordaban la flor de nuestros costeños jacarandaes[21]; y las lejanías sedosas, de lilas argentadas, palpitaban como una lluvia de luciérnagas. La luz nívea cabrilleaba ondulante y bailadora en las aguas del Mantaro, como una líquida

[13] *huarangos*: «Acacia de hojas finas, copa extendida, tallo flexible y espinoso, flor amarilla y vainas anchas. N.c.: *Acacia macracantha*» (*DiPerú*); *magueyes*: ágaves, pitas; *potreros*: terreno cercado donde el ganado se guarda y se alimenta.

[14] *molles*: «Árbol mediano, de ramas colgantes, corteza exterior café o gris, muy áspera y exfoliante, flores pequeñas blanco-amarillentas y frutos redondos de color rojo púrpura cuando están maduros. N.c.: *Schinus molle*; también *Haplorhus peruviana*» (*DiPerú*); *estremecida*: de movimiento agitado y repentino.

[15] *las descripciones de Siria y Palestina*: quizás por el terreno verde y feraz en medio de un espacio desértico.

[16] *Tablachaca*: «*chaka*: Puente de piedras, palos, etc.» (Rosat).

[17] *casitas de altos*: casa de dos o más plantas; *balaustradas*: «Serie de balaustres (columnitas) formando barandillas» (Fatás-Borrás); *saledizos*: «Que sobresale, saliente» (Fatás-Borrás).

[18] *banda*: lado; *falda*: parte baja de los montes.

[19] *crestería*: «Almenaje o coronamiento de las antiguas fortificaciones» (DRAE).

[20] *amatista*: piedra fina.

[21] *jacarandaes*: «Árbol ornamental americano de la familia de las Bignonáceas, de gran porte, con follaje caedizo y flores tubulares color azul violáceo» (DRAE). N.c.: *Jacaranda mimosifolia*.

vena[22] de plata; y se deslizaba bajo los sauces, que se movían blandamente y cuyas hojas trazaban en el suelo esclarecido[23] una movible sombra de encajes. De la espesura venían gorjeos de pájaros. En el ambiente perfumado y tibio, la quebrada dormía, bajo un filtro luminoso de encanto y de sueño. Blancura tan inmaculada como las noches de Semana Santa en las arenas de nuestro litoral; pero más recogida, penetrante y afectuosa. Era un rito augusto y mudo, el triunfo de la luna india, de la diosa Quilla, hermana y esposa del supremo Inti[24], de la coya[25] celeste que vertía sobre sus hijos de la altura, labradores y pastores melancólicos, la merced de su dulce mirada, y desplegaba el recamado[26] y perlado manto de su piadoso resplandor.

Al día siguiente, bien de mañana, seguimos orillando[27] el tranquilo Mantaro, por repechos[28] calcáreos que dominan la verde cinta del valle, hasta dar vista al puente y pueblo de Izcuchaca[29]. Reconstruido en 1848, bajo el primer gobierno del mariscal Ramón Castilla, este puente de mampostería[30], muy sólido, fue, con sus inmediatas márgenes, en 1854, campo de los combates entre las tropas del mismo Castilla y las del presidente Echenique[31]. El lugar es la principal llave estratégica de la región del sur, desde Huancavelica al Cuzco, y por eso lo menciona con frecuencia la historia peruana en todas las épocas. El anterior puente, destrozado en 1824 por Canterac[32] después de la batalla de

---

[22] *cabrilleaba:* rielaba, brillaba con luz tremolante; *vena:* «Filón metálico» (DRAE).

[23] *esclarecido:* claro.

[24] *Inti:* el dios Sol, suprema deidad incaica, quien, como el inca, se casaba con su hermana.

[25] *coya:* esposa del inca.

[26] *merced:* gracia, regalo; *recamado.* bordado de relieve.

[27] *orillando:* bordeando.

[28] *repechos:* «Cuesta bastante pendiente y no larga» (DRAE).

[29] «Izcuchaca significa exactamente el *puente de la cal*»★.

[30] *Ramón Castilla:* Ramón Castilla y Marquesado (Tarapacá, 1797-1867), militar, presidente del Perú en varias oportunidades desde 1845 hasta 1862. Su primer gobierno fue de 1845 a 1851 (Tauro); *mampostería:* «Obra hecha con mampuestos (piedra sin labrar que se puede colocar en obra con la mano) colocados y ajustados unos con otros sin sujeción a determinado orden de hiladas o tamaños» (DRAE).

[31] *presidente Echenique:* José Rufino Echenique (Puno, 1808-Lima, 1887), militar, presidente de la República del Perú, 1851-1855 (Tauro).

[32] *Canterac:* José de Canterac (Casteljaloux, 1786-Madrid, 1835), militar franco-español que luchó en la batalla de Junín (6 de agosto de 1824) , en la que la

Junín, presenció en junio de 1821 las reñidas escaramuzas entre el independiente Alvarado y el realista Carratalá[33]; y cerca del antiguo paso incaico de criznejas[34], que hubo de estar por aquí, se rehicieron los ejércitos de Huáscar y pretendieron en vano, una vez más, atajar el avance de los de Atahualpa, según Cabello Balboa[35].

El río corre muy hondo y encajonado entre peñas y malezas; pero a menudo ofrece en su cauce estrecho transparencias que se dirían propias de un remanso. El puente de un solo ojo[36], con casitas blancas de techos pajizos a sus dos extremos, se refleja tembloroso en la claridad del agua. En el lado sur, que es el del pueblo, se eleva un mirador cuadrado, de tres pisos, rematado en cúpula, airoso y alegre. Como una legua hacia el oeste, quebrada arriba, aparecen las alturas de Conayca, en que proclamó José Gálvez[37] la revolución liberal antiesclavista.

La villa de Izcuchaca está a 3 017 metros sobre el nivel del mar[38]. El clima es muy abrigado y hasta cálido; el caserío, mediano, con plaza extensa; y junto a la iglesia de dos torres, un cabildo municipal de larga baranda[39] precedido de portales. La población carece de espacio para

caballería realista comandada por él casi decide la contienda, si no hubiera ocurrido la intervención de los Húsares del Perú (Tauro).

[33] *Alvarado*: Rudecindo Alvarado (Salta, 1792-1872), general del ejército libertador que llegó al Perú con José de San Martín. Participó de la expedición de la división de Juan Antonio Álvarez de Arenales a la Sierra peruana (Tauro). Riva-Agüero se refiere a las acciones posteriores a la victoria patriota de Pasco (6 de diciembre de 1820); *Carratalá*: José Carratalá Martínez (Alicante, 1792-Madrid, 1855), militar, participó, a partir de 1814, en los hechos de armas más relevantes de la guerra de la Independencia americana. En enero de 1821, se hizo fuerte en el puente de Izcuchaca y consiguió rechazar al ejército libertador (DB-e).

[34] *criznejas*: sogas.

[35] Cabello Valboa, *Miscelánea antártica*, capítulo 30, pp. 453-454.

[36] *ojo*: «Espacio entre dos estribos o pilas de un puente» (DRAE).

[37] *Conayca*: capital del distrito del mismo nombre, provincia de Huancavelica, departamento de Huancavelica. Está a 2 290 m de altura (Tauro); *José Gálvez*: José Gálvez Egúsquiza (Cajamarca, 1819-Callao, 1866), tribuno liberal. Luego de la revolución iniciada por Castilla en Arequipa, contribuyó a decidir la abolición del tributo a los indígenas (5 de julio de 1853) y la emancipación de los esclavos (3 de noviembre de 1854). Murió en el combate del Callao (2 de mayo de 1866), librado contra la flota española comandada por el contralmirante Casto Méndez Núñez (Tauro).

[38] «Contralmirante Carbajal»★, Carbajal, «Estudios hipsométricos», p. 114.

[39] *cabildo*: ayuntamiento, municipio; *baranda*: «*veranda*: galería, porche o mirador de un edificio o jardín» (DRAE).

ensancharse, oprimida entre los cerros y el cauce del Mantaro. No obstante la angostura, en ella y sus inmediaciones se ven bastantes árboles frutales, como nísperos, manzanos y almendros; y las erizadas pencas[40] de las tunas guarnecen las minúsculas chacras[41] y las reducidas huertas de las dos bandas. Todos los habitantes hablan castellano. Hallamos muchos indios de calzón[42] corto. Las mujeres, con llicllas de colores, anacos descotados[43] y bordados y sombreros negros o azules con forros granates, saludan sumisamente diciendo *Ave María*. Hay una íntima e insinuante dulzura en este rincón templado y florecido. La impresión cambia por completo cuando alzamos los ojos a los cerros adustos. Yendo al oriente, se descubren los barrancos blanquecinos, a cuyos pies existieron los edificios y baños termales de los incas y el cercado de piedra que menciona Cieza de León en la primera parte de su *Crónica del Perú*[44]. Allí estaba el punto denominado propiamente *Áncash-yacu* (Agua Azul).

Por esa dirección salí a pasear en la tarde, hasta las salinas de Cachi Cuyao[45]. El camino es sinuoso y estrecho; sigue la ribera derecha del Mantaro, tuerce algo al noroeste, y ondula entre sembríos, juncales tupidos y puquios[46] murmurantes. Atravesamos el riachuelo de Cuyao; y en las laderas de una quebradita o encañada[47], visitamos las minas de sal. Las rocas, cubiertas de tierra blanca y mojada, rezuman[48] entre céspedes y musgos.

---

[40] *pencas*: «Hoja o tallo en forma de hoja, craso o carnoso, de algunas plantas, como el nopal o la pita» (DRAE).

[41] *chacras:* campos de cultivo.

[42] *calzón*: «Prenda de vestir con dos perneras, que cubre el cuerpo desde la cintura hasta una altura variable de los muslos» (DRAE).

[43] *lliclas*: «*llijlla:* Manta de mujeres y envoltorio para cargar wawas [niños], bultos y artículos varios; es rectangular o cuadrada, tejida con esmero y decorada con muchos y vistosos colores; sirve para cubrir la cabeza, los hombros y la espalda» (Rosat); *anacos*: «*anaku:* Saya larga, sin mangas —desde las axilas hasta los tobillos— de mujeres indígenas del Perú y Ecuador» (Rosat); *descotados*: escotados, con escote o escotadura (corte hecho en el cuerpo de un vestido que tiene descubierta parte del pecho y la espalda).

[44] Cieza de León, *Crónica del Perú. Primera parte,* cap. LXXXV, p. 245.

[45] *Cachi Cuyao*: pueblo del distrito de Huando, provincia de Huancavelica, departamento de Huancavelica.

[46] *puquios*: manantiales.

[47] *encañada*: cañada, paso entre dos montes.

[48] *rezuman*: «Dicho de un sólido: Dejar pasar a través de sus poros o grietas gotas de algún líquido» (DRAE).

Regresamos a Izcuchaca y continuamos la jornada[49]. Al otro lado del puente, se aparta el camino de Acostambo y Huancayo del que sube a Pampas, capital de la provincia de Tayacaja. Seguimos el primero, que por laderas riscosas[50] y lajas, sobre derrumbaderos y precipicios como el de la Chullca, va a dar a la hacienda de la Magdalena. El Mantaro se divisa abajo, en la quebrada angostísima, entre pedruscos, huarangos y molles[51]. Después de los cortos prados de alfalfa de la Magdalena, por cuestas y recodos, y pasando un torrente, llegamos a la hacienda de Casma, que tiene fértiles campos, regados por aquel arroyo; un puente colgante; y casa aceptable entre mucho arbolado, y, en especial, un monte de alisos y un bosquecillo de cedros y eucaliptos. El anónimo judío portugués[52], que viajó a los principios del siglo XVII, se deleitaba con la amena frondosidad de este lugar, muy talada y disminuida desde entonces. Pero lo que aún queda basta para sorprender agradablemente a quien viene de recorrer las calvas soledades de Paucaray y Alto Pongo y los demás infinitos yermos de la Sierra. Entre la casa y el río, hay un anchuroso patio, vestido de hierba y cubierto por coposos árboles, al parecer seculares. Por la noche, el disco de la luna surgió entre los peñascos, y resbaló entre el ramaje de los cedros y las nubes fugitivas, como una rueca argentada. La cortina de su luz caía, diáfana y nacarina, sobre las rocas desnudas y el húmedo y quieto tapiz de los alfalfares.

A las siete de la mañana del 27 de junio, salimos de Casma. En la luminosa frescura matinal, cantaban los pájaros entre el monte de huarangos y sauces, o rozaban leves las alas sobre el viviente cristal del río. Dejamos las riberas, orladas[53] de cañas bravas, chilcos, molles

[49] *jornada*: día de viaje.

[50] *Tayacaja*: «Provincia del departamento de Huancavelica, capital Pampas» (Stiglich); *riscosas*: llenas de riscos.

[51] *huarangos*: «Acacia de hojas finas, copa extendida, tallo flexible y espinoso, flor amarilla y vainas anchas» (*DiPerú*); *molles*: «Árbol mediano, de ramas colgantes, corteza exterior café o gris, muy áspera y exfoliante, flores pequeñas blanco-amarillentas y frutos redondos de color púrpura cuando están maduros. N.c.: *Schinus molle*; también *Haplorhus peruviana*» (*DiPerú*).

[52] *El anónimo judío portugués*: Pedro de León Portocarrero, según Guillermo Lohmann Villena.

[53] *orladas*: que estaban en la orla o el borde de las riberas.

y capulíes[54]; y torcimos hacia el norte, para tomar, por una empinada cuesta arcillosa, el camino de la puna terminado en la apacheta[55] o abra llamada, según creo, de La Quingua y en el caserío de Lliclla Cruz. A medida que ascendíamos en el sendero amarillento, parecían crecer e hincharse los cerros a nuestras espaldas; y la quebrada se hundía, con el Mantaro encajonadísimo, que finge llenarla por entero, como una acequia titánica. A ambos lados, a los últimos confines, las nubes se desvanecían en los picos de las nevadas cordilleras. En las anfractuosidades[56] de la pendiente y junto a canteras de ricos mármoles, las flores rojas de las salvias[57], marchitas por la sequía, daban la nota triste y violenta de un agonizar desesperado bajo el esplendor del sol; y cuando volvíamos atrás la mirada, columbrábamos[58] apenas, entre las protuberancias de granito, la cinta glauca[59] del Mantaro, que brillaba por instantes como una placa de metal.

Caprichoso y tornadizo, el río, después de recorrer los campos de Jauja y Huancayo y desgarrar los Andes en el desfiladero de La Chanca, apartando la sierra de Marcavalle de las de Chupaca y Chongos, se desvía y ladea, perpendicular a su antiguo curso; se desliza manso, de occidente a oriente, en la quiebra de Izcuchaca, y circunda la península fluvial de Tayacaja como un delgado ceñidor de ópalo[60]; hasta que más allá de Conchán y de Máyoc[61] se enloquece y encrespa de nuevo, revuelve al norte, y como el venado andino, el *taruca* salvaje,

---

[54] *cañas bravas*: gramínea silvestre muy dura; *chilcos*: «(N.c.:*Baccaris lanceolata*) Arbusto propio de las tierras bajas, muy difundido en todo el país. Crece en las orillas de los ríos, sobre suelos arenosos» (Tauro); *capulíes*: «Árbol de ramas alargadas, hojas ovaladas alternas, flores pequeñas blancas y frutos globosos rojos. N.c.: *Prunus serotina*» (*DiPerú*).

[55] *apacheta*: «Cumbre de las cuestas altas, donde en tiempos antiguos ejecutaban los indios demostraciones de adoración y hacían ofrendas» (Tauro).

[56] *anfractuosidades*: «Cavidad sinuosa o irregular en la superficie de un terreno» (DRAE).

[57] *salvias*: arbusto de la familia de las Lamiáceas. N.c.: *Salvia officinalis*.

[58] *columbrábamos*: vislumbrar algo desde lejos algo, sin distinguirlo bien.

[59] *glauca*: «Verde claro» (DRAE).

[60] *ceñidor*: faja, correa, que ciñe el talle; *ópalo*: piedra fina de lustre resinoso; podría estarse refiriendo al *ópalo noble*: «El que es casi transparente, con juego interior de variados reflejos y bellísimos colores» (DRAE).

[61] *Máyoc*: «Población, provincia de Tayacaja, distrito de Máyoc» (Stiglich). Está en el departamento de Huancavelica.

corre velocísimo a sumirse en el inmenso Apurímac, entre las selvas impenetrables de la Montaña[62].

Toda esta hoya es un verdadero *pongo*[63], una de aquellas gigantescas y angostas vías de piedra, que bajan de la serranía a la región de los bosques[64]. Diríase que expresan con su violento diseño la intimación[65] imperiosa de la naturaleza para que el trabajo humano utilice y allane la trocha delineada por ella en las tremendas moles, y se cumpla así el primordial de los destinos patrios.

[62] *Montaña*: con la Costa y la Sierra, una de las tres regiones en que suele dividirse la geografía del Perú. Actualmente, es más usual llamarla *Selva*.

[63] *hoya*: llano rodeado de montañas; *pongo*: «Cañón, paso estrecho y abrupto entre dos altas montañas, por donde suele discurrir un río» (*DiPerú*).

[64] *la región de los bosques*: la Selva o Montaña.

[65] *intimación*: «Requerir, exigir el cumplimiento de algo, especialmente con autoridad o fuerza para obligar a hacerlo» (DRAE).

XV

PUCARÁ. PALLA HUARCUNA
(TRADICIÓN INDÍGENA).
LA CAMPIÑA DE HUANCAYO

En la puna que separa los valles de Izcuchaca y Huancayo, hay un repliegue[1] ocupado por los pueblos de Acostambo y Ñahuimpuquio[2]. Las casas de Acostambo asoman en el crestón de un cerro, dominando el estrecho camino que va por la media falda[3]. Son pocas, de pirca y sillar, algunas encaladas[4], y todas nuevas, porque el antiguo pueblo fue incendiado por la invasión chilena[5]. La iglesia, chica y humilde, aparece a la vera de la senda de herradura[6] más trillada.

[1] *puna*: terreno extenso, raso y yermo de las alturas de los Andes; *repliegue*: pliegue doble o irregular que se forma en un terreno.

[2] *Acostambo*: «Dista 3 leguas de Marcavalle, 8 de Huancayo y 62 de Lima» (Stiglich). Es la capital de la provincia de Tayacaja, departamento de Huancavelica; *Ñahuimpuquio*: pueblo de la provincia de Tayacaja, capital del distrito del mismo nombre (departamento de Huancavelica).

[3] *crestón*: «Parte superior de un filón o de una masa de rocas, cuando sobresale en la superficie del terreno» (DRAE); *media falda*: zona del cerro que está hacia la mitad del espacio entre el pie y la cima.

[4] *pirca*: muro de piedras unidas con barro; *sillar*: «Cada una de las piedras labradas, por lo común en forma de paralelepípedo rectángulo, que forma parte de una construcción de sillería» (DRAE). Con «de pirca y sillar», Riva-Agüero puede estarse refiriendo a la distinta calidad del labrado o de la uniformidad de las piedras; *encaladas*: recubiertas de cal.

[5] *invasión chilena*: la campaña del ejército chileno de ocupación en la Sierra peruana en 1882.

[6] *camino de herradura*: «El que es tan estrecho que solo pueden transitar caballerías [que están herradas], pero no carros» (DRAE).

Accostampu significa en quechua *tambo arenoso* o *posada de la arena*, por la composición arenisca de sus cercanías. Los incas construyeron en él grandes alojamientos y depósitos, como que era pascana imperial del itinerario. Fue encomienda[7] del conquistador y cronista Miguel de Astete, aquel que, según ya recordamos, derribó de las andas a Atahualpa en la emboscada de Cajamarca[8], y después obtuvo un tiempo el señorío de Curahuasi[9]. Sus habitantes hablan español; son indios altos y bien parecidos, muchos de calzón corto y montera[10]. Se hallaban, cuando pasé, en la cosecha de papas[11]. Sus sembríos y trigales se dilatan en una verde cuenca, entre cerros redondeados, desde el pueblo de Acostambo, que está al principio de la corta llanura, y el próximo caserío de Pamo, hasta más de media legua hacia el noroeste, remontando un arroyo. En tal dirección, acaba el llano con la aldea de Ñahuimpuquio, también reconstruida modernamente por haber sido quemada, como la anterior, cuando la guerra con Chile. Esta encañada andina es muy fría y ventosa, a causa de su elevación (3 700 metros). A la izquierda, se ven tierras anegadizas[12]. A la otra mano y al frente, los cebadales y quinuales[13, 14] tiraban ya por la estación al color amarillo pardo, uniformándose con el matiz de las laderas bajo el hondo y melancólico azul de la atmósfera. En los altos circunvecinos, hay extensos pastales y numerosas majadas[15]. Delante de las chozas,

[7] *pascana*: «Parada en un viaje; lugar donde los viajeros descansan o comen» (DRAE); *encomienda*: institución mediante la cual se asignaba a un señor, el encomendero, un grupo de indígenas para que lo sirvan y trabajen para él, con la obligación de este de instruirlos en la doctrina cristiana; localidad donde se encontraba la encomienda.

[8] *la emboscada de Cajamarca*: la captura del inca Atahualpa en Cajamarca del 16 de noviembre de 1532 por Francisco Pizarro y sus tropas. Riva-Agüero se refiere al soldado Miguel de Estete.

[9] «*Revista Histórica*, tomo 3°, trimestre IV»*.

[10] *calzón*: «Prenda de vestir con dos perneras, que cubre el cuerpo desde la cintura hasta una altura variable de los muslos» (DRAE); *montera*: «*montero*: Prenda para abrigo de la cabeza, que generalmente se hace de paño y tiene varias hechuras, según el uso de cada provincia» (DRAE).

[11] *papas*: patatas.

[12] *anegadizas*: que se anegan (inundan) constantemente.

[13] *quinuales*: «Campo sembrado de quinua» (*DiPerú*).

[14] quinales BIRA

[15] *majadas*: «Lugar donde se recoge de noche el ganado y se albergan los pastores» (DRAE).

se helaba el chuño[16]; el riachuelo corría escaso; y en el fondo, la sierra de Marcavalle relucía firme y escueta bajo el radiante sol de invierno.

Ñahuimpuquiu quiere decir *el manantial de los ojos* o *la fuente del mirar*; y así se llama por una vena[17] abundante y perenne de agua muy delgada y pura, que brota en la rinconada de los cerros, entre totoras y breñas[18] musgosas, y en cuya viva limpidez creyeron percibir los indios gentiles la expresión de una mirada humana. Rumbo al este, sube el camino para el pueblo de Tongos[19]. Por aquel lado, parece que subsisten algunos restos de la calzada incaica. El vallecito de Acostambo se cierra en Ñahuimpuquio; y luego, por tres leguas, recorrimos los oteros[20] de icho[21] que se unen al ramal de Marcavalle, hasta llegar al caserío del mismo nombre[22], junto a la quebrada y estancia de Challhuas.[23]Es lindero entre los departamentos de Huancavelica y Junín.

Al oriente, hay una hondonada con varios cultivos. Doblamos a la izquierda, y en un repecho, hallamos el tambo[24] y las escasas viviendas de Marcavalle. Allí nos detuvimos a almorzar. Un puquio[25] caudaloso fertiliza la ladera, y alimenta algunas acacias y otros árboles. De esta explanada, como de un balcón, se contempla la hermosísima perspectiva de la gran campiña, que tiene de fondo, hasta Jauja, más de catorce leguas. La vista, acostumbrada por tantos días a la opresión

---

[16] *chuño*: «Papa [patata] deshidratada, secada al sol, al frío y al aire» (*DiPerú*).

[17] *vena*: «Conducto natural por donde circula el agua en las entrañas de la tierra» (DRAE).

[18] *rinconada*: ángulo entrante que se forma en la unión de dos montes; *breñas*: «Tierra quebrada entre peñas y poblada de maleza» (DRAE).

[19] *Tongos*: «Caserío y fundo cañavelero, provincia de Tayacaja, distrito de Locroja. Está a 2 leguas al SE de Pazos. Es lugar de clima templado. Hay también un pueblo Tongos en Huaripampa, con 970 habs.» (Stiglich).

[20] otros BIRA

[21] *oteros*: «Cerro aislado que domina un llano» (DRAE); *icho*: «Planta gramínea, con tallos herbáceos que nacen del suelo, con entrenudos pilosos y hojas rígidas y erectas de color amarillento, que crece silvestre en la puna [tierra alta andina] y sirve de pasto a los camélidos. N.c. *Stipa ichu*» (*DiPerú*).

[22] *caserío del mismo nombre*: «*Marcavalle*: Caserío [departamento de Huancavelica], provincia de Tayacaja, distrito de Surcubamba» (Stiglich).

[23] *Challhuas*: «*Chalhuas Primera y Segunda*: Haciendas [departamento de Huancavelica], provincia de Tayacaja, distrito de Pampas» (Stiglich).

[24] *repecho*: «Cuesta bastante pendiente y no larga» (DRAE); *tambo*: «Albergue en los caminos, a la distancia justa para descanso tras una jornada de viaje» (*DiPerú*).

[25] *almorzar*: comer, tomar la comida de mitad de jornada; *puquio*: manantial.

de los cerros, a la estrechez y agolpamiento de los horizontes serranos, se espacia deliciosamente en aquel despejado panorama, de espléndida fecundidad. Adviértense ya el movimiento y la animación que denuncian la cercanía de una comarca próspera[26] y de un ferrocarril. Pasa un tropel de jinetes caminantes, que saludan tocándose los anchos sombreros de paja. En la puerta de la fonda hacen alto un destacamento de gendarmes y un grupo de oficiales del Estado Mayor, que marcha por la vía del Cuzco en viaje de estudio. Para la feria semanal de Huancayo[27], van las cargas en largas hileras de burros y llamas. De las gramosas punas[28], desciende un apiñado rebaño de carneros. Avanzaba albo y fluctuante, como una oleada espumosa; y mientras comíamos, lo vimos aproximarse con agitada y osciladora lentitud. Desfiló ante la posada, y se perdió cuesta abajo, entre balidos temblorosos de las ovejas, traviesas carreras de las cabras, y el restallar de los chicotes de los pastores. Más allá, cerca de Pucará y la llanura, una recua[29] de mulas trotaba, como nimbada[30] por un polvillo de oro.

Este lugar de Marcavalle es histórico por un encuentro de la última guerra nacional. Aquí, el domingo 9 de julio de 1882, derrotó Cáceres[31] al batallón chileno *Santiago*; al propio tiempo que los guerrilleros indios, armados con hondas y rejones, destrozaban en Concepción[32] a

[26] próxima BIRA

[27] *Huancayo*: capital del distrito, de la provincia y del departamento homónimos. «Está a 3340 m. Dista 22 leguas de Acobamba» (Stiglich).

[28] *gramosas*: cubiertas de grama, hierba menuda; *punas*: tierras altas, extensas y yermas de los Andes.

[29] *chicotes*: látigos; *Pucará*: ciudad y distrito del mismo nombre, provincia de Huancayo, departamento de Junín. La ciudad está a 12 km de Huancayo y a 3 340 m sobre el nivel del mar; *recua*: conjunto de animales de carga.

[30] *nimbada*: aureolada.

[31] *guerra nacional*: la guerra del Pacífico o guerra con Chile o guerra del Salitre (1879-1884). Invadida Lima en enero de 1881, el ejército chileno ocupó zonas de la Sierra peruana. Encontró la resistencia de los remanentes del ejército peruano y las tropas irregulares de pobladores nativos, ambos comandados por el mariscal Andrés A. Cáceres; *Cáceres*: Andrés Avelino Cáceres Dorregaray (Ayacucho, 1833-Ancón, 1923), militar, presidente del Perú en 1885, de 1886 a 1890 y de 1894 a 1895. Líder de la resistencia contra el ejército chileno de ocupación en la llamada campaña de la Breña o campaña de la Sierra (1881-1884), última etapa de la guerra del Pacífico.

[32] *rejones*: «Barra de hierro cortante que remata en punta» (DRAE); *Concepción*: capital de distrito y distrito de la provincia de Jauja, departamento de Junín. «Está a 50 leguas de Lima, 6 de Jauja y 39 de Cerro de Pasco» (Stiglich).

otras fuerzas chilenas. Consecuencia de tales combates, fue la reconquista de Huancayo y algunas más provincias del Centro.

Se baja a Pucará del Mantaro por una cuesta muy parada[33], de legua y media. El pueblo de Pucará (que en quechua es *fortaleza*) presenció otra honrosa función de armas, en la primera campaña de la Breña[34]: el rechazo del coronel chileno Estanislao del Canto, después de cinco horas de pelea, por las tropas de Cáceres y sus auxiliares indígenas de Junín, Huancavelica y Ayacucho, el 5 de febrero de 1882. Está situada la población sobre una colina terrosa y al pie de un cerro en cuya cumbre existen las ruinas incaicas de *Llama Machay*. Tendrá cosa de dos mil habitantes. Entre arbustos y tapiales, sobre las casitas de tejas y de ligeros antepechos[35], se alza la cuadrada torre de la iglesia campesina. Desde Pucará principian propiamente los llanos de Huancayo, con sus vastos sembríos de trigo y maíz. Colocada la villa en altura, encima del collado dicho, a la falda de la sierra de Marcavalle, y junto a la profunda garganta de un arroyo que viene desde los nevados de Azapara[36], se halla encumbrada como en una galería o púlpito muy galano. De su plazoleta y la salida de sus callejuelas se miran, ya con mucha más claridad que de Marcavalle, los dilatados campos, las chacras[37] y las frondosas arboledas que atraviesa el Mantaro; y entre la verdura se descubren los caseríos de tan poblada región, que no serán menos de cuarenta. Es una alfombra multicolor, que hacia el norte se pierde de vista en blancas y azules lontananzas, y que a ambos lados limitan, a distancia de tres y cuatro leguas, los contornos de dos cadenas de cerros, todo encendido de luz radiante.

Pero aun cerca de esta serena hermosura del paisaje, el alma india ha localizado una de sus inspiraciones más poéticamente lúgubres.

[33] *Mantaro*: río que nace en el lago Junín y recorre longitudinalmente la cordillera de los Andes. Baña el valle más extenso de la zona, donde se asientan Huancayo, Tarma y Jauja, entre otras localidades; *parada*: recta, derecha.

[34] *campaña de la Breña*: campaña de la Breña o de la Sierra (1881-1884), última etapa de la guerra del Pacífico (1879-1884).

[35] *tapiales*: «Trozo de pared que se hace con tierra amasada» (DRAE); *antepechos*: «Pretil o baranda que se coloca en lugar alto para poder asomarse sin peligro de caer» (DRAE).

[36] *Azapara*: pico que se encuentra en el distrito de San Marcos de Rocchac, departamento de Huancavelica, provincia de Tayacaja, en el límite entre los departamentos de Junín y Huancavelica.

[37] *chacras*: terrenos de cultivo.

Cuatro leguas antes de Huancayo, entre Marcavalle y Pucara[38], y los arroyos de Upia Huanca y Jatumpuquio, hay un paraje denominado Palla Huarcuna (*la palla ahorcada* o *la horca de la princesa*). En él, una peña ofrece vagas semejanzas con el perfil de una mujer adornada con collar y diadema de plumas. Los naturales referían a ella cierta tradición que don Ricardo Palma[39] recogió en 1860 y consignó en el primer libro de las suyas[40]. Siguiendo las huellas del maestro, vamos aquí a reproducirla y ampliarla.

Palla Huarcuna. Leyenda incaica[41].

Por los años de 1450, marchando a la conquista de Quito[42], Túpac Yupanqui se detuvo en el gran tambo de Izcuchaca[43]. El crecido ejército, en toda la quebrada de Ancash Yacu, acampó bajo blancas tiendas de algodón. El soberano, con sus mujeres, se aposentó en el palacio, compuesto por salas de cantería[44] muy pulida, con techumbre y cornisas exteriores almagradas[45] de barniz rojo y luciente, y azoteas y escaleras de piedra. Las puertas trapeciales, atestadas de guardianes y *camayos*[46], se cubrieron con pieles de animales raros y cortinas de finísimo *cumpi*[47]. Decoraban el interior tapetes mullidos, hechos de

---

[38] Pucará BIRA.

[39] *Ricardo Palma*: (Lima, 1833-1919), escritor, director de la Biblioteca Nacional del Perú. Autor de las apreciadas *Tradiciones peruanas*: la primera serie, de 1869; la última, de 1914 (Tauro).

[40] Palma, *Tradiciones peruanas, Primera serie*, pp. 67-70.

[41] Se omite el título: BIRA.

[42] *Quito*: capital del Ecuador actual.

[43] *tambo*: «Albergue en los caminos, a la distancia justa para descanso tras una jornada de viaje» (*DiPerú*); *Izcuchaca*: capital del distrito de Conaica, provincia de Huancavelica, departamento de Huancavelica, donde se encuentra el célebre puente de mampostería.

[44] *cantería*: «Obra hecha de piedra labrada» (DRAE).

[45] *cornisas*: «Parte superior del cornisamento (conjunto de molduras que coronan un edificio)» (DRAE); *almagradas*: «Teñir de almagre (óxido rojo de hierro, más o menos arcilloso, abundante en la naturaleza, y que suele emplearse en la pintura)» (DRAE).

[46] *trapeciales*: con forma de trapecio; *camayos*: «*-kamayoj*: Oficial, mayordomo» (Rosat).

[47] *cumpi*: «*qompi, q'ompi*: Tejido fino, especie de tapiz, hecho con hilo fino y con muchos ornamentos, solo usado por los incas, los nobles, capitanes, etc.» (Rosat).

alas de murciélago; mantas polícromas, de telas de vicuña[48] con dibujos de grecas, rollos y aspas, y en cuyas cenefas[49] aparecían pintados grupos de caciques y combatientes; braseros de oro, en que ardían hierbas olorosas, gomas y resinas de las selvas vírgenes, y sahumerio de pájaros pulverizados; petacas[50] tejidas de gruesas raíces de la Montaña[51]; pequeños espejos mujeriles, de bruñida plata; tinajas refulgentes con esmaltes y calados; vasos de intrincada ornamentación, copones y vajilla toda de metales preciosos y formas desmesuradas y fantásticas, algunas de las cuales remedaban en bulto niños, llamas y cóndores; resplandecientes escabeles[52]; y bancos bajos con espaldares cóncavos, repujados[53] a imitación de colas de aves y de[54] monstruos marinos. Vistieron los muros planchas portátiles de oro, con incrustaciones de pedrerías y relieves de figuras humanas, dragones, árboles y animales mitológicos; y en las múltiples y simétricas hornacinas[55] cuadrangulares, deslumbraba el áureo reflejo de los ídolos gigantes y de las *aquillas,* enormes cántaros labrados por los más hábiles joyeros de la provincia Chimu. Algunos aposentos estaban enjalbegados[56] de un estuco blan-

[48] *vicuña*: camélido americano de cuyo pelo se hace una lana muy fina y apreciada.

[49] *grecas*: «Adorno consistente en una faja más o menos ancha en que se repite la misma combinación de elementos decorativos, y especialmente la compuesta por líneas que forman ángulos rectos» (DRAE); *cenefas*: «Faja ornamentada, sobre todo si va en un borde» (Fatás-Borrás).

[50] *sahumerio*: «Humo que produce una materia aromática que se echa en el fuego para sahumar» (DRAE); *petacas*: arcas.

[51] *Montaña*: con la Costa y la Sierra, una de las tres regiones naturales en la que suele dividirse la geografía del Perú. Actualmente, es más frecuente decirle *Selva*.

[52] *llamas*: auquénido americano; es frecuente su uso como bestia de carga; *cóndores*: aves grandes y de extensa envergadura típicas de la zona andina; *escabeles*: «Tarima pequeña que se pone delante de la silla para que descansen los pies de quien está sentado» (DRAE).

[53] *repujados*: «Labrar a martillo chapas metálicas, de modo que en una de sus caras resulten figuras de relieve, o hacerlas resaltar en cuero u otra materia adecuada» (DRAE).

[54] Se omite la preposición: BIRA.

[55] *hornacinas*: huecos o nichos generalmente practicados en un muro y destinados a recibir una estatua, etc.

[56] *Chimu*: «*Chimú*: Señorío o reino, que en los tiempos prehispánicos se extendió a lo largo del litoral [peruano], entre los 5° y 11° de latitud S» (Tauro); *enjalbegados*: «Blanquear las paredes con cal, yeso o tierra blanca» (DRAE).

co, brillante e inmaculado como la nieve; y remataban en bóvedas superpuestas, a semejanza de campanas, última y admirada innovación de la arquitectura incaica[57]. El patio mayor tenía en el centro el estanque para el baño exclusivo del inca, forrado, como sus[58]gradas, con chapas de plata, y con un caño[59] de agua fría y otro de las próximas fuentes termales. Se agolpaban en los corredores los dignatarios: auquis, huamincas, apus, sinchis, aucacamayos y curacas[60]; y en la galería que miraba al jardín imperial, colocaron la *tiana* o trono, para las audiencias ordinarias. Los edificios circunvecinos se destinaban a la recámara[61] y servidumbre particular del monarca; y más allá de los grandes almacenes permanentes, comenzaban los reales[62] de las tropas, que en la estrechura sinuosa del valle tomaban dos leguas de largo. Se asentaba, en primer término, la legión noble de los incas u orejones, que usaba anchos turbantes (*llautos*), redondos y embutidos zarcillos[63] de oro, cascos[64] y mazas de cobre y sandalias muy adornadas, y llevaba

[57] «Consúltese la descripción que trae Jerez del análogo palacete campestre en Cajamarca»*, «[…] y el otro cuarto frontero es de cuatro bóvedas, redondas como campanas todas cuatro incorporadas en una; este es encalado, blanco como la nieve» (Jerez, *Relación,* pp. 64-65.)

[58] en BIRA.

[59] *chapas*: hojas o láminas de metal; *caño*: chorro de agua.

[60] *auquis*: «En el imperio incaico, jóvenes de sangre real. Se daba el título a los hijos segundos del inca, así como a los de sus parientes por línea masculina. Al casarse, cambiaban el apelativo por el de *inca*» (Tauro); *huamincas*: «*wamink'a, waminka*: capitán famoso, jefe legendario, guerrero, combatiente, veterano, campeón, caudillo» (Rosat); *apus*: «Título honorífico para los más altos dignatarios del imperio: los grandes señores (especie de virreyes, encargados de los cuatro suyus), los curacas principales y los jueces superiores» (Rosat); *sinchis*: «*sinchi-kuna*: Guerreros, militares; jefes guerreros durante el incanato» (Rosat); *aucacamayos*: «[…] hombres valientes, soldados de guerra *aucacamayoc*, que son de edad de 33 años, desde que entraban [de] 25 años y salían de 50 años» (Huamán Poma, *Nueva crónica y buen gobierno,* capítulo 9, p. 73); *curacas*: caciques.

[61] *recámara*: «Cuarto después de la cámara, o habitación principal, destinado para guardar los vestidos o alhajas» (DRAE). En el texto, 'conjunto de vestidos y alhajas del soberano', que se guarda en un edificio o en varios, como los destinados a la servidumbre particular.

[62] *reales*: campamento de un ejército.

[63] *zarcillos*: aretes, pendientes.

[64] *cascos*: omitido en BIRA.

consigo el supremo simulacro del dios Ppúnchau[65, 66] y la sagrada piedra del cerro Huanacauri. Venían después, por su orden, los canchis[67], ceñidas las frentes con listas rojas y negras; los canas y collas, con monteras[68] de lana; los cuntis, chancas, charcas, tucmas y chilis[69], todos con gorros distintos, largas picas, banderas, paveses inmensos, y libreas de colores a modo de escaques[70]; los huancas, con barboquejos y trenzados los cabellos[71]; los antis y chunchos[72], con flechas emponzoñadas y

[65] *simulacro*: «Imagen hecha a semejanza de alguien o algo, especialmente sagrada» (DRAE); *Ppúnchau*: «*P'unchay inka, P'unchaw*: El dios Sol o bien su ídolo de oro, representado como un niño de ocho a diez años adornado como el Sapa inca (el inca único)» (Rosat).

[66] Ppunchau BIRA.

[67] *Huanacauri*: también escrito *Huanacaure*; cerro al S de la ciudad del Cuzco, a 4 100 m sobre el nivel del mar. Está vinculado a dos leyendas fundadoras del Cuzco y el imperio incaico: la de Manco Cápac y Mama Ocllo, y la de los hermanos Ayar; *canchis*: «*qanchis*: Tribu libre al S del Cuzco en tiempos del inca Ruka» (Rosat).

[68] *canas*: habitantes de Canas, actual provincia del departamento del Cuzco. «Situada sobre la cadena central [de los Andes], llegando a las márgenes del Apurímac y a la cadena del Collao» (Tauro); *collas*: «Perteneciente a la antigua nación de los *collas*; nativo de la región del Collao [al S del Cuzco, incluye al departamento de Puno y a una parte de Bolivia], donde antiguamente habitaron los *collas*» (Tauro); *monteras*: «*montero*: Prenda para abrigo de la cabeza, que generalmente se hace de paño y tiene varias hechuras, según el uso de cada provincia» (DRAE).

[69] *cuntis*: habitantes del Cuntisuyo, «provincia del imperio incaico situada hacia el poniente. Abarcaba las tierras altas que separan al Cuzco del mar» (Tauro); *chancas*: etnia que ocupó en épocas incaicas y preincaicas el territorio de los actuales departamentos de Ayacucho, Huancavelica y Apurímac; *charcas*: etnia que habitaba el S de la actual Bolivia. Dio el nombre a la Audiencia de Charcas de la época virreinal; *tucmas*: «*tujma*: Estado sometido al Tawantinsuyu, en el Qollasuyu, bajo el reinado del inca Wiraqocha. Ahora Tucumán (Argentina). En origen Tujman(i) o Tukman(i), frontera S del imperio» (Rosat); *chilis*: habitantes de las tierras ubicadas al S del desierto de Atacama.

[70] *picas*: lanza larga con un hierro pequeño y agudo en el extremo superior, usada por los infantes; *paveses*: «Escudo oblongo y de suficiente tamaño para cubrir casi todo el cuerpo del combatiente» (DRAE); *libreas*: «Traje que los príncipes, señores y algunas otras personas dan a sus criados, por lo común, uniforme y con distintivos» (DRAE); *escaques*: con diseños en cuadrados, como los tableros del ajedrez y las damas.

[71] trenzados los cabellos: los cabellos trenzados BIRA.

[72] *huancas*: «*wanka*: Población del Chinchaysuyu [al N del Cuzco], sometida por Pachakútej» (Rosat). La etnia huanca ocupó el valle del Mantaro, en la

los rostros pintados; y los chinchas y yungas[73, 74] con hondas (*huaracas*), jubones y rodelas [75]de algodón, mantos[76] como rebozos[77] y extravagantes máscaras.

Habían acabado ya las extáticas aclamaciones de los habitantes comarcanos, las ceremonias de la visita, y las adoraciones e informes de los gobernadores y quipocamayos lugareños; y una noche[78], el ejército descansaba. En el alto firmamento de la sierra, fulgían las estrellas, lejanísimas. En los intervalos de las divisiones (*suyus*) y de los millares (*huarancas*), reposaban rumiando innumerables recuas de llamas[79]. El aire agitaba los toldos y las flámulas[80] del campamento. Algunas

zona de Huancayo, Jauja y Tarma; *barboquejos*: «Cinta o correa que sujeta una prenda de cabeza por debajo de la barbilla» (DRAE); *antis*: Habitantes del *Anti*: «Oriente, este; cordillera y toda la región al E del Cuzco» (Rosat); *chunchos*: «Denominación aplicada a los pueblos que habitan la Selva y cuya actitud se supone inamistosa. Parece derivar del quechua, pues así llamaron los incas a las gentes del Antisuyo cuando se hallaban en guerra» (Tauro).

[73] *emponzoñadas*: envenenadas; *chinchas*: habitantes de Chincha, valle al S de Lima, en el actual departamento de Ica. «Los chinchas opusieron alguna resistencia a la dominación del inca, porque veneraban al mar y juzgaban que la provisión de peces era un don más precioso que la luz y el calor solares [representados por el inca, hijo del dios Sol]» (Tauro); *yungas*: «*yunnqha*: Pueblo primitivo, con su propia cultura e idioma, que ocupó el litoral peruano central, expandiéndose con el tiempo por las quebradas semicálidas de los Andes; luego así se llamaron los llanos de la Costa y las vegas cálidas de las vertientes orientales de los Andes, y también sus habitantes» (Rosat).

[74] chinchas y yungas: chinchas yungas BIRA.

[75] rodeles BIRA.

[76] mantas BIRA.

[77] *jubones*: «Vestidura que cubría desde los hombros hasta la cintura, ceñida y ajustada al cuerpo» (DRAE); *rodelas*: «Escudo redondo y delgado que, embrazado en el brazo izquierdo, cubría el pecho al que se servía de él peleando con la espada» (DRAE); *rebozos*: cubrirse el rostro con la capa o el manto.

[78] *quipocamayos*: «(que. 'contador por nudos') Funcionario incaico al cual estaba encargada la tarea de componer, conservar y descifrar los *quipus* (instrumento mnemotécnico empleado por los incas para llevar la cuenta de los tributos, la estadística demográfica etc.)» (Tauro); *una noche*: al llegar la noche. La expresión remite a la leyenda o al cuento tradicional.

[79] *recua*: conjunto de animales de carga; *llamas*: tipo de auquénido andino usado como bestia de carga.

[80] *flámulas*: «Una cierta forma de bandera pequeña, que por estar cortada en los remates a forma de llamas torcidas, le dieron este nombre» (Covarrubias).

fogatas hacían relucir las lanzas de *champi*[81], fijas en las puertas de las tiendas; y apenas turbaba el silencio el eco gemidor y ahogado de una quena o de una antara[82]. Cuando de pronto, inexplicable en esta calma profunda y en esta provincia tan pacificada y central, resonó extrañamente la gran trompeta de alarma, el *churu*[83] de retorcido caracol. A la señal, respondieron con estruendo los cuernos y los tambores. En el tumulto, las voces de los jefes despertaron y alinearon a sus hombres sobresaltados. Aquietada un tanto la confusión imprevista, se vino a averiguar la causa: la mamacona[84] de servicio había advertido en el serrallo del inca la ausencia de la concubina favorita. En vano se registraron todos los compartimentos y dependencias del palacio y los depósitos; y se escudriñaron los cuarteles del real y los sitios inmediatos. Entonces, a más de medianoche, encendieron hogueras de aviso en las cumbres; despacharon exploradores en diversas direcciones; y enviaron chasquis[85] que a toda prisa comunicaran a las regiones vecinas el inaudito sacrilegio y la orden de buscar y detener a la fugitiva.

Era esta una de las cautivas de la última campaña, en que habían sido sojuzgados los territorios de Chachapoyas y Moyobamba[86]. La singular belleza de la prisionera hizo que la reservaran para el soberano.

---

[81] *champi*: «*champi, ch'ampi*: Metal que resulta de la aleación de bronce y oro, del temple de acero» (Rosat).

[82] *quena*: flauta andina; *antara*: «O flauta de Pan. Compuesta por una fila de tres a quince tubos, cuyas longitudes eran determinadas por el tono deseado. Podía ser de cerámica o de caña hueca» (Tauro).

[83] *churu*: «*ch'uru, churu*: Una especie de caracol usada como bocina» (Rosat).

[84] *mamacona*: «*mamakuna*: Mujeres ancianas envejecidas en las *ajlla-wasi* (conventos de estricta clausura) al servicio del Sol como *ajllakuna* (vírgenes o vestales consagradas al culto del Sol o bien destinadas al inca o a sus dignatarios). Ellas educaban y vigilaban a las jóvenes» (Rosat).

[85] *chasquis*: «Mensajero, correo de a pie, de los incas» (Rosat).

[86] *Chachapoyas*: capital del departamento de Amazonas, en el NE del Perú y nombre de una etnia de cultura muy característica, que ocupó el valle del río Utcubamba y las alturas de este. Los chachapoyas ofrecieron resistencia a los incas: «Intimados por Túpac inca Yupanqui, ofrecieron porfiada resistencia a sus ejércitos; pero optaron por someterse, cuando ya había sido ganada la mayor parte de su provincia» (Tauro); *Moyobamba*: provincia, capital de distrito y capital del departamento de San Martín, en el actual oriente peruano. «Moyobamba fue incorporada al imperio [incaico] por Túpac inca Yupanqui, tras de vencer la porfiada resistencia que le opusieron sus habitantes, incitados por las condiciones naturales de la región» (Tauro).

De tez ambarina[87], como tantas de sus comprovincianas, recibió por su relativa blancura el título elogioso y metafórico de *Mama Runtu*[88], con que designaban a las menos morenas de las esposas y concubinas imperiales. Ceñida y fajada la saya sedosa; las ropas, de preciado *ancallu*[89] y de entretejida plumería tornasol, recamadas[90] con las cuentas y brocados de chaquira de oro y plata; abultados los brazos y piernas por braceletes[91] caprichosos y apretados, numerosísimas ajorcas y sartas de cascabeles, según los extraños cánones de la estética femenil aborigen[92]; arreboladas las mejillas con el *llimpi*[93]; cubierta de infinitas joyas y coronada de turquesas y esmeraldas; suntuosa y relumbrante como un ídolo, macerada en perfumes, flexible como un junco; libre, viva y desenvuelta, como que era hija de los cálidos bosques, su hermosura eclipsó la de las otras mujeres, y sedujo los sentidos y el corazón de Túpac Yupanqui. Resaltaba marfilina y clara sobre el regio coro de sus compañeras, cetrinas unas como la fruta de los lúcumos[94], doradas otras como la flor amarilla de los amancaes, algunas leonadas, como el tusón de las vicuñas[95]; obscuras las de la Costa y los valles tropicales, como estatuas de bronce. La cautiva del norte encantó y triunfó en los severos palacios incaicos. La ensalzaron los poetas *harahuicus*[96]; para ella

---

[87] *ambarina*: color semejante al del ámbar amarillo.

[88] *Mama Runtu*: «*Runtu*: Huevo. Cualquier cosa parecida al huevo: piedra, granizo, etc.» (Rosat).

[89] *saya*: falda; *ancallu*: «*anqallu*: Antigua túnica de mujer, muy fina y vistosa, para ceremonias» (Rosat).

[90] *recamadas*: «Bordado de realce» (DRAE).

[91] *braceletes*: brazaletes (CORDE).

[92] «Puede verse a este respecto lo que dice el padre Morúa, en el libro primero de su *Historia y genealogía de los incas*, que comenzó a publicar en 1911 don Manuel González de la Rosa»*. Morúa, *Los orígenes de los inkas,* libro primero, capítulo XIX, p. 27.

[93] *arreboladas*: «Poner de color de arrebol (color rojo de las nubes iluminadas por los rayos del sol)» (DRAE);*llimpi*: «*llimp'i, llimpi*: Bermellón» (Rosat)

[94] *cetrinas*: «Dicho de un color: amarillo verdoso» (DRAE); *la fruta de los lúcumos*: de color pardo marrón.

[95] *amancaes*: «*amancay*: Hierba anual, con bulbos blancos, de tallo subterráneo, hojas lanceoladas a modo de cintas y flores terminales de un amarillo intenso. N.c.: *Ismene amancaes*» (DiPerú); *leonadas*: «De color rubio oscuro, semejante al del pelo del león» (DRAE); *tusón*: «Vellón de la oveja o del carnero» (DRAE); *vicuñas*: camélidos americanos, de lana muy fina y apreciada.

[96] *harauicus*: «*arawikoj, arawiku, arawej*: Poeta, trovador. El que compone, recita o canta *arawikuna* [poemas, canciones]» (Rosat).

consultaron en los astros presagios venturosos los sacerdotes y amautas[97]; y en su honor los bufones extremaron los acertijos y donaires[98]. Pero el tedio solemne del serrallo la oprimía. Se sentía extraña, aislada contra los celos de las preteridas[99]; amedrentada ante las desdeñosas, altivas y taciturnas princesas quechuas de estirpe solar, y la innata melancolía de las demás *pallas*[100, 101] serranas. Solo congeniaba con algunas alegres yungas[102], traídas de las ardientes playas del setentrión[103], lascivas y burlonas, envueltas en mantas multicolores, todas depiladas y ungidas de aromas, y allí tan exóticas y desterradas como ella. Reconoció por acaso, en el gran patio del Cuzco, a un curaca[104] de su tierra, recién venido a la obligatoria temporada en la corte; le habló; recordaron ambos las dulzuras del suelo natal; y, como la Sulamita bíblica o la Cusi Coyllur[105] del *Ollanta*, prefirió el cariño del joven compatriota a los halagos del amo omnipotente. Ya no soñaba sino en huir de la helada y dura Sierra, de los graves esplendores y la sombría disciplina imperial, y refugiarse con su prometido amante más allá aún de las comarcas nativas, en las espesuras fragantes y fabulosas, en las selvas impenetrables, exentas del yugo cuzqueño. Cuando supo que ella y el curaca serían[106] de la jornada al Cañar y Tomebamba[107], se exaltó hasta enloquecer, imaginando fácil la fuga en las peripecias del viaje y de la guerra. Comunicó el designio al intrépido cacique de Moyobamba y le arrancó su aceptación, deslumbrándolo y fascinándolo con protestas

---

[97] *amautas*: «*amawt(')a*: Sabio, filósofo en el incanato» (Rosat).

[98] *donaires*: «Chiste o dicho gracioso y agudo» (DRAE).

[99] *preteridas*: excluidas; *preterir*: «Omitir en la institución de herederos a los que son forzosos, sin desheredarlos expresamente en el testamento» (DRAE).

[100] *pallas*: «Dama de honor de la *qoya* (reina). Mujer provecta de la nobleza incaica. Princesa. Hija del inca. Esposa de un dignatario» (Rosat).

[101] pallas BIRA.

[102] *yungas*: costeñas.

[103] septentrión BIRA.

[104] *curaca*: cacique.

[105] *la Sulamita bíblica*: amada del Cantar de los cantares, poema amoroso del Antiguo Testamento; *Cusi Coyllur*: amada del general Ollanta, protagonista del *Ollantay*, drama incaico.

[106] *serían*: serían parte de, integrarían.

[107] *jornada*: «Expedición militar» (DRAE); *Cañar*: «*Cañaris*: Provincia septentrional, incorporada al imperio incaico bajo el reinado de Túpac Yupanqui, y dotada por este con la edificación de Tumipampa a fin de premiar su pacífico vasallaje» (Tauro). Ocupaban parte del Ecuador actual; *Tomebamba*: Tumipampa.

amorosas, y amenazándolo con delatarlo y perderlo si se negaba. En el camino, combinó el plan de evasión; y temerosa de que recayeran sospechas en su trato, se dedicó a ponerlo por obra no bien llegados a Izcuchaca[108].

Aprovecharon los cómplices la confianza general y el bullicio del campamento al caer la noche; y burlando la vigilancia de los guardias, ganaron los cerros de Acostambo[109]. Se apartaron de las aldeas, indicadas en el horizonte nocturno por los fuegos domésticos; y treparon por los senderos de pastores, entre las breñas[110] más agrias. Quizá se proponían torcer luego al oriente, y salvarse en las intrincadas florestas y ciénagas de Chanchamayo[111] y Rupa Rupa[112]; o continuar al norte, y a través de Huánuco, todavía mal domado, seguir, el Huallaga[113] abajo, la legendaria ruta de Uscohuillca y suscitar una insurrección de frontera, como la reciente de Ollanta[114]en

[108] *Izcuchaca*: en Conaica, actual Huancavelica.

[109] *Acostambo*: hacia el N de Izcuchaca.

[110] *breñas*: «Tierra quebrada entre peñas y poblada de maleza» (DRAE).

[111] *Chanchamayo*: «Distrito de la provincia de Tarma [del departamento de Junín], capital La Merced de Chanchamayo. Está a 775 m de elevación. Dista 15 leguas de Tarma» (Stiglich).

[112] «En la geografía incaica, la denominación de Rupa Rupa corresponde a las regiones del Pozuzo y el Pachitea»*. «*Rupha Rupha:* Zona climatológica, al E, propia de la Selva Alta o Ceja de Selva, de 400 a 1000 m, de gran variedad de vida vegetal y animal» (Rosat).

[113] *Huánuco*: departamento de la Sierra y la Ceja de Selva del centro norte del Perú; *Huallaga*: «Río formado por la confluencia del Huariaca y el Yanahuanca, en las inmediaciones del pueblo de Ambo, departamento de Huánuco. Tras de recorrer 1 100 km, afluye en el Marañón por la margen derecha» (Tauro).

[114] *Uscohuillca*: mítico jefe chanca. «*Usku Willka:* Un adalid de los chankakuna, cuya momia se convirtió en wak'a» (Rosat); *Ollanta*: en el drama *Ollantay*, refundición de la época virreinal de relatos orales quechuas, se narra la historia del general Ollanta. El drama «presenta la historia de un guerrero, que al servicio del inca Pachacútec, ha conducido los ejércitos a numerosos triunfos, ha sido distinguido con el *champi* [arma antigua, compuesta por un asta que terminaba en una estrella o una bola de piedra o cobre] y el casco de oro, y ha merecido que se le confíe el gobierno de la provincia de los Antis [el Antisuyo, provincia oriental del imperio incaico]; pero aún pide al inca que lo eleve más, y le solicita autorización para unir su destino a Cusi Coyllur, su hija. Pachacútec recuerda a Olllántay su humilde origen, e inmediatamente ordena su prisión y la reclusión de la *ñusta* [princesa incaica] en la Acllahuasi [casa de las vírgenes del Sol]; pero el guerrero escapa del Cuzco, subleva a los andícolas y durante varios años combate victoriosamente contra las fuerzas del inca, dirigidas por Rumiñahui» (Tauro).

el Antisuyu.[115]Mas, pasado el primer momento de consternado estupor, la persecución de los servidores del inca fue tenaz y activísima, a la luz de un sinnúmero de antorchas. Con la prisa y avidez por la captura, y lo incierto del rumbo de los fugitivos, mientras unos destacamentos cruzaban el río por el puente de criznejas[116], otros lo remontaban o lo surcaban en diversos parajes nadando sobre redes de calabazas. A punto de amanecer, lograron dar alcance al curaca y la palla[117], traspuesta la cordillera, cerca ya de los manantiales y el pueblo de Huayucachi[118, 119] y algo adelante del riachuelo de Upia Huanca[120].

Llevaba el curaca un arco muy alto, de durísima chonta[121], cuyas flechas tenían harpones[122, 123] de agudo pedernal, untados en veneno; y cuando oyó la grita de los primeros corredores[124] que lo avistaban, se detuvo, echó al hombro izquierdo la amplia yacolla[125] que vestía, colocó a la princesa a sus espaldas para cubrirla de los tiros arrojadizos[126],y comenzó a asaetear con feroz denuedo. Su misma compañera lo ayudaba con el carcaj[127]. Cayeron en los riscos algunos asaltantes. Entonces se levantó una terrible vocería, y redobló el *huáncar*[128] para advertir atrás a los soldados. Al poco rato, los perseguidores formaban un círculo humano movible, un aro que se estrechaba rápidamente,

[115] *Antisuyu*: Antisuyo, provincia oriental del imperio incaico (Tauro).

[116] *criznejas*: «Soga o pleita (faja o tira de esparto trenzado en varios ramales, o de pita, palma, etc.)» (DRAE).

[117] *curaca*: cacique; *palla*: mujer noble, concubina del inca.

[118] *Huayucachi*: «Distrito de la provincia de Huancayo [departamento de Junín], capital Huayucachi. Dista 2 leguas de Huancayo» (Stiglich).

[119] Huayacachi BIRA.

[120] *Upia Huanca*: riachuelo no identificado.

[121] *chonta*: «Madera oscura y jaspeada, de consistencia muy dura, que se obtiene de ciertas palmeras» (*DiPerú*).

[122] *harpones*: arpones. Puede referirse solo a la punta del astil (aquí de pedernal y no de hierro) y no a las otras dos que miran a este y hacen presa, como es lo normal en los arpones.

[123] arpones BIRA.

[124] *corredores*: «Soldado que se enviaba para descubrir y observar al enemigo, y para descubrir el campo» (DRAE).

[125] *yacolla*: «Manto, manta, capa de hombre y mujer, capote. Se lo echaban sobre los hombros, anudándolo en el pecho» (Rosat).

[126] *arrojadizos*: las lanzas, que se arrojan con la mano.

[127] *carcaj*: «Aljaba: Caja portátil para flechas» (DRAE).

[128] *huáncar*: «*wankar, wankara*: Tambor» (Rosat).

como en los *chacos*[129], grandes cacerías imperiales. Pretendieron al principio coger vivos a los culpables; pero al verse repelidos con tanto encarnizamiento, despidieron una lluvia de piedras y flechas. El bravo indio les hacía rostro[130] y combatía con el coraje de la desesperación. Tapó con su cuerpo el de su amada; y al cabo se desplomó bajo la nube de proyectiles. Ya de cerca lo lacearon con un *ayllu*[131], cuerda que remata en dos pesas redondas. Cuando lo asieron, espiraba. Tenía clavado en la garganta un dardo[132]; otro, en el pecho, se balanceaba aún por la violencia con que fue arrojado; y la sangre empapaba sus vestidos. Debajo, acurrucada, herida levemente, deshecho el tocado y descompuestas las galas, gemía la concubina del[133] Cápac[134] inca. Con femenil flaqueza, imploraba ahora piedad.

Túpac Yupanqui era *tan piadoso en la paz como cruel en la guerra*[135]; sus vasallos lo apellidaban[136] el Dominador Radiante y Justo, el Espíritu de la Equidad. Pocos años antes había libertado a su hermana Cusi Coyllur (*la estrella de la alegría*), y la había desposado con su seductor, el rebelde Ollanta; pero el crimen de esta esposa suya era incomparable y no alcanzaba remisión. No debía ni podía perdonarla.

Solo por el incorpóreo matrimonio con el Sol[137] y la santa castidad del excelso convento del Cuzco, se permitía renunciar al tálamo del inca, como en el reinado siguiente lo hizo la princesa Cuca, que rehusó reinar como coya[138] y casarse con su hermano Huayna Cápac, por ser abadesa de las acllas[139]. La infidelidad conyugal para con el

---

[129] *chaco*: «*chaqo*: Forma original de coger animales salvajes, cogiéndolos vivos; se rodeaba entre muchos una gran zona; luego se estrechaba el cerco dando gritos, hasta reunir y coger los animales deseados» (Rosat).

[130] *les hacía rostro*: los enfrentaba.

[131] *ayllu*: boleadoras.

[132] *un dardo*: una lanza pequeña.

[133] de BIRA.

[134] *Cápac*: «*Qhapaj*: Señor, soberano, rey» (Rosat).

[135] «Sarmiento de Gamboa, *Historia general índica*, segunda parte, 54»★, «Fue franco, piadoso en la paz y cruel en la guerra» (Sarmiento de Gamboa, *Historia índica*, cap. 54, p. 258).

[136] *apellidaban*: «Aclamar a alguien confiriéndole un cargo u honor» (DRAE).

[137] El dios Inti.

[138] *coya*: «*qoya*: Reina, soberana» (Rosat).

[139] «Véase la nota de Jiménez de la Espada, al fin del Apéndice a *Las antiguas gentes del Perú* del Padre Bartolomé de las Casas»★, «Viudo [Huayna Cápac] de Mama Cusi, pretendió reincidir en el matrimonio con su segunda hermana

soberano era un delito tan monstruoso, que la imaginación del pueblo no osaba figurárselo; y su impunidad habría desatado sobre el imperio los más tremendos castigos celestes.

Túpac Yupanqui, sereno en su alteza, ajeno tanto a la debilidad de la compasión ilícita como al arranque de la ira, se dirigió sin apresurarse a su acostumbrada etapa del tambo de Acos[140]; y se dispuso a cumplir con el deber de ordenar y presenciar la ejecución. La favorita, al igual de las sacerdotisas impuras, debía ser liada viva al cadáver de su amante; y ahorcada luego sobre el cuerpo de este[141]. El inca, con todo su séquito, llegó al lugar en que la prendieron y la guardaban. Ella, al ver aproximarse las resplandecientes andas de su real esposo, intentó suplicar y clamar; pero la inaccesible expresión del monarca la hizo enmudecer. Comprendiendo su destino inevitable, se resignó y cerró los ojos. Desfilaba el ejército, apretado, lento y sordo; y los pasos de aquella muchedumbre parecían una fúnebre crepitación[142]. Por fin, ataron a la princesa junto con el hinchado cadáver del curaca, en el que se ennegrecían los cuajarones[143] de sangre; e izaron el bulto horrible en un horcón[144] de palo.

Antes de que le anudaran el lazo fatal, la concubina abrió los párpados, para despedirse de la vida en una última mirada. Sobre la abigarrada mancha de las tropas, ornadas de armaduras y plumajes, la refulgente litera del inca se erguía como una balsa de oro sobre un mar de luces. La enigmática insignia del súntur páucar[145] se recortaba

carnal Mama Coca, que le dio calabazas así como a un viejo que quiso endosarle en su lugar, y se metió abadesa de las mamaconas, y después de tamaño desaire, único en los fastos conyugales de los incas, contrajo segundas nupcias legítimas con su hermana menor Cihui Runtu Cay (o Coya de otros)» (Casas, fray Bartolomé de las, *De las antiguas gentes del Perú,* ed. Marcos Jiménez de la Espada, Apéndice, p. 283, n. 1); *acllas:* «*ajllakuna:* Vírgenes o vestales escogidas consagradas al culto del Sol o bien destinadas al inca y sus dignatarios» (Rosat).

[140] *Acos:* «Distrito de la provincia de Acomayo [departamento del Cuzco], capital Acos» (Stiglich).

[141] «Véase Pedro Sarmiento de Gamboa, op. cit. cap. 52»*, Sarmiento de Gamboa, *Historia índica,* capítulo 52, p. 257.

[142] *crepitación:* «Producir sonidos repetidos, rápidos y secos, como el de la sal en el fuego» (DRAE).

[143] *cuajarones:* porción de sangre cuajada.

[144] *horcón:* horca.

[145] *súntur páucar:* «*suntur pawqar:* Lanza o pica revestida de plumas cortas y multicolores, rematada de tres plumas grandes. Era una insignia imperial, a modo de cetro, que se llevaba ante el inca al salir este de casa» (Rosat).

en el cielo verdoso y violeta; y el sol, como aplacado por el holocausto, descendía tranquilo en la majestad de su púrpura divina. Frente al patíbulo y en primer término, estaban los vasallos y comprovincianos del curaca de Moyobamba, para que advirtieran mejor el escarmiento.

Los delincuentes sacrílegos no recibieron sepultura, a fin de que fuera eterno el suplicio de sus almas en la otra vida, en el ucupacha[146] de las sombras. Quedaron colgados los cuerpos de la horca infame, como fruta de oprobio, para ser pasto de las aves carniceras; pero los habitantes de la comarca pretenden que Supay, el espíritu del mal, transformó los trágicos despojos en peñascos, y que por eso una roca presenta la figura de la palla ajusticiada. Las lágrimas que vertió alimentaron el arroyo de Upia Huanca; de noche, suspira y se queja en el viento; a veces, a la luz de los relámpagos, muestra por instantes su rostro de funesta hermosura; y pierde y despeña a los viajeros que se le acercan en las tinieblas.

★★★

La tétrica impresión de la leyenda se desvanece en la amenidad del campo y bajo la alegría del sol, que hace brillar el cielo azul blanquecino como una concha de nácar. Las dos leguas y media que hay de Pucará a Huancayo[147] son un prolongado jardín. Numerosas quebraditas y encañadas, cubiertas de sembríos, desembocan en el valle espacioso. Abundan los árboles: sauces, *mitos*[148], álamos, eucaliptos, acacias, guindos, manzanos, membrillares y perales, que aumentan y se agrupan en huertas a medida que nos acercamos a Huancayo. Entre ellos y los prados de alfalfa, se suceden los maizales broncíneos, ya en cosecha, y la rubia y ondeante marea de los trigales maduros. La carretera, ancha y bien cercada, va entre olorosas y doradas retamas, cactos de hojas duras y flores encendidas, y arbustos espinosos llamados *tanquis*[149]. Algunas alcantarillas se alzan sobre torrentes secos por la estación. A veces, en medio de los cultivos, se hacinan montoncitos de piedras,

---

[146] *ucupacha*: «*ukhu pacha*: Abismo» (Rosat).

[147] *Huancayo*: capital del departamento de Junín; denominación del distrito y la provincia homónimos.

[148] *mitos*: «Papaya silvestre» (*DiPerú*).

[149] *tanquis*: «*t'ankar (jach'a)*: Cardo, espino, abrojo de tronco o pie grueso, como árbol» (Rosat).

recogidas cuidadosamente por los labradores, para mejorar el suelo. A la izquierda, el Mantaro se dilata, sosegado y pacífico, ensanchándose entre cascajo y arboledas; y a uno y otro lado, los cerros superponen sus andenes, y dejan entrever los remotos pastales de las grandes haciendas de la puna[150]. Es un cuadro de clemencia augusta, de fertilísima geórgica[151]. Pasan varias yuntas, adornados los testuces con flores silvestres y con rapacejos[152] de lana. Queda a la derecha el pueblo de Sapallanga[153], que fue antaño notable por sus tejidos, como que en él estableció, a mediados del siglo XVI, el primer obraje[154] del Perú su señora encomendera, Dª. Inés Muñoz[155], la viuda de D. Antonio de Ribera y de Martín de Alcántara, el hermano materno de Pizarro, fundadora del monasterio de la Concepción en Lima[156]. Viene después, entre alamedas frondosas, el caserío de La Punta[157]; y a una legua corta comienza la calle Real de Huancayo, la más larga y animada de todas las que he visto en la Sierra.

Algunas casas de dos pisos tienen aspecto colonial, con curiosos balconcitos morunos de celosías caladas[158, 159] y galerías altas de madera, cubiertas con tejados cónicos de color carmesí o rosa pálido. Por desgracia, la reciente introducción de los techos de mísera y rahez calamina[160]

---

[150] *puna*: tierras altas, yermas y extensas de los Andes.

[151] *geórgica*: «Obra que tiene que ver con la agricultura» (DRAE). Por las *Geórgicas*, del poeta latino Virgilio. Obsérvese la asociación con el emperador Augusto sugerida por el sintagma inmediatamente anterior: «clemencia augusta».

[152] *testuces*: frente de los toros o bueyes; *rapacejos*: «Fleco liso» (DRAE).

[153] *Sapallanga*: «Distrito de la provincia de Huancayo [departamento de Junín], capital Sapallanga. Dista 11 km de Huancayo» (Stiglich).

[154] *obraje*: «Centros de trabajo, instituidos durante la dominación española para hilar y tejer las fibras de lana, algodón y cabuya» (Tauro).

[155] *Dª. Inés Muñoz*: Riva-Agüero, «Los Aliagas», pp. 161 y «El primer alcalde de Lima Nicolás de Ribera el Viejo y su posteridad», 1983b, 1983c, p. 180.

[156] *monasterio de la Concepción en Lima*: Fernández, Guerra, Leiva, Martínez, *La mujer en la Conquista y la Evangelización en el Perú*, pp. 249 ss.

[157] *La Punta*: «Aldea, [departamento de Junín] provincia de Huancayo, distrito de Sapallanga» (Stiglich).

[158] *celosías*: «Enrejado de listoncitos de madera o de hierro, que se pone en las ventanas de los edificios y otros huecos análogos, para que las personas que están en el interior vean sin ser vistas» (DRAE); *caladas*: «Labor que consiste en taladrar el papel, tela, metal u otra materia, con sujeción a un dibujo» (DRAE).

[159] caladas: omitido en BIRA.

[160] *rahez*: vil, bajo; *calamina*: «Plancha ondulada de cinc, que se usa generalmente para techos» (DiPerú).

ha principiado a desfigurar y afear el caserío, dándole a menudo el aspecto de una vulgar factoría. La plaza de Huamanmarca, también de voladizo[161] balconaje, se cierra al este con los muros de una antigua iglesia derruida. Ocupa dicha plaza el bullicioso mercado indio.

La ciudad de Huancayo ha adelantado mucho con el ferrocarril y se halla en gran prosperidad comercial. No bajará hoy el vecindario de 14 000 almas. A más del desplomado templo de Huamanmarca, tiene otras dos iglesias: la Matriz y la capilla de La Merced. Una de ellas data de principios del siglo XVII. Todos los moradores hablan castellano. Como ocurre siempre en el interior, los vestidos se confunden con el más pintoresco desorden. Junto a los trajes semieuropeos de los blancos y mestizos, aparecen los ponchos y sombrerones de los cholos; los redondos faldellines punzóes[162], los monillos y las lliclas multicolores, los anacos bordados y ribeteados[163] de plata, los rebozos de bayeta y los negros *cotones*[164] de mangas cortas de las indias. El tipo es fuerte, elevado y fornido. Muchos propenden a la esbeltez. Físicamente, la raza huanca[165] me parece que lleva gran ventaja a la quechua y la colla[166].

[161] *voladizo*: «Que vuela o sale de lo macizo en las paredes o edificios» (DRAE).

[162] *ponchos*: manta cuadrada o rectangular con una abertura en el centro para pasar la cabeza; cuelga de los hombros generalmente hasta debajo de la cintura; *cholos*: «Mestizo de ascendencia europea e indígena» (*DiPerú*); *faldellines*: «Falda corta y con vuelo que usan las campesinas sobre las enaguas» (DRAE); *punzóes*: «Color rojo muy vivo» (DRAE).

[163] *monillos*: «Jubón de mujer, sin faldillas ni mangas» (DRAE); *lliclas*: «llijlla: Manta de mujeres y envoltorio para cargar wawas [bebes], bultos o artículos varios; es rectangular o cuadrada, tejida con esmero y decorada con muchos y vistosos colores; sirve para cubrir la cabeza, los hombros y la espalda» (Rosat); *anacos*: «anaku: Saya larga, sin mangas, desde las axilas hasta los tobillos, de mujeres indígenas del Perú y Ecuador» (Rosat); *ribeteados*: con ribete, guarnición, refuerzo del borde de la tela.

[164] *rebozos*: capas o mantos que pueden usarse como rebozo, o sea cubriendo casi todo el rostro; *bayeta*: «Tela de lana, floja y poco tupida» (DRAE); *cotones*: «Traje con manga corta, ordinariamente de color negro, que las mujeres usan para bailar la *chunguinada* en los departamentos de Junín, Pasco y Huánuco. Su único adorno es un corazón bordado en el vértice del escote. Lo complementan el *anaco* y el *huatruco*» (Tauro).

[165] *huanca*: etnia originaria del valle del Mantaro.

[166] *quechua*: etnia asociada a los incas; probablemente, Riva-Agüero esté pensando en los habitantes del Cuzco y de Apurímac; *colla*: etnia original de la meseta del Collao. Habitaba Puno, zonas de Bolivia y zonas limítrofes de Chile y Argentina.

En toda la Sierra peruana es de notar que a medida que se baja hacia el norte, mejora sucesivamente la fisonomía indígena, y aparece menos ruda y tosca: así hay a este respecto progresión continua del puneño al cuzqueño, al ayacuchano, al jaujino, al huanuqueño, y al cajamarquino y chotano[167].

Los españoles fundaron Huancayo bajo la advocación de *la Santísima Trinidad*. Fue en la Colonia uno de los más principales centros de la industria textil; y en la guerra de la Independencia, cuartel general de Canterac[168] y sus realistas. Pero el mayor de sus recuerdos históricos es el Congreso que allí funcionó, en la iglesita de La Merced, y que expidió la Carta de 1839[169]. ¡Lástima que esta simpática y tan activa ciudad traiga a la mente, por inevitable asociación de nombres, uno de los momentos más dolorosos de la República!

Estaba destruida la Confederación[170]. Por la intervención chilena y la vergonzosa discordia de nuestros políticos criollos, se había frustrado el único propósito de veras grande que ha animado la vida nacional después de la Emancipación americana. Irreparablemente segregado de las provincias altas[171], se reconstituía[172] el Bajo Perú. A este aflictivo detrimento le llamaron la Restauración. Así nos hemos *restaurado* de continuo en nuestra historia, cada vez sobre bases más pobres y estrechas que las anteriores.

El régimen confederado había puesto de moda entre nosotros que los congresos se reunieran, no en las capitales, sino en villas, o ciudades

---

[167] *del puneño al cuzqueño, al ayacuchano, al jaujino, al huanuqueño, y al cajamarquino y chotano*: gentilicios de los habitantes de Puno, Cuzco, Ayacucho, Jauja, Huánuco, Cajamarca y Chota (provincia de Cajamarca), respectivamente.

[168] *Canterac*: José de Canterac d'Ornezan y D'Orlie, barón de Ornezan (Casteljaloux, 1786-Madrid, 1835), militar franco-español, dirigió el ejército realista en los combates contra los ejércitos patriotas de San Martín y Bolívar (DB-e).

[169] *Carta de 1839*: «La Constitución de 1839, también llamada de Huancayo en atención a haberse reunido en esa ciudad el Congreso que la sancionó, que marcó una acentuada reacción contra las tendencias federales al autorizar un régimen centralista» (Tauro).

[170] *la Confederación*: la Confederación Perú-Boliviana (1836-1839), compuesta por el estado Nor Peruano, el estado Sur Peruano y el estado de Bolivia. El mariscal Andrés de Santa Cruz fungió, a la vez, de presidente de Bolivia y de protector de la Confederación.

[171] *las provincias altas*: el Alto Perú, o sea Bolivia.

[172] reconstruía BIRA.

tranquilas y apartadas; y los enemigos de Santa Cruz[173] lo imitaron en esto como en muchas otras cosas de más importancia, aunque no, por cierto, en las mejores. La Asamblea se instaló el 15 de agosto del 39, con asistencia de Gamarra y sus ministros Castilla y Benito Lazo[174], presidida por don Manuel Ferreyros[175]. Acabo de leer las actas, el mensaje presidencial y alguno de los discursos. ¡Qué mediocridad y ramplonería tan lamentables! El alma se oprime ante ese espectáculo de infinita pequeñez, en que no hubo ni un asomo de novedad, ni un arranque sincero, ni una chispa de talento. Estos hombres de hablar tan descolorido y opaco, ¿tenían acaso conciencia de que, en bien o en mal, decidían la suerte del Perú por un largo período? Las palabras y las actitudes quedaron muy por debajo de las circunstancias, que eran tristes pero tan importantes y solemnes. Aquellos improvisados legisladores no se hallaban a la altura de entenderlas.

El protector[176], a pesar de su yerta e inexpresiva frialdad indígena, todavía, al caer del gobierno y desasirse del mundo, pensaba en la *íntima armonía* y el *engrandecimiento* del Perú y Bolivia[177]. Sus adversarios no podían lícitamente aludir a la grandeza. Anhelaban solo *paz y reposo doméstico*[178]. En las alocuciones y los documentos y artículos oficiales no se cansaban de ensalzar *el desinterés y la sublime política del gabinete chileno y de su país, que era aliado natural del nuestro;* contradiciendo a Santa Cruz, que sostenía: «Chile funda la idea de su prosperidad en la desorganización y la ruina del Perú»[179]. Experiencia inolvidable y crudelísima[180] ha demostrado quién tenía la razón.

[173] *Santa Cruz*: Andrés de Santa Cruz (La Paz, 1792-Versalles, 1865).

[174] *Gamarra*: Agustín Gamarra (Cuzco, 1785-Ingavi, 1841), presidente del Perú en varias oportunidades. Con su ayuda, las fuerzas chilenas del general Bulnes derrotaron a las fuerzas confederadas; *Castilla*: Ramón Castilla y Marquesado (Tarapacá, 1797-1867), presidente del Perú en varios períodos. Fue ministro de Gamarra (1839-1840); *Benito Lazo*: Benito Laso de la Vega y González Quijano (Arequipa, 1783-Lima, 1862), magistrado, periodista y político liberal.

[175] *Manuel Ferreyros*: Manuel Bartolomé Ferreyros (Lima, 1793-1872), político y diplomático. Ministro de Hacienda (1839) y de Relaciones Exteriores (1839-1841) de Gamarra y diputado por Lima y presidente del Congreso de Huancayo (Tauro).

[176] *el protector*: el protector de la Confederación, Andrés de Santa Cruz.

[177] «Nota de renuncia, fechada en Arequipa el 20 de febrero de 1839»*, Paz Soldán, *Historia del Perú independiente: 1835-1839,* p. 276.

[178] «Respuesta al mensaje»*

[179] «*Proclama de despedida* y la del Cuzco del 17 de agosto de 1838»*.

[180] *Experiencia inolvidable y crudelísima*: la guerra con Chile (1879-1884).

El bochornoso órgano periodístico de los restauradores, después del combate de Guía[181] (en que fueron derrotadas y acuchilladas las mismas tropas peruanas que se apartaban de la Confederación), estampaba, sin que un último resto de pudor patrio detuviera la infame pluma: «Si alguien mira a los chilenos con odio injusto, ese no puede ser peruano. ¡Cuánto mejor nos hubiera sido ser presa de un *araucano* que de Santa Cruz!»[182]. Y la Asamblea de Huancayo, igualándose a sus asalariados gaceteros, estatuyó *victoria nacional tan gloriosa como las de la Independencia y digna de perpetuo aniversario* la batalla de Yungay o Áncash[183], en que *doce* cuerpos chilenos y apenas *dos* peruanos, en totalidad muy cerca de 9 000 hombres, batieron a menos de 6 000 confederados, de los cuales casi las *dos terceras partes* eran peruanos, y cuya más notable víctima fue el bizarro[184] general arequipeño Anselmo Quirós[185]. Pero el colmo de la ignominia estuvo en la inaudita declaración que el caudillo triunfante, el propio presidente Gamarra, se atrevió a insertar en su mensaje inaugural del Congreso: «La unión con Chile se hizo necesaria como un medio de ahorrar los *cuantiosos gastos* que causara la creación de un ejército capaz de defendernos de Santa Cruz»[186]. La mengua no puede ir más allá. Para ahorrar los esfuerzos y desembolsos que requería la formación de un ejército meramente peruano contra el sistema de la Confederación, aun después del pronunciamiento de Orbegoso[187], había que implorar y sostener

[181] *combate de Guía*: batalla de la portada de Guía (Lima), el 21 de agosto de 1838.

[182] «Periódico oficial *El Peruano*, número 7, correspondiente al viernes 14 de septiembre de 1838»⋆ [p. 4, n. 6].

[183] *Batalla de Yungay o Áncash*: de Yungay (por la ciudad) o Áncash (por el río). Se libró el 20 de enero de 1839.

[184] *bizarro*: valiente, esforzado.

[185] «Paz Soldán, *La Confederación*, págs. 263 y sgts. *El Peruano*, número 23, impreso en Huacho el lunes 19 de noviembre de 1838. Mensaje de Santa Cruz al Congreso de Bolivia, fechado en la isla de la Puná, el 12 de marzo de 1839»⋆, Paz Soldán, *Historia del Perú independiente: 1835-1839*, pp. 262 ss.; Anselmo Quirós y Nieto (Arequipa, 1797-Yungay, 1839).

[186] «Mensaje del presidente provisional de la República al Congreso, publicado en *El Peruano* del sábado 14 de septiembre de 1839»⋆, *El Peruano,* núm. 44, tomo II, p. 175.

[187] *Orbegoso*: Luis José de Orbegoso (Huamachuco, 1795-Trujillo, 1848), presidente del Estado Nor Peruano de la Confederación Perú–Boliviana (1836-1839).

el depresivo patrocinio del país que la atacó solo por arrebatarnos con aquella la primacía política y comercial. Bolivia no se nos rezagó en estas indecentes palinodias[188]; y su presidente Velasco felicitaba al de Chile «por el triunfo de Yungay, alcanzado sobre el enemigo implacable de la heroica nación chilena» (Potosí, 26 de febrero del 39). Era el vértigo de la más inconsciente pero más escandalosa abyección. ¡Cuántos años de obscuridad y apocamiento, cuánta sangre, cuántas tristezas y cuántas angustias y lágrimas nos ha costado y nos costará aún la torpeza insigne de aquella maldita generación, que, entre necias veleidades e indecorosos chismes, dejó perder las condiciones de regeneración y estabilidad interna, de seguridad y poderío internacional que la Confederación ofrecía!

Los constituyentes de Huancayo, en su infeliz ceguera, se imaginaban que las *bendiciones de los pueblos conmoverían sus cenizas en el sepulcro*[189]. No es bendición, por cierto; no es siquiera olvido piadoso lo que merece el recuerdo de su obra mezquina. No la perdona quien tiene inteligencia y sentimiento de nuestra nacionalidad.

Descendamos en nuestra meditación histórica a las circunstancias significativas y los pormenores necesarios. Tras de haber saciado sus odios con las medidas de proscripción del 21 de septiembre, que ponían fuera de la ley las personas de Orbegoso y Santa Cruz, se dedicaron a repartir subvenciones, condecoraciones y medallas, exenciones y dispensas particulares; a dividir provincias, a crear distritos, y a otorgar pródiga y risiblemente los títulos de *ciudades y villas beneméritas, heroicas, incontrastables y hermosas* a una infinidad de pueblos y caseríos; en suma, a la vulgarísima tarea de las legislaturas más inútiles. Por fin, el 10 de noviembre dieron su Constitución seudoconservadora, reflejo y adaptación de la chilena, y cuyos redactores principales fueron el coronel D. Bernardo Soffia y el sacerdote D. Higinio Madalengoitia. ¿Qué eco despiertan hoy tales nombres, ni los de sus colaboradores, el abogado Navarrete y los clérigos Charún y Pellicer?[190] Lo[191] anónimo de ellos amortigua un tanto la indignación que provocan

---

[188] *palinodias*: «Retracción pública de ideas, sentimientos o conducta mantenidos entonces por una persona» (Estébanez Calderón).

[189] «Discurso de instalación del presidente del Congreso»*

[190] «Pellicer fue canónigo de Lima; Madalengoitia y Charún, obispos de Trujillo»*.

[191] Inicio de párrafo: BIRA.

sus errores e inconsecuencias. Por contradecir en todo las tendencias de la Confederación, multiplicaron las restricciones y trabas para con los extranjeros, sin comprender que la inmigración y los capitales de Europa significaban vida e influencia civilizadora. Los mismos que improbaron[192] la supresión de los concejos provinciales dentro del régimen federativo no creyeron oportuno restablecerlos para contrapesar el centralismo que organizaban, y sustituyeron las municipalidades con los intendentes de policía. Los que tanto clamaron por la autonomía y respeto del Poder Judicial, lo entregaron a merced del Ejecutivo, atribuyendo al presidente los nombramientos y la facultad de trasladar a los magistrados, y al Consejo de Estado, por iniciativa presidencial, la de remoción absoluta. Luego, ya en vísperas de cerrar sus sesiones, este mismo Congreso Constituyente renovó y ensanchó la esclavitud, con refinada hipocresía, por medio del célebre *patronazgo de libertos*; restableció el montepío civil; y suspendió por el momento la rebaja de diezmos[193], a pesar de la pobreza general. Enseguida, satisfecho de tan proficuas[194] tareas, se puso en receso el 28 de noviembre del 39; y señaló para su reapertura el año próximo en Lima. Tal vez los diputados creyeron sinceramente, en su escasa previsión, abrir una era de legalidad, convalescencia y paz. Pero la impureza y la ruindad de que esta nació y que seguían inspirándola, le prevenían y concitaban enemigos interiores y fatídicas amenazas externas. A más de los antiguos liberales y de los muchos santacrucinos fieles, Vivanco[195], el brillante reaccionario, que al lado de sus innegables defectos, tenía generosas cualidades, protestaba contra esta adulteración y parodia del sistema conservador. En Bolivia, Ballivián[196], alentado y protegido con las

---

[192] *improbaron*: desaprobaron.

[193] *montepío*: «Depósito de dinero, formado ordinariamente de los descuentos hechos a los individuos de un cuerpo, o de otras contribuciones de los mismos, para socorrer a sus viudas y huérfanos» (DRAE); *diezmos*: impuestos del diez por ciento.

[194] *proficuas*: provechosas.

[195] *Vivanco*: Manuel Ignacio de Vivanco (Lima, 1806-Valparaíso, 1873). Se proclamó supremo director del Perú (28 de enero de 1843). Instaló su gobierno el 7 de abril de 1843, pero el 30 de noviembre debió abandonar Lima para hacer frente a una revolución iniciada en Tacna por los generales Nieto y Castilla. Derrotado en Carmen Alto (22 de julio de 1844), se exilió en el Ecuador (Tauro).

[196] *Ballivián*: José Ballivián y Segurola (La Paz, 1805-Río de Janeiro, 1852), noveno presidente de Bolivia (1841-1847).

intrigas de Gamarra, nos preparaba el desastre de Ingavi[197]. Por aquel mismo tiempo, comenzaba a exportarse el guano, la riqueza estercoraria[198, 199] que iba a acabar de infestarnos y corrompernos. Con lentitud inexorable de sonámbulo, el Perú seguía su marcha al abismo.

La situación que generó y determinó esa Constituyente de Huancayo fue una de las que con más funesta eficacia torcieron, hacia los pantanos de la pequeñez y la miseria moral, el rumbo de nuestra historia. Sus daños esenciales aún perduran. Su prudencia senil y medrosa expresó el menoscabo de la tierra y del alma peruanas, la resignada aceptación de la mediocridad. Los representantes gamarrinos ratificaron y consagraron el repudio del ideal *panperuanista*; y condenaron así el Bajo Perú a ser un país trunco[200] y de segundo orden en la América Meridional, sin ningún alto designio ni más fin exterior que resguardar contra Bolivia las difíciles fronteras del sur, hasta que, por inevitable corolario, viniera a arrebatárnoslas a ambas naciones gemelas, vinculadas en alianza laxa y tardía, la nueva potencia[201] entronizada por nuestra desunión como dominadora en el occidente sudamericano.

[197] *Ingavi*: «Llano situado al E de la región pantanosa de Viacha, al SO de La Paz. El 18 de noviembre de 1841 librose allí una batalla entre fuerzas peruanas y bolivianas, respectivamente comandadas por el mariscal Agustín Gamarra y el general José Ballivián. Este había estado desterrado en el Perú y había negociado el apoyo del presidente Gamarra para combatir las maniobras que preparaban el regreso del general Santa Cruz a Bolivia, pero fue proclamado como jefe supremo por la división del ejército acantonada en Viacha (23 de setiembre de 1841), e inició un movimiento de unión nacional para hacer frente a las fuerzas peruanas que habían traspuesto las fronteras de Bolivia» (Tauro). En la acción murió el presidente Gamarra. Resultó vencedor el ejército boliviano.

[198] *estercoraria*: excrementicia, estercórea, relativa al estiércol, a los excrementos. Se refiere al guano, cuya exportación generó la época llamada de la «prosperidad falaz» por los historiadores.

[199] estercolaria BIRA.

[200] *Bajo Perú*: el Perú, propiamente; por oposición al Alto Perú, o sea Bolivia; *trunco*: por la ausencia de Bolivia.

[201] *la nueva potencia*: Chile.

XVI

EL CONVENTO DE OCOPA[1]

De Huancayo a Concepción[2], el tren va por campos de trigo y maíz, entre caseríos alegres y onduladas colinas. Junto a los magueyes[3] y los eucaliptos que decoran la carretera, desfilan recuas de llamas[4]. Pasamos la animada población de San Jerónimo; y llegamos a la de Concepción, oculta tras de un collado[5], y en cuyo paradero y cercanías se cimbran[6] altas y apretadas arboledas.

La villa española de La Purísima Concepción tuvo por nombre indígena *Achi*. En ella, desde los primeros decenios coloniales, fundaron un convento recoleto[7] y un hospital los frailes franciscanos, que siempre han enseñado y predominado en la comarca, al paso que Huancayo fue doctrina[8] de los dominicos. A principios del siglo XVIII, la recolección[9] de San Francisco se trasladó a la inmediata aldea de Santa

---

[1] Subtitulado: (De las impresiones de viaje. Paisajes peruanos.- 1912) EC.

[2] *Huancayo*: capital del distrito y la provincia de Huancayo; es capital del departamento de Junín; *Concepción*: capital del distrito de Concepción, provincia de Jauja, departamento de Junín.

[3] *magueyes*: ágaves, pitas.

[4] *recuas*: grupos de bestias de carga; *llamas*: auquénidos, camélidos andinos.

[5] *collado*: «Tierra que se levanta como un cerro, menos elevada que el monte» (DRAE).

[6] *se cimbran*: se doblan, se mueven con garbo.

[7] *recoleto*: observancia más estrecha de la regla religiosa.

[8] *doctrina*: circunscripción religiosa en la que se enseñaba doctrina a los indígenas.

[9] *la recolección*: donde se encontraban, precisamente, los frailes recoletos.

Rosa de Ocopa, y ascendió a colegio *De Propaganda Fide*[10] y centro de las más activas misiones de la Montaña[11].

El camino de Concepción a Ocopa[12] tiene una legua de largo. Es muy llano y ameno; y tuerce hacia el noreste, orillado por un claro arroyo y por viales[13] de sauces, alisos y saucos[14]. De pronto, en un recodo, aparece la quieta y blanca aldehuela de Santa Rosa; y en un prado de fresca verdura, entre altísimos eucaliptos, se levanta la alba iglesia con sus dos gallardas torres y la imagen del Cristo Salvador que bendice el valle. Era ya cerca del mediodía. La cúpula encalada y la cruz que la corona resaltan fulgurantes sobre el fondo de los cerros, que ofrecen tintes ocres y reflejos azulinos de pavón[15] entre los toques verdosos y amarillentos de la hierba agostada[16]. Hace un calor de sequedad extraña, aunque el viento delgado de la serranía remece el follaje de los árboles. En la esplendente cuenca del cielo, se agolpan nubes pequeñas y redondas. Otras están posadas en las cumbres, como un coro de apariciones virginal y extático. Algunas se deslizan en el azul bruñido[17], semejantes a la bandada de palomas que gira más

---

[10] *De Propaganda Fide*: colegios dedicados a la propagación de la fe, sobre todo en el ámbito extraeuropeo. Se crearon a partir de la constituciones *Inescrutabili divinae* y *Romanum decet Pontificem* (ambas de 1622), del papa Gregorio XV. Los franciscanos, y especialmente los franciscanos de la provincia de los Doce Apóstoles del Perú, fueron muy activos tanto en la concepción como en la ejecución de este sistema de preparación intelectual y teológica para misioneros (Centro Eclesial de Documentación, *Encíclicas o cartas circulares del P. Fray Antonio de Comajuncosa, 1794-1801*, «*La congregación de Propaganda Fide y los franciscanos*», franciscanosdetarija.com).

[11] *Montaña*: con la Costa y la Sierra, una de las tres regiones en que suele dividirse geográficamente el territorio del Perú. Actualmente, es más frecuente referirse a ella como *Selva*.

[12] *Ocopa*: «*Santa Rosa de Ocopa*: Pueblo que ha sido y es centro de misioneros. Fue fundado como hospicio el 31 de octubre de 1724 por Francisco Jiménez de San José. Dista una legua de Concepción. Provincia de Jauja, distrito de Matahuasi. Fue fundado en tiempos del virrey Caracciolo en que se hizo grandes conquistas en la Montaña» (Stiglich).

[13] *orillado*: bordeado; *viales*: «Calle formada por dos filas paralelas de árboles u otras plantas» (DRAE).

[14] *saucos*: saúcos (*Sambucus nigra*).

[15] *pavón*: capa superficial de óxido abrillantado de color azulado con que se cubre el acero.

[16] *agostadas*: secas, abrasadas por el calor excesivo.

[17] *bruñido*: reluciente.

acá, en derredor del templo; aquellas tradicionales palomas de Ocopa, loadas poco ha por Juan Lavalle, cantadas por Carlos Amézaga en el primero y menos trabajado de sus poemas:

> Allí al cazador no temen
> ni al gavilán, que remonta
> su vuelo, oyendo el tañido
> de las campanas de Ocopa[18].

A la derecha de la iglesia se extienden viviendas tejadas, bajas y humildes; a la izquierda, está el convento, de dos pisos, también cubierto de tejas color de grana. En la portería cuchicheaban algunas beatas del pueblo, tocadas[19] con mantas negras y mantones de bayeta[20]; y un grupo andrajoso de indios pordioseros aguardaba el reparto de la sopa conventual. Era la vigilia de san Pedro; y almorzamos de viernes[21] en un cuarto reducido, que es refectorio de huéspedes. En la pared, una oleografía[22] representaba al segundo pretendiente español D. Carlos[23], testimonio ostensible de las creencias políticas de los frailes vascongados y navarros, que componen la mayoría de la comunidad.

No me parecieron muy espaciosos los claustros. Uno de ellos, el principal, que sin duda es antiguo, tiene en el centro un risueño

---

[18] «Carlos G. Amézaga. *La invasión* (en el primer *Ateneo); Juan B. de Lavalle. Recuerdos de un monasterio viejo que se renueva* (en el volumen intitulado *En la paz del hogar)*»★, «y forman su alegre nido/ las inocentes palomas, / que allí al cazador no temen,/ ni al gavilán que remonta/ su vuelo, oyendo el tañido/ de las campanas de Ocopa» (Amézaga, *La invasión*, p. 12); Lavalle, «Recuerdos de un monasterio viejo que se renueva (De una visita al monasterio de Ocopa)», *En la paz del hogar*, pp. 41-54.

[19] *tocadas*: cubiertas.

[20] *bayeta*: «Tela de lana, floja y poco tupida» (DRAE).

[21] *sopa conventual*: podría referirse al «puchero franciscano», sopa que contiene varios ingredientes y que se reparte en los conventos franciscanos a pobres y necesitados; *almorzar de viernes*: *comer de viernes* «Comer de vigilia» (DRAE).

[22] *oleografía*: «Cromo que imita la pintura al óleo» (DRAE).

[23] *D. Carlos*: el «segundo D. Carlos» es Carlos Luis de Borbón y Braganza (Madrid, 1818-Trieste, 1861), pretendiente al trono español con el nombre de Carlos VI, hijo del «primer D. Carlos», Carlos María de Borbón (1788-1855), hermano de Fernando VII y tío de Isabel II, pretendiente al trono español, aclamado como Carlos V por sus partidarios. Con él se iniciaron las guerras Carlistas. Apoyó los derechos forales de las provincias vascongadas y de Navarra.

jardinillo en que varios pinos, cipreses y arbustos sombrean violetas, rosas, claveles, adormideras, y fucsias[24] de flores amarillas y bermejas. El agua reluce y borbota blandamente en las tres tazas concéntricas de la pila. Y en la paz de este silencio, una melancolía indefinible nace de la luz violenta, que cae del cielo profundo, se asienta en los tejados y en las labraduras y cornisas[25] de las arquerías, tiende listas anaranjadas sobre los muros blancos, cabrillea[26] en la frescura del agua, y penetra en duros recortes por los corredores embaldosados[27] de ladrillos, contrastando con la obscuridad de los zócalos[28] y de las pinturas piadosas en las paredes. Da una sensación intensa, de reposo ardiente y triste.

La iglesia, en cambio, es hoy de vulgaridad deplorable. Se ha incendiado varias veces; la última, hace poco, y quizá no sin intervención del estúpido y grotesco anticlericalismo serrano. La han reconstruido recientemente; y, por desgracia, con el gusto más insípido que cabe imaginar. Solo dos retablitos dorados, de talla colonial, únicos vestigios del primer templo, ponen una leve nota significativa e histórica entre la helada mediocridad y la presuntuosa y burguesa baratura de los altares nuevos y las imágenes modernas, la parodia seudogótica[29] de las vidrieras de colores, y el reciente pavimento de mármol y de pobres mosaicos del país. En el coro hay un órgano alemán, de buenas

---

[24] *adormideras*: casi seguramente, el *floripondio* (*Datura arbórea*), «árbol originario del Perú. Posee tallo derecho y muy ramificado; hojas lanceoladas o aovadas, y pubescentes, que la farmacopea popular aconseja aplicar a los abscesos para calmar los dolores y acelerar la supuración; y grandes flores colgantes, acampanadas, de un vistoso color blanco, cuyo aroma se hace particularmente intenso durante la noche» (Tauro); *fucsias*: plantas de la familia Onagraceae; tienen forma de pendientes y son de varios colores, entre ellos, el rojo y el amarillo.

[25] *labraduras*: «*labrar*: Trabajar artísticamente de algún modo un objeto y especialmente mediante talla, relieve o hueco» (Fatás-Borrás); *cornisas*: «Coronamiento compuesto de molduras (parte saliente de perfil uniforme que sirve para adornar o reforzar obras de arquitectura), o cuerpo voladizo con molduras, que sirve de remate a otro» (DRAE).

[26] *cabrillea*: riela (brilla con luz tremolante).

[27] *embaldosados*: «Pavimento solado [revestir el suelo] con baldosas (ladrillo fino)» (DRAE).

[28] *zócalos*: «Cuerpo inferior de un edificio u obra que sirve para elevar los basamentos a un mismo nivel» (DRAE).

[29] *seudogótica*: «*neogótico*: Estilo inspirado en el gótico, cuyo florecimiento debe mucho a las corrientes del romanticismo nacionalista. Apareció en Inglaterra en el siglo XVIII. Durante el siglo XIX, la Europa continental conoció una fiebre neogótica» (Fatás-Borrás).

voces[30]. Su música atenúa en algo la mala impresión de la iglesia. En la sacristía hay algunos cuadros antiguos y figurillas bien modeladas en piedra de Huamanga[31].

La biblioteca del convento es bastante aceptable. No faltan libros viejos, encuadernados en pergamino, principalmente crónicas de la orden y del Perú, y entre estas, la primera edición de la de Cieza, cuya descripción del valle[32] me detuve a hojear. En una galería interior guardan una mediana colección numismática española, con monedas de los califas moros y del rey san Fernando, y algunas romanas de Tarragona, traídas por un padre catalán. Allí mismo han arreglado un corto museo de la Montaña[33], con armas y artefactos de los indios catequizados por la comunidad. Muestran en el primer claustro un curioso mapa de la región boscosa del Perú, dibujado por el difunto P. Gabriel Sala, célebre explorador contemporáneo[34]; e ingenuos frescos que representan los martirios en el Manoa, en el Pozuzo y en Huanta[35], acaecidos en el siglo XVIII. Estos recuerdos de la sangre vertida en las selvas constituyen efectivamente las ejecutorias de nobleza del monasterio y los mejores timbres[36] de su historia.

Lo fundó el venerable fray Francisco de San José, natural de Mondéjar en Toledo, cuya beatificación se procura, y que antes de profesar

---

[30] *órgano alemán, de buenas voces*: órgano cuyos tonos agudos y graves son de buena calidad, se perciben bien.

[31] *piedra de Huamanga*: especie de alabastro andino. Se trabaja en Ayacucho, la antigua Huamanga.

[32] *Cieza, cuya descripción del valle*: Cieza de León, *Crónica del Perú. Primera parte*, capítulo LXXXIV, p. 242.

[33] *Montaña*: con la Costa y la Sierra, una de las tres regiones naturales en las que se divide la geografía del Perú. Actualmente, la denominación más común es la de *Selva*.

[34] «El fundador de San Luis de Shuaro y otros pueblos, a fines del siglo XIX; y autor de un libro sobre el Alto Ucayali y el Gran Pajonal (Lima. 1897)»*. El libro es *Apuntes de viaje* (1897).

[35] *Manoa*: misión de San Francisco de Manoa, en la orilla del río Cushabatay, tributario del río Ucayali (provincia de Ucayali, departamento de Loreto, Perú). Se reunió en ella a los serebo, que vivían dispersos en la Selva; *Pozuzo*: localidad de la provincia de Oxapampa, departamento de Pasco y capital del distrito de Pozuzo; *Huanta*: nombre de la capital de provincia y de la provincia del departamento de Ayacucho. Dista a 7 leguas de la capital de Ayacucho (Stiglich).

[36] *ejecutorias*: «Título o diploma en que consta legalmente la nobleza o hidalguía de una persona o familia» (DRAE); *timbres*: «Acción gloriosa o cualidad personal que ensalza y ennoblece» (DRAE).

se llamó Melchor Francisco Jiménez, y sirvió al rey D. Carlos II como soldado por seis años en las últimas guerras de Flandes[37] a fines del siglo XVII. De vuelta de sus campañas, se metió fraile, predicó en tierras de Méjico y Guatemala a indios cristianos e infieles, y llegó al Perú en 1708. Se hallaban a la sazón desamparadas las reducciones[38] franciscanas en los matorrales y arcabucos de Chanchamayo, el Cerro de la Sal y Panataguas[39] de Huánuco, por la sublevación de los salvajes y las mortandades de 1674[40] y 1704, respectivamente. Para repoblar aquellas conversiones[41], cuyas ruinas había visitado, fray Francisco edificó este convento, colegio central y seminario de misioneros, situado en las cercanías de una buena entrada a la región de la Montaña[42] y junto al pueblo de la Concepción de Achi, antiquísimo curato de su orden. En la rinconada[43] y el caserío de Ocopa existía desde mucho antes una

[37] *guerras de Flandes*: la guerra de los Nueve Años (1688-1697), entre Francia y la Liga de Augsburgo, en la que participó el imperio español.

[38] *reducciones*: «Pueblo de indígenas convertidos al cristianismo» (DRAE).

[39] *arcabucos*: monte espeso; *Chanchamayo*: provincia del departamento de Junín; *Cerro de la Sal*: o cerro La Sal, uno de los últimos contrafuertes cordilleranos del centro oriente del Perú. Se encuentra en el distrito de Villa Rica, provincia de Oxapampa, departamento de Junín; *Panataguas de Huánuco*: los *panatahuas* son un pueblo selvícola (probablemente la determinación geográfica intente distinguirlos de los *panatahuas de Corongo, Áncash*, supervivencia folclórica —una danza guerrera— del antiguo pueblo selvático). «Durante el siglo XVII habitaba entre los ríos Coyumba y Monzón [en Huánuco, centro norte del Perú], afluentes de la izquierda del río Huallaga; y sobre la margen derecha de este río, en las cabeceras del Pachitea. En 1557, frente a la penetración de los misioneros franciscanos, quemaron sus casas y se internaron en la floresta; pero en 1631 ofrecieron acogida amistosa a los misioneros que se establecieron en la boca del Chinchao [también en Huánuco], y con su actitud amainaron las intenciones belicosas de otros grupos (*chunatahuas, carapachos, tinganos* y *quidquidcanas*). Se fundaron entonces ocho misiones en las tierras de los *panatahuas*; en 1691 solo quedaban de estos unos doscientos, en cuatro pueblos pequeños; y en 1704, todos habían vuelto a la floresta, debido a las renovadas hostilidades de los *shipibos* y los *cashibos* contra las misiones. Es posible que se fusionaran con otras tribus; o que se incorporasen a las poblaciones de los blancos» (Tauro).

[40] 1664 BIRA.

[41] *conversiones*: misiones.

[42] *Montaña*: con la Costa y la Sierra, una de las tres regiones naturales en que suele dividirse la geografía del Perú. En la actualidad, es más usual referirse a ella como *Selva*.

[43] *Concepción de Achi*: la Inmaculada Concepción de Achi o de Achí, doctrina franciscana, capital de la actual provincia de Concepción, departamento de

capilla, al cuidado de los franciscanos doctrineros[44] de Concepción y dedicada a santa Rosa, no lejos de una famosa huaca[45], derruido adoratorio gentílico, situada hacia el noreste, por Quichuay[46]. Al pie de la ermita, y en campos que donó el curaca[47], principiaron a construirse la iglesia y las celdas del monasterio y el hospicio, en 1724. Se emplearon veinte años en la obra. El fundador y director de ella no pudo verla concluida: falleció muy anciano en 1736, según consta por el epitafio de su sepulcro, que está a la izquierda del coro. Un retrato suyo se ve en el claustro principal. La crónica legendaria de sus hermanos de hábito lo llama *segundo Francisco Solano*[48]; le atribuye[49] milagros, profecías y don de lenguas; y refiere que los tigres de los bosques amazónicos se le humillaban y que los demonios aullaban ante sus exorcismos. Es el suave y postrer eco peruano de la más genuina hagiografía[50].

A la muerte de fray Francisco de San José, ya sus misioneros habían penetrado en la pampa del Sacramento, nuestra Mesopotamia[51] exuberante, entre el Huallaga y el Ucayali; y poco después recorrían el Ene, el Perené y todo el Gran Pajonal[52]. Mas ocurrió entonces la

Junín; *curato*: «Parroquia (territorio bajo la jurisdicción espiritual de un cura)» (DRAE); *rinconada*: ángulo entrante formado en la unión de dos montes.

[44] *doctrineros*: los que se encargaban de explicar la doctrina cristiana.

[45] *santa Rosa*: santa Rosa de Lima (Lima, 1586-1617), nacida Isabel Flores de Oliva. Primera santa americana (la canonizó el papa Clemente X en 1671). Es patrona de América y Filipinas; *huaca*: «Lugar natural o estructura prehispánica que servía de centro de adoración de una deidad local» (*DiPerú*).

[46] *gentílico*: de gentiles, pueblos no cristianizados; *Quichuay*: ciudad capital del distrito de Quichuay, provincia de Huancayo, departamento de Junín.

[47] *curaca*: cacique.

[48] *Francisco Solano*: san Francisco Solano (Montilla, 1549-Lima, 1610). Misionero franciscano en las extensas tierras del virreinato peruano: Potosí, Santiago del Estero, Tucumán, Lima, Trujillo del Perú, la Costa peruana (Tauro).

[49] atribuyen BIRA.

[50] «Véase la *Historia de las misiones de Ocopa,* dos tomos (Barcelona. 1883)»*, Padres misioneros, *Historia de las misiones de fieles e infieles del Colegio de Propaganda Fide de Santa Rosa de Ocopa. Hagiografía*: vidas de santos.

[51] *pampa*: llanura sin árboles; *Mesopotamia*: por estar entre ríos.

[52] *el Huallaga y el Ucayali*: los dos grandes ríos de la Selva central del Perú; *Ene*: «Río, cuyo origen se halla en la confluencia del Mantaro con el Apurímac, en las inmediaciones de Puerto Bolognesi [departamento de Junín]. Entre profundos roquedales, corre sinuosamente, en dirección NO, y al recibir las aguas del Perené [en Puerto Prado, Junín] forma el Tambo» (Tauro); *Perené*: río de la cuenca alta del río Ucayali. Nace en Junín, al norte de Ocopa; *Gran Pajonal*: meseta

insurrección de Juan Santos[53], intitulado *el nuevo Atahualpa*, ensayo algo bufo de restauración indígena, que fue como el preludio de la rebelión de Condorcanqui[54]. Este Juan Santos, indio cuzqueño, que había estado en España, viéndose perseguido en Huamanga[55] como homicida, se fugó a la Montaña por el lado de Huanta, y proclamándose inca, acaudilló las tribus del Chanchamayo y el Cerro de la Sal y destruyó cuarenta y cinco poblaciones y rancherías[56], con matanza de numerosos frailes y neófitos[57]. Fueron infructuosas las expediciones de las tropas virreinales; cayeron los fortines de Quimiri[58] y Sonomoro; y en 1752 el rebelde amagó[59] el valle de Tarma. Cerrada con esto a la evangelización la ceja[60] fronteriza de los bosques más próximos, los religiosos avanzaron por el norte, desde Pataz y Cajamarquilla[61], a las llanuras ribereñas del Ucayali.

El apogeo de las misiones fue la segunda mitad del siglo XVIII, cuando, acabado el alzamiento de Juan Santos, los franciscanos de Ocopa recuperaron lo perdido, desde Huanta hasta Maynas; se encargaron

interfluvial ubicada en el territorio común de los departamentos peruanos de Ucayali, Pasco y Junín.

[53] *Juan Santos*: Juan Santos Atahualpa (Cuzco, h.1710-Metraro, Chanchamayo, Junín, h. 1756), caudillo de una prolongada e invicta rebelión indígena (Tauro).

[54] *Condorcanqui*: José Gabriel Condorcanqui, Túpac Amaru II (Surimana, 1741-Cuzco, 1781). Lideró una rebelión general (1778) «contra la mita y los obrajes, los repartimientos mercantiles, «el mal gobierno» de los corregidores que burlaban la superior equidad del monarca, la lentitud e inequidad de la justicia; y, a la postre, por su derecho al gobierno del Perú» (Tauro). Fue ejecutado en la plaza mayor del Cuzco.

[55] *Huamanga*: Ayacucho.

[56] *rancherías*: conjunto de ranchos, viviendas precarias en zonas rurales.

[57] *neófitos*: persona recién admitida al estado religioso.

[58] «Muy próximo a La Merced actual»*. La Merced, capital del distrito de Chanchamayo y de la provincia de Chanchamayo, departamento de Junín.

[59] *Sonomoro*: localidad del distrito de Pangoa, provincia de Satipo, departamento de Junín; *amagó*: amenazó.

[60] *ceja*: ceja de Selva, ceja de Montaña: «*Ruparrupa*: Región natural ubicada entre los 400 y 1 000 m sobre el nivel del mar, en la vertiente oriental de los Andes, de relieve abrupto y mucha vegetación, y de clima tropical» (*DiPerú*).

[61] *Pataz*: capital del distrito de Pataz, provincia de Tayabamba, departamento de La Libertad; *Cajamarquilla*: distrito de la provincia de Ocros, departamento de Áncash.

un tiempo de Lamas en el Huallaga y Chiloé[62] en Chile; fundaron los pueblos de Contamana y Chunuya[63], al oriente del Ucayali; descubrieron el curso y la navegación del Pozuzo y del Mayro[64]; y hallaron por fin el camino del río Tambo, cuya confluencia con el Urubamba[65] colonizaban en 1815, y las remotas cabeceras del Yavarí, del Yurúa y del Purús[66], que visitaban casi al propio tiempo. Bajo la guardianía del P. Sobreviela, colaborador del *Mercurio Peruano*[67], el convento de Ocopa

[62] *Maynas*: extensa provincia del oriente peruano, en el actual departamento de Loreto. Recibió el nombre de los *maynas*, pueblo al este del pongo de Manseriche. Aunque fue explorada por Gonzalo Pizarro (1540) y el rebelde Lope de Aguirre (1560-1561), solo se le aplicó el nombre a partir de 1616 (Tauro); *Lamas*: capital del distrito y provincia homónimos, departamento de San Martín, en el nororiente peruano; *Huallaga*: río Huallaga; *Chiloé*: isla ubicada al sur de Chile. A partir de 1767 y hasta 1824, dependió del Virreinato del Perú, no de la Capitanía General de Chile.

[63] *Contamana*: ciudad del oriente peruano, capital del distrito y la provincia de Contamana, departamento de Loreto; *Chunuya*: quebrada de la sierra del Divisor, en la provincia de Requena del departamento de Loreto, en el oriente peruano, en los departamentos que limitan con Brasil.

[64] *Ucayali*: «Río formado por la unión del Tambo y el Urubamba, en las inmediaciones de Atalaya, donde se encuentran los departamentos de Cuzco, Junín y Loreto» (Tauro). La cuenca del Ucayali pertenece a la vertiente oriental de la cordillera de los Andes. Los ríos de esta desaguan, finalmente, en el Atlántico; *Pozuzo*: río del departamento de Pasco (centro del Perú). Corre en dirección sur-norte. Pertenece a la cuenca del río Pachitea; *Mayro*: río del distrito de Palcazu, provincia de Oxapampa, departamento de Pasco.

[65] *Tambo*: río del departamento de Junín. Es la parte superior del curso del Ucayali; *Urubamba*: río que nace en los Andes cuzqueños y recorre el Cuzco de S a N. Riega el llamado Valle Sagrado (o valle del Urubamba). Forma parte de la cuenca del río Ucayali.

[66] *Yavarí*: afluente por la parte derecha del río Amazonas; su curso es la frontera natural entre el Perú y el Brasil; *Yurúa*: río que nace en el Perú y desemboca en el Amazonas, en territorio brasileño. Nace en el alto Ucayali, cerca de Puerto Portillo, distrito de Yurúa, provincia de Atalaya, departamento de Ucayali; *Purús*: río localizado en la frontera del Perú y el Brasil. Es afluente del Amazonas.

[67] *P. Sobreviela*: «Manuel Sobreviela (Épila, Aragón ¿?-Lima, 1803). De la orden de San Francisco. Geógrafo. Nombrado guardián del colegio de Ocopa (1787), organizó un obraje, abrió caminos y construyó iglesias y extendió su acción hasta las abandonadas misiones de Manoa (o Cushibatay). Desde este se estableció entonces comunicación con los centros misionales del Ucayali; y así pudo levantar el P. Sobreviela el primer mapa detallado de la región comprendida entre los ríos Huallaga, Marañón y Ucayali, que fue grabado en Lima por José Vázquez (1791) e impreso en *Mercurio Peruano* con una serie de importantes

contaba con ochenta y cinco frailes; y además de las empresas entre infieles, enviaba continuamente predicadores a todas las provincias del virreinato.

La invasión francesa en España[68] detuvo y abatió el empuje de las tareas misionarias; y la guerra de la Independencia sudamericana[69] las deshizo por completo. Los padres peninsulares emigraron o fueron desterrados. Las aldeas de las reducciones quedaron deshabitadas, y los indios conversos volvieron al salvajismo. Únicamente el misionero criollo fray Manuel Plaza se sostuvo en Sarayacu[70], a orillas del Ucayali, en absoluto aislamiento y abandono por cerca de veinte años, sin comunicación alguna con su orden ni con el Perú civilizado y sin tener siquiera con quién hablar castellano. Su abnegada constancia logró conservarle al Perú el dominio efectivo de la pampa del Sacramento[71].

Entretanto, el convento de Ocopa se cerró. El gobierno independiente llevó los frailes a Lima y los dirigió a las fortalezas del Callao, defendidas por el general realista Rodil[72], quien, para no aumentar las

---

memorias del misionero» (Tauro); *Mercurio Peruano*: «Título del bisemanario de la Sociedad Académica de Amantes del País (1791-1794), en cuyas páginas se mencionó por primera vez al Perú con el nombre de patria, y que tuvo por colaboradores a Hipólito Unanue, José Baquíjano y Carrillo, Toribio Rodríguez de Mendoza y otros próceres» (Tauro).

[68] *La invasión francesa en España*: la invasión de los ejércitos de Napoleón a España (1808-1814).

[69] *la guerra de la Independencia sudamericana*: desde 1808 (la invasión de Napoleón y sus consecuencias en América) hasta 1833 (la muerte de Fernando VII, quien nunca renunció a las posesiones americanas de la Corona); aunque, propiamente, desde 1810 (cuando empezaron a proclamarse estados independientes) hasta 1824 (la batalla de Ayacucho, luego de la cual capituló el último ejército realista en América).

[70] *Sarayacu*: distrito de la provincia de Ucayali, departamento de Loreto.

[71] *pampa del Sacramento*: Extensa elevación en la selva del departamento de Loreto que llega hasta el departamento de San Martín.

[72] *Rodil*: «José Ramón Rodil (Santa María del Trovo, 1789-Madrid, 1853), militar español. Producida la defección de los castillos del Callao (7 de enero de 1824), asumió la gobernación de la plaza. Allí mantuvo prisioneros y rehenes patriotas; aceptó (algunos) refugiados; excitó la desconfianza en las instituciones libres mediante periódicos como *El Depositario*, *El Desengaño* y *El Triunfo*; empecinadamente negose a reconocer la capitulación suscrita por los realistas en Ayacucho (9 de diciembre de 1824); y no obstante los estragos del escorbuto, alentó la esperanza en la llegada de refuerzos españoles. A la postre, debió capitular (22 de enero de 1826) y entregó los castillos a las fuerzas sitiadoras» (Tauro).

bocas inútiles en la plaza asediada, los rechazó a balazos. Los expulsos tuvieron que refugiarse en la recolección de los Descalzos de Lima. El dictador Bolívar[73] suprimió la comunidad de Ocopa y destinó el local a colegio secular de educación. Un infeliz donado[74], el hermano José Amorós, que se obstinaba en vivir dentro de los muros de su antiguo convento, fue asesinado por los colegiales; y el crimen ahuyentó a los muy pocos padres que se habían animado a imitarlo.

En 1836, el presidente Orbegoso[75], teniendo en consideración el ningún fruto que daba el colegio seglar[76], cuya existencia fue intermitente, y la importancia nacional de restablecer las misiones de la Montaña[77], devolvió el monasterio a los franciscanos. Se restauró la vida conventual con frailes italianos en su mayoría; se reparó el deteriorado edificio; y comenzaron a recuperarse, con expediciones metódicas, las perdidas reducciones de salvajes. Salvo los confinamientos rigorosos[78] que provocó la guerra de 1866[79], la comunidad ha proseguido tranquila y floreciente, renovándose con españoles del norte, vascos y catalanes, y con uno que otro peruano, y ha extendido su influencia religiosa por el país entero; mas las misiones de la Montaña no han vuelto a la prosperidad que alcanzaban en los últimos tiempos de la dominación española. Los comerciantes que surcan los ríos de las

[73] *los Descalzos de Lima*: o convento de Santa María de los Ángeles, es una recolección franciscana ubicada en el distrito del Rímac, en la Lima más añeja e histórica; *el dictador Bolívar*: Simón Bolívar (Caracas, 1783-San Pedro Alejandrino, 1830) fue nombrado dictador del Perú por acuerdo del Congreso del 10 de febrero de 1824 (Tauro).

[74] *donado*: «Persona que, previas fórmulas rituales, ha entrado por sirviente en una orden o congregación religiosa, y asiste en ella con cierta especie de hábito religioso, pero sin hacer profesión» (DRAE).

[75] *presidente Orbegoso*: Luis José de Orbegoso (Huamachuco, 1795-Trujillo, 1848), presidente del estado Nor Peruano de la Confederación Perú-Boliviana (1836-1838).

[76] secular BIRA.

[77] *Montaña*: con la Costa y con la Selva, una de las tres regiones naturales en las que se divide geográficamente el territorio del Perú. En la actualidad, es más frecuente denominarla *Selva*.

[78] *reducciones*: «Pueblo de indígenas convertidos al cristianismo» (DRAE); *rigorosos*: rigurosos.

[79] *guerra de 1866*: guerra Hispano-sudamericana (1865-1866), entre la flota española y las tropas defensoras de las costas de Chile, Ecuador y el Perú. Luego del combate del 2 de mayo, en el puerto peruano del Callao, la escuadra regresó a España. Los sacerdotes españoles que trabajaban en el Perú fueron confinados.

selvas han arruinado la pacífica obra de los misioneros. Primero el alza de la zarzaparrilla, y después la del caucho[80], atrajeron a la inmensa región aventureros crueles, que depravaron o dispersaron a los aterrorizados indios, cuando no los esclavizaban o los exterminaban por medio de verdaderas cacerías de hombres; y en las espesuras solitarias donde en los siglos XVII y XVIII se abrió campo la mansa heroicidad evangélica, la católica gesta de la *Propaganda*[81] y las *Cartas edificantes*[82], ha presenciado la República abominables estragos, que se igualan con los peores de la Conquista.

Ocopa, la casa madre de nuestras misiones, significa para el Perú el vivo recuerdo de lo que tuvo de mejor la Colonia: el afán catequista y civilizador, el celo apostólico que animó a sus religiosos, y que sucedió a los empeños bélicos cuando se desvanecieron los espejismos del Paititi y del Dorado[83]. La organización misionaria no adquirió aquí la solidez política, la imponente y sencilla grandeza, la majestad idílica y casi incaica que los jesuitas supieron darle en el Paraguay[84]; fue verdaderamente *franciscana*: individualista, libre y suave, de candor,

---

[80] *zarzaparrilla*: «(*Rubus bogotensis*) Arbusto oriundo de América. Crece en las vertientes andinas hasta 3 000 m de altura. Posee tallo zarcilloso, trepador, al cual debe su nombre; y hojas pequeñas, con nervatura reticulada» (Tauro). Se comerció intensamente en el siglo XIX por las propiedades curativas de enfermedades venéreas que se le atribuían; *caucho: (Castilloa elastica)* árbol oriundo de los valles tropicales del oriente peruano. De él se saca un látex que se usa en varios productos. La extracción intensiva del caucho se inició en el Perú en 1882. En 1897 llegaba al 9,3% del total de exportaciones peruanas (A. Gerbi). Como se usaba el caucho silvestre, los caucheros debieron internarse y explorar cada vez más en el oriente peruano. La competencia de los productores asiáticos causó que bajara el precio y el caucho dejó de explotarse tan intensamente como antes, pero repuntó en la Segunda Guerra Mundial, por la ocupación japonesa de los territorios asiáticos donde Inglaterra y Holanda lo producían (Tauro).

[81] *Propaganda*: *Propaganda fide*, la propagación de la fe cristiana en territorios no europeos.

[82] *Cartas edificantes*: cartas en las que los religiosos daban cuenta de los sucesos de las misiones en territorios americanos o asiáticos (siglo XVIII).

[83] *Paititi y el Dorado*: dos territorios míticos que excitaron la fantasía de los conquistadores europeos. Paititi era, supuestamente, un legendario reino preincaico ubicado en la zona S de la Amazonía; y el Dorado, la ciudad donde un rey recubierto de polvo de oro arrojaba objetos de ese metal a una laguna sagrada.

[84] *Paraguay*: las reducciones jesuitas del Paraguay (1609-1767).

desinterés, martirios y lírica poesía errabunda, entre las desbordadas riberas y las florestas milenarias del Ucayali y del Pangoa[85].

Hay rincones del convento que evocan fielmente la humildad conmovedora de su mendicante instituto y los paupérrimos comienzos de esta comunidad. Un claustrillo estrecho, que, según creo, designan con el muy castizo nombre de *la obrería*[86], se conserva intacto como lo edificó fray Francisco de San José, a principios del siglo decimoctavo: con rechonchas pilastras en vez de arcadas[87], corredores hondos y lóbregos, piso central de piedras toscas, sin jardín ni viviendas altas, y techado con tejas de un color granate sombrío, cárdeno, que avanzan en fuerte declive, achatando aún más la rústica severidad del recinto. Los demás claustros menores son muy alegres en comparación: se llaman el Coristado[88] y el Noviciado, el del Olivo y la enfermería. Entre el refectorio y la sala del *De profundis*[89], está la capilla que la tradición señala como la ermita de santa Rosa que precedió al monasterio.

Al extremo oriental se hace un huerto, grande y con lindos árboles, vides añosas, algún olivo de buen aspecto pero infructífero por la frialdad del clima, y muchos alcanfores y alisos, cuyas hileras dividen las suertes[90] plantadas de legumbres. Al noreste verdean unas colinas. Arbustos, alamedas, sembríos y sedosos campos de alfalfa y maíz ciñen el convento por los demás lados. Junto a la iglesia hay un reducido cementerio, entierro de dos obispos, uno de ellos el de Huánuco, D. Manuel del Valle, que por razones políticas no llegó a arzobispo de Lima, y lo fue *in partibus* de Berito[91]. Novicio franciscano en Madrid

---

[85] *Pangoa*: distrito de la provincia de Satipo, departamento de Junín, en el centro oriental del Perú.

[86] *la obrería*: oficina destinada al cuidado de la fábrica de la iglesia o la comunidad.

[87] *pilastras*: «Columna de sección cuadrangular» (DRAE); *arcadas*: «Sucesión de arcos» (Fatás-Borrás).

[88] *Coristado*: claustro donde residen los frailes que se encuentran en formación.

[89] *refectorio*: comedor de la comunidad; *sala del De profundis*: lugar donde los religiosos se reúnen para rezar por los difuntos.

[90] *suertes*: «Parte de tierra de labor, separada de otra u otras por sus lindes» (DRAE).

[91] *in partibus*: *In partibus (infidelium)*, lit. 'en tierras o en países de infieles'. La expresión latina se aplica a obispos a los que se les asigna una diócesis en las que no residen, y cuya jurisdicción no ejercen (DPD); *Berito*: castellanización de *Beritus*, nombre latino de la actual Beirut.

hacia 1834, salvado extraordinariamente de la célebre matanza de los frailes de San Francisco el Grande[92], y exclaustrado por fuerza luego, quiso a su muerte reposar cerca de los hermanos de orden.

En las primeras horas de la tarde, mientras paseábamos los claustros y los alrededores en compañía de un donado[93], los padres rezaban en el coro; y la salmodia[94] nos llegaba como un vago susurro. Con sordo rozar de sandalias, descendieron y desfilaron ante nosotros; y entonces pudimos conocer a muchos, conversar detenidamente con los principales, e inquirir los datos que hemos apuntado. Alargamos la vista, hechizados por esta soledad agreste y monacal. El reloj de la torre desgranaba sus horas cristalinas, y las palomas arrullaban en los aleros[95]. Cuando nos despedimos, ya iba a obscurecer. La iglesia estaba abierta e iluminada todavía, por celebrarse el mes de Jesús; y el órgano esparcía los rizos áureos[96] de sus sones. En el dulce desmayo del crepúsculo, volaban los pájaros con levedad inmaterial de ensueño. Pasó una cansada recua[97]. De pronto, se enrojecieron los sembrados[98] verdes y rubios. Parecía arquearse la enorme y lejana cordillera bermeja del frente. Las nubes resplandecían como túnicas blancas y purpúreas. Al cabo de un rato, ondularon y se dilataron en el azul silencio las campanadas argentinas del ángelus[99] como un baño acariciador y lustral y

[92] *matanza de San Francisco el Grande*: motín anticlerical, dentro de un ambiente exacerbado por los conflictos ocurridos a raíz de la sucesión de Fernando VII. Se produjo cuando Madrid sufría de una epidemia de cólera. Los religiosos fueron acusados de envenenar las fuentes de agua. En el convento de San Francisco el Grande, fueron asesinados por la turba 43 o 50 frailes franciscanos.

[93] *donado*: «Persona que, previas fórmulas rituales, ha entrado por sirviente en una orden o congregación religiosa, y asiste en ella con cierta especie de hábito religioso, pero sin hacer profesión» (DRAE).

[94] *salmodia*: oraciones rezadas en conjunto y entonadas sin brío, monótonamente.

[95] *aleros*: «Parte inferior del tejado, que sale fuera de la pared y sirve para desviar de ella las aguas llovedizas» (DRAE).

[96] *mes de Jesús*: junio, dedicado al Corazón de Jesús por la iglesia católica; *rizos áureos*: arpegios brillantes.

[97] *recua*: conjunto formado por bestias de carga.

[98] sembríos EC.

[99] *argentinas*: «Que suena como la plata o de manera semejante» (DRAE); *ángelus*: oración que recuerda la Anunciación a la Virgen María y la Encarnación de Cristo. Se reza a las 6.00 a.m., a las 12.00 m. y a las 6.00 p.m. Las campanas de Ocopa llaman al rezo del ángelus a las 6.00 p.m.

entre las revueltas[100] del camino y la arboleda, desapareció a nuestra vista la media naranja[101] de Ocopa.

Atravesamos la ancha y silenciosa plaza de Concepción, con su baja iglesia al este. Centelleaban unas pocas luces en las ventanas del pueblo, tras los antepechos[102] de madera y las puertas de las paredes encaladas. Algunas hogueras de san Juan[103] se encendían ya en el campo; y el cielo, iluminado por la luna, semejaba un azulejo[104] antiguo, vítreo y terso.

[100] *lustral*: que purifica; *revueltas*: «Punto en el que algo empieza a torcer su dirección o a tomar otra» (DRAE).

[101] *media naranja*: por la forma de la cúpula de la iglesia del convento.

[102] *antepechos*: «Pretil o baranda que se coloca en lugar alto para poder asomarse sin peligro de caer» (DRAE).

[103] *hogueras de san Juan*: las que se encienden en la fiesta de san Juan Bautista (24 de junio) o en torno de ella.

[104] *azulejo*: «Baldosa o pieza vidriada para revestir superficies» (Fatás-Borrás).

XVII

IMPRESIONES FINALES[1]

Después de Concepción, la frondosidad va disminuyendo hasta Jauja[2]. Se estrecha luego el valle, en risueñas cañadas[3] con aldeas de cabañas pajizas, puentes colgantes y campanarios cuadrados de adobe. Enseguida aparecen las punas[4] rasas y pastoriles, salpicadas por los rebaños de llamas; las gigantes peñolerías, a modo de acantilados[5]; el circo de los nevados adustos, que engastan mesetas de lagunas e ichales[6]; los contrafuertes ciclópeos[7], las descarnadas vértebras, la desolación granítica, el caos de rocas, el paisaje dantesco del ferrocarril central[8]

[1] Título original (tachado): Paisajes peruanos (FRAGMENTOS DE UN LIBRO INÉDITO) E, que coincide con el título de MP.

[2] *Concepción*: capital del distrito y la provincia de Concepción, departamento de Junín. Queda a 22 km de Huancayo; *Jauja*: capital del distrito y la provincia de Jauja, departamento de Junín. Es una de las ciudades más importantes del valle del Mantaro.

[3] *cañadas*: «Espacio de tierra entre dos alturas poco distantes entre sí» (DRAE).

[4] *punas*: tierras altas, yermas y extensas de la cordillera de los Andes.

[5] *llamas*: auquénidos, camélidos americanos, que se usan como bestias de carga; *peñolerías*: peñascal (Corominas); *acantilados*: «Dicho de una costa: Cortada verticalmente o a plomo» (DRAE).

[6] *circo*: disposición circular; *engastan*: «Encajar y embutir algo en otra cosa» (DRAE); *ichales*: concentración de ichus «*icho, ichu*: Planta gramínea, con tallos herbáceos que nacen del suelo, con entrenudos pilosos y hojas rígidas y erectas de color amarillento que crece silvestre en la puna y sirve de pasto a los camélidos. N.c.: *Stipa ichu*» (DiPerú).

[7] *contrafuertes ciclópeos*: cadenas secundarias de montañas dignas de haber sido construidas por los cíclopes, monstruosas y grandes como ellos.

[8] *el paisaje dantesco del ferrocarril central*: los pasajes que parecen los de algunos espacios del *Infierno* de Dante por los que pasa el ferrocarril central del Perú y,

tan conocido por todos, y tan poco apreciado y sentido. Y al fin, en la remota hondura, término del largo viaje, llegamos a los campos limeños, que duermen bajo su manto de brumas tibias como bajo un muelle velario[9] de algodón.

Ha concluido mi peregrinación por las provincias verdaderamente características de nuestra Sierra. Antes de que las vías férreas y el comercio moderno realicen la obra necesaria y salvadora de vulgarizarlas y desfigurarlas, he contemplado en su aislamiento y su enternecedora miseria las comarcas que fueron el solar[10] del Perú incaico, la entraña del Perú español, el campo principal y el corazón de la historia patria hasta la mitad de la centuria XIX, y que algún día han de volver a serlo. ¿Qué impresiones dominantes me dejan? La de su importancia pasada, la de su decadencia presente, y la del perpetuo contraste entre sus diversas zonas, no menores que las que hay entre toda la misma Sierra y las otras dos grandes regiones del país[11].

La extraordinaria diferencia de alturas hace, en los Andes del Perú, que un reducido espacio, de una o dos jornadas[12], presente superpuestos los más contrarios climas, como singularísimo muestrario[13] de geografía.

Abajo, en los cañones angostos de las más profundas quebradas, están los valles o *yungas*, tórridos y bochornosos[14] rincones sin horizonte y sin vientos, encajonados entre cerros disformes[15] y elevadísimos. Junto a los pedregales del río torrentoso, crecen los platanares de hojas

especialmente, el puente del Infiernillo, que atraviesa un cañón estrecho entre dos túneles abiertos en las montañas, a 3 300 m s.n.m. en la ruta que va de Lima a La Oroya o viceversa.

[9] *muelle*: delicado, blando; *velario*: «Toldo del circo romano, del teatro, etc.» (Fatás-Borrás).

[10] *solar*: casa solariega, linaje noble.

[11] Los dos párrafos iniciales del capítulo: omitidos E, MP. Se reproducen aquí los dos párrafos iniciales de la edición príceps de Porras (pp. 171-172).

[12] *jornadas*: día de viaje. Para figurarse con mayor exactitud la extensión del espacio, debería considerarse que se trataba de días de viaje a lomo de mula o de caballo.

[13] *muestrario*: «Colección de muestras de mercadería» (DRAE).

[14] *tórridos y bochornosos*: ardientes, calurosos y sofocantes. Lo tórrido causa la desazón y el acaloramiento típicos del bochorno.

[15] *disformes*: «Deforme, feo, horroroso, monstruoso» (DRAE).

rasgadas, los *montes* de caña brava y huarangos[16], los nogales redondos, los pacaes verdinegros, los paltos claros y las espinosas tunas[17]. En estas tercianientas riberas, plagadas de mosquitos, alternan los plantíos de ají[18], maíz y caña dulce; en huertas pequeñas, se agrupan los chirimoyos, los naranjos, los limos[19] y los tupidos papayos; y a veces, sobre las pircas[20] o las tapias del camino, resalta, exótico y triunfal, el laurel rosa[21]. En los valles algo más altos y espaciosos, la caña dulce prevalece casi tanto como en la Costa, y sus cuarteles van desalojando los potreros[22] de alfalfa y los maizales. Abundan los magueyes[23] silvestres y desaprovechados; se alzan los grandes *patis*[24]; y en derredor de los pueblos y caseríos, fructifican los granados, los ciruelos, las higueras y los membrillares.

De estos como islotes cálidos, hoyos tropicales clavados en medio de las cordilleras, se sube en pocas horas por agrias cuestas a la tierra

[16] *platanares*: conjunto de árboles de banano (*Musa paradisiaca*); *montes*: «Tierra inculta cubierta de árboles, arbustos o matas» (DRAE); *caña brava*: «Gramínea silvestre muy dura, con cuyos tallos se hacen tabiques y se emplean en los tejados para sostener las tejas» (DRAE); *huarangos*: «Acacia de hojas finas, copa extendida, tallo flexible y espinoso, flor amarilla y vainas anchas. N.c.: *Acacia macracantha*» (*DiPerú*).

[17] *pacaes*: «*pacay*: Árbol mediano, de tronco delgado, hojas con vello sedoso y fruto en vainas grandes de color verde que encierran una sustancia algodonosa. N.c.: *Inca feuilleei*» (*DiPerú*); *paltos*: árboles cuyo fruto es la palta o aguacate; *tunas*: «Higuera de tuna» (DRAE).

[18] *tercianientas*: que causan tercianas, fiebres que se repiten cada tres días, y, particularmente, la terciana palúdica; *ají*: «Planta de tallo leñoso, con ramas arborescentes, de flor blanca en la mayoría de las variedades y fruto picante, en baya hueca. N.c.: *Capsicum* spp.» (*DiPerú*).

[19] *caña dulce*: caña de azúcar; *chirimoyos*: «Árbol de 7 a 8 m de alto, de tallo cilíndrico y corteza gruesa, hojas ovaladas finas y enteras, con flores amarillas jaspeadas de púrpura y fruto irregular y rugoso de buen sabor. N.c.: *Annona cherimola*» (*DiPerú*); *limos*: árbol que da limas (*Citrus aurantifolia*). Esta fruta no debe confundirse con el limón peruano, o ceutí, o sutil.

[20] *pircas*: «Muro bajo hecho de piedras unidas con barro para la separación de terrenos» (*DiPerú*).

[21] «Así llamamos en el Perú galicistamente a la morisca y andaluza *adelfa*»*.

[22] *cuarteles*: cuadros; *potreros*: terrenos de cultivo cercados por pircas o muros de adobe.

[23] *magueyes*: ágaves, pitas.

[24] *patis*: «*p'ati, pati*: Árbol tropical de la familia de las Bombáceas; de sitios muy secos, flor como de algodón; *toboroche, palo borracho*» (Rosat). Nombre científico: *Ceiba speciosa*.

templada, a la zona *quechua*[25] propiamente dicha. Esa es la verdadera
Sierra, la región fresca y saludable, de cielo puro o despejado pronto
por las tempestades: chacras de panllevar[26], laderas de alcacer, multiplicados andenes que fajan los collados[27] como cintas de verdura, y
tenues arboledas de alisos, manzanos, eucaliptos y molles[28]. Detrás de
las colinas cultivadas en diversicolores retazos, se amontonan irregulares círculos de cumbres severas, y asoman los nevados diamantinos;
por las herbosas gargantas se despeñan los arroyos; y las veredas que
se enroscan en las pétreas moles, rematan el paisaje con unas líneas
delgadas, blanquecinas al mediodía y de oro pálido al atardecer. En
esas tierras se hallan las más célebres y numerosas ruinas incaicas; en
esos agrestes y callados repliegues, se desmoronan las *intiphuatanas*[29] y
las antiquísimas fortalezas; y los sumisos descendientes de quienes las
construyeron labran, con bailes y cantares, los terrenos comunistas de
sus *ayllos*[30], cuyos sembrados se escalonan, en artificiales graderías[31],
desde los cauces de los ríos hasta muy cerca de las cimas estériles. Más
arriba, en las ondulaciones y llanadas[32] que se hacen desde estos cerros
medianos hasta las punas, se extienden aún los campos de labranza,
con cultivos de papas[33] y quinua, los pastos para mucho ganado vacuno

---

[25] *quechua*: «Región natural ubicada entre los 2 300 y 3 500 m s.n.m., compuesta por valles interandinos, y de clima templado y seco» (*DiPerú*).

[26] *chacras*: terrenos de cultivo; *panllevar*: «Conjunto de productos agrícolas de
primera necesidad» (*DiPerú*).

[27] *alcacer*: cebada; *andenes*: «Terraza escalonada, rellena con tierra, ubicada en
la ladera de los cerros andinos para sembrar en ella» (*Di Perú*); *collados*: «Tierra que
se levanta como un cerro, menos elevada que el monte» (DRAE).

[28] *molles*: «Árbol mediano, de ramas colgantes, corteza exterior café o gris,
muy áspera y exfoliante, flores pequeñas blanco-amarillentas y frutos redondos
de color rojo púrpura cuando están maduros. N.c.: *Schinus molle*; también *Haplorhus peruviana*» (*DiPerú*).

[29] *intiphuatana*: «*inti-wata(na)*: reloj solar en Machupijchu; aparato en que los
sacerdotes incaicos pretendían amarrar el sol, o bien determinar la posición solar»
(Rosat).

[30] *comunistas*: de propiedad común; *ayllos*: «*ayllu*: Célula social de los pueblos
andinos, formada por el conjunto de descendientes de un antepasado común, real
o imaginario (tótem)» (Rosat).

[31] *artificiales graderías*: los andenes.

[32] *llanadas*: «Campo llano» (DRAE).

[33] *punas*: tierras altas, yermas y extensas de los Andes; *papas*: patatas.

y lanar (*jallcas*)[34].Apenas interrumpen de tiempo en tiempo la monotonía de las lomas verdes, algunas chozas redondas, de piedra suelta y techo de paja, algún quishuar aislado, matas y zarzales Mirtáceos[35], y la triste procesión de los cardos[36] pequeños, que trepan por las alturas circunvecinas. En las vegas angostas y un tanto abrigadas (*huayllas*)[37], pacen caballos chicos y peludos; en las faldas breñosas[38], corren las ovejas y las cabras de ojos lucientes; y por los caminos, en elegante desfile, alargando los cuellos, se mueven los llamas[39], lentos y suaves.

De la región frigidísima, pero todavía habitable y fértil, que alcanza hasta los 4 000 metros sobre el nivel del mar, se pasa, por abras[40] heladas, a la puna[41] desierta y bravía. Allí los duros pajonales amarillentos alimentan rebaños lanares, guardados por míseros pastores; los *tarucos*[42] y las vicuñas en manadas se ocultan tras los riscos rojizos y violetas, estriados[43] de nieve, que encierran las más preciosas minas; cae a diario el granizo; y los charcos congelados brillan como láminas

[34] *quinua*: «Hierba anual, de hoja rómbica verde, roja o morada, flor pequeña y sin pétalos en espiga apretada, y fruto redondo muy pequeño. N.c.: *Chenopodium quinoa*» (*DiPerú*); *jallcas*: «*sallqa*: Sierra, puna, páramo» (Rosat). Según Javier Pulgar Vidal (*Geografía del Perú*), la *jalca* es la región cordillerana que está entre los 3 500 y 4 000 m s.n.m.

[35] *quishuar*: «Árbol de copa redondeada, tronco con ramificaciones desde el suelo, ramas tortuosas, hojas blanquecinas y flor en racimo que varía de blanco a rojizo según la especie y crece en la puna. N.c.: *Buddleja* sp.» (*DiPerú*); *zarzales Mirtáceos*: concentración de zarzas de esa familia de árboles y arbustos. Pertenecen a las Mirtáceas el arrayán y el eucalipto.

[36] *cardos*: «Planta anual, de la familia de las Compuestas, que alcanza un metro de altura, de hojas grandes y espinosas como las de la alcachofa, flores azules en cabezuela, etc.» (DRAE).

[37] *vegas*: «Parte de tierra baja, llana y fértil» (DRAE); *huayllas*: «*huaylla-yuyu*: Pradera cubierta de verdor, prado» (Rosat).

[38] *breñosas*: llenas de breñas, o sea tierras quebradas entre piedras en las que crece la maleza.

[39] *llamas*: auquénidos, camélidos americanos típicos de las zonas andinas, usados frecuentemente como bestias de carga.

[40] *De la región frigidísima, pero todavía habitable y fértil, que alcanza hasta los 4 000 metros sobre el nivel del mar*: la *jalca*, según Javier Pulgar Vidal (*Geografía del Perú*); *abra*: abertura entre montañas.

[41] *puna* MP.

[42] «Venado peculiar de los Andes»*; «*taruka* (*cervus antisiensis*): especie de venado, oriunda de la región andina. En estado adulto mide 1,60 m de largo, por 0,75 de alto» (Tauro).

[43] *estriados*: con estrías (líneas, listas).

de plata. Y más arriba aún, sobre los penachos de las nubes, queda la región polar e inaccesible de los picos nevados y los ventisqueros[44], que recortan entre las peñas el cristal de sus aristas bajo el azul profundo de la atmósfera y la refulgencia mágica del sol.

Toda esta diversidad de temples[45] y aspectos se agolpan[46] verticalmente de tan apretada manera que, en infinitos lugares de la Sierra peruana, pueden verse, desde el ardiente bajío, los trigales, las frías estancias de las punas[47] y los conos de nieves perennes.

Nuestra Costa ofrece también sus contrastes: la esterilidad de los arenales siniestros con el florido y deleitoso verdor de los valles que los interrumpen; la furia de las rompientes en las playas abiertas con la mansedumbre de los ancones[48] y de la alta mar, ora de color celeste, ora verdegrís. Pero tales contrastes no son comparables con las antítesis continuas de la Serranía, que aparecen, a más de la diferencia y oposición de sus climas, en casi todos los rasgos de sus genuinos paisajes. Prados de vívido esmalte[49] entre murallas de cerros plomizos; una leve cortina de taras, queñuales o saucos[50] entre las calvas rocas; un barbecho colgado en un ribazo abrupto; derrumbaderos[51] y precipicios vertiginosos y apacibles campiñas de cereales con hileras de álamos sobre el fondo sombrío de las sierras; andenerías[52] que se empinan como aparadores y retablos de sementeras varias, y cumbres peladas como las cabezas de

---

[44] *ventisqueros*: «Sitio, en las alturas de los montes, donde se conserva la nieve y el hielo» (DRAE).

[45] *temples*: «Temperatura (grado de calor)» (DRAE).

[46] agolpa MP.

[47] *bajío*: «Terreno bajo» (DRAE); *estancias*: «Hacienda de campo destinada al cultivo, y más especialmente, a la ganadería» (DRAE); *punas*: tierras altas, extensas y yermas de la cordillera de los Andes.

[48] *ancones*: «Ensenada pequeña en que se puede fondear» (DRAE).

[49] *esmalte*: «Barniz vítreo que por medio de la fusión se adhiere a la porcelana, loza, metales y otras sustancias elaboradas» (DRAE).

[50] *taras*: «*(Caesalpina tinctoria)* Leguminosa cuyos recios tallos alcanzan dos a tres m de altura» (Tauro); *queñuales*: Conjunto de queñuas; «*queñua*: Árbol de 2 a 5 m de alto, de tronco retorcido, con corteza rojiza laminada en capas, hojas compuestas dispuestas en espiral y flores pequeñas en racimo. N.c.: *Polylepis* spp.» (*DiPerú*); *saucos*: saúco (*Sambucus nigra*).

[51] *barbecho*: «Tierra labrantía que no se siembra durante uno o dos años» (DRAE); *ribazo*: «Porción de tierra con elevación y declive» (DRAE); *derrumbaderos*: despeñaderos.

[52] *andenerías*: «Conjunto de andenes de cultivo» (*DiPerú*).

los cóndores; corrientes de agua helada y purísima en los herbazales de la puna, *llocllas*[53] lodosas en los barrancos y vados con pedrejones inmensos; la tristeza pungente[54] de las mesetas desoladas, y el encanto humilde y mimoso[55] de las quebradas pequeñas bajo el soberbio ceño de la cordillera eterna; pobres cabañas de la égloga[56] más rústica junto a derruidos monumentos ciclópeos[57] de leyenda y de misterio; y sobre la recia lobreguez de los históricos sillares, sobre la nostálgica dulzura de los campos y el virginal sudario[58] de las nieves, se vierte el ánfora divina del cielo, el dorado esplendor de la luz clemente.

Si procuramos armonizar y fundir las innumerables divergencias de los detalles pintorescos para obtener la expresión de conjunto, el íntimo sentido de la tierra andina, llegamos a dos notas fundamentales: *ternura* y *gravedad*. Hay indecible ternura, esquiva y pastoril, en las lagunas altísimas, ceñidas de totoras[59] y pobladas de nuñumas, quellhuas[60] e ibis blancos; o todavía más elevadas, entre orillas roquizas y gramosas, zafiros[61] olvidados en copas de piedra, solitarios espejos de inviolable castidad, en que solo se miran las cúspides glaciales. Hay una ingenua ternura en los ondulados páramos, cuando las aguas del verano los visten de un verde nuevo y de menudas flores silvestres, azules y amarillas. Hay una incomparable ternura, melancólica y resignada, cuando la lluvia destila en las arboledas de las aldeas, cuando golpea los techos de teja y gotea incesantemente en los cobertizos de icho[62], mientras mugen en la sombra crepuscular los ganados, chispean

---

[53] *llocllas*: «*llojlla*: Avenida de río con agua turbia, con barro y piedras; torrentera, riada, aluvión, inundación, diluvio, turbión» (Rosat).

[54] *pungente*: que hiere como un objeto puntiagudo.

[55] *mimoso*: con mimo, cariño, halago.

[56] *égloga*: composición bucólica que ofrece una visión idealizada del campo.

[57] *ciclópeos*: dignos de haber sido construidos por los cíclopes, por lo gigante y monstruoso.

[58] *sillares*: las piedras labradas de las ruinas de los incas; *sudario*: ropa blanca con la que se envuelve a los muertos para enterrarlos.

[59] *totoras*: «Especie de junco que vive parcialmente sumergido (*Scirpus riparius*)» (Tauro).

[60] *ñuñumas*: «Ganso, ánade de mayor tamaño que el común» (*DiPerú*); *quellhuas*: «*quellwa, qhellwa*: Gaviota blanca» (Rosat).

[61] *zafiros*: piedra preciosa de color azul.

[62] *icho*: «*ichu*: Planta gramínea, con tallos herbáceos que nacen del suelo, con entrenudos pilosos y hojas rígidas y erectas de color amarillento, que crece silvestre en la puna y sirve de pasto a los camélidos. N.c.: *Stipa ichu*» (*DiPerú*).

mal protegidas las hogueras campestres, y suena lejana y fluida la música indígena, de monotonía penetrante y dulce, como un canto de infancia arrullador y maternal. Y hay gravedad en todos los aspectos de este país fragoso, claro y frío; en sus despoblados, peñascales y peñoles, y en sus quiebras[63] que son bandas de vegetación entre abismos; en las laderas de trigo y en los dentellados[64] picachos; en la sobriedad más que europea de la flora y en la inextricable maraña de las cadenas de los Andes, que toman formas de monstruos y esfinges; en el atormentado relieve de los altos y hondonadas; en los hoscos perfiles de los cerros, y en su colorido que va, en los próximos, del bermejo sangriento al áureo tono de la piel de los pumas, hasta revestir en las lontananzas la serenidad episcopal de la amatista[65]. País triste y luminoso, de encumbrados pastos y de yermos, de idilio y de epopeya[66], hirsuto y asperísimo, con una que otra muelle intermisión[67] en sus valles calientes.

Penetremos en alguna de las típicas poblaciones serranas. Está oculta en el repecho de una quebrada repuesta, con riachuelos cascajosos, huaycos[68] floridos, y potreros[69] que declinan en lomas y andenes; cercada por el verde vivo de los cebadales y los alfalfares, y el verde plata de los quishuares, los magueyes[70] y los recientes alcanfores. Es capital del distrito y tal vez de provincia, aunque no lo parezca por la

[63] *fragoso*: «Áspero, intrincado, lleno de quiebras, malezas y breñas» (DRAE); *peñoles*: peñones; *quiebras*: «Grieta (hendidura en la tierra)» (DRAE).

[64] *dentellados*: «Con dentellones o salientes a modo de almenado o escalonado» (Fatás-Borrás).

[65] *pumas*: «León americano (*Felis concolor*)» (Tauro); *amatista*: piedra preciosa; una de sus variedades es de color púrpura rojizo, semejante al de las túnicas de los obispos.

[66] *de idilio y de epopeya*: por la idealización de lo campestre y lo pastoril (el idilio) que contrasta con lo violento (la epopeya).

[67] *intermisión*: «Interrupción o cesación de una labor o de cualquier otra cosa por algún tiempo» (DRAE).

[68] *repecho*: «Cuesta bastante pendiente y no larga» (DRAE); *repuesta*: apartado; *huaycos*: «huaico: quebrada o barranco donde se producen aluviones» (*DiPerú*).

[69] *potreros*: terrenos de cultivo cercados por pircas o por tapiales de barro o adobe.

[70] *quishuares*: conjunto de quishuares; *quishuar*: «Árbol de copa redondeada, tronco con ramificaciones desde el suelo, ramas tortuosas, hojas blanquecinas y flor en racimo que varía de blanco a rojizo según la especie y crece en la puna. N.c.: *Buddleja* sp.» (*DiPerú*); *magueyes*: ágaves, pitas.

ruindad y sordidez de su caserío. Las más de las viviendas, blanqueadas de cal; otras presentan al desnudo sus adobes parduzcos, a veces de color ocre y como dorado; y nunca faltan en buen número las destechadas y arruinadas. Al lado de las tejas y las coberturas de paja, se elevan las horrendas planchas de calamina[71], que son allí el signo de la renovación y el progreso. Si ha sido villa de vecindario español, habrá de seguro casas de sillar[72] y abovedadas. Las pocas de dos pisos tienen barandas y balcones abiertos de madera; casi todas, ventanas escasas y estrechas, de balaustres[73] torneados, y crucecitas en lo más alto de los aleros[74]. Se intercalan, a cada paso, las tapias de los corrales y las huertas. En la entrada de los caminos, desde mayo, las cruces de las capillas y humilladeros están adornadas con diversidad de flores y estolas[75] blancas. Las principales callejuelas, con cuestas, escalones, y piso de guijarros, lucen cursis nombres modernos de ciudades costeñas, remotos ríos de la Montaña[76] o caudillos revolucionarios; pero muchas conservan aún añejas denominaciones castellanas, como *calle del Suspiro, de la Amargura, de la Alcabala, del Corregidor*; y hasta suelen designarse los barrios por los términos quechuas de *hanan* y *hurin* (alto y bajo), y por el origen de los *mitimaes* — yuncas, huancas, collas[77]—,

[71] *calamina*: «Plancha ondulada de cinc que se usa generalmente para techos» (*DiPerú*).

[72] *sillar*: piedra labrada.

[73] *balaustres*: «Columnita de perfil compuesto por molduras cuadradas y curvas, ensanchamientos y estrechamientos sucesivos, que se emplea para ornamentar barandillas, etc.» (Fatás-Borrás).

[74] *aleros*: «Parte exterior del tejado que sale fuera de la pared y que sirve para desviar de ella las aguas llovedizas» (DRAE).

[75] *humilladeros*: «Lugar devoto que suele haber a las entradas o salidas de los pueblos y junto a los caminos, con una cruz o imagen» (DRAE); *estolas*: banda de tela.

[76] *Montaña*: con la Costa y con la Sierra, una de las tres regiones naturales en que se divide la geografía del Perú. En la actualidad, se le suele denominar *Selva*.

[77] *mitimaes*: «*mitma*: En tiempo de los incas, pueblo trasladado obligatoriamente a un lugar distante» (*DiPerú*); *yuncas*: «*yunqha, yunga*: Pueblo primitivo, con su propia cultura e idioma que ocupó el litoral peruano central, expandiéndose con el tiempo por las quebradas semicálidas de los Andes; luego así se llamaron los llanos de la Costa y las vegas cálidas de las vertientes orientales de los Andes, y también sus habitantes» (Rosat); *huancas*: «Pueblo que en la antigüedad habitaba el valle del Mantaro. Fue incorporado al imperio incaico bajo el reinado de Pachacútec (noveno inca, coronado h. 1438) , con halagos antes que con la fuerza de las armas, y dividido en tres parcialidades —Jauja, Marcavilca

procedentes de la época incaica. Se hallan rincones con muros de pirca, toccos[78] irregulares, y toscas fuentes de límpida agua entre molles[79] y alisos, que dan la más neta sensación indígena. La iglesia parroquial, de macizas y rechonchas torres, tiene en la fachada, sobre piedra o cemento, burdos mascarones[80] de ángeles, palomas y culebras semejantes a los más informes balbuceos de la escultura románica medioeval; y en su interior guarda de ordinario retorcidos altares salomónicos[81], un Santo Sepulcro y un Santiago a caballo, de los tiempos de la Colonia. En el arco toral[82], entre andas con imágenes vestidas, se ven rudísimas pinturas de artistas indios, que representan a los apóstoles y patronos con primitiva y bárbara rigidez. El cura es un mestizo ignorante y concubinario; o un español expulsado de Filipinas[83], que no piensa sino en reunir algún dinero para volverse a Europa. Solo ciertas fiestas de cofradías, con su cortejo de procesiones, danzas y general embriaguez, sacuden a intervalos el marasmo religioso del pueblo. El concejo municipal muestra en la plaza mayor su blanca arquería y sus anchos poyos[84]. Es la inexpugnable fortaleza de los nuevos curacas, de los gamonales[85] lugareños, que dominan en la comarca a precio de ciega sumisión al gobierno y al diputado. Próxima está la escuela primaria, en

y Llacsapallanca— a cuyos individuos diferenció mediante tocados de diversos colores» (Tauro); *collas*: «Perteneciente a la antigua nación de los collas; nativo del Collao, donde antiguamente habitaron los collas» (Tauro).

[78] *pirca*: piedras sin labrar, como las que se colocan en las pircas; *toccos*: «*t'uqo, tuku:* Hoyo, agujero» (Rosat).

[79] *molles*: «Árbol mediano, de ramas colgantes, corteza exterior café o gris, muy áspera y exfoliante, flores pequeñas blanco-amarillentas y frutos redondos de color rojo púrpura cuando están maduros. N.c.: *Schinus molle*; también *Haplorhus peruviana*» (*DiPerú*).

[80] *mascarones*: «Cara grotesca o fantástica usada como ornamento» (Fatás-Borrás).

[81] *salomónicos*: altares con columnas salomónicas (helicoidales).

[82] *toral*: «Cada uno de los cuatro arcos que sostiene la elevación sobre el crucero» (Fatás-Borrás).

[83] *expulsado de Filipinas*: a consecuencia de la guerra Hispano-estadounidense de 1898, el gobierno estadounidense ordenó la expulsión de Filipinas del clero católico español.

[84] *poyos*: «Banco de piedra, yeso u otra materia, que ordinariamente se fabrica arrimado a las paredes» (DRAE).

[85] *curacas*: caciques; *gamonales*: «Persona que en un pueblo o provincia ejerce influencia excesiva en asuntos políticos» (DA); hacendado abusivo.

un galpón[86] ruinoso, A menudo no funciona: el inspector de Instrucción se ha dedicado a la propaganda electoral, el maestro se ha dado a la bebida, y los alumnos no concurren porque sus padres prefieren aprovecharlos desde la niñez como pastores o gañanes[87] en las chacras. Los útiles de enseñanza, enviados desde Lima, han ido a parar y malbaratarse en la pulpería[88] inmediata. El juzgado, en cambio, está siempre animadísimo, por la invencible manía litigiosa de cholos[89] e indios. El subprefecto es un forastero, pobre agente eleccionario, removido cada semestre, cuya tarea se reduce a preparar el camino del candidato oficial o a destruir la influencia del diputado indócil. Para este trabajo, único efectivo y práctico de la administración, auxilian al subprefecto y sus gobernadores, la Recaudadora y la Justicia militar[90]. La primera moviliza en los menesteres políticos a todos sus empleados; y, cuando conviene, cierra los ojos a los contrabandos de alcohol de los grandes contribuyentes. La segunda atemoriza a los contrarios con laberínticos procesos y dilatadas prisiones. Los periódicos son hojas minúsculas, eventuales y pasquinescas[91], de increíble y repugnante procacidad.

Llegará la temporada de las elecciones, con su séquito de bullicios y atropellos; la vasta y solitaria plaza hervirá entonces de gente ebria, traída a lazo[92] desde los caseríos más apartados; se oirán gritos, feroces injurias, tiros y carreras; caerán muertos algunos infelices, sin saber por qué ni por quién; aclamará la turba, en castellano y en quechua, al candidato impuesto, señor feudal efímero, incapaz con frecuencia de entender un programa ni de concebir una idea, mudo instrumento del gobierno o de un amigo. Luego, tornará la población a sumirse en su modorra de servidumbre y borracheras. Volverá a enmudecer la plaza, dominada por ásperos cerros y alamedas de eucaliptos esbeltos y fragantes. En ella, el aire seco y frío levantará remolinos de polvo. Apenas se oirán el cantar monótono de los chicos de la escuela, el

---

[86] *galpón*: «Cobertizo grande con paredes o sin ellas» (DRAE).

[87] *gañanes*: mozo para tareas de campo.

[88] *pulpería*: negocio donde se venden artículos cotidianos, principalmente comestibles.

[89] *cholos*: «Mestizo de ascendencia europea e indígena» (*DiPerú*).

[90] «Estos apuntes se tomaron hace dos años»* [¿1916?].

[91] *pasquinescas*: dignas de un pasquín, de carácter sensacionalista y calumnioso.

[92] *a lazo*: a la fuerza, como a un toro o a un caballo.

silbar lancinante de un cacharpari[93, 94] y el paso elástico de las recuas de llamas. Soledad acerba[95] y letal, medroso encogimiento de cuerpos y almas. Así pasan los años, entre pleitos y compadrazgos. Solo de cuando en cuando, un crimen, una inundación, una peste, turban la monotonía. Iguales a sus progenitores, mansos, sumisos, tristes, salen por los senderos del pueblo, hombres de poncho que arrean ganado, o[96] mujeres de *llicllas* moradas y punzóes[97], que con el huso[98] en la mano hilan infatigables mientras caminan.

Dirijámonos ahora a las alturas. Entre los cabezos[99] de la sierra veremos terrenos eriazos por falta de riego, y fértiles rinconadas[100] cuyas mieses sobrantes no pueden llegar a la Costa, por el precio que imponen la distancia y la fragosidad; vertientes de peñas y cantos; verdeantes majadas, con circulares rediles de *canchas*[101]; y rodeada por chacarillas de ocas[102] y de habas, la humilde aldea de la puna. Las cabañas, de techo pajizo, son verdaderos tugurios, negros y asquerosos, sin ventanas, con puertas angostas y bajas. La iglesia es una capillita

[93] *lancinante*: «Dicho de un dolor: muy agudo» (DRAE); *cacharpari*: «Fin de fiesta, cierre festivo con que termina una conmemoración» (*DiPerú*).

[94] *cacharpari* MP.

[95] *recuas*: conjunto de animales de carga; *llamas*: auquénidos, camélidos americanos; *acerba*: «Cruel, riguroso, desapacible» (DRAE).

[96] y MP.

[97] *poncho*: prenda de abrigo cuadrada o rectangular con una abertura al centro para la cabeza; *lliclla*: «Manta de colores que se lleva a la espalda y va anudada al pecho, que sirve a la mujer andina para llevar a los niños o alguna carga» (*DiPerú*); *punzóes*: rojo intenso.

[98] *huso*: «Instrumento manual, generalmente de madera, de forma redondeada, más largo que grueso, que va adelgazándose desde el medio hacia las dos puntas y sirve para hilar torciendo la hebra y devanando en él lo hilado» (DRAE).

[99] *cabezos*: «Cumbre de una montaña» (DRAE).

[100] *rinconadas*: ángulo entrante entre dos montes.

[101] *majadas*: «Lugar donde se recoge de noche el ganado y se albergan los pastores» (DRAE); *rediles*: aprisco, lugar donde los pastores recogen el ganado para protegerlo, rodeado de una cerca; *canchas*: «Terreno acotado, por lo general no muy grande» (*DiPerú*).

[102] *chacarillas*: chacritas, terrenos de cultivo; *ocas*: «Mata que se cultiva hasta los 4 000 m de altitud, donde las bajas temperaturas hacen imposible la obtención de maíz. Sus ramas y hojas son utilizadas como forraje; y en cocimientos le asigna numerosas aplicaciones la farmacopea popular. Sus raíces, largas y nudosas, afectan diversos colores, son feculentas y dulces y con frecuencia reemplazan al pan en las poblaciones andinas» (Tauro).

con esquila[103]. Raras veces el cura viene a ella, para celebrar alguna festividad y cobrar, de paso, las primicias[104]. No hay escuela, no hay autoridades ni más policía que unos indios varayos[105]. Se disputan el predominio el enganchador[106] de las minas próximas y el propietario de la hacienda colindante, que es un mestizo ducho en tretas curialescas, con las que ha despojado de sus tierras a la comunidad indígena. Los comuneros del *ayllo* se han trocado inconscientemente en vejados *yanacones*[107] del nuevo fundo. Aquí el hombre yace bajo el yugo triple de la esclavitud, la miseria y la ignorancia; y en las *jallcas*[108] de hierba corta y mezquina, que suben hasta las crestas de nieve, la naturaleza de continuo parece gemir.

Cuando de estas melancólicas serranías se desciende a la Costa, hay que atravesar una de las regiones más áridas y devastadas del mundo. Los cerros pierden su leve manto de labranzas y grama, y descubren la lúgubre desnudez de sus riscos; desaparece el arbolado; los magueyes[109] se adelgazan y achican; la quebrada se ahonda, estrechísima, reducida toda al río, escaso y sonoro, que bate y ruge entre cascajales y barrancas, y algún huarango nudoso; cortan el camino a cada instante las hoces de las llocllas[110], cauces secos de antiguas torrenteras, testimonio de cataclismos seculares; y sobre los grises peñascos, tostados por el

---

[103] *esquila*: campana pequeña.

[104] *primicias*: «Prestación de frutos y ganados que además del diezmo se daba a la Iglesia» (DRAE).

[105] *varayos* MP.

[106] *varayos*: «*varáyoc*: Autoridad comunal indígena que se caracteriza por poseer una vara como distintivo de mando» (*DiPerú*); *enganchador*: el que engancha; «*enganche*: Contratación eventual de obreros mediante un adelanto de dinero o víveres a fin de garantizar la prestación de sus servicios» (*DiPerú*).

[107] *ayllo*: «*aillu*: Aldea en la que vive una comunidad indígena, formada por personas de un mismo linaje» (*DiPerú*); célula social andina articulada a partir de un antepasado común; *yanacones*: «*yanacona*: Indio aparcero, que trabaja la tierra por trato o convenio con el dueño a cambio de una extensión de tierra, quien le proporciona semillas, herramientas y, a veces, préstamo de dinero» (*DiPerú*).

[108] «Se llaman *jallcas* las regiones muy pedregosas y frías, que producen solamente papas y pastos de altura»*. En su clasificación de las regiones naturales verticales, Javier Pulgar Vidal (*Geografía del Perú*) ubica esta región entre los 3 500 y los 4 000 m s.n.m.

[109] *magueyes*: ágaves, pitas.

[110] *huarango*: «Acacia de hojas finas, copa extendida, tallo flexible y espinoso, flor amarilla y vainas anchas» (*DiPerú*); *hoces*: angostura entre dos sierras; *llocllas*: «Aluvión, avenida de agua y lodo que produce inundaciones» (*DiPerú*).

sol, se arrastran las víboras. Tras largas jornadas, va templándose la horrible esterilidad. En la quebrada angosta, por los recodos del río, se suceden los cultivos y los pastos. El viento marino disipa el bochorno[111]. Alegran el monte parleras bandadas de loros. Al cabo, el valle se ensancha; aparecen los algodonales, de flores gualdas y rojas, y las hazas[112] de caña, de un verde dorado; se divisan las casas de los pueblos y las haciendas; y si es tiempo de verano, en el horizonte se distingue la mancha azul del mar.

Los paisajes de la Costa difieren substancialmente de los serranos. Hay en los ribereños perspectiva, espacioso panorama, sobre todo cuando se contemplan bajando las últimas estribaciones de la cordillera; pero la luz en ninguna estación alcanza la pureza y diafanidad incomparable del refulgente invierno andino. Es la costeña una luz mate y velada, húmedo toldo de siesta, plomizo en los días invernales, blanco y celeste en los de estío. Aun en los de sol más claro, tiene siempre matices perlados y lejos opalinos[113], por la niebla difusa. En las raras mañanas muy calurosas, algunas veces ofrece el ambiente una limpidez de acuarela; mas, pasado el mediodía, la fresca brisa del sur amontona nubes, como vellones[114] o densos copos de algodón, que enturbian el aire y empañan los colores vivos. Solo junto a los grandes arenales del norte, o mejor aún junto a los de Ica, la extrema sequedad de los veranos da lugar a un azul vibrante y profundo, que, sobre los médanos áureos y blanquecinos, y la vegetación de algarrobos, higueras, cinamomos y palmares de dátiles, evoca fielmente cuadros de Arabia y Mesopotamia.

El mar, en la temporada brumosa, presenta toda la gama del clarobscuro, desde el tinte pizarroso pavonado, y el de estaño[115] fundido, en los días de fulgor incierto y resolana, hasta el gris verdeante en

---

[111] *bochorno*: sofocación por el calor excesivo.

[112] *gualdas*: amarillas; *hazas*: porción de terreno de labranza.

[113] *lejos*: «Vista o aspecto que tiene alguien o algo mirado desde cierta distancia» (DRAE); *opalinos*: del color del ópalo, en este caso, blanco, casi incoloro, con brillos celestes, con cierta opacidad.

[114] *vellones*: «Conjunto de la lana de un carnero u oveja que se esquila» (DRAE).

[115] *pavonado*: «empavonado: Dicho de un vidrio: de superficie opaca» (*DiPerú*); *estaño*: gris opaco.

los de cerrazón y garúa[116]. Los morros y los acantilados[117] se encubren en los mojados y tediosos pliegues de la pálida *camanchaca*[118]. Del opaco cristal de las aguas, movido por recias marejadas, se alza innumerable cantidad de aves —patillos, huanayos[119], flamencos, alcatraces—, que al levantar el vuelo, forman una cinta de espuma en los neblinosos confines.

De diciembre a mayo, el sol transfigura estas borrosas y crepusculares marinas. Entonces los islotes y farellones[120] resaltan nítidos, entre el claror del agua y de la atmósfera y las animadas volutas del oleaje; chispea la mica[121] en las rocas y tablazos[122] de las playas; la arena reverbera como bordada de lentejuelas; el mar, glauco o zafíreo[123], relumbra suave y lustroso como la seda más fina; sobre las encañadas[124] del valle y sus arboledas, apenas se tiende una gasa sutil de vapores; y en el fondo se yergue la sierra violeta, de firme trazo, idealizada y aterciopelada por la distancia.

Pájaros acuáticos —gaviotas o pelícanos— revolotean en el cielo sereno. Hay en la bahía escasos buques, y varios botes de albo y triangular velamen. En el desembarcadero, de muy fuerte resaca, reposan alineadas las canoas, lanchas y balsas, y los caballitos de totora[125] de los indios pescadores. Más allá de la ensenada que va desde una punta a

---

[116] *resolana*: «Resol (reverberación del sol)» (DRAE); *garúa*: «Llovizna muy fina» (*DiPerú*); chirimiri o sirimiri.

[117] *acantilados*: costa cortada escalonada o verticalmente.

[118] «Nombre indígena con que en nuestras riberas meridionales del Pacífico se designa las brumas periódicas que vienen del lado sur y producen las lloviznas y el verdor de las lomas. Probablemente se deriva de las raíces quechuas *camani* (yo fructifico) y *chacca* (allá)»★, *kamanchaka*: «Neblina, niebla, con garúa» (Rosat).

[119] *patillos*: «Ave marina palmípeda, de tamaño pequeño, cuello alargado, pico amarillo y plumaje negro. N.c.: *Phalacrocorax olivaceus* o *Phalacrocorax brasilianus*» (*DiPerú*); *huanayos*: «guanay: Ave de cuello largo, de dorso negro y pecho blanco, pico de color gris y patas rosadas, con una aureola roja alrededor de los ojos. N.c.:*Phalacrocorax bougainvillii*» (*DiPerú*).

[120] *farellones*: farallones.

[121] *volutas*: «Rollo en espiral» (Fatás-Borrás); *mica*: mineral compuesto de hojuelas brillantes y pequeñas.

[122] *tablazos*: pedazo de mar, extenso y de poco fondo.

[123] *glauco*: verde claro; *zafíreo*: azulado.

[124] *encañadas*: cañadas.

[125] *caballitos de totora*: «Embarcación hecha de tallos de totora, con extremos curvados y puntiagudos, para la pesca, tripulada hasta por dos personas» (*DiPerú*).

los arrecifes, protegida por la barra[126] o *tasca*, se hace, en determinados días y por crecidas cuadrillas de gente, el trabajo de la *cala*[127], primitiva y curiosa manera de pesca en común, sin auxilio de embarcaciones y solo desde la orilla.

En las pampas[128] del desierto inmediato, suelen existir ruinas, famosas para los arqueólogos, y vetustísimas sepulturas; y la pesada majestad de las arenas oprime y esconde muros de adobes anaranjados, dispuestos en rectángulos y terraplenes[129], que fueron palacios, castillos y ciudades, asiento de extrañas civilizaciones, hermanas de la maya y de la china. Donde empiezan los sembríos, entre el desmayado verdor de las cañas de azúcar y las *chalas*[130], y el verdor sombrío de los campos de algodón, sobresalen los artificiales collados de las *huacas*[131], sepulcros contemporáneos de los incas y del Gran Chimú[132]; y por cuyos despedazados y ocres paredones trepan las lozanas viñas. En esas huacas u otras eminencias, están edificadas las casas de los fundos, pintadas de azul o rojo, con arquerías y corredores. Llevan por nombres los antiguos apellidos de las familias criollas[133] coloniales, ya extinguidas. El camino se dirige al pueblo desde los gramadales de la playa, ceñido por tapias, saucerías[134] y ruidosas acequias. Transitan chalanes,

---

[126] *barra*: banco de arena a la entrada de un río (Corominas).

[127] *cala*: «Método de pesca empleado en el litoral. Juan de Arona (*La línea de Chorrillos*, p. 105) la describe así: "Al embarcarse los caladores dejan atado en la playa uno de los mangones o cabestreras de la red, sepultan mar adentro el bolsón o parte central de la malla, que es denominado copo y vuelven a traer a tierra la otra cabestrera describiendo en el agua un radio más o menos amplio; tiran después por ambas puntas y traen a la playa con más o menos, esta red barredera que lleva el nombre de chinchorro"» (Benvenutto, s. XX b) Riva-Agüero describe una versión más primitiva de la técnica, sin embarcación.

[128] *pampas*: llanura extensa sin árboles.

[129] *terraplenes*: macizo de tierra levantada.

[130] *chalas*: tallos y frutos verdes de la planta de maíz.

[131] *collados*: cerro bajo; *huacas*: «Sepulcro prehispánico donde se enterraba a personajes importantes, junto a objetos de valor simbólico o económico» (*DiPerú*).

[132] *Gran Chimú*: «Chimú: Señorío o reino, que en los tiempos prehispánicos se extendió a lo largo del litoral, entre los 5° y 11° de latitud S. Fue fundado, a fines del siglo XII, por un legendario reyezuelo que llegó desde remotas tierras a través del mar y se hizo llamar Chimú Cápac» (Tauro).

[133] *criollas*: mestizas o españolas afincadas en el país.

[134] *gramadales*: concentración de hierba menuda y rastrera; *saucerías*: hileras de sauces.

carreteros, fruteras montadas en burros con anchos serones[135]. Por fin, en medio de hortalizas, parras, camotales, pacayares y paltos[136], aparece, no lejos del mar, la aldea costeña.

Es, su mayor parte, un hacinamiento de ranchos de caña enlucidos de tierra, desvencijados, ladeados y a punto de caerse. Bullen entre esas quinchas[137], en regocijada confusión, negros y zambos, chinos asiáticos y mestizos. Lo central y aseado en el pueblo lo constituyen calles derechas, empedradas a veces, con viviendas de un piso y terrados chatos, embadurnados al temple[138], de colores chillones. La plaza, sombreada de ficos[139], se engalana con la iglesia matriz de estilo jesuítico y barroco, cuya portada ostenta a menudo redondas claraboyas, barandales, conchas de yeso, agujas y bolas de ladrillo y estuco[140], habituales adornos a principios del siglo XVIII español. Diríase un viejo cortesano, de espadín y empolvada peluca, asombrado y perdido en el destierro de esta comarca exótica y olvidadiza; o un pomposo galeón de hace centurias, que encalló en puerto remoto, y se destruye en el silencio y el abandono. En la abultada medianaranja y los gruesos campanarios, anidan las santarrositas[141]. Cierta casa vieja, en el rincón de la plaza,

---

[135] *chalanes*: «Jinete de caballo de paso, generalmente vestido con poncho, pañuelo al cuello y sombrero de paja» (*DiPerú*); *serones*: cestas grandes de fibra vegetal, más largas que anchas, que sirven para carga de una caballería.

[136] *camotales*: espacios donde se concentran los camotes o batatas; «*camote*: Planta de tallo rastrero y ramoso, de hojas alternas, acorazonadas y profundamente lobuladas, flores grandes, acampanadas, rojas por dentro y blancas por fuera, con tubérculos pardos, en forma de huso, en su raíz. N.c.: *Ipomoea batata*» (*DiPerú*); *pacayares*: grupo de árboles de pacae o pacay; «*pacay*: Árbol mediano, de tronco delgado, hojas con vello sedoso y fruto en vainas grandes de color verde que encierran una sustancia algodonosa» (*DiPerú*); *paltos*: aguacates, árboles de aguacate.

[137] *quinchas*: «Caña de Guayaquil, carrizo o totora, revocadas con barro o cal para formar las paredes de casas, chozas o cercos. Se la clava a una armazón de madera» (Tauro).

[138] *terrados*: terrazas; *al temple*: «*temple común*: Pintura basta para revestimiento mural compuesta de albayalde y agua de cola caliente a la que a veces se adicionan colorantes» (Fatás-Borrás).

[139] *ficos*: ficus.

[140] *estuco*: «Mezcla de cal muerta y polvo de mármol, alabastro o yeso, que tiene numerosos usos por su baratura y ligereza» (Fatás-Borrás).

[141] *medianaranja*: la de la cúpula de la iglesia; *santarrositas*: especie de golondrina de pecho blanco y alas negras, los colores del hábito dominico con que se

conserva el balcón cerrado, con celosías adufadas[142] a la arábiga, y las ventanas de salientes alféizares y rejas de ensortijados dibujos; y en el zaguán[143] se ven aún las labraduras y artesones[144] del techo. Calle adelante, un lienzo de pared se ha venido abajo y pone al descubierto el inculto jardín, en que subsisten matas de albahaca, ñorbos y arirumas, frente a un muladar[145] y al hospital derruido. Quizá una huerta, más extensa que las otras, se llama todavía la *huerta del curaca*[146]. En las afueras quedan pocos olivos, resto muy menoscabado de los del tiempo de los españoles, porque nadie los cuida, y no se reponen los que mueren. Cerca del río hay ciénagas y tupidas malezas de *pajarobobos*[147]. Algún pino, radiado y severo, se enhiesta en la lejanía. Un callejón de álamos altísimos, entrada de la vecina hacienda, luce su follaje temblador sobre el fondo azul plateado de los cerros, primeros escalones de los Andes. Las nubes que pasan arrojan, sobre los montículos claros y arenosos que limitan al norte y al sur del valle, sombras que parecen las manchas de un tigre. Y siempre el cielo benigno, ya soleado, ya cubierto, según las épocas, influye sobre estas campiñas igual tibieza muelle y sedante. Los mezclados y morenos pobladores son indolentes, ladinos[148] y graciosos, propensos a los fugaces entusiasmos y los decaimientos súbitos. Su dejo blando se inclina al ceceo. Las mujeres, en la mirada y la sonrisa, manifiestan una amable y perpetua languidez.

---

suele representar a santa Rosa de Lima (Clements and Shany, *Birds of Peru*). N.c.: *Phygochellidon cyanaleuca*.

[142] *adufadas*: de *adufa*: «Hoja de puerta» (Moliner).

[143] *alféizares*: «Vuelta o derrame que hace la pared en el corte de una puerta o ventana, tanto por la parte de adentro como por la de afuera, dejando al descubierto el grueso del muro» (DRAE); *zaguán*: «Espacio cubierto situado dentro de una casa, que sirve de entrada a ella y está inmediato a la puerta de calle» (DRAE).

[144] *labraduras*: labor, diseño hecho trabajando la madera; *artesones*: artesonado, techo adornado con artesones.

[145] *ñorbos*: «Planta trepadora, cuyos tallos volubles se pueblan de hojas partidas y de flores pequeñas, pero muy fragantes y vistosas, de color blanco o morado (N.c.: *Passiflora punctata*)» (Tauro); *arirumas*: «Especie de lirio, de flor amarilla muy fragante. Los pétalos sirven para teñir» (Rosat); *muladar*: basurero, estercolero.

[146] *curaca*: cacique.

[147] *pajarobobos*: N.c.: *Tessaria integrifolia* (Brack Egg) Llamada también aliso del río, tiene copa pequeña y follaje verde gris. Crece al borde de los ríos.

[148] *ladinos*: astutos.

Estos valles, sanos, frescos y plácidos, de laxitud encantadora, son islas de fertilidad cercadas por el mar, los arenales y las secas breñas[149] de la vertiente andina. Al oriente se halla la estrecha e irregular faja de *las lomas*, con laderas, colinas y vegas en donde las garúas[150] y aguaceros del invierno engendran pastos naturales temporarios, hacen florecer los *amancaes*[151], y ocasionan en diminutivo las pintorescas escenas de los ganados trashumantes. Por los demás lados, se tienden las estériles pampas de arena, con sus africanos espejismos y sus torbellinos sofocantes; con las movedizas dunas, que en algunos parajes cantan bajo los rayos del sol como esfinges egipcias[152]; los oasis de palmas y algarrobos; los delgados hilos de agua de los jagueyes[153]; los pequeños cultivos de los *mahamaes* y las hoyas[154], alimentados por corrientes subterráneas y semejantes en todo a los *guadíes*[155] arábigos; con las cegadoras salinas; y, en la aridez maldita, las inacabables sendas marcadas por los blancos huesos de los animales que en la travesía perecieron de sed. Hasta que al fin de la jornada abrasadora, se descubre, entre la monotonía de los médanos, la hondura de una grieta verde y frondosa, que es otro tibio y regalado valle, lugar de refrigerio y voluptuoso descanso.

Por tales condiciones físicas, que obligan a la discontinuidad de cultivos y población, la zona de la Costa ha de reputarse como un verdadero archipiélago en el territorio peruano; y sus civilizaciones, desde los tiempos aborígenes, han tenido constantemente carácter *insular* por su delicadeza relativa a[156] la tenuidad y ámbito estrecho de sus influencias naturales. No es ni puede ser cuerpo suficiente para

---

[149] *breñas*: tierras quebradas y ásperas, pobladas de maleza.

[150] *garúas*: «Llovizna muy fina» (*DiPerú*); chirimiri, sirimiri.

[151] *amancaes*: «*amancay*: Hierba anual, con bulbos blancos, de tallo subterráneo, hojas lanceoladas a modo de cintas y flores terminales de un amarillo intenso. N.c.: *Ismene amancaes*» (*DiPerú*).

[152] «En las provincias de Santa y Camaná se ha observado este fenómeno»*.

[153] *algarrobos*: «Árbol de tronco grueso, ramas retorcidas, con hojas pequeñas y abundante inflorescencia. N.c.: *Prosopis pallida*» (*DiPerú*); *jagueyes*: o *jagüeyes*, la forma más corriente, 'zanja llena de agua, por filtraciones del terreno'.

[154] *mahamaes*: «A estas chacras hundidas, pozos u hoyos de cultivo, los indígenas las denominaron mahamaes, maamaes o makamaka, en la Costa central» (Ravines, «Recursos naturales de los Andes», p. 30.); *hoyas*: «Concavidad u hondura grande formada en la tierra» (DRAE).

[155] *guadíes*: *wadi, uadi*: cauce seco o estacional de ríos que corren por regiones áridas o desérticas.

[156] y MP.

una gran nacionalidad. Hoy mismo, mientras la Sierra cuenta con tres millones y medio de habitantes, no llegan los costeños a un millón. La Costa ha suplido siempre sus inferioridades con la óptima calidad de sus pocas tierras de labor, y el precoz desarrollo social, debido a su posición geográfica y al vivaz ingenio de sus hijos. Así, las dos regiones tradicionales, Costa y Sierra (porque la Montaña[157] no significa sino el Perú nuevo y futuro), predominando alternadamente, han formado, con sus primacías sucesivas, el ritmo de la historia peruana. En ese ritmo, la Costa ha representado la innovación, la ligereza, la alegría y el placer; y la Sierra, la conservación hasta el retraso, la seriedad hasta la tristeza, la disciplina hasta la servidumbre, y la resistencia hasta la más extrema lentitud. La antítesis perpetua entre ambos caracteres, con las virtudes y defectos que corresponden a cada uno, se descubren desde las épocas más remotas. Antes de que los imperios militares de Tiahuanaco y de los incas salieran de sus serranías a señorear y unificar todo este lado occidental de la América del Sur, florecían ya, en los valles marítimos, pequeños estados industriosos, de idiomas peculiares *yungas* curacazgos de cultura avanzada dentro de la general incipiencia[158] indígena, y cuyos moradores, probables inmigrantes, quizá originarios de Nicaragua y Chiapas[159], se distinguían por la inteligencia, la molicie y la habilidad en las artes suntuarias. Expertos agricultores en sus campos de regadío, pescadores en las mansas playas, diestros plateros y orfebres, bufones y danzantes, sus oráculos y ritos tenían una vehemencia orgiástica, ajena a los del interior. Muy de manifiesto se ven sus diferencias con los serranos, al comparar las alfarerías respectivas: sobria y severísima la incaica, fúnebre casi en la gama de sus colores principales, negro y rojo, exornada[160] con dibujos sencillos y geométricos; y la costeña, vistosa, luciente y adornadísima, sembrada de dragones y peces fantásticos en los vasos de Nazca[161], de figuras

[157] En la actualidad, es más usual denominar *Selva* a esta región natural.

[158] *idiomas peculiares yungas*: el tallán, el sechura, el mochica y el quingnam o lengua pescadora; *curacazgos*: cacicazgos; *incipiencia*: que empieza, que está en sus inicios.

[159] *Nicaragua y Chiapas*: ambas en Centroamérica; Chiapas, en la parte centroamericana de Méjico.

[160] *exornada*: adornada, hermoseada.

[161] *Nazca*: cultura prehispánica que se desarrolló principalmente del siglo I al siglo VII d.C. en el S del departamento de Ica, aunque se expandió hacia el N (Chincha), el E (Ayacucho) y el S (Acarí) (Tauro).

humanas caricaturescas, con burlón y grosero naturalismo en los innumerables vasos de Chimu[162], cuya desvergonzada obscenidad corre parejas con la de la cerámica troyana o la greco-italiota.

La oposición continuó en el período español, y hasta se ahondó con el aporte de nuevas razas. Al paso que en la Sierra el mestizaje fue meramente hispano-indio, la plebe de la Costa nació del triple cruzamiento hispano-yunga-africano. Sobre esta fusión de sangres, el criollismo[163] costeño, que ha sido el criollismo genuino, logró su adecuada expresión con el apogeo colonial de Lima. Para apreciar el ambiente limeño, en lo que tiene de singular y característico, y la especie[164] y eficacia de sus influjos, no se ha de pensar en la ciudad moderna, materialmente crecida pero espiritualmente mermada, depuesta de la supremacía originaria sobre el suroeste americano, a punto de perder su sello propio, olvidadas las costumbres regionales, desfigurada por edificios extranjerizos y bastardos, y aun afeada en su campiña por la disminución y descuido de sus quintas[165] y la muerte de sus antiguas arboledas. Hay que imaginársela tal como fue en sus años más propicios, en los dos primeros siglos de su fundación: coronada de olivos y naranjos, entre cortinas trémulas de saucerías[166] y platanares, aromada en sus patios y jardines por alhelíes, claveles, enredaderas, congonas y albahacas; tierra de las *misturas*[167] de flores y de las aguas de olor; indiana capital de las macizas y altas torres de los miradores y las azoteas, de los azulejos y las celosías caladas, de las sayas[168] y los mantos casi morunos, cuyo disfraz mantenía un carnaval eterno; ciudad de

---

[162] *Chimu*: cultura Chimú (s. XII d.C.), ubicada en la costa N peruana.

[163] *criollismo*: «Conjunto de costumbres y tradiciones populares de la Costa» (*DiPerú*).

[164] *especie*: particular, singular, distintivo.

[165] *quintas*: «Parte de dehesa o tierra, aunque no sea la quinta» (DRAE).

[166] *saucerías*: sauceras, saucedas o salcedas. Conjunto de sauces.

[167] *congonas*: «Árbol de tronco muy grueso, de corteza oscura, hojas pecioladas, enteras y en pestaña, que salen en el mismo plano del tronco, flores verdes en espigas terminales y fruto dulce. N.c.: *Brosimum* sp.» (*DiPerú*); *misturas*: «Flores rociadas con agua de olor, puestas en bandeja» (*DiPerú*).

[168] *azulejos*: «Ladrillo vidriado, de varios colores, usado para revestir paredes, suelos, etc., o para decorar» (DRAE); *celosías*: «Enrejado de listoncillos de madera o de hierro, que se pone en las ventanas de los edificios y otros huecos análogos, para que las personas que están en el interior vean sin ser vistas» (DRAE); *caladas*: labor que consiste en taladrar algún material, con sujeción a un dibujo; *sayas*: faldas.

los bailes garbosos, de las monjas galantes, de las fiestas cortesanas, comedias, cañas[169] y toros, del lujo y del boato; hermosa criolla, devota y sensual, hija de Sevilla y nieta de una sultana, madre de vírgenes y santos, de caballeros rumbosos[170] y de doctores sabios; arrullada por el dorado repicar de sus sesenta iglesias, y por el incienso y los cánticos de sus infinitas procesiones. Daban la nota grave, en medio de los halagos de la Colonia, los gobernadores, inquisidores y letrados venidos de la fiera Castilla, como en la antigua Bética los pretores[171] y centuriones[172] romanos. Entre las durezas y estragos del régimen español, a la entrada del agrio y devastado Virreinato, no lejos del sagrado y sepulcral Pachacámac[173], y junto a las ruinas del oráculo sonoro[174] y las suaves riberas del mar, bajo un aire de templanza exquisita y un cielo tamizado y nacarino, creció Lima, viviente imagen de la gracia; y extendió en los umbrales del trágico país, su velo de finura y elegancia risueña. Pero detrás de Lima y de la Costa, región de la siesta, de los esclavos negros y de la vida fácil, se alzaba la Sierra inmensa y aún indivisa, el verdadero Perú, de Pasto[175] a las Charcas[176], bien llamado a los comienzos de la colonización Nueva Castilla y Nueva Toledo, porque, efectivamente, parece en lo físico una España mayor, agigantada y descarnada; región austera, dobladísima[177] y peñascosa, de fatiga y de dolores, más subyugada y afligida que Irlanda, Palestina o Armenia[178].

[169] *cañas*: «Fiesta de a caballo en que diferentes cuadrillas hacían varias escaramuzas arrojándose recíprocamente las cañas, de que se resguardaban con las adargas» (DRAE).

[170] *rumbosos*: «Pomposo y magnífico» (DRAE).

[171] *Bética*: provincia romana que correspondía aproximadamente a la actual Andalucía; *pretores*: magistrados romanos.

[172] *centuriones*: oficial romano que comandaba a cien soldados, una centuria.

[173] *Pachacámac*: conjunto de edificios prehispánicos al S de Lima en torno del culto oracular a un dios subterráneo (de ahí, quizás, la propiedad del adjetivo «sepulcral») que regía las cosechas y los terremotos.

[174] *oráculo sonoro*: el del río Rímac, llamado «hablador» por su calidad oracular.

[175] *Pasto*: ciudad del SO colombiano.

[176] *Charcas*: la actual Bolivia.

[177] *dobladísima*: «Dicho de un terreno: hacerse más desigual y quebrado» (DRAE).

[178] Fin del ms. E y de MP. A partir del siguiente párrafo, se sigue el texto de la edición prínceps de Porras (pp. 185-190).

Las riquezas de las minas, encomiendas y corregimientos[179], y la unidad territorial del Virreinato, íntegro todavía, contrapesaron en favor de la Sierra, durante los siglos XVI y XVII, la preeminencia de Lima y las ventajas que iban adquiriendo los llanos costeños. Mas al cabo, la despoblación indígena, la afluencia creciente de los blancos a la capital, la separación del Alto Perú; y luego las reformas aduaneras de la República, la decadencia de los viejos asientos mineros, la valía del guano de la islas, la navegación a vapor fueron destruyendo el equilibrio. A mediados del siglo XIX, Arequipa con el sur disputaba aún a Lima la real dirección política. Pero al concluir el siglo, las fuerzas de la cultura y de la economía nacional se hallan concentradas en la Costa. Casi toda la actividad pública y la literaria se reducen a Lima. Las haciendas litorales, azucareras y algodoneras, componen lo mejor del patrimonio peruano. Con el nuevo auge de las minas y la penetración de los ferrocarriles, se inicia ahora la reanimación de la Sierra, indispensable para la grandeza patria. Los valles de la Costa son, a la verdad, apacibles y cómodos, muy propios para la civilización y el refinamiento, pero muy cortos y limitados; la irrigación, hasta emprendida en la más audaz escala, no puede multiplicarlos indefinidamente; y el Perú, con toda evidencia, necesita base más extensa y sólida. La delgada franja de la Costa, entrecortada por desiertos, es tan exigua que en porvenir remoto, pero indudable, no continuará llevando sobre sí, como hoy sucede, el mayor peso de la nación. Cierto que el Perú dispone de una magnífica reserva: de una buena porción de la Montaña[180] feracísima, de las selvas prodigiosas que, andando el tiempo, compensarán con creces la pobreza agrícola de la Costa y la Sierra. Si no seguimos neciamente enajenando y renunciando gruesos pedazos de nuestra hijuela amazónica, no será imposible, mediante ella, que nuestros sucesores alcancen, a pesar de todo, lugar preferente en la América Meridional. Mas la población y explotación metódicas de la Montaña son obras dificilísimas, gigantescas, que tal vez demanden varias centenas de años; y entretanto la Sierra, asiento de la gran

---

[179] *encomiendas*: institución en la que un grupo de indígenas era asignado a un señor con el propósito de que trabajara para él, con el compromiso de que este les enseñara la doctrina cristiana; *corregimientos*: territorio donde tenía jurisdicción un corregidor, magistrado que ejercía la jurisdicción real, conocía las causas y castigaba los delitos.

[180] *Montaña*: actualmente, es más usual referirse a esta región natural como *Selva*.

mayoría de los habitantes, cuna de la nacionalidad, necesaria columna vertebral de su vida, tronco del que parten las dos cuencas de tierras cálidas, tiene que ser, por toda especie de razones geográficas e históricas, la región principal del Perú. Su actual abatimiento significa llanamente la atrofia de los órganos centrales del país. En lo económico, es hoy ante todo la minería, lo que equivale a decir que la aprovechan y utilizan los extranjeros. Hay que esforzarse por restaurar sus cultivos en el grado de prosperidad a que los llevaron los incas, y del que en la época española no decayeron tan completamente como se cree. Su naturaleza la dispone, por sus zonas templadas y frías, a ser proveedora de granos y productos pastoriles en la nación cuyo núcleo duradero constituye. Sin la mejora e incremento de la agricultura serrana, jamás habrá, material ni moralmente, patria vigorosa. Estriba en esto lo más del problema indígena, que es el esencial problema peruano.

La población rústica es, en efecto, dondequiera, la carne y el músculo de los estados; y en la Sierra del Perú, el campesino es y ha de ser siempre el indio. Los colonos extranjeros, allí de costosísimo arraigo, servirían, a lo sumo, en ciertas comarcas privilegiadas, de estímulos y modelos para la restante producción; pero a nadie que esté en su sano juicio se le ocurrirá de seguro desalojar y expulsar al cultivador indio de las elevadísimas altiplanicies y breñosidades[181], a las que está perfecta y secularmente adaptado, para substituirlo por emigrantes europeos, que no vendrían en bastante número y que desertarían muy pronto ese suelo ingrato. El agricultor quechua no es cazador *piel roja* o *pampa*[182]; y no hay analogía entre los territorios y los consiguientes destinos de tan contrarias sociedades. La raza indígena, muy al revés de tender a extinguirse, aumenta desde fines del siglo XVIII, a pesar de los destrozos del alcoholismo, de las pestes y de la gran propiedad, y excede en mucho a la raza blanca pura; y la acción del mestizaje de la Sierra es casi ilusoria, porque el *cholo* o mestizo serrano tiene a menudo tres cuartos y aun siete octavos de sangre india. En tal situación, la suerte del Perú es inseparable de la del indio: se hunde o se redime con él, pero no le es dado abandonarlo sin suicidarse.

Si existe una verdad comprobada por la Historia, es la de que las razas humanas no poseen cualidades psicológicas inmutables, sino a lo

---

[181] *breñosidades*: zonas llenas de breñas.
[182] *piel roja o pampa*: pobladores indígenas de las planicies norteamericanas y sudamericanas, respectivamente.

más propensiones, de diversísimos resultados según las circunstancias. Sus condiciones morales varían de continuo, y así decaen como se regeneran. La raza india, nuestra compañera indisoluble, es de genio dócil, ordenado y perseverante. No es inepta radicalmente, ni mucho menos, para las primordiales funciones colectivas de trabajo y defensa; pues, a pesar de su degradación presente, hay que reconocerle dos nobles vocaciones: la agrícola y la militar.

Labradores tenacísimos, apegados a sus terruños abruptos, enamorados de sus andenes estrechos y sus empinadas laderas, los indios benefician[183] campos tan pobres que cualquier otra gente descuidaría; y la mayor dicha para ellos es cultivar sus propias chacras. Si el rendimiento no es adecuado a sus afanes, la desproporción se debe a su ignorancia y miseria profundas, que les impiden estimar y emplear los inventos modernos; a la escasez de mercados, por falta de caminos y leyes protectoras; a la mala distribución de la propiedad, por los latifundios[184] y los abusos en el régimen interno de las comunidades y partición de sus lotes; y en particular, al desánimo que han de acarrear necesariamente las exacciones[185] seculares, a la reconocida inferioridad económica del peón defraudado y la tarea servil.

Sus aptitudes militares no son de desdeñar tampoco: soldados ágiles, sobrios, sufridos, de increíble resistencia para las marchas más penosas, en extremo obedientes y disciplinables, de iniciativa nula, pero muy buenos para las acciones de conjunto, de frío valor fatalista. Si en las campañas que sustentaron con su sangre, no llegaron los indios a formarse conciencia clara de las causas que servían, ni a diferenciar las contiendas civiles de las guerras nacionales, culpa fue de nuestras clases directoras, que no supieron infundirles, con la instrucción y la dignidad, el concepto de patria. Si carecen hoy de espontaneidad para el servicio y de empuje bélico, es que en ellos, *lo propio que en los mestizos y criollos blancos*, el orgullo patriótico está dormido, suprema causa de nuestra mengua.

Entre las restantes facultades para la civilización, los indígenas peruanos no están desprovistos, por cierto, de disposiciones poéticas,

---

[183] *andenes*: «Terraza escalonada, rellena con tierra, ubicada en la ladera de los cerros andinos para sembrar en ella» (*DiPerú*); *benefician*: «Hacer que algo produzca fruto o rendimiento, o se convierta en aprovechable» (DRAE).

[184] *latifundios*: «Finca rústica de gran extensión» (DRAE).

[185] *exacciones*: «Cobro injusto y violento» (DRAE).

prenda infalible de la personalidad duradera de una raza, a pesar de todas las vicisitudes de la Historia. Los campesinos quechuas, no obstante su barbarie e insondable abyección, conservan hasta el día una interesante literatura popular, un *folklore* rico y en extremo característico, sistemáticamente menospreciado y olvidado por la frivolidad y la insipidez cosmopolita de nuestros pseudocultos. Son cantares pastoriles (*hayllis*) y *tristes* amatorios (*harahuis*) de íntima y dolorida ternura, de ingenuidad infantil, de idílica rustiquez, a la par frescos y melancólicos como un paisaje de madrugada andino. Composiciones sencillísimas, instintiva creación de pobres indios o de mestizos casi tan ilustrados como ellos, estas canciones serranas sorprenden generalmente por una finura de afectos y una castidad de dicción admirables en sociedad tan ruda y grosera, y embelesan por el delicado sentimiento de las bellezas naturales que de continuo las inspira[186]. Los candorosos versos comparan el talle de las doncellas al cimbrarse[187] de los maizales, y las rosadas mejillas de sus rostros morenos a la encarnada y dorada dulzura de las manzanas[188]. La égloga[189] se bosqueja con plástica y luminosa simplicidad, mas en el fondo apuntan con frecuencia signos sombríos, malos agüeros, conformes a la aciaga fantasía aborigen: la pastora adolescente apacienta alegre su rebaño de ovejas y cabras, que trepan hacia una verde loma, sobre la cual revuelan acechando, en el aire puro, halcones y cóndores; y los zagales broncíneos se apoyan en las pétreas *canchas* de los apriscos[190], por cuyas rendijas musgosas asoman husmeando los zorros rapaces. En el horizonte despejado, soplan vientos precursores de tempestad y granizo[191]. Los árboles de las quebradas cobijan a la pareja de amantes; y la estrella del amanecer luce piadosa sobre las quejas melódicas del desdeñado. Un cantar de Ayacucho celebra la corriente fecundadora de las anchas acequias que han de cubrir el valle de sembrados y frutos, y anima a los labradores de la comunidad en

---

[186] «Consúltese para todo esto el folleto bilingüe *Azucenas quechuas* (Tarmap Pacha-Huaray) que en 1905 publicó en Tarma el malogrado folklorista A. Vienrich, colector muy útil aunque no muy seguro por su de-...»★, Vienrich, *Azucenas quechuas* (por ejemplo «Icma»/«La viuda», pp. 90-92).

[187] *cimbrarse*: moverse garbosamente.

[188] «*Cantos de Huánuco*»★

[189] *égloga*: composición poética de idealización bucólica.

[190] *canchas*: «Terreno acotado, por lo general no muy grande» (*DiPerú*); *apriscos*: lugar donde se protegen los rebaños.

[191] «*Cantos de Chupaca*»★

las regocijadas tareas de romper y apisonar[192] la tierra. Invocan varias coplas al río de Jauja, o al poderoso Apurímac que gira y ondula entre aldeas y caseríos; o encarecen, sobre las lozanas praderas (*huayllapampas*), la blancura de los ganados, que comparan con las cimas de nieve, y a los que engalanan con cintas multicolores y con orejeras y borlas[193] entretejidas (*El Huaccataqui*). Uno de los yaravíes más antiguos y de eufonía más suave, que comienza:

> Purum pampapi
> pisccucunata:
> A la llanura solitaria,
> íbamos los dos
> a oír el trinar de los pájaros;

hace recordar el principio de una conocida balada alemana. La fúnebre lamentación de la huérfana (*Ayataqui*), los tan musicales coros elegíacos del *Ollantay*, y el *Huancascca* cuzqueño, que se diría inspirado en el Valmiki indostánico y sus *eslocas*[194], son acabadas muestras de la tristeza sollozante y desolada a que tanto se inclinan los americanos autóctonos. Corresponde a este lúgubre tono, predominante en...[195] *Otras coplas invocan al poderoso río Apurímaj, que gira y ondula entre aldeas y caseríos:*

[192] *apisonar*: «Apretar o allanar la tierra, grava, etc., por medio de un pisón o una aplanadora» (DRAE).

[193] *borlas*: «Conjunto de hebras, hilos o cordoncillos que, sujetos o reunidos por su mitad o por uno de sus cabos en una especie de botón y sueltos por el otro o por ambos, penden en forma de cilindro o se esparcen en forma de media bola» (DRAE).

[194] *Valmiki*: autor de la epopeya india *Ramayana* (500 a 100 A.C.); *eslocas*: término de la prosodia sánscrita, dísticos en los que se divide el *Ramayana*.

[195] «Perdida la última página del manuscrito de los *Paisajes andinos,* se ha tomado para completar la exégesis de la poesía quechua de Riva-Agüero, el texto de una glosa sobre el mismo tema, iniciada en este trozo, que aparece en la obra de Riva-Agüero y sigue, casi puntualmente, la misma dirección que el final trunco de los *Paisajes*. Riva-Agüero desglosó seguramente dicho trozo, del final de su libro de viajes, para incorporarlo en 1921 en la Introducción a su libro *El Perú histórico y artístico*, sobre el alma quechua. La temática y la actitud espiritual, y hasta muchas frases, son las mismas» [Riva-Agüero, ed. Porras, 1955 p. 190]. Se sigue el texto de Riva-Agüero, «El Perú histórico y artístico», pp. 94-97.

> Llajtan, llajtan múlluy
> Apu huarpa mayu;…

o comparan el talle de las doncellas al cimbrarse de los maizales. En estos rústicos versos, la égloga se bosqueja con plástica y luminosa simplicidad. Mas en el fondo apuntan signos sombríos, malos agüeros, conformes a la patética fantasía india. La pastora adolescente apacienta el rebaño en una verde loma, sobre la cual revuelan, acechando, en el aire sereno, halcones y cóndores; y los zagales broncíneos se apoyan en las pétreas canchas de los apriscos, por cuyas rendijas musgosas asoman husmeando los zorros rapaces[196]. *En el horizonte despejado, soplan vientos precursores de tempestad y granizo. Los arbustos de las quebradas cobijan a la pareja de amantes; y la estrella del amanecer luce trémula y pía sobre los ayes melódicos del desdeñado.*

La misma suavidad lírica, la misma incomparable mansedumbre, mezclada a ratos con intenciones satíricas y burlas, caracterizan las fábulas y consejas en prosa. En ellas, no solo hablan los animales, sino los árboles, las cuevas y los cerros: toda la naturaleza se anima y personaliza. En su intuitiva inocencia, el quechua concibió la fraternidad del universo. Las aguas sagradas de los manantiales (puquios) *infunden el cariño y el olvido. Las rocas y las pampas se conduelen de los desgraciados; y las clementes y misteriosas palabras con que dialogan solo pueden oírse en sueños. El venado, que huye anhelante por los riscos, fue un rico cruel, transformado en animal medroso y siempre perseguido porque despreciaba a su hermano pobre. En las nubes multiformes que encubren las cimas, ven los genios benéficos de los Andes; y en las aisladas peñas que se elevan sobre los pajonales,*[197] *pastores petrificados en castigo de sus faltas. En las noches de luna nueva, por las lejanías lucientes o bajo las recortadas sombras del arbolado escaso, dicen que recorre los campos, en compañía de un buitre y de un puma, una joven hermosísima y atribulada, hija de un cacique, a la que raptó el diablo. En las grutas tenebrosas, creen que duermen tranquilos con sus tesoros los curacas*[198] *de la Conquista, que no quisieron sobrevivir a sus legítimos soberanos.*

Abundaron en la mitología peruana las invenciones solemnes o graciosas. Huiracocha, el dios creador y civilizador, desaparece andando sobre su manto en las olas del mar, y profetiza que por el mar vendrán los misteriosos hombres pálidos a poner término al poderío indígena. El dios Con, a quien de ordinario

---

[196] «Cantos de Chupaca»★

[197] *pajonales*: «Zona donde crece paja en abundancia» (*DiPerú*).

[198] *curacas*: caciques.

se confunde con Huiracocha o Pachacámaj, sopló a manera de un viento fuerte, al principio del mundo, y erigió las cordilleras y allanó los valles. La lluvia se debe al cántaro de una doncella celeste, quebrado por su travieso hermano. El oro y la plata son las lágrimas del Sol y de la Luna. El planeta Venus es el paje favorito del Sol, de tremenda cabellera. Un zorro se enamoró de la diosa Luna, y las huellas de aquellos abrazos son las manchas de su vestido blanco. La Vía Láctea es un río de luz, origen de los mares y las fuentes; y la constelación de la Cruz del Sur, el puente o la escalera de los cielos. Los grandes nevados se llaman «ancianos» (Machu) o «dorados y santos» (Corihuillca); y los volcanes, «aureolados» (Chimpu). En los reflejos de las nieves perpetuas e inviolables del Coropuna figuraron fantásticos palacios.

Las tradiciones de Huarochirí[199] hablan de los amores de los cerros, que se miran al través de los nublados invernales, y por encima de los hondos barrancos y el dentellado[200] hacinamiento de las cadenas menores. Cierto semicírculo de peñolerías que hay en esa región es, para las abusiones[201] de los indígenas, la asamblea de los huaris o dioses tutelares. Cuentan que ante ellos se presentó una antigua deidad acompañada de su hija, disfrazadas ambas de mendigas. Los huaris las desconocieron y arrojaron ignominiosamente. La ultrajada deidad cargó a su hija y se dirigió a la Costa. Entonces los genios, sus parientes, arrepentidos, quisieron detenerlas; pero no pudieron ya alcanzarlas, ni impedir con sus clamores que se precipitaran en el océano, donde se convirtieron en los islotes blanqueados por la espuma frente a los templos de Pachacámaj. En la misma provincia refiere que el nevado de Pariajaja[202], pródigo en lluvias, se enamoró de otra altura, la cual es seca y estéril, pero encierra en sus piedras partículas de oro. Soberbia con su riqueza, la montaña desechó el cántaro de agua que, como don amoroso, le enviaba el Pariajaja, y se quedó árida y triste. El cántaro, rechazado con violencia, fue rodando abajo, entre los demás cerros calvos; y rompiéndose en el lozano prado que ahora se llama de Buenavista,

---

[199] *Huarochirí:* «Provincia del departamento de Lima, capital San Juan de Matucana» (Stiglich). Se encuentra en la Sierra central, al E de la ciudad de Lima.

[200] *dentellado:* «Con dentellones o salientes a modo de almenado o escalonado» (Fatás-Borrás).

[201] *peñolerías:* peñones; *abusiones:* supersticiones.

[202] *Pachacámaj:* la deidad oracular del Pacífico Meridional, cuyos templos se encuentran al S de Lima; *Pariajaja:* «*Parya Qaqa:* Lit. Peña de los gorriones. Nevado al N del río Rímaj, con el nombre del dios Paryaqaqa, uno de los dioses mayores, de Warochirí [Huarochirí], adorado en el litoral del Pacífico por un gran número de grupos culturales preincaicos, pero también reconocido y adorado por los incas» (Rosat).

produjo el vertedero que fertiliza la parte inferior del valle. Como estas amables leyendas, recogidas de labios de naturales de aquellas comarcas, traen muchísimas otras el libro del cura Ávila y el del jesuita Arriaga[203]*, ambos del siglo* XVII. *Habría que compararlas (para apreciar cabalmente las diferencias entre las razas sudamericanas) con los adustos cuentos araucanos de monstruos y aparecidos,* sus héroes cuchilleros o langemtuves, *sus crueles* anchimallen *o duendes, sus* huytranalhues, *cuyo aspecto es mortal y se alimentan de sangre humana, las vaticinadoras de terremotos, los viajes a la lóbrega mansión de los difuntos, y el alado caballo de fuego* (cherruve) *que cruza tronando los aires para anunciar la muerte de los caciques; rasgo este último de magnífica y sombría belleza, que no disonaría en una saga germánica*[204].

En cambio, la oración incaica a Huiracocha, recordada por los padres Molina y Cobo, tiene la vibrante sublimidad de un salmo hebreo: «¡Oh hacedor incomparable!, que estás en los términos del mundo, y creaste a los hombres; —¿dónde te ocultas?— ¿Por ventura en lo alto del cielo, o en los abismos de la tierra, o en los nublados de las tempestades?» La invocación a la Pachamama[205] *es de un delicioso panteísmo: «Madre tierra, larga y anchurosa, que traes a los hombres en tus brazos...» A las cavernas, que eran los sepulcros de la Sierra, les decían «He de dormir en tus senos; — dame sueños apacibles».*

[203] *el libro del cura Ávila: Dioses y hombres de Huarochirí. Narración quechua recogida por Francisco de Ávila [¿1598?]; el jesuita Arriaga:* Pablo José de Arriaga (Vergara, Vizcaya, 1564-La Habana, 1622). «Como fruto de su experiencia [de misionero popular] publicó *La extirpación de la idolatría del Pirú,* un excelente estudio acerca de la práctica religiosa de los indios en los primeros decenios del siglo XVII» (O'Neill y Domínguez, *Diccionario histórico de la Compañía de Jesús*).

[204] «Vid. *Psicología del pueblo araucano,* por Tomás Guevara (Santiago de Chile, 1908); págs. 325, 326, 344 y sigts.»*.

[205] Molina, «Relación de las fábulas y ritos de los incas», *Relación de fábulas y ritos de los incas. Relación de la conquista y población del Perú,* p. 47; Cobo, *Historia del Nuevo Mundo,* libro XIII, capítulo XXIII, p. 88; *Pachamama:* «La Madre Tierra, deidad incaica, ubicua y poderosa, que vive en la entraña de la tierra (¿oriunda del altiplano del Titicaca?); personificación de las fuerzas productivas de la tierra que da sustento a la gente: hace germinar la semilla y crecer las plantas; irascible, hay que saber cómo portarse con ella; hay que ofrecerle sacrificio en la siembra, cosecha, al empezar la construcción de casas, para abrir un camino o una acequia, o al iniciar trabajos en las minas, etc. Si no [se realiza el sacrificio], pueden venir castigos: mala cosecha, enfermedad, muerte. El culto, propio del Tawantin-suyu, sobrevive en la actualidad» (Rosat).

APÉNDICE

SOBRE LA AUTENTICIDAD DEL *OLLANTAY*
Y LA POESÍA ANTERIOR A LA CONQUISTA

Don Bartolomé Mitre[1], por su afán de probar la total procedencia
española del *Ollanta*[2], incurrió en positivos errores y en exageraciones
clamorosas. Llegó hasta el extremo de escribir que «el orgullo de casta, el espíritu militar, el amor filial, la humanidad con el vencido, la
magnanimidad monárquica, y la abnegación deliberada en holocausto
de la monarquía, sentimientos inspiradores de este drama, son *elementos morales propios de la civilización europea* y pugnan con todo lo que se
conoce como sociabilidad quechua»[3]. Por mucho que se regateen y
rebajen las virtudes de la semicivilización incaica, es imposible negar,

[1] «*Ollantay, estudio sobre el drama quechua*, Buenos Aires, 1881»*.

[2] Julio Calvo Pérez, ed., *Ollantay*. El drama *Ollantay* «presenta la historia de
un guerrero, que al servicio del inca Pachacútec, ha conducido a los ejércitos
a numerosos triunfos, ha sido distinguido con el *champi* y el casco de oro, y ha
merecido que se le confíe el gobierno de la provincia de los Antis; pero aún pide
al inca que lo eleve más, y le solicita autorización para unir su destino al de Cusi
Coyllur, su hija. Pachacútec recuerda a Ollántay su humilde origen, e inmediatamente ordena su prisión y la reclusión de la *ñusta* en la acllahuasi; pero el
guerrero escapa de Cuzco, subleva a los andícolas y durante veinte años combate
victoriosamente contra las huestes del inca, dirigidas por Rumiñahui. A la muerte de Pachacútec, su general decide emplear la astucia para doblegar al rebelde;
se presenta ante Ollántay fingiéndose maltratado por el nuevo soberano; gana su
confianza; y lo traiciona cuando sus huestes se embriagan durante la celebración
de la fiesta del Sol. Ollántay y sus hombres, maniatados, son conducidos a Cuzco; pero el inca Túpac Yupanqui lo perdona, adorna su frente con la *mascaipacha*;
y, conmovido por la niña Ima Súmac, va a la acllahuasi, donde se encuentra su
hermana Cusi Coyllur y la desposa con Ollántay» (Tauro).

[3] Mitre, *Ollantay*, p. 20

sin ceguedad manifiesta, que fueron precisamente aquellas enumeradas por Mitre las que la caracterizaron entre los pueblos americanos, y que en ellas cifró su ideal de vida, como, por lo demás, ya lo habían hecho tantos imperios asiáticos. En cuanto a la *fidelidad conyugal* y al *horror por la poligamia*, que son los otros sentimientos de que Mitre declara animado el *Ollanta*, por ninguna parte aparecen en él, y muy sutil ha de ser la crítica que los descubra. No es menos arbitrario tomar como capital prueba del origen español de la pieza la existencia del gracioso[4]. Con argumentos de esta índole, cabría recusar hasta la autenticidad del teatro indostánico, en que la intervención del bufón (*vidusaka*) es frecuentísima.

Desafiaba Mitre a los creyentes en representaciones dramáticas prehispanas con el silencio que sobre el particular suponía en Cieza, el más autorizado y fidedigno de los cronistas incaicos; y ahora resulta que es Cieza, en su *Señorío*, quien da las muy circunstanciadas noticias del «teatro grande, con gradas, muchos adornos y mantas» que los incas tenían formado en mitad de la plaza principal del Cuzco para los *villancicos* y *romances* del Gran Raymi» y «de los *truhanes* o *decidores* que en tales días, con palabras alegres, contentaban al pueblo»[5]. A más de

---

[4] *gracioso*: «Personaje-tipo del teatro nacional del Siglo de Oro cuya función básica es la de servir de confidente del galán y de intermediario entre la escena y el público» (Estébanez Calderón).

[5] «Caps. XI y XXX»*, «[…] era permitido y ordenado por los mismos reyes que fuesen ordenados cantares honrados y que en ellos fuesen muy alabados y ensalzados, de tal manera que todas las gentes se admirasen en oír sus hazañas y hechos tan grandes; y que estos no siempre ni en todo lugar fueran publicados y apregonados, sino cuando estuviese hecho algún ayuntamiento grande de gente venida de todo el reino para algún fin y cuando se juntasen los señores principales con el rey en sus fiestas y solaces o cuando se hacían los "taquis" o borracheras suyas. En estos lugares, los que sabían los romances a voces grandes, mirando contra el inga, le contaban lo que por sus pasados había sido hecho […] Y cada bulto [momia envuelta en un fardo] tenía sus truhanes y decidores que estaban con palabras alegres contentando al pueblo […]» (Cieza de León, *Crónica del Perú. Segunda parte*, capítulo XI, pp. 28-29); «Y en la mitad de la plaza tenían puesto, a lo que dicen, un teatro grande con sus gradas, muy adornado con paños de pluma llenos de chaquira de oro y mantas riquísimas de su tan fina lana, sembradas de argentería de oro y de pedrería. En lo alto de este trono ponían la figura de Tiziviracocha, grande y rica; al cual, como a quien ellos tenían por dios soberano hacedor de lo criado, lo ponían en lo más alto y le daban el lugar más eminente y todos los sacerdotes estaban junto a él […]» (Cieza de León, *Crónica del Perú. Segunda parte*, capítulo XXX, p. 91).

Garcilaso y la *Relación* del jesuita anónimo, Juan Santacruz Pachacuti y el padre Acosta (como lo recordó Larrabure)[6] confirman la realidad de espectáculos escénicos anteriores a la Conquista; y a dichos testimonios debemos agregar el de Polo de Ondegardo, quien ha sido en esto la fuente de Acosta y asevera que en la fiesta del Intip Raymi había *danzas, cantares y representaciones*[7], y el de Pedro Sarmiento de Gamboa, que atribuye la institución de tragedias históricas de los incas al soberano Yupanqui Pachacútec[8, 9]. No ha errado menos Mitre en alegar como anacronismos evidentes las alabanzas del *harahui*[10] de la escena IV sobre la blancura femenil, cuando es muy sabido que entre los incas se conocía y encomiaba el relativo color claro en muchas mujeres de Chachapoyas y de la corte, cuya tez comparaban los *harahuicus* (como lo hacen los poetas turcos) con la cáscara del huevo[11]; en desconocer

[6] *el padre Acosta*: «Tañen diversos instrumentos para estas danzas: unas como flautillas o cañutillos; otros como atambores; otros como caracoles; lo más ordinario es en voz cantar todos, yendo uno o dos cantando sus poesías y acudiendo los demás a responder con el pie de la copla» (Acosta, *Historia natural y moral de las Indias*, libro sexto, capítulo 28, p. 317); Larrabure, «La poesía entre los incas. Ollantay», p. 146.

[7] *«Tratado de los errores y supersticiones de los indios*, VII, 7»*, «danzas, representaciones o cantares» (Polo de Ondegardo, «De los errores y supersticiones de los indios», *Informaciones acerca de la religión y el gobierno de los incas*, capítulo VIII, p. 22.)

[8] «*Historia general índica, segunda parte*, cap. 31» *, «Y después los [a los fardos con las momias de los incas] por orden de su antigüedad en un escaño, ricamente obrado en oro, y luego mandó hacer grandes fiestas y representaciones de la vida de cada inga. Duraron estas fiestas, a las que llamaron *purucaya*, más de cuatro meses. Y hizo grandes y suntuosos sacrificios a cada cuerpo de inga al cabo de la representación de sus hechos y vida» (Sarmiento de Gamboa, *Historia índica*, capítulo 31, pp. 236-237.)

[9] Pachacútej H.

[10] *harahui*: «*yarawi, yarawí*: canto popular triste, de dolor, melancólico (para ritos de difuntos, despedidas…)» (Rosat).

[11] «Consúltense Garcilaso, *Comentarios Reales*, primera parte, libro V, cap. XXVIII; Pedro Pizarro; Cieza de León, *Crónica del Perú*, cap. LXXVII. En toda la poesía erótica de los pueblos mongólicos, y por lo tanto amarillos, del Asia, se hallan los mismos encarecimientos de blancura para las beldades favoritas, sin duda por la atracción sexual de los contrastes. Este dulcísimo *harahui* de la escena IV trae a la memoria, más aún que al Cantar de los cantares (del que Mitre, en su prurito de filiaciones, lo creyó reflejo), ciertos cantos populares del Cáucaso y el Kurdistán, algunos *gazales* persas y hasta estancias líricas chinas de la dinastía Chang. Sus comparaciones pertenecen de hecho al fondo común de la humanidad, y así las coincidencias apuntadas son fortuitas y se advierten entre las razas

las vestiduras negras como luto del Tahuantinsuyu , cuando los muy verídicos Cieza y Cobo las comprueban para tal uso[12]; en reputar reminiscencia medioeval europea el don regio del *sipi*[13] a un guerrero en la escena VI, pues este vocablo no significa allí anillo, como lo creyó Mitre, sino collar o patena de oro, obligada insignia en la ceremonia del *huari*; ni en acusar de falsedad indudable la frase de la escena IX que dice que el inca Pachacútec fue enterrado (*pampascajta*), pues parece lo más cierto que las momias de los monarcas se inhumaban

más distintas y las más aisladas literaturas. Sea dicho de paso que Mitre no reparó o no quiso reparar en que las metáforas de la flor roja del *achancaray* y de la dorada del algodonero indígena son del más legítimo color local en este trozo lírico»*, «El nombre de la reina, mujer del inca Viracocha, fue Mama Runtu: quiere decir madre huevo; llamáronla así porque esta coya fue más blanca de color que lo son en común todas las indias, y por vía de comparación la llamaron madre huevo, que es gala y manera de hablar de aquel lenguaje; quisieron decir madre blanca como el huevo», Inca Garcilaso de la Vega, *Comentarios reales de los incas*, tomo I, libro V, capítulo XVII, p. 285; «Estas señoras que tengo yo dicho eran muy limpias y pulidas en lo que traían los cabellos largos sobre los hombros, negros, que así los procuraban tener, y muy largos. Précianse de hermosas, y éranlo casi todas las hijas de estos señores y de los orejones. Las indias guancas y las chachapoyas y cañares eran, de las comunes, las más hermosas y pulidas; el demás mujeriego común de este reino eran espesas, y no hermosas ni feas, sino de mediano parecer. Esta gente de este reino del Pirú es blanca, de color trigueño, y entre los señores y señoras eran más blancos, como españoles». Pedro Pizarro, *Relación del descubrimiento y conquista de los reinos del Perú*, cap. 33, pp. 240-241; «Las mujeres son amorosas y alguna hermosas» Cieza de León, *Crónica del Perú. Primera parte*, capítulo LXXVII, p. 228.

[12] «Cieza de León, *Señorío*, cap. VII, Bernabé Cobo, *Historia del Nuevo Mundo*, libro XIV, cap. VII, Cieza de León, primera parte de la *Crónica del Perú*, cap. LXXXIII. Véase también Juan Santa Cruz Pachacuti en el reinado del octavo inca, Yupanqui Pachacutec»*. Cieza de León, *Crónica del Perú. Segunda parte*, capítulo VII, p. 17; «Cuando moría la mujer legítima, si el marido era hombre de cuenta, no se casaba en un año, y todo aquel tiempo traía manta negra» (Cobo, *Historia del Nuevo Mundo*, libro XIV, capítulo VII, p. 183); «Y cuando los señores mueren, los entierran de la suerte y manera que todos los de atrás usan; y las mujeres que quedan se trasquilan y ponen capirotes negros, y se untan los rostros con una mixtura negra que ellos hacen, y ha de estar con esta viudez un año» (Cieza de León, *Crónica del Perú. Primera parte*, cap. LXXXIII, p. 241); «Al fin las indias salen otra procesión, todos haciendo llantos y lloros, y trisquilados con fajas negras, y el rostro, todo hechas negras» (Pachacuti, *Relación de antigüedades deste reino del Pirú*, p. 225).

[13] *sipi*: «Collar, insignia» (Rosat).

efectivamente en palacios o túmulos[14] especiales, de donde las sacaban para determinadas solemnidades, y solo sus efigies se guardaban en la capilla mayor del Coricancha. Larrabure[15] hizo notar que otras de las inexactitudes históricas indicadas por Mitre no eran sino equivocaciones suyas, como la de confundir la borla roja, emblema de la soberanía, con la amarilla, distintivo del príncipe heredero, del regente o del lugarteniente del inca.

A este género corresponde también la imposibilidad que Mitre advierte en la tumultuosa elección de Túpac Yupanqui, aludida en la misma escena IX, siendo el incazgo[16] teocracia hereditaria; porque los mejores analistas (inéditos cuando la pretensa invención española del drama) traen, en sus relatos, pruebas o a lo menos fuertes indicios de que Túpac Yupanqui fue hijo menor de Pachacútec[17] y ascendió al trono por disposición excepcional de su padre, o por aclamación de los *orejones*[18], que desposeyeron a Amaru Yupanqui[19], y en todo caso alterando el orden legal de la sucesión y para salvar el imperio de la sublevación de los collas[20].

Los versos 660-663, que por su sentido considera Mitre *españoles puros*, puede que no lo sean tanto, desde que los vocablos *ccollquita ricunanpaj* tienen como traducción literal no *sonar dinero*, sino *que miren la plata* (metal); y es así concebible que se refieren no a monedas, sino a objetos suntuarios o de trueque.

Es incierta y aventuradísima la afirmación del escritor argentino: «El *Ollantay* está vaciado en el *molde métrico peculiar* a las lenguas europeas meridionales»[21]. Pacheco Zegarra[22], en su excelente comentario, analizó e hizo resaltar curiosas particularidades de la versificación y el ritmo quechuas, como son la absoluta ausencia de sinalefas y sinéresis;

---

[14] *túmulos*: «Sepulcro levantado de la tierra» (DRAE).

[15] *Coricancha*: famoso templo del Sol, en el Cuzco; Larrabure, «La poesía entre los incas. Ollantay», p. 188.

[16] *incazgo*: incanato.

[17] Pachacútej H.

[18] *orejones*: nobles incaicos.

[19] *Amaru Yupanqui*: hermano de Túpac Yupanqui.

[20] *collas*: pueblo que habitaba la meseta del Collao, al SE del Cuzco, en la zona del lago Titicaca.

[21] Mitre, *Ollantay*, p. 39

[22] *Pacheco Zegarra*: Gavino Pacheco Zegarra, *Ollantay. Drame en vers quechuas du temps des Incas.*

la íntima musicalidad en la transformación rigorosamente simétrica de las vocales (igual[23] al de las lenguas uralo-altaicas[24] de Asia y Europa y procedimiento rítmico que, después del *Ollantay*, no subsiste en ninguno de los ensayos de poesía quechua españolizada); la consonancia o desinencia guardada no desde el último acento, como en las lenguas latinas, sino solo en la última sílaba; la alternación indistinta de asonantes y consonantes en una misma copla; la intercalación repentina de versos aislados en distintos metros y la continuada serie de asonancias pareadas o monorrimas que recuerdan a trechos las formas de los *cantares de gesta*, profundamente olvidados en la España del siglo XVI; la regla, en fin, según la que ni una estrofa ni un verso pueden en los diálogos dividirse entre varios interlocutores, y si por exigencias del sentido hay palabras excedentes de la medida, quedan estas aisladas, y verso y rima se interrumpen; singularidades todas muy sugestivas y que reclaman atención. El general Mitre, que estudió el asunto con sobrada ligereza, salió del paso desenvueltamente, atribuyendo las irregularidades mencionadas «a incorrecciones del autor o del copista»[25]; pero la manera constante y sistemática con que se ofrecen en muchos pasajes invalida esta cómoda explicación; y aun los casos en que es probable que se trate de meras variantes o supervivencias son muestras de versiones anteriores o de primitivos textos, que arguyen remota antigüedad. De otro lado, la literatura quechua de la época colonial no alcanzó en ningún momento importancia bastante para constituir una escuela con preceptos originales y distintivos.

La opinión de Garcilaso: «No usaron de consonante en los versos; todos eran sueltos»[26] dista mucho de ser decisiva en este punto; porque Garcilaso no conoció directamente más poesías incaicas que las breves estrofas líricas de simple ritmo acentual citadas por él y por el padre Valera, muy análogas en su estilo y dimensiones a las *tankas*[27] japonesas. Observa muy bien Pacheco Zegarra que habría sido extrañísimo que ignoraran del todo los indios peruanos el sencillo artificio de la

---

[23] *igual al de las lenguas uralo-altaicas de Asia y Europa y*: omitido en H.

[24] *uralo-altaicas*: clasificación de lenguas usual en los siglos XIX y XX, que incluye al maguiar (húngaro), finés, turco, mongol, etc.

[25] Mitre, *Ollantay*, p. 40

[26] «*Primera parte, libro II, cap. XVII*»*, Inca Garcilaso de la Vega, *Comentarios reales de los incas*, libro segundo, capítulo XXVII, p. 121.

[27] *tankas*: «Poema japonés corto, compuesto de cinco versos, pentasílabos el primero y el tercero, y heptasílabos los restantes» (DRAE).

rima (común en las más diversas regiones del universo), poseyendo una lengua tan apropiada a aquel por extraordinariamente abundante en consonancias, como es la quechua. Es muy verosímil que para los largos cantares míticos e históricos (sobre cuya existencia y proporciones tenemos en Betanzos, Cieza y otros muchos, incontrovertibles datos) los peruanos incaicos emplearan como recurso mnemónico la rima, más o menos regular, semejante a la usada en la primitiva literatura china. Esta presunción se confirma observando que la misma rima irregular de ciertos pasajes del *Ollantay* se encuentra en casi todos los tradicionales cantos populares del quechua y sus dialectos; y con tanta mayor tendencia al pareado, a la aliteración, a la rima interna, a la mera asonancia final, al verso corto y a la prescindencia de la última sílaba acentuada cuanto más antiguas parecen aquellas canciones. Análoga observación podría hacerse acerca de las plegarias gentílicas cuyo texto quechua literal recogió el cura Cristóbal de Molina[28].

Mas luego de desvirtuadas las objeciones de Mitre, tanto las generales y apriorísticas fundadas en un concepto falso del estado social del Tahuantinsuyu[29], como la mayoría de sus reparos sobre pormenores que se reducen a vaguísimas o mínimas analogías, todavía subsisten razones numerosas, muchas de las cuales no tuvo presentes Mitre, y que convencen de la redacción cristiana del *Ollantay*. Toda la escena VIII delata a voces la influencia de las ideas españolas sobre el monjío voluntario y la profesión de los votos religiosos, pues refiere los esfuerzos de las *mamaconas*[30] para despertar la vocación del claustro en Ima Sumaj; cosa tan superflua en las *acllas* o vírgenes del sol, reclutadas por tributo forzoso, y destinadas, en parte, a los sacrificios humanos, y en otra parte, a los ministerios del culto o a darse en matrimonio a señores principales. En la escena IX, el bufón compara al gran sacerdote con una gallina (*huallpa*), animal traído al país por los castellanos. En la escena X, verso 1,087, parece confundirse a Pachacámac con el Inti[31]. Desde las primeras páginas hallamos en todo el drama irreverentes comparaciones con el sol y la luna, en tal tono que habrían

---

[28] Molina, Cristóbal de, *Relación de fábulas y ritos de los incas*.

[29] *Tahuantinsuyu*: Tahuantinsuyo, el imperio incaico.

[30] *mamaconas*: «*mamakuna*: Mujeres ancianas envejecidas en el ajlla-wasi al servicio del Sol, como ajllakuna. Ellas educaban y vigilaban a las jóvenes» (Rosat).

[31] *Pachacámac*: «*Pacha-kamaj*: El dios o ser supremo de los incas, espiritual, invisible, hacedor, creador, gobernador, conservador del mundo» (Rosat); *Inti*: el dios Sol.

sido horrendos sacrilegios. No es admisible que el Huillaj Uma[32] en el diálogo segundo, le desee a Ollanta el dominio universal, propio del inca; ni tampoco armoniza con el régimen incaico que el fiel y ejemplar Rumiñahui quede sin premio, en la escena XIV. Admira igualmente no descubrir invocaciones al dios Huiracocha y a otras grandes huacas[33], ni referencias a los sacrificios de los niños, tratándose de las fiestas más solemnes, en que eran de rito, como en la coronación de nuevo soberano. Estos argumentos hacen mucha fuerza; y es bien sospechosa, por último, la coincidencia del metro octosilábico, en que hoy está la obra, con el predominante en la literatura dramática y narrativa popular de España. Cuando dicho metro se interrumpe en los versos 137 y 138 con dos extraños decasílabos pareados y de rima interna imperfecta en los hemistiquios, diríase que el conjuro o fórmula mágica que contienen se ha conservado allí excepcionalmente, como un vestigio, en su propia y arcaica medida.

En resolución, por las señales referidas y otras, el texto del *Ollantay* pertenece a la época española, aunque no puede aceptarse la opinión vulgar de que su autor fuera el cura don Antonio Valdés, quien vivió a fines del siglo XVIII. A más de varios testimonios y conjeturas contra esta paternidad, consta que el manuscrito paceño recogido por Tschudi llevaba como fecha de transcripción o de representación la de 1735. El anónimo redactor o coordinador, probablemente del siglo XVII, hubo de tener a la vista y seguir muy de cerca poesías tradicionales, cantares históricos y quizá diálogos rítmicos de la edad incaica[34]. Respecto a la efectiva existencia de estos diálogos y fábulas escénicas anteriores a la Conquista, ya hemos dicho cuán infundado es el escepticismo de Mitre, pues la abonan tantos cronistas; la costumbre popular arraigada en gente tan conservadora y refractaria a innovaciones como los indios; y hasta la espontánea tendencia de la evolución social, que tenía necesariamente que sacar recitados teatrales, siquiera fueran rudimentarios,

---

[32] *Huillaj Uma*: el sacerdote (Ollantay, p. 192).

[33] *Huiracocha*: «*Wiraqocha, Wiraqoche, Wiraqochi*: divinidad preincaica (pukina) e incaica cuya identidad varía, según las fuentes. Se lo adoraba como guía y ordenador de hombres, animales y plantas» (Rosat); *huacas*: deidades.

[34] «Desde principios del siglo XVII, cuando menos, la tradición de los amores de Cusi Coyllur era conocida por los españoles, según lo demuestra la larga y desnaturalizada versión que de ellos hizo D. Juan de Miramontes en su poema dedicado al virrey marqués de Montesclaros»*, Miramontes y Zuázola, *Armas antárticas*, cantos XI-XIV, octavas 940-1268, pp. 419-505.

de aquellos bailes sagrados y *harahuis*[35] en que, «refiriendo hazañas, cosas pasadas y loores del inca», «entonaban uno o dos, diciendo sus poesías, y acudían los demás a responder con el pie de la copla»[36]. De estos cantos dialogados, ha nacido dondequiera, combinándose con la pantomima de máscaras y disfraces (tan conocida y usada en el Perú aborigen), el genuino teatro hablado, trágico y cómico, que así no hay cómo negarles dogmáticamente a los indios peruanos, ya que los aztecas y quichés lo alcanzaron[37]. El *Ollantay* tiene que ser una refundición colonial de materiales incaicos, de igual modo que el *Usca Páucar* (aunque este mucho más cristianizado y deformado). Sin la preservación del fondo auténtico, que reaparece con frecuencia hasta en el giro literal de las frases, sería incomprensible cómo sus noticias sobre la sucesión y guerras de los monarcas se apartan en todo de la versión de Garcilaso, predominante en los siglos XVII y XVIII, y convienen a maravilla con las de los manuscritos descubiertos recientemente en los archivos europeos[38]; y constituiría un portento, una verdadera monstruosidad, un absurdo moral, que en ambiente como el de la Colonia, tan adverso a la profunda adivinación del sentido de las edades primitivas, a la compenetración con el espíritu de las civilizaciones pretéritas, hubiera acertado un falsario, por mayor inspiración que se le suponga, a reproducir de manera tan admirable todas las características de la poesía heroica y bárbara, el colorido inconfundible de una cultura exótica, según lo manifiestan los ejemplos que traemos en el texto.

[35] *harahuis*: composiciones poéticas incaicas.

[36] «Cobo, libro XIV, cap. XVIII. Acosta, libro VI, cap. XXVIII»*, «Los que eran de regocijo y alegría se decían *arabis*; en ellos referían sus hazañas y cosas pasadas, y decían loores al inca; entonaba uno solo y respondían los otros» (Cobo, *Historia del Nuevo Mundo,* libro XIV, capítulo XVII, p. 232); Acosta, *Historia natural y moral de las Indias,* libro sexto, capítulo 28, p. 317.

[37] «Véase entre otros Acosta, libro V, cap. XXX»*, Acosta, *Historia natural y moral de las Indias*, libro quinto, capítulo 30, pp. 276-278.

[38] «Una de estas concordancias del *Ollantay* con los primeros cronistas, en lo relativo a Túpac Yupanqui, presentado como hijo menor y sucesor inmediato de Pachacútec, y al silencio sobre el breve reinado del Amaru Yupanqui, se reputaba cabalmente prueba de la *originalidad* del cura Valdés y de sus *anacronismos y licencias poéticas*, por don José Manuel Palacios, redactor de *El Museo Erudito* del Cuzco, en el año de 1837, atenido solo, conforme lo hacían todos sus contemporáneos, al sistema del Inca Garcilaso»*.

BIBLIOGRAFÍA

Arona, Juan de, *La línea de Chorrillos. Descripción de los tres principales balnearios marítimos que rodean a Lima,* Lima, Librería y Encuadernación Gil, 1894.

Acosta, Joseph de, *Historia natural y moral de las Indias,* ed. Edmundo O'Gorman, México/Buenos Aires, Fondo de Cultura Económica, 1962.

Alburquerque, Luis, «Los "libros de viajes" como género literario», en *Diez estudios sobre literatura de viajes,* ed. Manuel Lucena Giraldo y Luis Pimentel, Madrid, Consejo Superior de Investigaciones Científicas, 2006, pp. 67-87.

— «Algunas notas sobre la consolidación de los relatos de viaje como género literario», en *«Ars bene docendi» Homenaje al Profesor Kurt Spang,* ed. Ignacio Arellano, Víctor García Ruiz y Carmen Saralegui, Pamplona, EUNSA, 2009, pp. 27-34.

— «El "relato de viajes": hitos y formas en la evolución de un género», *Revista de Literatura,* vol. LXXIII, núm. 145, enero-junio, 2011a, pp. 15-34.

— «Crónicas de Indias y relatos de viaje: un mestizaje genérico», en *Discursos coloniales: texto y poder en la América Latina,* ed. Pilar Latasa, Madrid/Frankfurt, Iberoamericana/Vervuert, 2011b, pp. 29-42.

— «Los *Paisajes peruanos* como caso emblemático del género "relato de viajes"», en *Paisajes peruanos 1912-2012. José de la Riva-Agüero, la ruta y el texto,* ed. Jorge Wiesse Rebagliati, Lima, Sociedad Geográfica de Lima/Instituto Riva-Agüero, 2013, pp. 199-217.

— «El empirismo *avant la lettre* en *Il Milione* de Marco Polo», en *Viajeros en China y libros de viajes a Oriente (Siglos XIV-XVII),* ed. Rafael Beltrán, Valencia, Universitat de València, 2019, pp. 25-48.

Alonso, Amado, «La musicalidad de la prosa de Valle Inclán», en *Materia y forma en poesía,* Madrid, Gredos, 1960, pp. 249-291.

Alvar, Carlos, *Breve diccionario artúrico,* Madrid, Alianza Editorial, 1997.

Amézaga, Carlos G., *La invasión. Leyenda histórica premiada por el Ateneo de Lima,* Lima, Imprenta de La Merced, 1891.

Amoedo, Margarida, «Do significado do *paisagem* no pensamento de Ortega y Gasset ao significado de Ortega na nossa paisagem», en *J. Ortega y Gasset. Leituras críticas no cinquentenário da morte do autor*, ed. Antonio Sáez Delgado, Évora, Universidade de Évora, 2007, pp. 93-104.

Anderson, Benedict, *Imagined Communities. Reflections on the Origin and Spread of Nationalism*, London/New York, Verso, 1994.

Angrand, Leonce, *Imagen del Perú en el siglo xix*, Lima, Carlos Milla Batres, 1972.

Anónimo, *Ollantay*, análisis crítico, reconstrucción y traducción de Julio Calvo Pérez, Cuzco, Centro de Estudios Regionales Andinos Bartolomé de las Casas, 1998.

Ariosto, Ludovico, *Orlando furioso*, ed. Cesare Segre y María de las Nieves Muñiz, Madrid, Cátedra, 2002.

Aristóteles, «Retórica», en *Obras*, ed. Francisco de P. Samaranch, Madrid, Aguilar, 1973, pp. 109-213.

Ávila, Francisco de, *Dioses y hombres de Huarochirí. Narración quechua recogida por Francisco de Ávila [¿1598?]*, traducción de José María Arguedas, estudio biobibliográfico de Pierre Duviols, Lima, Museo Nacional de Historia/ Instituto de Estudios Peruanos, 1966.

Bajtin, Mijail, *Teoría y estética de la novela*, Madrid, Taurus, 1989.

Barnechea, Alfredo, «Cien años de *Paisajes peruanos*: el destino del patriotismo criollo», en *Paisajes peruanos 1912-2012. José de la Riva-Agüero, la ruta y el texto*, ed. Jorge Wiesse Rebagliati, Lima, Sociedad Geográfica de Lima/Instituto Riva-Agüero, 2013, pp. 157-166.

Basadre, Jorge, «Crónica nacional: José de la Riva-Agüero», *Historia. Revista de cultura*, núm. 8, 1944, pp. 449-455.

— «Prólogo», en José de la Riva-Agüero, *La Historia en el Perú*, Lima, Pontificia Universidad Católica del Perú, 1965, pp. IX-XLII.

— *La multitud, la ciudad y el campo en la historia del Perú*, Lima, Universidad Nacional Mayor de San Marcos, 1980 [1929].

Belaunde, Víctor Andrés, *Trayectoria y destino. Memorias*, estudio preliminar de César Pacheco Vélez, tomo I, Lima, Ediciones de Ediventas, 1967.

Benvenutto Murrieta, Pedro, «Semblanzas de Riva-Agüero», *Mercurio Peruano*, año XXIX, vol. XXXV, núm. 33, diciembre de 1954, pp. 891-898.

— «Argelina», Ms., Lima, Biblioteca Benvenutto de la Universidad del Pacífico, s. XX a.

— «Cala», Ms., Lima, Biblioteca Benvenutto de la Universidad del Pacífico, s. XX b.

— *Quince plazuelas, una alameda y un callejón. Lima en los años de 1884 a 1887. Fragmentos de una reconstrucción basada en la tradición oral*, Lima, Universidad del Pacífico, 2003.

Benvenutto Murrieta, Pedro, Ella Dunbar Temple y Carlos Radicati di Primeglio, «Bio-bibliografía de don José de la Riva-Agüero y Osma», *Documenta. Revista de la Sociedad Peruana de Historia*, año III, núm. 1, pp. 183-346.

Betanzos, Juan de, *Suma y narración de los incas* [1551], ed. Francisco Hernández Astete y Rodolfo Cerrón-Palomino, en *Juan de Betanzos y el Tahuantinsuyo. Nueva edición de «Suma y narración de los incas»*, Lima, Pontificia Universidad Católica del Perú, 2015.

Bodei, Remo, *Paesaggi sublimi. Gli uomini davanti alla natura selvaggia*, Milano, Bompiani, 2008.

Bourneuf, Roland y Réal Ouellet, *La novela*, traducción de Enric Sullá, Barcelona, Ariel, 1975.

Brading, David A., «José de la Riva-Agüero y su nacionalismo histórico», en *Profecía y patria en la historia del Perú*, Lima, Fondo Editorial del Congreso del Perú, 2011, pp. 259-282.

— *Orbe indiano. De la monarquía católica a la república criolla, 1492-1867*, traducción de José Utrilla, México, Fondo de Cultura Económica, 2013.

Brack Egg, Antonio, *Diccionario enciclopédico de plantas útiles del Perú*, Cusco, PNUD, 1999.

Bueno, Cosme, *Geografía del Perú virreinal (siglo XVIII)*, ed. Daniel Valcárcel, Lima, 1951.

Busto, José Antonio del, *Diccionario histórico-biográfico de los conquistadores del Perú*, tomo I, A-CH, Lima, Sudium, 1986.

— *Diccionario histórico-biográfico de los conquistadores del Perú*, tomo II, D-I, Lima, Studium, 1987.

— *Enciclopedia temática del Perú. Conquista y Virreinato*, tomo II, Lima, El Comercio, 2004.

Cabello Valboa, Miguel, *Miscelánea antártica*, Lima, Universidad Nacional Mayor de San Marcos, Instituto de Etnología, 1951.

Cabildo de Arequipa, «Carta al emperador Carlos V, San Juan de la Frontera, 24 de septiembre de 1542» [1542], ms., en William H. Prescott, *History of the Conquest of Peru*, ed. John Foster Kirk, London, George Routledge and Sons, 1903, Appendix XIII, pp. 439-440.

Calancha, Antonio de la, *Crónica moralizada*, transcripción, estudio crítico, notas bibliográficas e índices de Ignacio Prado Pastor, Lima, Imprenta de la Universidad Nacional Mayor de San Marcos, 1974.

Campbell, Joseph, *El héroe de las mil caras. Psicoanálisis del mito*, México, Fondo de Cultura Económica, 1997.

Campos-Martínez, Germán, «Cuzco *Urbs et orbis*: Rome and Garcilaso de la Vega self-classicalization», *Hispanic Review*, vol. 81, núm. 2, 2013, pp. 123-144.

Carbajal, Francisco de, «Dicho del capitán Francisco de Carbajal sobre la información hecha en el Cuzco en 1543, a favor de Vaca de Castro» [1543], ms., en William H. Prescott, *History of the Conquest of Peru*, ed. John Foster Kirk, George Routledge and Sons, 1903, p. 314, nota 20.

Carrió de la Vandera, Alonso («Concolorcorvo»), *El lazarillo de ciegos caminantes*, ed. Emilio Carilla, Barcelona, Labor, 1973.

Carranza, Luis, «Una excursión al campo de Chupas», en *Colección de artículos publicados, segunda serie. Estudios geográficos y estadísticos de algunos departamentos centrales del Perú*, Lima, Imprenta del «Comercio», 1888a, pp. 26-36.

— "Etimologías de algunos nombres de la zona del Centro", en *Colección de artículos publicados, segunda serie. Estudios geográficos y estadísticos de algunos departamentos centrales del Perú*, Lima, Imprenta del «Comercio», 1888b, pp. XII-XXIV.

Carrizo, Sofía M., *Poética del relato de viajes*, Kassel, Reichenberger, 1997.

Casas, fray Bartolomé de las, *De las antiguas gentes del Perú*, ed. Marcos Jiménez de la Espada, Madrid, Manuel G. Hernández, 1892.

Castelar, Emilio, «Discurso pronunciado el día 22 de febrero en contra de la proposición que confiaba al general Serrano la presidencia y la formación del poder ejecutivo», en *Discursos parlamentarios de Emilio Castelar*, México, Imprenta de Ignacio Cumplido, 1874.

Carvajal, Melitón, «Estudios hipsométricos. Altura de algunos puntos del interior sobre el nivel del mar», *Boletín de la Sociedad Geográfica de Lima*, tomo II, 1,2 y 3, 1892, pp. 112-113.

Centro Eclesial de Documentación, *Encíclicas o cartas circulares del P. Fray Antonio de Comajuncosa, 1794-1801, «La congregación de Propaganda Fide y los franciscanos»*. En línea, http://franciscanosdetarija.com/pag/documentos/enciclicas/intro/parte1.htm.

Cerezo Galán, Pedro, «El bosque y la retama ardiendo. Apuntes sobre poesía y realidad en *Meditaciones del Quijote*», *Revista de Occidente*, núm. 396, 2014, pp. 12-34.

Cerrón-Palomino, Rodolfo, «Riva-Agüero y la tesis del quechuismo preincaico», en *«Paisajes peruanos» 1912-2012. José de la Riva-Agüero, la ruta y el texto*, ed. Jorge Wiesse Rebagliati, Lima, Sociedad Geográfica de Lima/Instituto Riva-Agüero, 2013, pp. 219-241.

Cervantes, Miguel de, *Don Quijote de La Mancha*, ed. Francisco Rico, Barcelona, Instituto Cervantes/Crítica, 1998.

— «Canto de Calíope», *La Galatea*, ed. Francisco López Estrada y María Teresa López García-Berdoy, libro sexto, Madrid, Cátedra, 2014, pp. 563-589.

Champeau, Geneviève, «Tiempo y organización del relato en algunos relatos de viajes contemporáneos», en *El viaje en la literatura hispánica: de Juan*

Valera a Sergio Pitol, ed. Julio Peñate Rivero y Francisco Uzcanga Meinecke, Madrid, Verbum, 2007, pp. 89-103.

CHARAUDEAU, Patrick y Dominique Mainguenau, *Diccionario de análisis del discurso*, Buenos Aires/Madrid, Amorrortu, 2005.

CIEZA DE LEÓN, Pedro de, *Crónica del Perú. Cuarta parte. Vol. I, Guerra de Las Salinas*, ed. Pedro Guibovich Pérez, Lima, Pontificia Universidad Católica del Perú/Academia Nacional de la Historia, 1991.

— *Crónica del Perú. Cuarta parte. Vol. II, Guerra de Chupas*, ed. Gabriela Benavides de Rivero, Lima, Pontificia Universidad Católica del Perú/Academia Nacional de la Historia, 1994a.

— *Crónica del Perú. Cuarta parte. Vol. III, Guerra de Quito, Tomo I*, ed. Laura Gutiérrez Arbulú, Lima, Pontificia Universidad Católica del Perú/Academia Nacional de la Historia, 1994b.

— *Crónica del Perú. Cuarta parte. Vol. III, Guerra de Quito, Tomo II*, ed. Laura Gutiérrez Arbulú, Lima, Pontificia Universidad Católica del Perú/Academia Nacional de la Historia, 1994c.

— *Crónica del Perú. Primera parte* [1553], ed. Franklin Pease G.Y., Lima, Pontificia Universidad Católica del Perú, 1995.

— *Crónica del Perú. Segunda parte*, ed. Francesca Cantú, Lima, Pontificia Universidad Católica del Perú, 1996.

CISNEROS, Luis Jaime, *Lengua y estilo*, Lima, Juan Mejía Baca, 1959.

CLEMENTS, James, y Noam SHANY, *A Field Guide of the Birds of Peru*, Temecula, Ibis Publishing Company, 2001.

COBO, Bernabé, *Historia del Nuevo Mundo* [1653], ed. Marcos Jiménez de la Espada, Sevilla, Sociedad de Bibliófilos Andaluces, 1890-1893.

COLUNGA, Alberto et Laurentio Turrado, ed., *Biblia sacra iuxta Vulgata Clementinam*, Matriti, Biblioteca de Autores Cristianos, 1977.

CORDE = Real Academia Española, *Corpus Diacrónico del Español*. En línea, https://www.rae.es/recursos/banco-de-datos/corde

COROMINAS, Joan, *Diccionario crítico etimológico de la lengua castellana*, cuatro tomos, Madrid, Gredos, 1974.

CORREA, Yanina, *Historia de Piura*, Piura, Universidad de Piura, 2004.

COVARRUBIAS HOROZCO, Sebastián de, *Tesoro de la lengua castellana o española*, ed. Ignacio Arellano y Rafael Zafra, Madrid/Frankfurt am Main, Iberoamericana/Vervuert/Real Academia Española/Centro para la Edición de Clásicos Españoles, 2006.

DA = Real Academia Española, *Diccionario de americanismos*. En línea, http://lema.rae.es/damer/

DB-e = Real Academia de Historia, *Diccionario Biográfico electrónico*. En línea, http://dbe.rah.es/

Diccionario enciclopédico Espasa 1, Madrid, Espasa Libros, 1995.

Diccionario enciclopédico Espasa, Madrid, Espasa-Calpe, 1987.

DiPerú, Diccionario de peruanismos, ed. Julio Calvo Pérez, Lima, Compañía de Minas Buenaventura/Academia Peruana de la Lengua, 2016.

DISC = Sabatini, Francesco y Vittorio Coletti, *Dizionario italiano Sabatini-Coletti*, Firenze, Giunti, 1997.

DORRA, Raúl, «La actividad descriptiva de la narración», en *Teoría semiótica. Lenguajes y textos hispánicos*, ed. Miguel Ángel Garrido Gallardo, vol. I, Madrid, Consejo Superior de Investigaciones Científicas, 1985-1986, pp. 509-516.

DPD = Real Academia Española/ Asociación de Academias de la Lengua Española, *Diccionario panhispánico de dudas*, Madrid, Santillana, 2005. En línea, https://www.rae.es/dpd/

DRAE = Real Academia Española, *Diccionario de la lengua española*, Madrid, Espasa-Calpe, 2001.

ESTÉBANEZ CALDERÓN, Demetrio, *Breve diccionario de términos literarios*, Madrid, Alianza Editorial, 2000.

FATÁS, Guillermo y Gonzalo M. BORRÁS, *Diccionario de términos de Arte y elementos de Arqueología, Heráldica y Numismática*, Madrid, Alianza Editorial, 1999.

FERNÁNDEZ, Amaya; Margarita GUERRA MARTINIÈRE; Lourdes LEIVA; Lidia MARTÍNEZ, *La mujer en la Conquista y en la Evangelización en el Perú (Lima, 1550-1650)*, Lima, Pontificia Universidad Católica del Perú/Universidad Femenina del Sagrado Corazón, 1997.

FLORES GALINDO, Alberto, *Buscando un inca. Identidad y utopía en los Andes*, Lima, Editorial Horizonte, 1994.

GARCÍA, Manuel Adolfo, *Composiciones poéticas*, Havre, Imprenta de A. Lemale, 1872.

GARCÍA, Consuelo, *Léxico del 98*, Madrid, Editorial Complutense, 1998.

GARCÍA-CORROCHANO, Luis, *El Estado en el pensamiento de José de la Riva-Agüero y Osma*, tesis para optar el título de abogado, Lima, Universidad de Lima, 1994.

GARCILASO DE LA VEGA, Inca, *Comentarios reales de los incas* [1609], ed. Ángel Rosenblat, Buenos Aires, Emecé, 1943.

— *Historia general del Perú (Segunda parte de los Comentarios reales de los incas)*, ed. Ángel Rosenblat, Buenos Aires, Emecé, 1944 [1617].

GARRIDO DOMÍNGUEZ, Miguel Ángel, «El texto narrativo», en *El lenguaje literario. Vocabulario crítico*, ed. Miguel Ángel Garrido Gallardo, Madrid, Síntesis, 2009, pp. 597-795.

GINER DE LOS RÍOS, Francisco, «Paisaje», en *Ensayos y cartas*, México, Tezontle, 1965, pp. 39-46.

GÓMEZ, Luis, «La historia, la nación peruana y Riva-Agüero (1912)», en *«Paisajes peruanos» 1912-2012. José de la Riva-Agüero, la ruta y el texto*, ed.

Jorge Wiesse Rebagliati, Lima, Sociedad Geográfica de Lima/Instituto Riva-Agüero, 2013, pp. 49-66.

González Prada, Manuel, «Discurso en el Politeama», en *Ensayos y poesías*, ed. Isabelle Tauzin-Castellanos, Madrid, Cátedra, 2019, pp. 156-164.

González Vigil, Ricardo, «Vigencia de Riva-Agüero», en *Retablo de autores peruanos*, Lima, Ediciones Arco Iris, 1990, pp. 232-236.

— «Markham en español», *El Comercio*, 13 de setiembre de 2001, p. C11.

Guerra Martinière, Margarita, «La historiografía de José de la Riva-Agüero y *Paisajes peruanos*», en *«Paisajes peruanos» 1912-2012. José de la Riva-Agüero, la ruta y el texto*, ed. Jorge Wiesse Rebagliati, Lima, Sociedad Geográfica de Lima/Instituto Riva-Agüero, 2013, pp. 67-81.

— «Introducción», en José de la Riva-Agüero, *Viajes*, Lima, Instituto Riva-Agüero/Pontificia Universidad Católica del Perú, 2018, pp. XII-XLII.

Guevara, Tomás, *Psicolojía del pueblo araucano*, Santiago, Cervantes, 1908.

Guijarro, Timoteo y Antonio Gargate, *Qhapaq Ñan (el Gran Camino Inca). Patrimonio cultural de la Humanidad. Los mejores tramos para caminar*, Lima, Red para el Desarrollo de las Ciencias Sociales en el Perú, 2014.

Hamon, Philippe, *Introduction à l'analyse du descriptif*, Paris, Hachette, 1981.

Hernández, Max, *Memoria del bien perdido. Conflicto, identidad y nostalgia en el Inca Garcilaso de la Vega*, Lima, Instituto de Estudios Peruanos, 1993.

Huamán Poma de Ayala, Felipe, *Nueva crónica y buen gobierno*, ed. Carlos Araníbar, tomo II, Lima, Ministerio de Relaciones Exteriores/Biblioteca Nacional del Perú, 2017.

Huysmans, Joris-Karl, *À rebours*, Paris, G. Grês et Cie., 1922 [1884].

Jerez, Francisco de, *Relación de la conquista del Perú, Las relaciones de la conquista del Perú por Francisco de Jerez y Pedro Sancho*, notas biográficas y concordancias de Horacio H. Urteaga, Lima, Sanmarti, 1917, pp. 7-121.

Jiménez Borja, José, «Don José de la Riva-Agüero y Osma: Notas sobre su vida, obra y estilo», en José de la Riva-Agüero y Osma, *Carácter de la literatura del Perú independiente*, Lima, Pontificia Universidad Católica del Perú, 1962, pp. 3-48.

Kirk, Geoffrey Stephen, *The Iliad: A Commentary. Volume I: Books 1-4*, Cambridge, Cambridge University Press, 2001.

Larrabure y Unanue, Eugenio, «La poesía entre los incas. Ollantay», *Manuscritos y publicaciones*, tomo II, Lima, Imprenta Americana, 1935, pp. 145-191.

Lavalle, Juan Bautista de, *La paz del hogar*, Lima, Librería Francesa Científica E. Rosay, [¿1911?].

Le Huenen, Roland, «Qu'est-ce qu'un récit de voyage?», *Littérales,* «Le modéle du récit de voyage», Université de Paris X-Nanterre, 1990, pp. 22-25.

León Portocarrero, Pedro de, *Descripción del Virreinato del Perú*, ed. Eduardo Huárag Álvarez, Lima, Universidad Ricardo Palma, 2009.

Levillier, Roberto, *Gobernantes del Perú. Cartas y papeles. Siglo xvi. Documentos del Archivo de Indias*, tomo I, Madrid, Sucesores de Rivadeneira, 1921.

Libros de Cabildo de Lima, núm. 1, 1534-1539. En línea, http://www.biblioteca. munlima.gob.pe/index.php/biblioteca-virtual/libros-de-cabildo.

Lizárraga, Reginaldo de, *Descripción del Perú, Tucumán, Río de la Plata y Chile*, ed. Ignacio Ballesteros, Madrid, Dastin, 2002.

Loayza, Luis, «Inactualidad del Novecientos», en *Ensayos*, Lima, Universidad Ricardo Palma Editorial Universitaria, 2010a, pp. 227-232

— «González Prada y Riva-Agüero, hermanos enemigos», en *Ensayos*, Lima, Universidad Ricardo Palma, 2010b, pp. 233-235.

— «En torno a Riva-Agüero crítico literario», en *Ensayos*, Lima, Universidad Ricardo Palma Editorial Universitaria, 2010c, pp. 237-277.

— «El Novecientos y la política: el Partido Nacional Democrático», en *Ensayos*, Lima, Universidad Ricardo Palma, 2010d, pp. 279-301.

— «Riva-Agüero en los *7 Ensayos*», en *Ensayos*, Lima, Universidad Ricardo Palma Editorial Universitaria, 2010e, pp. 303-319.

Lockhardt, *The Men of Cajamarca. A Social and Biographical Study of the First Conquerors of Peru*, Texas, University of Texas Press, 1972.

Lohmann Villena, Guillermo, *Historia marítima del Perú, tomo IV, Siglos xvi y xvii*, Lima, Instituto de Estudios Marítimo-Históricos del Perú, 1973.

López Martínez, Héctor, «*Paisajes peruanos*: reflexiones en torno a un libro fundamental», en *«Paisajes peruanos» 1912-2012. José de la Riva-Agüero, la ruta y el texto*, ed. Jorge Wiesse Rebagliati, Lima, Sociedad Geográfica de Lima/Instituto Riva-Agüero, 2013, pp. 29-36.

López de Gómara, Francisco, *Historia general de las Indias y Vida de Hernán Cortés* [1552], ed. Jorge Gurria Lacroix, Caracas, Biblioteca Ayacucho, 1991.

Luna de la Fuente, Carlos, *El caballo peruano*, Lima, Banco Agrario del Perú, 1985.

Mainer, José-Carlos, «El modernismo como actitud», en *Modernismo y 98, Historia y crítica de la literatura española*, VI, ed. José-Carlos Mainer, Barcelona, Crítica, 1980, pp. 45-52.

— «Galdós, de viaje por Castilla», en *Relato de viaje y literaturas hispánicas*, ed. Julio Peñate Rivero, Madrid, Visor Libros, 2004, pp. 185-203.

Mariátegui, José Carlos, *7 ensayos de interpretación de la realidad peruana*, Lima, Biblioteca Amauta, 1995 [1928].

Markham, Clements R., *Cuzco and Lima*, traducción de Edgardo Rivera Martínez, Lima, Petroperú S.A./Markham College, 2001.

Martínez de Pisón, Eduardo, «La solución es el paisaje», *Revista de Occidente, Meditaciones del Quijote 1914-2014*, núm. 396, mayo 2014, pp. 35-49.

— *Imagen del paisaje. La generación del 98 y Ortega y Gasset*, Madrid, Fórcola, 2012.

MARTÍNEZ RUIZ, José (Azorín), «Una ciudad castellana», en *España (Hombres y paisajes)*, ed. José Manuel Vidal Otuño, Madrid, Biblioteca Nueva, 2010, pp. 168-172.

MAÚRTUA, Víctor M., *Juicio de límites entre el Perú y Bolivia. Prueba peruana presentada al gobierno de la República Argentina*, tomo primero Virreinato peruano, Barcelona, Heinrich y Comp., 1906.

MEJÍA, Diego, *Primera parte del Parnaso antártico de obras amatorias*, Sevilla, Alonso Rodríguez Gamarra, 1608.

MÉNDEZ, Cecilia, *Incas sí, indios no. Apuntes para el estudio del nacionalismo criollo en el Perú*, Lima, Instituto de Estudios Peruanos, 2000.

MENDIBURU, Manuel de, *Diccionario histórico-biográfico del Perú*, segunda edición con adiciones y notas bibliográficas publicada por Evaristo San Cristóval, estudio biográfico del general Mendiburu por el Dr. D. José de la Riva-Agüero y Osma, Lima, Imprenta Enrique Palacios, 1931 [-1932].

MENÉNDEZ PELAYO, Marcelino, *Antología de poetas hispanoamericanos*, Madrid, Real Academia Española, 1893.

— *Historia de la poesía hispanoamericana*, Madrid, Librería General de Victoriano Suárez, 1913.

MILLER, Guillermo, *Memorias del general Guillermo Miller al servicio de la República del Perú* [1829], tomo II, Madrid, Librería general de Victoriano Suárez, 1910.

MIRAMONTES Y ZUÁZOLA, Juan de, *Armas antárticas*, ed. Paul Firbas, Lima, Pontificia Universidad Católica del Perú, 2006.

MITRE, Bartolomé, *Ollantay, estudio sobre el drama quechua*, Buenos Aires, Imprenta y Librería de Mayo, 1881.

MITTERAND, Henri, *Zola. L'écriture, l'histoire et la fiction*, Paris, PUF, 1990.

MOLINA, Cristóbal de, *Relación de fábulas y ritos de los incas y Relación de la conquista y población del Perú*, acotaciones y concordancias de Horacio H. Urteaga, noticias biográficas y bibliográficas de Carlos A. Romero, Lima, Imprenta y librería Sanmarti, 1916.

MOLINER, María, *Diccionario de uso del español*, dos tomos, Madrid, Gredos, 1984.

MONTESINOS, Fernando, *Anales del Perú. Tomo I*, ed. Víctor M. Maúrtua, Madrid, Imprenta de Gabriel L. y Del Horno, 1906a.

— *Anales del Perú. Tomo II*, ed. Víctor M. Maúrtua, Madrid, Imprenta de Gabriel L. y Del Horno, 1906b.

MORÚA, Fray Martín de, *Los orígenes de los inkas*, estudio biobibliográfico de Raúl Porras Barrenechea, Lima, Librería e imprenta Domingo Miranda, 1946.

MUGABURU, Joseph de y Francisco de Mugaburu, *Diario de Lima (1640-1694).
Crónica de la época colonial*, ed. Horacio H. Urteaga y Carlos A. Romero,
Lima, Sanmarti, 1917.

Nueva Biblia de Jerusalén, Bilbao, Desclée de Brouwer, 1975.

NÚÑEZ, Lucy, «La piedra de Huamanga», en *Artesanía peruana. Orígenes y
evolución*, Arequipa, Editorial Allpa, 1992, p. 173.

OLMEDO, José Joaquín, *La victoria de Junín. Canto a Bolívar*, prólogo de Augusto Tamayo Vargas, Lima, Comisión Nacional del Sesquicentenario de
la Independencia del Perú, 1974.

O'NEILL, S.I., Charles y Joaquín Mª. DOMÍNGUEZ S.I., *Diccionario histórico de
la Compañía de Jesús*, Madrid, Institutum Historicum S.I./Universidad
Pontificia Comillas, 2001.

ODRIOZOLA, Manuel de, *Documentos históricos del Perú en la época del Coloniaje
después de la Conquista y de la Independencia hasta la presente*, Lima, Tipografía de Aurelio Alfaro, 1863.

«Ordenanzas de tambos, distancias de unos a otros, modo de cargar los indios
y obligaciones de las justicias respetivas hechas en la ciudad del Cuzco en
31 de mayo de 1548», *Revista Histórica*, tomo III, Lima, 1908, pp. 427-492.

ORÉ, Jerónimo de, *Símbolo católico indiano, en el que se declaran los misterios de
la fe contenidos en los tres símbolos católico, apostólico, niceno y de san Atanasio*,
Lima, Antonio Ricardo, 1598.

ORTEGA Y GASSET, José, *La rebelión de las masas*, Madrid, Revista de Occidente, 1959 [1930].

— «Temas del Escorial», en *Notas de andar y ver (Viajes, gentes y países)*, Madrid, Revista de Occidente/Alianza Editorial, 1988, pp. 43-74.

PACHACUTI YAMQUI SALCAMAYGUA, Joan de Santa Cruz, *Relación de antigüedades deste reyno del Pirú*, ed. Pierre Duviols y César Itier, Cusco, Insti-
tut Français D'Études Andines/Centro de Estudios Regionales Andinos
Bartolomé de Las Casas, 1993.

PACHECO VÉLEZ, César, «Menéndez Pelayo y Riva-Agüero (A propósito de
su epistolario)», *Boletín del Instituto Riva-Agüero*, III, 1956-1957, pp. 9-59.

— «Nota preliminar», en José de la Riva-Agüero, *La Historia en el Perú*,
Lima, Pontificia Universidad Católica del Perú, 1965, pp. XLIII-L.

— «Nota preliminar», en José de la Riva-Agüero, *Las civilizaciones primitivas
y el imperio incaico*, Lima, Pontificia Universidad Católica del Perú, 1966,
pp. XI-XXIV.

— «Nota introductoria», en José de la Riva-Agüero y Osma, *Paisajes peruanos*, Lima, Pontificia Universidad Católica del Perú, 1969, pp.
CLXXIX-CLXXXVII.

— «Tres lecciones sobre Ortega y Gasset en el Perú», en *Ensayos de simpatía.
Sobre ideas y generaciones en el Perú del siglo XX*, Lima, Universidad del Pacífico, 1993a, pp. 40-88.

— «Los historiadores del Perú en la generación del Novecientos», en *Ensayos de simpatía. Sobre ideas y generaciones en el Perú del siglo XX*, Lima, Universidad del Pacífico, 1993b, pp. 89-100.

— «Unamuno y Riva-Agüero: un diálogo desconocido», en *Ensayos de simpatía. Sobre ideas y generaciones en el Perú del siglo XX*, Lima, Universidad del Pacífico, 1993c, pp. 112-220.

— «En el centenario de Riva-Agüero», en *Ensayos de simpatía. Sobre ideas y generaciones en el Perú del siglo XX*, Lima, Universidad del Pacífico, 1993d, pp. 223-237.

PACHECO, Gavino, «Ollantay». *Drame en vers quechuas du temps des Incas. Texte original écrit avec les caracteres d'un alphabet phonetique special de la langue quechua; précédé d'un Etude du Drame*, Paris, Maisonneuve et Cie., 1878.

PADRES MISIONEROS DEL COLEGIO, *Historia de las misiones de fieles e infieles del Colegio de Propaganda Fide de Santa Rosa de Ocopa*, Barcelona, Imprenta Peninsular, 1883.

PALMA, Ricardo, «La segunda Inquisición», en *Tradiciones peruanas. Completas*, ed. Edith Palma, Madrid, Aguilar, 1952, pp. 1250-1259.

— *Tradiciones peruanas. Primera serie*, ed. Pedro Díaz Ortiz, Lima, Grafimag, 2008.

PARAÍSO DE LEAL, Isabel, *Teoría del ritmo de la prosa: aplicada a la hispánica moderna*, Barcelona, Planeta, 1976.

PAZ SOLDÁN, Mariano Felipe, *Diccionario geográfico estadístico del Perú*, Lima, Imprenta del Estado, 1877.

— *Historia del Perú independiente: 1835-1839*, Buenos Aires, Imprenta y Estereotipia del Courrier de la Plata, 1888.

PENA, María del Carmen, *Pintura de paisaje e ideología. La generación del 98*, Madrid, Taurus, 1982.

PENNY, Ralph, *A History of the Spanish Language*, Cambridge, Cambridge University Press, 2002.

PERALTA Y BARNUEVO, Pedro de, *Lima fundada o conquista del Perú*, parte primera, Lima, Imprenta de Francisco Sobrino y Bados, 1732.

PEÑATE RIVERO, Julio, *Introducción al relato de viaje hispánico del siglo XX: textos, etapas, metodología, I: 1898-1980*, Madrid, 2012.

PERELMAN, Chaïm, y OLBRECHTS-TYTECA, Lucie, *Tratado de la argumentación. La nueva retórica*, Madrid, Gredos, 1989.

PEREYRA PLASENCIA, Hugo, *La independencia del Perú: ¿guerra colonial o guerra civil? Una aproximación desde la teoría de las relaciones internacionales*, Badajoz, CEXECI: Centro Extremeño de Estudios y Cooperación con Iberoamérica, 2014.

PÉREZ GALDÓS, Benito, *Prosa crítica*, ed. José-Carlos Mainer y Juan Carlos Ara, Madrid, Espasa-Calpe, 2004.

Pérez Priego, Miguel Ángel, «Estudio literario de los libros de viajes medievales», *Epos*, I, 2006, pp. 217-238.

Pizarro, Pedro, *Relación del descubrimiento y conquista de los reinos del Perú*, ed. Guillermo Lohmann Villena, Lima, Pontificia Universidad Católica del Perú, 1978.

Polo de Ondegardo, Juan, *Informaciones acerca de la religión y gobierno de los incas seguidas de las Instrucciones de los concilios de Lima*, notas biográficas y concordancias de los textos por Horacio H. Urteaga y biografía de Polo de Ondegardo por Carlos A. Romero, Lima, Imprenta y librería Sanmarti, 1916.

Porras Barrenechea, Raúl, «El paisaje peruano de Garcilaso a Riva-Agüero. Estudio preliminar», en José de la Riva-Agüero, *Paisajes peruanos*, Lima, Imprenta Santa María, 1955, pp. V-CLXII.

— *Fuentes históricas peruanas*, Lima, Instituto Raúl Porras Barrenechea/Universidad Nacional Mayor de San Marcos, 1963.

— *Los cronistas del Perú (1528-1650)*, I, Lima, Biblioteca Abraham Valdelomar/ Instituto Raúl Porras Barrenechea/ Academia Peruana de la Lengua, ed. Oswaldo Holguín Callo, 2014.

Prado, Javier, *Estado social del Perú durante la dominación española*, Lima, Librería e imprenta Gil, 1941 [1894].

Pulgar Vidal, Javier, *Geografía del Perú. Las ocho regiones naturales*, Lima, Pontificia Universidad Católica del Perú, 2014.

Pratt, Mary Louise, *Imperial Eyes. Travel Writing and Transculturation*, New York/Abingdon, Oxon, Routledge, 2008.

Praz, Mario, *La carne, la muerte y el diablo en la literatura romántica*, Caracas, Monte Ávila, 1969.

Prescott, William Hickling, *History of the Conquest of Peru*, ed. John Foster Kirk, London, George Routledge and Sons, 1903.

Promperú, *La ruta Riva-Agüero. Rutas literarias*, Lima, Promperú, 2014.

Puente Candamo, José Agustín de la, «José de la Riva-Agüero y Osma (1885-1944). Unidad de vida», en María Luisa Rivara de Tuesta, *La intelectualidad peruana ante la condición humana*, tomo II, Lima, Gráfica Euroamericana, 2004, pp. 9-16.

Raimondi, Antonio, *El Perú. Parte preliminar*, estudio introductorio por Ricardo La Torre Silva, tomo I, Lima, Universidad Tecnológica del Perú, 2012.

Ramón, Gabriel, «Riva-Agüero, Tiahuanaco y las raíces de la nación», en *«Paisajes peruanos» 1912-2012. José de la Riva-Agüero, la ruta y el texto*, ed. Jorge Wiesse Rebagliati, Lima, Sociedad Geográfica de Lima/Instituto Riva-Agüero, 2013, pp. 111-129.

Ramsden, Herbert, «El problema de España», en *Modernismo y 98, Historia y crítica de la literatura española*, VI, ed. José-Carlos Mainer, Barcelona, Crítica, 1980, pp. 20-26.

Ravines, Rogger, «Recursos naturales de los Andes», en *Tecnología andina*, ed. Rogger Ravines, Lima, Instituto de Estudios Andinos/Instituto de Investigación Tecnológica Industrial y de Normas Técnicas, 1978, pp. 1-74.

Real Academia Española, *Libro de estilo de la lengua española según la norma panhispánica*, Madrid, Espasa, 2018.

Regoyos, Darío de y Émile Verhaeren, *España negra*, Madrid, Taurus, 1963 [1899].

Reisz de Rivarola, Susana, *Teoría literaria. Una propuesta*, Lima, Pontificia Universidad Católica del Perú, 1986.

Relaciones geográficas de Indias, tomo I, Madrid, Ministerio de Fomento del Perú, Tipografía de Manuel G. Hernández, 1881.

Relaciones geográficas de Indias, tomo II, Madrid, Ministerio de Fomento del Perú, Tipografía de Manuel G. Hernández, 1885.

Renan, Ernst, *¿Qué es una nación? Cartas a Strauss*, traducción de Andrés Blas, Madrid, Alianza Editorial, 1998 [1882].

Riva-Agüero, José de la, «La amnistía y el gobierno», *El Comercio*, Lima, 12 de setiembre de 1911, pp. 5-6.

— *Paisajes peruanos*, ed. Raúl Porras Barrenechea, Lima, Imprenta Santa María, 1955.

— «El Inca Garcilaso de la Vega», en *Estudios de literatura peruana. Del Inca Garcilaso a Eguren*, Lima, Pontificia Universidad Católica del Perú, 1962a, pp. 1-62.

— «*Exóticas*, de Manuel González Prada», en *Estudios de literatura peruana: Del Inca Garcilaso a Eguren*», Lima, Pontificia Universidad Católica del Perú, 1962b, pp. 481-493, [originalmente en *La Revista de América*, París, año 1, núm. 1, junio-agosto de 1912].

— *Carácter de la literatura del Perú independiente*, Lima, Pontificia Universidad Católica del Perú, 1962c [1905].

— *La Historia en el Perú*, Lima, Pontificia Universidad Católica del Perú, 1965 [1910].

— «El Perú histórico y artístico. Primera parte: Encomio del pueblo quechua», en *Las civilizaciones primitivas y el imperio incaico*. Lima, Pontificia Universidad Católica del Perú, 1966, pp. 63-112.

— «Algunas biografías familiares», *Estudios de genealogía peruana*, Lima, Pontificia Universidad Católica del Perú, 1983a, pp. 145-156.

— «El primer alcalde de Lima Nicolás de Ribera el Viejo y su posteridad», *Estudios de genealogía peruana*, Lima, Pontificia Universidad Católica del Perú, 1983b, pp. 163-249.

— «Los Aliagas», *Estudios de genealogía peruana*, Lima, Pontificia Universidad Católica del Perú, 1983c, pp. 157-162.

— *Epistolario. Caballero-Cusicanqui*, vol. II, Lima, Instituto Riva-Agüero/ Pontificia Universidad Católica del Perú, 1997.

— *Epistolario. Macavilca-Mústiga*, vol. II, Lima, Instituto Riva-Agüero/Pontificia Universidad Católica del Perú, 2003.

— *Carácter de la literatura del Perú independiente*, Lima, Universidad Ricardo Palma/ Instituto Riva-Agüero, 2008 [1905].

— *Viajes*, Lima, Instituto Riva-Agüero/Pontificia Universidad Católica del Perú, 2018.

RIVERA, Víctor Samuel, *Tradicionistas y maurrasianos. José de la Riva-Agüero (1904-1919)*, Lima, Fondo Editorial del Congreso del Perú, 2017.

— «Cuando un marqués atravesó los Andes. José de la Riva-Agüero (1912)», *Cátedra Villarreal*, vol. 6, núm. 1, enero-junio 2018, pp. 17-36.

ROCA ALCÁZAR S.J., Fernando, «*Paisajes peruanos* y las distintas maneras de comprender el ambiente», en *«Paisajes peruanos» 1912-2012. José de la Riva-Agüero, la ruta y el texto*, ed. Jorge Wiesse Rebagliati, Lima, Sociedad Geográfica de Lima/Instituto Riva-Agüero, 2013, pp. 291-301.

RODENBACH, Georges, *Bruges-La-Morte*, Paris, Flammarion, 1998 [1892].

ROMERO, Carlos A., «Un poema inédito», *El Ateneo*, VI, 38, 1905, pp. 2052-2066.

ROSAT PONTACTI, Adalberto A., *Diccionario enciclopédico quechua-castellano del mundo andino*, Cochabamba, Editorial Verbo Divino, 2004.

SAID, Edward W., *Orientalismo*, traducción de María Luisa Fuentes, Barcelona, Penguin Random House, 2018.

SALA, Gabriel, *Apuntes de viaje. Exploración de los ríos Pichis, Pachitea y Alto Ucayali y de la región del Gran Pajonal*, Lima, Ministerio de Fomento, 1897.

SÁNCHEZ, Luis Alberto, *Conservador, no; reaccionario, sí. Notas sobre la vida, obra y proyecciones de José de la Riva-Agüero y Osma, marqués de Montealegre y Aulestia (26-II-1885-25-VI-1944), seguidas de su correspondencia con el autor*, Lima, Mosca Azul Editores, 1985.

SANCHO, Pedro, *Relación de la conquista del Perú, Las relaciones de la conquista del Perú por Francisco de Jerez y Pedro Sancho*, notas biográficas y concordancias con las crónicas de Indias por Horacio H. Urteaga, Lima, Sanmarti, 1917.

SARMIENTO DE GAMBOA, Pedro, «Historia índica» [1572], *Apéndice*, en *Obras completas del Inca Garcilaso de la Vega*, IV, ed. Carmelo Sáenz de Santa María, Madrid, Biblioteca de Autores Españoles, 1960, pp. 187-279.

SPANG, Kurt, *Géneros literarios*, Madrid, Síntesis, 1996.

SQUIER, E. George, *Peru. Incidents of Travel and Exploration in the Land of the Incas*, London, Macmillan and Co., 1877.

STIGLICH, Germán, *Diccionario geográfico del Perú*, ed. Zaniel Novoa Goicochea y Rodolfo Cerrón-Palomino, Lima, Sociedad Geográfica de Lima, 2013 [1922].

TAURO, Alberto, ed., *Diccionario enciclopédico del Perú*, Lima, Editorial Mejía Baca, 1966.

Torres, Alejandra, «Estudio preliminar», en Ricardo Palma, *Tradiciones peruanas*, Buenos Aires, Losada, 1997, pp. 7-29.

Trujillo, Jorge A., «En torno a las ideas de identidad y nación en *Paisajes peruanos* de José de la Riva-Agüero», en *«Paisajes peruanos» 1912-2012. José de la Riva-Agüero, la ruta y el texto*, ed. Jorge Wiesse Rebagliati, Lima, Sociedad Geográfica de Lima/Instituto Riva-Agüero, 2013, pp. 131-156.

Ulloa, Antonio de, «Segunda parte del viaje al reino del Perú», *Viaje a la América Meridional*, ed. Andrés Saumell, tomo B, Madrid, Historia 16, 1990.

Unamuno, Miguel de, «Algunas consideraciones sobre la literatura hispano-americana. A propósito de un libro peruano», en José de la Riva-Agüero, *Carácter de la literatura del Perú independiente*, Lima, Pontificia Universidad Católica del Perú, 1962 [1905], pp. 345-384.

— «La literatura portuguesa contemporánea», en *Por tierras de Portugal y de España*, Madrid, Espasa-Calpe, 1964a, pp. 15-20.

— «El sentimiento de la naturaleza», en *Por tierras de Portugal y de España*, Madrid, Espasa-Calpe, 1964b, pp. 181-188.

— «La tradición eterna», en *En torno al casticismo*, Madrid, Espasa-Calpe, 1979, pp. 11-36.

Usca Páucar. Drama quechua del siglo XVIII, ed. Teodoro Meneses, Lima, Sociedad Peruana de Historia, 1951.

Vaca de Castro, Cristóbal, «Carta del licenciado Cristóbal Vaca de Castro al emperador don Carlos dándole cuenta de la sublevación y castigo de don Diego de Almagro el Mozo, y de otros importantes asuntos. Cuzco, 24 de noviembre de 1542» [1542], en *Gobernantes del Perú. Cartas y papeles. Siglo XVI. Documentos del Archivo de Indias*, tomo I, ed. Roberto Levillier, Madrid, Sucesores de Rivadeneira, 1921, pp. 53-75.

Valdelomar, Abraham, «Con la argelina al viento» en *Obras completas*, ed. Ricardo Silva Santisteban, Lima, PetroPerú/Ediciones Copé, 2001 [1910], tomo 1.

Vargas Llosa, Mario, *La utopía arcaica. José María Arguedas y las ficciones del indigenismo*, México, Fondo de Cultura Económica, 1996.

Vargas Ugarte, Rubén, *Historia general del Perú. Postrimerías del poder español (1776-1815)*, tomo V, Lima, Carlos Milla Batres, 1981.

Varillas, Alberto, «Riva-Agüero y el *Carácter de la literatura del Perú independiente*», en José de la Riva-Agüero y Osma, *Carácter de la literatura del Perú independiente*, Lima, Universidad Ricardo Palma/Instituto Riva-Agüero, 2008, pp. XIII-LXIV.

Velázquez, Marcel, «Historia, sonidos andinos y figuras del indio en *Paisajes peruanos* de José de la Riva-Agüero», en *«Paisajes peruanos» 1912-2012. José de la Riva-Agüero, la ruta y el texto*, ed. Jorge Wiesse Rebagliati, Lima, Sociedad Geográfica de Lima/Instituto Riva-Agüero, 2013, pp. 169-180.

Verschueren, Jef, *Para entender la pragmática*, Madrid, Gredos, 2002.

VICH, Víctor, «Vicisitudes trágicas: territorio, identidad y nación en los *Paisajes peruanos* de José de la Riva-Agüero y Osma», *Revista Andina*, núm. 34, enero de 2002, pp. 123-134.

VIENRICH, Adolfo, *Azucenas quechuas*, Lima, Concejo Provincial de Tarma, 1959.

VILLIERS DE L'ÎSLE ADAM, Auguste, *Cuentos crueles*, traducción de Mauro Armiño, Madrid, Valdemar, 2017.

VINATEA, Martina, «Catalina María Doria y las escritoras del siglo XVII», *Rumbos del hispanismo en el umbral del cincuentenario de la AIH*, vol. VI, Roma, Bagatto Libri, 2012, pp. 91-97.

WIENER, Charles, *Perú y Bolivia. Relato de viaje*, traducción de Edgardo Rivera Martínez, Lima, Instituto Francés de Estudios Andinos/Universidad Nacional Mayor de San Marcos, 1993 [1880].

WIESSE REBAGLIATI, Jorge, «Consideraciones sobre el 98 y la prosa de *Paisajes peruanos* de José de la Riva-Agüero», en *La ira y la quimera. Actas del Coloquio Internacional Centenario de la Generación del 98. España y América*, ed. Eduardo Hopkins, Lima, Pontificia Universidad Católica del Perú, 2001, pp. 237-245.

— «¿Es *Paisajes peruanos* un libro de viajes?», *Boletín del Instituto Riva-Agüero*, núm. 36, 2011, pp. 51-67.

— «Viñetas, estampas, retablos. Estructura y función de la descripción en *Paisajes peruanos*», en *«Paisajes peruanos» 1912-2012. José de la Riva-Agüero, la ruta y el texto*, ed. Jorge Wiesse Rebagliati, Lima, Sociedad Geográfica de Lima/Instituto Riva-Agüero, 2013, pp. 181-198.

— «Literatura, historia y mito de una ciudad: el Cuzco como prólogo (*Paisajes peruanos*, I)», *Lexis*, vol. XL, núm. 2, 2016, pp. 435-446.

— «Los *Viajes* de Riva-Agüero», *Lexis*, vol. XLIII, núm. 1, 2019a, pp. 221-232.

— «Retórica de los testimonios: crónicas de Indias, textos históricos y épica heroica en *Paisajes peruanos* (1955) de José de la Riva-Agüero», *Hipogrifo*, 7.2, 2019b, pp. 301-320.

— «Innovación, adopción, norma individual: el caso de los topónimos y los antropónimos quechuas de *Paisajes peruanos* de José de la Riva-Agüero», ponencia presentada en el Congreso Internacional de Lingüística Coseriana VII: «La Historia de la lengua y la Dialectología. El concepto de cambio lingüístico», Cádiz, Universidad de Cádiz, 14 al 17 de enero de 2020.

ZÁRATE, Agustín de, *Historia del descubrimiento y la conquista del Perú*, ed. Franklin Pease G. Y. y Teodoro Hampe Martínez, Lima, Pontificia Universidad Católica del Perú, 1995.